westermann

Rahmenthemen 1 bis 4

Literatur und Sprache um 1800
Drama und Kommunikation
Literatur und Sprache um 1900
Vielfalt lyrischen Sprechens

schroedel **Abitur**

Schülerarbeitsbuch

GRUNDBAND I

DEUTSCH • NIEDERSACHSEN

Der **Grundband I Abitur Niedersachsen Deutsch** wurde erarbeitet von:
Jan J. Bakker
Dr. Peter Bekes
Karin Cohrs
Falk Freyberg
Anne Matz
Heinrich Meißner
Peter Noss
Sascha Spolders
Dr. Dieter Stüttgen
Angelika Welle

herausgegeben von Karin Cohrs

Weitere Informationen und Materialien im Internet:
www.westermann.de/schroedel-abitur
www.westermann.de/schroedel-lektueren
www.westermann.de/schroedel-interpretationen

Druck A[7] / Jahr 2024
Alle Drucke der Serie A sind im Unterricht parallel verwendbar.

Reihentypografie: Yvonne Konstanze Behnke, Berlin
Satz: punktgenau GmbH, Bühl
Umschlaggestaltung: LIO Design GmbH, Braunschweig
Druck und Bindung: Westermann Druck GmbH, Georg-Westermann-Allee 66, 38104 Braunschweig

ISBN 978-3-14-**169001**-9

Das erwartet Sie ...

Liebe Schülerinnen und Schüler,

vor Ihnen liegen zwei spannende Jahre in der Oberstufe. Sicherlich werden Sie sich auf dem Weg zu Ihrem Abitur einigen neuen Herausforderungen stellen müssen. Sie tragen nun noch stärker als zuvor die Verantwortung für Ihre Arbeitsweise und Ihren Lernprozess. Damit Sie nicht den Durchblick verlieren, finden Sie hier eine Übersicht darüber, was Sie im Deutschunterricht bis zum Abitur erwartet.

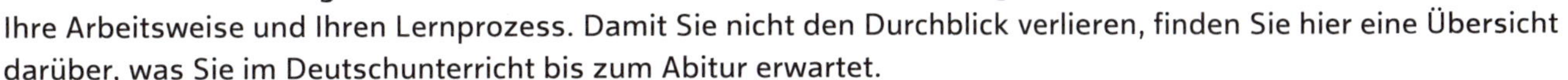

Für das Fach Deutsch sieht der für Sie relevante Lehrplan, das niedersächsische Kerncurriculum (KC), in den nächsten vier Halbjahren insgesamt **sieben Rahmenthemen** vor: zwei pro Halbjahr, eins im Prüfungshalbjahr. Ein Rahmenthema, z.B. *Literatur und Sprache um 1800*, enthält immer ein **Pflichtmodul**, das für alle Oberstufenschüler in Niedersachsen verpflichtend ist, hier z. B. *Romantik als Gegenbewegung zur Aufklärung?* Zusätzlich muss ein weiteres **Wahlpflichtmodul** behandelt werden. Dazu schlägt das KC pro Rahmenthema acht Module – insgesamt folglich 56 Module – vor, aus denen Ihre Lehrerin oder Ihr Lehrer bzw. Sie als Kurs auswählen können.

Die Reihe „Schroedel Abitur" Deutsch (Niedersachsen) besteht aus folgenden Werkteilen:

Für das 1. Schuljahr in der Qualifikationsphase: **Grundband I + Ergänzungsband I**

Für das 2. Schuljahr in der Qualifikationsphase: **Grundband II + Ergänzungsband II**

Die Grundbände enthalten die Pflichtmodule für alle Rahmenthemen sowie für jedes Rahmenthema jeweils ein ausgewähltes Wahlpflichtmodul.

Die separaten Ergänzungsbände enthalten die für Ihren Schuljahrgang prüfungsrelevanten Wahlpflichtmodule sowie ggf. ergänzende Wahlpflichtmodule.

Übersicht über **die Grundbände**:

Rahmenthema	Pflichtmodul	Wahlpflichtmodul
1 Lit. u. Sprache um 1800	Romantik als Gegenbewegung zur Aufklärung?	WPM 5 Gegenwelten in der Romantik
2 Drama und Kommunikation	Gestaltungsmittel des Dramas	WPM 4 Familie im Drama
3 Lit. u. Sprache um 1900	Krise und Erneuerung des Erzählens	WPM 5 Frauenbilder von Effi bis Else
4 Vielfalt lyrischen Sprechens	Was ist der Mensch? Lebensfragen und Sinnentwürfe	WPM 2 Unterschiedliche Sichtweisen von Natur
5 Lit. u. Sprache von 1945 bis zur Gegenwart	Wirklichkeitserfahrungen und Lebensgefühle Jugendlicher	WPM 4 Auf der Suche nach dem Ich – Identitätsprobleme
6 Reflexion über Sprache und Sprachgebrauch	Tendenzen in der deutschen Gegenwartssprache	WPM 1 Sprachliche Vielfalt/ Varietäten
7 Medienwelten	Medien im Wandel	WPM 3 Der Film als eigene Kunstform

Zu jedem Pflichtmodul wird Ihnen ein ausführliches **Klausurtraining** angeboten, in dem Sie schrittweise an das Verfassen verschiedener Textsorten und an die Bewältigung unterschiedlicher Aufgabenformate herangeführt werden.

Der Weg ist das Ziel!

Wir wünschen Ihnen in diesem Sinne viel Freude und Erfolg im Deutschunterricht der Oberstufe!

Rahmenthema

Literatur und Sprache um 1800

1

Pflichtmodul: Romantik als Gegenbewegung zur Aufklärung? 11

Im Mittelpunkt der Betrachtung stehen die Leitideen der Epochen und die Entwicklung des Menschenbildes in der Literatur. Am Beispiel zeitlich nah beieinander liegender, aber thematisch und motivisch unterschiedlicher Texte erarbeiten Sie die *Periodisierungsproblematik*. Im selben Kontext findet die zeittypische *Sprachverwendung* eine detaillierte Betrachtung. Zudem wird eine Abgrenzung zu den bedeutenden Parallelströmungen bzw. -epochen *Sturm und Drang* und *Weimarer Klassik* vorgenommen.

Wahlpflichtmodul 5: Gegenwelten in der Romantik 66

Hier können Sie sich mit dem literarischen Schaffen zu Zeiten der *Romantik* tiefergehend auseinandersetzen. Dieses nimmt literarische Figuren in den Blick, die als Sonderlinge, Außenseiter und Automaten bezeichnet werden können.

Kompetenzen

In diesem Rahmenthema setzen Sie sich vertieft mit zwei zentralen Epochen der Literaturgeschichte auseinander, der *Aufklärung* und der *Romantik*, und lernen gleichzeitig die Vielfalt des literarischen Schaffens in der Zeit um 1800 kennen.

Im Rahmen Ihrer Erarbeitungen werden Sie folgende Kompetenzen erwerben:

- Sie erlangen einen Überblick über bedeutende literarische Strömungen und Epochen der deutschen Literatur um 1800 und können auf dieser Grundlage die Historizität und die zeitliche Eingebundenheit literarischer Texte erschließen.
- Sie sind in der Lage, die erarbeiteten Kenntnisse der literarischen Tradition auf die gegenwärtige Rezeption zu beziehen.

Als Schülerinnen und Schüler des erhöhten Anforderungsniveaus erlangen Sie zusätzlich folgende Kompetenz:

- Sie lernen Probleme der Periodisierung, also der zeitlichen sowie merkmalsspezifischen Zuordnung der Literatur um 1800, kennen und setzen sich mit unterschiedlichen begrifflichen Varianten der Modellierung auseinander (Periode, Epoche, Strömung u. Ä.).
- Sie setzen sich mit der historisch-gesellschaftlichen Entwicklung auseinander. Dabei reflektieren Sie vertieft die Konsequenzen gesellschaftlicher Entwicklungen für die literarische Produktion am Beispiel der Frage, inwieweit die Romantik als Ausdruck einer Krisenerfahrung gesehen werden kann.

Pflichtmodul:

Romantik als Gegenbewegung zur Aufklärung?

Daniel Chodowiecki: Aufklärung (Kupferstich, 1791)

„Aufklärung ist der Ausgang des Menschen aus seiner selbstverschuldeten Unmündigkeit.“ *Immanuel Kant (1784)*

„Denn das ist der Anfang aller Poesie, den Gang und die Gesetze der vernünftig denkenden Vernunft aufzuheben und uns wieder in die schöne Verwirrung der Fantasie, in das ursprüngliche Chaos der menschlichen Natur zu versetzen.“ *Friedrich Schlegel (1800)*

Caspar David Friedrich: Uttewalder Grund (um 1825)

1 Beschreiben Sie die beiden Bilder und vergleichen Sie sie miteinander in Bezug auf die ausgedrückte Stimmung.

2 Setzen Sie vor diesem Hintergrund die beiden Zitate in Beziehung zueinander. Mit welchem Schlagwort könnten die jeweiligen Aussagen zusammengefasst werden? Worin unterscheiden sie sich?

Die Aufklärung – Eine Frage der Vernunft?

Grundgedanken anhand moderner und zeitgenössischer Rezeption erschließen

Gerade die literarische Epoche der Aufklärung wurde im Verlauf der Zeit in ihren Grundideen und Forderungen stark wieder aufgegriffen. Dabei erlaubt die moderne Rezeption Rückschlüsse auf das ursprüngliche Ziel der Dichter und Denker einer vergangenen Zeit, gibt aber auch einen problematisierenden Blick preis, der uns eine kritische Perspektive auf die Epoche ermöglicht. Welche Forderungen konnten umgesetzt werden? Welche haben sich in ihr Gegenteil verkehrt?

Erich Kästner

Die Entwicklung der Menschheit (1932)

Erich Kästner (1899–1974), deutscher Schriftsteller, bekannt durch seine Kinderliteratur (*Das fliegende Klassenzimmer*) und humoristische sowie zeitkritische Gedichte, weiterhin durch den Roman *Fabian. Geschichte eines Moralisten.*

Einst haben die Kerls auf den Bäumen gehockt,
behaart und mit böser Visage.
Dann hat man sie aus dem Urwald gelockt
und die Welt asphaltiert und aufgestockt,
bis zur dreißigsten Etage.

Da saßen sie nun, den Flöhen entflohn,
in zentralgeheizten Räumen.
Da sitzen sie nun am Telefon.
Und es herrscht noch genau derselbe Ton
wie seinerzeit auf den Bäumen.

Sie hören weit. Sie sehen fern.
Sie sind mit dem Weltall in Fühlung.
Sie putzen die Zähne. Sie atmen modern.
Die Erde ist ein gebildeter Stern
mit sehr viel Wasserspülung.

Sie schießen die Briefschaften durch ein Rohr.
Sie jagen und züchten Mikroben.
Sie versehn die Natur mit allem Komfort.
Sie fliegen steil in den Himmel empor
und bleiben zwei Wochen oben.

Was ihre Verdauung übriglässt,
das verarbeiten sie zu Watte.
Sie spalten Atome. Sie heilen Inzest.
Und sie stellen durch Stiluntersuchungen fest,
dass Cäsar Plattfüße hatte.

So haben sie mit dem Kopf und dem Mund
den Fortschritt der Menschheit geschaffen.
Doch davon mal abgesehen und
bei Lichte betrachtet sind sie im Grund
noch immer die alten Affen.

1 Lesen Sie das Gedicht und notieren Sie stichpunktartig neben dem Gedicht die von Kästners lyrischem Ich genannten Entwicklungen und Fortschritte/Errungenschaften der Menschheit. Markieren Sie Schlüsselbegriffe.

1 ***Lernarrangement***
a) Setzen Sie sich in Vierergruppen zusammen und tauschen Sie sich über Ihre Stichpunkte aus.
b) Diskutieren Sie dann die Aussageabsicht des Gedichts und bereiten Sie auf dieser Grundlage einen betonten Vortrag des Gedichts, unterstützt durch eine kleine Inszenierung, vor.
c) Präsentieren Sie sich gegenseitig im Plenum Ihre Ergebnisse.

2 Erläutern Sie auf Grundlage der Vorträge und der Inszenierungen die Kritik an der Entwicklung der Menschheit, die in Kästners Gedicht deutlich wird.

3 Stellen Sie in einer Plenumsdiskussion einen Kriterienkatalog auf, der sich an folgender Leitfrage orientiert: Was hätten die Menschen gebraucht, um die im Gedicht beschriebene Entwicklung anders zu gestalten?

Während Kästner in der Retrospektive durchaus kritisch auf die Entwicklung der Menschheit und damit auch auf das Erbe der Epoche der Aufklärung blickt, verbindet die zeitgenössische Rezeption das 18. Jahrhundert vor allem mit Begriffen wie Aufbruch, Fortschritt und Erleuchtung.

Jean Le Rond D'Alembert

Der Geist des 18. Jahrhunderts (1758, Auszug)

[...] Sobald man das Jahrhundert, in dessen Mitte wir stehen, aufmerksam betrachtet, sobald man sich die Ereignisse, die sich vor uns abspielen, die Sitten, in denen wir leben, die Werke, die wir hervorbringen, ja die Unterhaltungen, die wir führen, vergegenwärtigt, so wird man ohne Mühe gewahr, dass sich in allen unseren Ideen ein bemerkenswerter Wandel vollzogen hat: ein Wandel, der durch seine Schnelligkeit noch eine weit größere Umwälzung für die Zukunft verspricht. Erst mit der Zeit wird es möglich sein, den Gegenstand dieser Umwälzung genau zu bestimmen und ihre Natur und ihre Grenzen zu bezeichnen – und die Nachwelt wird besser als wir ihre Mängel und ihre Vorzüge zu erkennen vermögen. Unser Zeitalter liebt es, sich vor allem das Zeitalter der Philosophie zu nennen. In der Tat kann man, wenn man den gegenwärtigen Zustand unserer Erkenntnis ohne Vorurteil prüft, nicht leugnen, dass die Philosophie unter uns bedeutende Fortschritte gemacht hat. [...]

Aber die Entdeckung und der Gebrauch einer neuen Methode des Philosophierens erweckt nichtsdestoweniger durch den Enthusiasmus, der alle großen Entdeckungen begleitet, einen allgemeinen Aufschwung der Ideen. Alle diese Ursachen haben dazu beigetragen, eine lebhafte Gärung der Geister zu erzeugen. Diese Gärung, die nach allen Seiten hin wirkt, hat alles, was sich ihr darbot, mit Heftigkeit ergriffen, gleich einem Strom, der seine Dämme durchbricht. [...]

Neues Licht, das über viele Gegenstände verbreitet wurde; neue Dunkelheiten, die entstanden, waren die Frucht dieser allgemeinen Gärung der Geister: wie die Wirkung von Ebbe und Flut darin besteht, manches Neue ans Ufer zu spülen und wieder anderes von ihm loszureißen. [...]

Jean Le Rond D'Alembert (1717–1783), Philosoph und Mathematiker, führendes Mitglied der Pariser Aufklärungszirkel

Georg Christoph Lichtenberg

Errungenschaften des 18. Jahrhunderts (1783, Auszug)

[...] Unser achtzehntes Jahrhundert wird sich sicherlich nicht zu schämen haben, wenn es dereinst sein Inventarium von neu erworbenen Kenntnissen und angeschafften Sachen an das neunzehnte übergeben wird, auch selbst wenn die Überreichung morgen geschehen müsste. Wir wollen einmal einen ganz flüchtigen Blick auf dasjenige werfen, was es seinem Nachfolger antworten könnte, wenn

Georg Christoph Lichtenberg (1742–1799), Göttinger Professor und Hofrat, bekannt als Mathematiker und satirischer Schriftsteller

es morgen von ihm gefragt würde: Was hast du geliefert und was hast du Neues gesehen? Es konnte kühn antworten: Ich habe die Gestalt der Erde bestimmt; ich habe dem Donner Trotz bieten gelehrt; ich habe den Blitz wie Champagner auf Bouteillen gezogen;

[...] Statt einer einzigen Luft, die meine Vorfahren kannten, zähle ich dreizehn Arten; ich habe Luft in feste Körper und feste Körper in Luft verwandelt; ich habe Quecksilber geschmiedet; ungeheure Lasten mit Feuer gehoben; mit Wasser geschossen wie mit Schießpulver; ich habe die Pflanzen verführt, Kinder außer der Ehe zu zeugen; ich habe die Pole des natürlichen Magneten in einer Sekunde umgekehrt und wieder umgekehrt; ich habe Eier ohne Henne und ohne Brütwärme ausgebrütet. [...]

Bist du damit zufrieden? Gut. Aber sieh noch hier ein paar Kleinigkeiten: Hier habe ich einen neuen ungeheuren Staat, hier einen fünften Weltteil, da einen neuen Planeten, und ein kleines überzeugendes Beweischen, dass unsere Sonne ein Trabant ist, und sieh hier endlich habe ich in meinem 83sten Jahr ein Luftschiff gemacht [...]

1 Fassen Sie die Kernaussagen der beiden zeitgenössischen Gesellschaftsbeschreibungen zusammen. Orientieren Sie sich dabei vor allem an Aspekten, die die jeweilige Sichtweise der Zeit beschreiben.

2 Diskutieren Sie die generelle Aussageabsicht der beiden Darstellungen.

3 Setzen Sie die Ergebnisse aus den ersten beiden Aufgaben in Bezug zu Kästners Gedicht und vergleichen Sie die jeweils vertretenen Welt- und Menschenbilder. Vervollständigen Sie die unten aufgeführten Satzanfänge aus der Perspektive der jeweiligen Autoren. Nutzen Sie dafür die Tabelle.

D'Alembert und Lichtenberg	Kästner
Der Mensch hat ...	Der Mensch hat ...
Der Mensch ist ...	Der Mensch ist ...
Der Mensch soll ...	Der Mensch soll ...
Die Welt ist ...	Die Welt ist ...

4 Diskutieren Sie im Plenum mögliche Gründe für die Entwicklung der Menschen- und Weltbilder vom 18. Jahrhundert bis Kästner. Berücksichtigen Sie dabei vor allem die folgende Aussage D'Alemberts:
„Neues Licht, das über viele Gegenstände verbreitet wurde; neue Dunkelheiten, die entstanden, waren die Frucht dieser allgemeinen Gärung der Geister: Wie die Wirkung von Ebbe und Flut darin besteht, manches Neue ans Ufer zu spülen und wieder anderes von ihm loszureißen."

Das nachfolgende Gedicht kann als typisches Beispiel für die Lyrik der Aufklärung gesehen werden, die in einem engen Zusammenhang mit der erziehenden Kinder- und Jugendliteratur steht.

Christian Fürchtegott Gellert

Freundschaft (ca. 1754)

Der Freund, der mir den Spiegel zeiget,
Den kleinsten Flecken nicht verschweiget,
Mich freundlich warnt, mich ernstlich schilt,
Wenn ich nicht meine Pflicht erfüllt:
Der ist mein Freund,
So wenig er es scheint.

Doch der, der mich stets schmeichelnd preiset,
Mir Alles lobt und nichts verweiset,
Zu Fehlern gern die Hände beut
Und mir vergibt, eh' ich bereut:
Der ist mein Feind,
So freundlich er auch scheint.

Christian Fürchtegott Gellert (1715–1769), deutscher Schriftsteller und Moralphilosoph; galt zu Lebzeiten als meistgelesener Schriftsteller

1 Fassen Sie den Inhalt des Gedichts strophenweise zusammen.

2 Die Literatur der Aufklärung gipfelt oft in einem Lehrsatz, einem Wegweiser für die weitere Lebensgestaltung hin zu einem aufgeklärten Leben. Erläutern Sie vor diesem Hintergrund die Intention des Gedichts *Freundschaft*.

3 Verfassen Sie entweder ein eigenes kurzes Gedicht oder einen Text zur Frage der Freundschaft, die für Ihre Zeitgenossen eine Art Verhaltensratgeber sein könnten.

Kant und die *Berlinische Monatsschrift*

Immanuel Kant (1724–1804), der wohl berühmteste Philosoph seiner Zeit, gilt als der Aufklärer schlechthin und zugleich als einer der bedeutendsten Philosophen der Weltgeschichte. Prägend nach Kant ist dabei für die Philosophie die Beantwortung dreier Fragen, die dann in eine vierte münden, die sogenannten philosophischen Grundfragen: Was kann ich wissen? Was soll ich tun? Was darf ich hoffen? Was ist der Mensch? Diese Fragen legen den Grundstein für drei große Bereiche der Philosophie: die Erkenntnistheorie, also die Frage, wie der Mensch zur Erkenntnis kommt, die Ethik, die Frage nach dem moralisch wertvollen Verhalten, und die Religionsphilosophie, also die Frage der Möglichkeiten des Glaubens. Aus der Beantwortung der ersten drei Fragen und deren philosophischer Erkenntnis ergibt sich für Kant die Möglichkeit, die letzte Frage, „Was ist der Mensch?", in philosophischer Hinsicht zu beantworten.

Berlinische Monatsschrift.

1784.

Zwölftes Stük. December.

1.

Beantwortung der Frage:
Was ist Aufklärung?

Kants Essay *Beantwortung der Frage: Was ist Aufklärung?* (1784) erschien in der „Berlinischen Monatsschrift". Bereits 1783 war in dieser angemahnt worden, dass sich noch niemand mit der Beantwortung dieser wichtigen Frage auseinandergesetzt habe. Einige Literaten und Philosophen reagierten auf diese Aufforderung, und so entwickelte sich eine Grundsatzdebatte über die Definition der Aufklärung.

Diese Form der Auseinandersetzung und damit auch die *Berlinische Monatsschrift* stehen repräsentativ für eine aufkommende Diskurskultur im 18. Jahrhundert. Die sich entwickelnden Zeitschriften und das entstehende Verlagswesen eröffneten Möglichkeiten der öffentlichen Diskussionen, sodass nicht mehr nur kleine, eingeweihte Zirkel sich mit den großen (und kleinen) philosophischen Fragen beschäftigen konnten. Die *Berlinische Monatsschrift* erschien von 1783 bis 1796 und gilt als bevorzugtes Organ Kants, nicht zuletzt wegen der Debatte um die Definition von Aufklärung.

Kants Essay *Beantwortung der Frage: Was ist Aufklärung?* analysieren

Immanuel Kant

Beantwortung der Frage: Was ist Aufklärung? (1784, Auszug)

Immanuel Kant (1724–1804), deutscher Philosoph, insbesondere bekannt für sein Werk *Kritik der reinen Vernunft*

Aufklärung ist der Ausgang des Menschen aus seiner selbstverschuldeten Unmündigkeit. Unmündigkeit ist das Unvermögen, sich seines Verstandes ohne Leitung eines anderen zu bedienen. Selbstverschuldet ist diese Unmündigkeit, wenn die Ursache derselben nicht am Mangel des Verstandes, sondern der Entschließung und des Mutes liegt, sich seiner ohne Leitung eines andern zu bedienen. *Sapere aude!* Habe Mut, dich deines eigenen Verstandes zu bedienen! ist also der Wahlspruch der Aufklärung.

Faulheit und Feigheit sind die Ursachen, warum ein so großer Teil der Menschen, nachdem sie die Natur längst von fremder Leitung freigesprochen (*naturaliter maiorennes*), dennoch gerne zeitlebens unmündig bleiben; und warum es anderen so leicht wird, sich zu deren Vormündern aufzuwerfen. Es ist so bequem, unmündig zu sein. Habe ich ein Buch, das für mich Verstand hat, einen Seelsorger, der für mich Gewissen hat, einen Arzt, der für mich die Diät beurteilt usw., so brauche ich mich ja nicht selbst zu bemühen. Ich habe nicht nötig zu denken, wenn ich nur bezahlen kann; andere werden das verdrießliche Geschäft schon für mich übernehmen. Dass der bei weitem größte Teil der Menschen (darunter das ganze schöne Geschlecht) den Schritt zur Mündigkeit, außer dem dass er beschwerlich ist, auch für sehr gefährlich halte, dafür sorgen schon jene Vormünder, die die Oberaufsicht über sie gütigst auf sich genommen haben. Nachdem sie ihr Hausvieh zuerst dumm gemacht haben und sorgfältig verhüteten, dass diese ruhigen Geschöpfe ja keinen Schritt außer dem Gängelwagen, darin sie sie einsperrten, wagen durften, so zeigen sie ihnen nachher die Gefahr, die ihnen drohet, wenn sie es versuchen, allein zu gehen. Nun ist diese Gefahr zwar eben so groß nicht, denn sie würden durch einige Mal Fallen wohl endlich gehen lernen; allein ein Beispiel von der Art macht doch schüchtern und schreckt gemeiniglich von allen ferneren Versuchen ab.

Es ist also für jeden einzelnen Menschen schwer, sich aus der ihm beinahe zur Natur gewordenen Unmündigkeit herauszuarbeiten. Er hat sie sogar liebgewonnen und ist vorderhand wirklich unfähig, sich seines eigenen Verstandes zu bedienen, weil man ihn niemals den Versuch davon machen ließ. Satzungen und Formeln, diese mechanischen Werkzeuge eines vernünftigen Gebrauchs oder vielmehr Missbrauchs seiner Naturgaben, sind die Fußschellen einer immerwährenden Unmündigkeit. Wer sie auch abwürfe, würde dennoch auch über den schmalsten Graben einen nur unsicheren Sprung tun, weil er zu dergleichen freier Bewegung nicht gewöhnt ist. Daher gibt es nur wenige, denen es gelungen ist, durch eigene Bearbeitung ihres Geistes sich aus der Unmündigkeit herauszuwickeln und dennoch einen sicheren Gang zu tun.

Dass aber ein Publikum sich selbst aufkläre, ist eher möglich; ja es ist, wenn man ihm nur Freiheit lässt, beinahe unausbleiblich. Denn da werden sich immer einige Selbstdenkende, sogar unter den eingesetzten Vormündern des großen Haufens finden, welche, nachdem sie das Joch der Unmündigkeit selbst abgeworfen haben, den Geist einer vernünftigen Schätzung des eigenen Werts und des Berufs jedes Menschen, selbst zu denken, um sich verbreiten werden. Besonders ist hierbei: dass das Publikum, welches zuvor von ihnen unter dieses Joch gebracht worden, sie hernach selbst zwingt, darunter zu bleiben, wenn es von einigen seiner Vormünder, die selbst aller Aufklärung unfähig sind, dazu aufgewiegelt worden; so schädlich ist es, Vorurteile zu pflanzen, weil sie sich zuletzt an denen selbst rächen, die oder deren Vorgänger ihre Urheber gewesen sind. Daher kann ein Publikum nur langsam zur Aufklärung gelangen. Durch eine Revolution wird vielleicht wohl ein Abfall von persönlichem Despotismus und gewinnsüchtiger oder herrschsüchtiger Bedrückung, aber niemals wahre Reform der Denkungsart zustande kommen; sondern neue Vorurteile werden, ebenso wohl als die alten, zum Leitbande des gedankenlosen großen Haufens dienen.

Zu dieser Aufklärung aber wird nichts erfordert als Freiheit; und zwar die unschädlichste unter allem, was nur Freiheit heißen mag, nämlich die: von seiner Vernunft in allen Stücken öffentlichen Gebrauch zu machen. Nun höre ich aber von allen Seiten rufen: Räsoniert nicht! Der Offizier sagt: Räsoniert nicht, sondern exerziert! Der Finanzrat: Räsoniert nicht, sondern bezahlt! Der Geistliche: Räsoniert nicht, sondern glaubt! [...]

Hier ist überall Einschränkung der Freiheit. Welche Einschränkung aber ist der Aufklärung hinderlich, welche nicht, sondern ihr wohl gar beförderlich? – Ich antworte: Der öffentliche Gebrauch seiner Vernunft muss jederzeit frei sein, und der allein kann Aufklärung unter Menschen zustande bringen; der Privatgebrauch derselben aber darf öfters sehr enge eingeschränkt sein, ohne doch darum den Fortschritt der Aufklärung sonderlich zu hindern.

Ich verstehe aber unter dem öffentlichen Gebrauche seiner eigenen Vernunft denjenigen, den jemand als Gelehrter von ihr vor dem ganzen Publikum der Leserwelt macht. Den Privatgebrauch nenne ich denjenigen, den er in einem gewissen ihm anvertrauten bürgerlichen Posten oder Amte von seiner Vernunft machen darf. [...]

So würde es sehr verderblich sein, wenn ein Offizier, dem von seinen Oberen etwas anbefohlen wird, im Dienste über die Zweckmäßigkeit oder Nützlichkeit dieses Befehls laut vernünfteln wollte; er muss gehorchen. Es kann ihm aber billigermaßen nicht verwehrt werden, als Gelehrter über die Fehler im Kriegesdienste Anmerkungen zu machen und diese seinem Publikum zur Beurteilung vorzulegen. Der Bürger kann sich nicht weigern, die ihm auferlegten Abgaben zu leisten; sogar kann ein vorwitziger Tadel solcher Auflagen, wenn sie von ihm geleistet werden sollen, als ein Skandal bestraft werden. Ebenderselbe handelt dem ungeachtet der Pflicht eines Bürgers nicht entgegen, wenn er als Gelehrter wider die Unschicklichkeit oder auch Ungerechtigkeit solcher Ausschreibungen öffentlich seine Gedanken äußert. [...]

Die Menschen arbeiten sich von selbst nach und nach aus der Rohigkeit heraus, wenn man nur nicht absichtlich künstelt, um sie darin zu erhalten. [...]

1 Definieren Sie in eigenen Worten Kants Auffassung von „Aufklärung".

2 Erläutern Sie, welche Hindernisgründe Kant für den „Ausgang" aus der selbstverschuldeten Unmündigkeit sieht.

3 Klären Sie auf Grundlage des Textauszuges Kants Verständnis der Begriffe *Vernunft*, *Mündigkeit*, *Erziehung* und *private* sowie *öffentliche Freiheit* bzw. *privater* und *öffentlicher Vernunftgebrauch*.

4 Ziel der Aufklärung im Kantschen Sinne ist die Erziehung zur Mündigkeit. Literarische Texte, die sich an den Leitideen der Aufklärung orientieren, wollen oder sollen zur Mündigkeit beitragen. Entwickeln Sie auf Grundlage des Textes mithilfe der in Aufgabe 3 geklärten Begriffe Leitfragen zur Überprüfung, inwieweit und auf Grundlage welcher Merkmale die folgenden literarischen Texte zur Erziehung zur Mündigkeit, also zur Aufklärung im Kantschen Sinne, beitragen.

„Was erzogen wird, wird zu etwas erzogen!"

Den Erziehungsanspruch in Fabeln kritisch reflektieren

Die Fabel, zurückgehend auf Äsop, vermutlich ein phrygischer Sklave im 6. Jahrhundert vor Christus und Schöpfer der griechischen Tierfabel, erfreut sich im 18. Jahrhundert großer Beliebtheit, nicht zuletzt aufgrund der erzieherischen Grundhaltung, die in und mit ihr vertreten wird. Grundsatz der Fabeldichtung ist es, zu belehren und gleichzeitig zu unterhalten (*fabula docet et delectat*).

Tanzbär, Federlithografie, um 1815

Christian Fürchtegott Gellert

Der Tanzbär (1746)

1 Ein Bär, der lange Zeit sein Brot ertanzen müssen,
Entrann, und wählte sich den ersten Aufenthalt.
Die Bären grüßten ihn mit brüderlichen Küssen.
Und brummten freudig durch den Wald.
Und wo ein Bär den andern sah:
So hieß es: Petz ist wieder da!
Der Bär erzählte drauf, was er in fremden Landen
Für Abenteuer ausgestanden,
Was er gesehn, gehört, getan!
Und fing, da er vom Tanzen redte,
Als ging er noch an seiner Kette,
Auf polnisch schön zu tanzen an.
Die Brüder, die ihn tanzen sahn,
Bewunderten die Wendung seiner Glieder,
Und gleich versuchten es die Brüder;
Allein anstatt, wie er, zu gehen:
So konnten sie kaum aufrecht stehn,
Und mancher fiel die Länge lang danieder.
Um desto mehr ließ sich der Tänzer sehn;
Doch seine Kunst verdross den ganzen Haufen.
Fort, schrien alle, fort mit dir!
Du Narr willst klüger sein als wir?
Man zwang den Petz, davonzulaufen.

Sei nicht geschickt, man wird dich wenig hassen,
Weil dir dann jeder ähnlich ist;
Doch je geschickter du vor vielen andern bist;
Je mehr nimm dich in acht, dich prahlend sehn zu lassen.
Wahr ist's, man wird auf kurze Zeit
Von deinen Künsten rühmlich sprechen;
Doch traue nicht, bald folgt der Neid,
Und macht aus der Geschicklichkeit
Ein unvergebliches Verbrechen.

Gotthold Ephraim Lessing

Der Tanzbär (1751)

1 Ein Tanzbär war der Kett entrissen,
Kam wieder in den Wald zurück,
Und tanzte seiner Schar ein Meisterstück
Auf den gewohnten Hinterfüßen.
„Seht", schrie er, „das ist Kunst; das lernt man in der Welt.
Tut mir es nach, wenns euch gefällt,
Und wenn ihr könnt!" „Geh", brummt ein alter Bär,
„Dergleichen Kunst, sie sei so schwer,
Sie sei so rar sie sei!
Zeigt deinen niedern Geist und deine Sklaverei".

Ein großer Hofmann sein,
Ein Mann, dem Schmeichelei und List
Statt Witz und Tugend ist;
Der durch Kabalen steigt, des Fürsten Gunst erstiehlt,
Mit Wort und Schwur als Komplimenten spielt,
Ein solcher Mann, ein großer Hofmann sein,
Schließt das Lob oder Tadel ein?

Gotthold Ephraim Lessing (1729-1781), bedeutendster Literat der deutschen Aufklärung; die bekanntesten Werke sind das Bürgerliche Trauerspiel *Emilia Galotti* (1772), das dramatische Gedicht *Nathan der Weise* (1779) sowie die dramentheoretische Schrift *Hamburgische Dramaturgie* (1767–69).

1 ***Lernarrangement***
Halbieren Sie den Kurs und teilen Sie jeder Hälfte eine Tanzbär-Fabel zu.
a) Fassen Sie die Kerngedanken Ihrer jeweiligen Fabel in eigenen Worten zusammen.
b) Tauschen Sie sich mit Ihrem Sitznachbarn aus und erläutern Sie gemeinsam die zentrale Tieranalogie des Tanzbären: Welches Bild wird vermittelt und auf welche Vereinfachungen wird zurückgegriffen? Welches Menschenbild wird damit im übertragenen Sinn vertreten?
c) Setzen Sie sich mit einem anderen Partnerteam zu Ihrer Fabel zusammen. Erstellen Sie ein Handout, das sich an folgenden Leitfragen orientiert: Was wird gezeigt (Inhalt)? Wie wird es gezeigt (Form)? Welche zentrale Tieranalogie wird mit welcher Absicht gezeigt (Intention)? Wie wird die Fabel sprachlich gestaltet, um die Intention zu erzielen (Inhalt-Form-Zusammenhang)?
d) Stellen Sie sich im Plenum gegenseitig Ihre Handouts zu beiden Fabeln vor und diskutieren Sie auf Grundlage der Präsentationen Gemeinsamkeiten und Unterschiede bezüglich der Umsetzung der Tieranalogie und der generellen Wirkungsabsicht beider Fabeln.

Der bürgerliche Tugendkatalog im Zeitalter der Aufklärung

Die Zeit des Absolutismus im 18. Jahrhundert ist verbunden mit dem Aufkommen eines Bürgertums. Im ursprünglichen Sinn bedeutet der Begriff *Bürger* dabei das Allgemein-Menschliche und ebnet so den Weg zur Überwindung einer Ständegesellschaft. In bewusster Abgrenzung vom höfischen Leben entwickelt sich im Bürgertum eine neue Ethik und Moralvorstellung. Es entsteht ein bürgerlicher Tugendkatalog, der zum einen auf dem Protestantismus und zum anderen auf Vernunftprinzipien beruht. Dieser Katalog beinhaltet Wertevorstellungen wie z. B. Aufrichtigkeit, Selbstlosigkeit, Keuschheit, christliche Religiosität, Gehorsam gegenüber den Eltern und Empfindsamkeit. Das nach den Verwüstungen des Dreißigjährigen Krieges (1618–1648) ökonomisch erstarkte Bürgertum, das zunächst jedoch politisch ohne Macht und Einfluss blieb, definiert sich nun über diese moralischen Werte, die bewusst konträr sind zu dem als verwerflich und unmoralisch empfundenen höfischen Leben. Diese Entwicklung wird verstärkt und teilweise initiiert durch literarische Tendenzen, die den Prinzipien der Aufklärung folgen.

2 Betrachten Sie den zweiten Teil der Lessing'schen Fabel genauer. Nehmen Sie Stellung zu der Frage, inwieweit sich hier die Merkmale des Bürgerlichen Tugendkatalogs widerspiegeln.

3 Überprüfen Sie im Plenum anhand Ihrer entwickelten Leitfragen (Seite 17, Aufgabe 4), inwieweit die beiden Texte zur Aufklärung im Sinne der Erziehung zur Mündigkeit beitragen können.

Alles nur Aufklärung? – Vernunft versus Herz!

Tendenzen der Literatur um 1800 erschließen

Johann Wolfgang von Goethe

Prometheus (1774)

Johann Wolfgang von Goethe (1749–1832), einer der bekanntesten deutschen Dichter. Unter anderem Autor von *Faust*, *Die Leiden des jungen Werthers* und der Schrift *Dichtung und Wahrheit.*

Bedecke deinen Himmel, Zeus,
Mit Wolkendunst!
Und übe, Knaben gleich,
Der Disteln köpft,
An Eichen dich und Bergeshöh'n!
Musst mir meine Erde
Doch lassen steh'n,
Und meine Hütte,
Die du nicht gebaut,
Und meinen Herd,
Um dessen Glut
Du mich beneidest.

Ich kenne nichts Ärmeres
Unter der Sonn' als euch Götter!
Ihr nähret kümmerlich
Von Opfersteuern
Und Gebetshauch
Eure Majestät
Und darbtet, wären
Nicht Kinder und Bettler
Hoffnungsvolle Toren.

Da ich ein Kind war,
Nicht wusst, wo aus, wo ein,
Kehrt' ich mein verirrtes Auge
Zur Sonne, als wenn drüber wär
Ein Ohr zu hören meine Klage,
Ein Herz wie meins,
Sich des Bedrängten zu erbarmen.

Wer half mir
Wider der Titanen Übermut?
Wer rettete vom Tode mich,
Von Sklaverei?
Hast du's nicht alles selbst vollendet,
Heilig glühend Herz?
Und glühtest, jung und gut,
Betrogen, Rettungsdank
Dem Schlafenden dadroben?

Ich dich ehren? Wofür?
Hast du die Schmerzen gelindert
Je des Beladenen?
Hast du die Tränen gestillet
Je des Geängsteten?
Hat nicht mich zum Manne geschmiedet
Die allmächtige Zeit
Und das ewige Schicksal,
Meine Herren und deine?
Wähntest du etwa,
Ich sollte das Leben hassen,
In Wüsten fliehn,
Weil nicht alle Knabenmorgen-
Blütenträume reiften?

Hier sitz' ich, forme Menschen
Nach meinem Bilde,
Ein Geschlecht, das mir gleich sei,
Zu leiden, weinen,
Genießen und zu freuen sich,
Und dein nicht zu achten,
Wie ich!

1 Lesen Sie die Hymne des jungen Goethe und vergleichen Sie sie rückblickend mit Lessings *Der Tanzbär* (s. S. 19). Welcher Text wirkt auf Sie emotionaler? Begründen Sie Ihre Wahl.

2 ***Lernarrangement***
a) Fassen Sie in einer Gruppe den Inhalt der Hymne zusammen.
b) Üben Sie auf der Grundlage Ihrer Ergebnisse einen betonten Vortrag des Gedichts ein.
c) Präsentieren Sie sich gegenseitig im Plenum Ihre eingeübten Vorträge und diskutieren Sie, welcher Vortrag am ehesten die Stimmung des Gedichts ausgedrückt hat.

TIPP
Zum leichteren Verständnis der Inhalte kann es hilfreich sein, sich im Informationskasten auf S. 21 über den Prometheus-Mythos zu informieren.

Der Prometheus-Mythos

Prometheus (übers. „Der Vorausdenkende") gilt in der griechischen Mythologie als Freund und Kulturstifter der Menschheit. Bei Ovid wird er auch als Schöpfer der Menschen und Tiere bezeichnet. Er gilt als Titan, der den Göttern zunächst hilfreich gegenübersteht. Die Titanen sind Riesen in Menschengestalt und ein Göttergeschlecht. In der antiken Mythologie herrschten die Titanen vor den olympischen Göttern auf der Erde. Zeus selbst, der Göttervater, ist der Sohn der Verbindung zweier Titanen.

Der weitere Prometheus-Mythos ist in mehrere Ebenen zu unterteilen:
Unter der Herrschaft Zeus' will Prometheus zunächst die Menschen auf der Erde erwecken, formt diese aus Ton und gibt ihnen Eigenschaften von unterschiedlichen Tierarten. Die Göttin Athene verleiht den Menschen schließlich Verstand und Vernunft, und die Menschheit lebt fortan mit Prometheus als ihrem Lehrmeister.
Dann werden die Götter auf die Menschen aufmerksam und verlangen Opfergaben. Prometheus fingiert einen Betrug, den der allwissende Zeus zwar durchschaut, auf den er aber trotzdem eingeht. Als der Betrug offensichtlich wird, fordert Zeus die Bestrafung des Prometheus und der Menschheit. Zunächst nimmt Zeus den Menschen das Feuer, das den Göttern aber von Prometheus wieder gestohlen und den Menschen zurückgebracht wird.
Wieder ist Zeus erbost und bestraft sowohl die Menschen als auch Prometheus. Zeus sendet Epimetheus (übers. „Der Nachherbedenkende"), dem Bruder des Prometheus, Pandora als Frau und gibt dieser eine Büchse, die die Unheilgaben der Götter enthält. Die Menschen erhalten durch das Öffnen der Büchse der Pandora Fieberkrankheiten, Leiden, plötzlichen Tod und göttliches Unheil, nur die Hoffnung bleibt in der Büchse zurück.
Prometheus selbst wird an einen Felsen im Kaukasus geschmiedet und der Adler Ethon frisst täglich ein Stück seiner Leber, die aufgrund der Unsterblichkeit Prometheus' ständig nachwächst. Erst nach vielen Jahrhunderten wird Prometheus durch Herakles, einen Sohn Zeus', von seinen Qualen erlöst.

1 Analysieren Sie vor dem Hintergrund der Ergebnisse (Seite 20, Aufg. 1 und 2) Goethes Gedicht in Bezug auf Sprechsituation, Adressaten (textimmanent und textextern), Inhalt, Appell, vertretenes Menschenbild und Sprachgebrauch. Berücksichtigen Sie bei Ihren Ausführungen auch die Informationen zum Prometheus-Mythos. Tragen Sie Ihre Ergebnisse in Ihrem Heft analog zum nachfolgenden Schema ein.

Goethes „Prometheus"	Lessings „Der Tanzbär"
Sprechsituation:	*Sprechsituation:*
Adressaten (textimmanent und textextern):	*Adressaten (textimmanent und textextern):*
Inhalt:	*Inhalt:*
Appell:	*Appell:*
Menschenbild:	*Menschenbild:*
Sprache:	*Sprache:*

2 Erweitern Sie nun Ihre Tabelle um eine zweite Spalte (s. o.) und stellen Sie Goethes *Prometheus* Lessings *Der Tanzbär* gegenüber. Vergleichen Sie die angegebenen Aspekte für beide Texte.

TIPP
Achten Sie insbesondere auf die verwendeten Arten des Satzbaus und die Redegestaltung, also z. B. Imperative, Fragen, Dialog- oder Monologstruktur, und die jeweils damit verbundene Funktionalität.

Wer stürmt und drängt wohin?

Sich mit einer Jugendbewegung auseinandersetzen

Der Sturm und Drang (ca. 1767–1790) – Nebenströmung der Aufklärung oder eigene Epoche?

Als Abgrenzung zur starken Betonung der Vernunft des Menschen in der Aufklärung entwickelt sich die Epoche oder auch Strömung des *Sturm und Drang*. Nun wird nicht mehr nur das Handeln aufgrund der Vernunft propagiert. Vielmehr werden das Gefühl des Individuums sowie dessen Kreativität und Spontaneität betont.

Anstatt konventionellen Regeln zu folgen, zeichnet sich die Literatur des Sturm und Drang durch eine breite Formenvielfalt aus: Die Lyrik verliert ihre klare Gliederung, Hymnen in freien Rhythmen sind das zentrale Element, Goethe verfasst einen Briefroman, *Die Leiden des jungen Werthers*, der sich von der bekannten, linearen epischen Gestaltung durch das Fragmentarische der Briefe entfernt, die Dramen lösen in Teilen die Einheiten von Handlung, Ort und Zeit auf und das Bürgertum erobert auch innerhalb der Dramen als prägende handelnde Figuren die Bühne. Der Sturm und Drang ist damit die Phase einer jungen Generation von Dichtern (unter ihnen der frühe Goethe und der junge Schiller), die durch die Aufklärung geprägt wurden, in ihrem Gedankengut aber deutlich revolutionärer sind. Thematisch stehen unterschiedliche Aspekte im Fokus:

Vater-Sohn-Konflikt: Der Kampf der Generationen ist häufiges Thema der Literatur des Sturm und Drang. Der rebellische, seinem Herzen folgende Sohn widersetzt sich seinem Vater, dem Repräsentanten der zu überwindenden alten Werteordnung.

Absolutismuskritik: Anders als in der Aufklärung wird in den Texten des Sturm und Drang wesentlich deutlichere Kritik am Absolutismus bzw. an der Ständegesellschaft formuliert. In der Aufklärung war oftmals das Verhalten innerhalb absolutistischer Systeme Thema, im Sturm und Drang kommt die Forderung des systemischen Umbruchs auf.

Religionskritik: In Verbindung mit dem sogenannten Naturenthusiasmus wird das Göttliche in der Natur gesehen (Pantheismus) und ist somit dem Menschen als Kind der Natur zugänglich. Abgelehnt wird auch hier die Forderung der strengen Autoritätsgläubigkeit durch die Kirchen, die für die Gesellschaft prägend sind.

Geniegedanke: Als Kind der Natur ist der schöpferische Mensch nur an deren Regeln gebunden und orientiert sich nicht an Autoritäten, sondern rebelliert gegen dogmatische Perspektiven und Zwang. Das Genie ist damit der frei schaffende Mensch (Künstler), der seiner Individualität und seinen Emotionen folgt. Dieser Aspekt bezieht sich oftmals sowohl auf Inhalte literarischer Werke als auch auf deren Verfasser und deren Tätigkeit.

Sprache: Sprachlich zeichnet sich der Sturm und Drang durch einen stark emotionalisierten Duktus aus. Apostrophen und Interjektionen ebenso wie Auslassungen sind häufig verwendete Stilmittel, die Umgangssprache, Dialekte und Soziolekte erhalten Einzug in die Literatur.

1 Setzen Sie die Merkmale des *Sturm und Drang*, wie sie im Informationstext dargestellt werden, und die der Aufklärung in Bezug zu Goethes Hymne *Prometheus*. Achten Sie auch auf die Sprachverwendung. Tragen Sie die Ergebnisse in die Tabelle unten ein.

Goethes *Prometheus* und Aspekte der Aufklärung	Goethes *Prometheus* und Aspekte des Sturm und Drang

Peter Paul Rubens: Der gefesselte Prometheus (1612)

Die wohl wichtigste Gattung des Sturm und Drang ist die Dramatik. Das Stück *Sturm und Drang* von Friedrich M. Klinger, im Originaltitel *Wirrwarr*, gilt als Namensgeber der Epoche. Auch ansonsten sind bedeutende Stücke in dieser Epoche verfasst worden, z. B. Goethes *Götz von Berlichingen*, Schillers *Die Räuber* und *Kabale und Liebe* oder auch Heinrich L. Wagners *Die Kindermörderin*. Alle diese Stücke wenden sich entweder neuen, „modernen“ Themen, Motiven oder Formen zu, manchmal auch allem gleichzeitig.

Der im Nachfolgenden zu besprechende Auszug aus Goethes Dramenfragment bettet sich nicht in die bekannten Stücke der Epoche ein, ist aber nichtsdestoweniger von Bedeutung. Das Stück selbst ist Fragment geblieben, Goethe hat die Arbeiten daran nicht abgeschlossen. Geblieben sind der erste Akt und ein fast fertiggestellter zweiter. Interessant ist das Stück dennoch, insbesondere aufgrund der großen Nähe zur bereits besprochenen Hymne *Prometheus* (S. 20), einem der Texte, denen man nachsagt, beispielhaft für den *Sturm und Drang* zu sein.

Johann Wolfgang von Goethe

Prometheus (1773–1775, Auszug)

Ein Dramatisches Fragment

Erster Akt
Prometheus. Merkur.

Prometheus: Ich will nicht, sag es ihnen!
Und kurz und gut, ich will nicht!
Ihr Wille gegen meinen!
Eins gegen eins,
Mich dünkt, es hebt sich!
Merkur: Deinem Vater Zeus das bringen?
Deiner Mutter?
Prometheus: Was Vater! Mutter!
Weißt du, woher du kommst?
Ich stand, als ich zum ersten Mal bemerkte
Die Füße stehn,
Und reichte, da ich
Diese Hände reichen fühlte,
Und fand die achtend meiner Tritte,
Die du nennst Vater, Mutter.
Merkur: Und reichend dir
Der Kindheit note Hülfe.
Prometheus: Und dafür hatten sie Gehorsam meiner Kindheit.
Den armen Sprössling zu bilden
Dahin, dorthin, nach dem Wind ihrer Grillen.
Merkur: Und schützten dich.
Prometheus: Wovor? Vor Gefahren,
Die sie fürchteten.
Haben sie das Herz bewahrt
Vor Schlangen, die es heimlich neidschten?
Diesen Busen gestählt,
Zu trotzen den Titanen?
Hat nicht mich zum Manne geschmiedet
Die allmächtige Zeit,
Mein Herr und eurer?
[…]
Merkur: Das Schicksal!
Prometheus: Anerkennst du seine Macht?
Ich auch! –
Und geh, ich diene nicht Vasallen!

Merkur ab. Prometheus zu seinen Statuen sich kehrend, die durch den ganzen Hain zerstreut stehen.

Unersetzlicher Augenblick!
Aus eurer Gesellschaft

Gerissen von dem Toren,
Meine Kinder!
Was es auch ist, das meinen Busen regt –

Sich einem Mädchen nahend.

Der Busen sollte mir entgegen wallen!
Das Auge spricht schon jetzt!
Sprich, rede, liebe Lippe, mir!
O, könnt ich euch das fühlen geben,
Was ihr seid!

Epimetheus kommt. [...]

Epimetheus: Mein Bruder! Alles, was recht ist!
Der Götter Vorschlag
War diesmal billig.
Sie wollen dir Olympus' Spitze räumen,
Dort sollst du wohnen,
Sollst der Erde herrschen!
Prometheus: Ihr Burggraf sein
Und ihren Himmel schützen? –
Mein Vorschlag ist viel billiger:
Sie wollen mit mir teilen, und ich meine,
Dass ich mit ihnen nichts zu teilen habe.
Das, was ich habe, können sie nicht rauben,
Und was sie haben, mögen sie beschützen.
Hier Mein und Dein,
Und so sind wir geschieden.
Epimetheus: Wie vieles ist denn dein?
Prometheus: Der Kreis, den meine Wirksamkeit erfüllt!
Nichts drunter und nichts drüber! –
Was haben diese Sterne droben
Für ein Recht an mich,
Dass sie mich begaffen?
Epimetheus: Du stehst allein!

[...] *Epimetheus ab.*

Prometheus: Hier meine Welt, mein All!
Hier fühl ich mich;
Hier alle meine Wünsche
In körperlichen Gestalten.
Meinen Geist so tausendfach
Geteilt und ganz in meinen teuern Kindern.
Minerva kommt.

Prometheus: Du wagst es, meine Göttin?
Wagest zu deines Vaters Feind zu treten?
Minerva: Ich ehre meinen Vater,
Und liebe dich, Prometheus!
Prometheus: Und du bist meinem Geist,
Was er sich selbst ist;
[...] So ein, so innig
Ewig meine Liebe dir!
Minerva: Und ich dir ewig gegenwärtig!
Prometheus: Wie der süße Dämmerschein
Der weggeschiednen Sonne
Dort heraufschwimmt
Vom finstern Kaukasus
Und meine Seel umgibt mit Wonneruh,
Abwesend auch mir immer gegenwärtig,
So haben meine Kräfte sich entwickelt
Mit jedem Atemzug aus deiner Himmelsluft.
Und welch ein Recht
Ergeizen sich die stolzen
Bewohner des Olympus
Auf meine Kräfte?
Sie sind mein, und mein ist ihr Gebrauch.
[...] Sonst! – Hast du mich nicht oft gesehn
In selbst erwählter Knechtschaft
Die Bürde tragen, die sie
In feierlichem Ernst auf meine Schultern legten?
Hab ich die Arbeit nicht vollendet,
Jedes Tagwerk, auf ihr Geheiß,
Weil ich glaubte,
Sie sähen das Vergangne, das Zukünftige
Im Gegenwärtigen,
Und ihre Leitung, ihr Gebot
Sei uranfängliche,
Uneigennützge Weisheit?
Minerva: Du dientest, um der Freiheit wert zu sein.
Prometheus: Und möcht um vieles nicht
Mit dem Donnervogel tauschen
Und meines Herren Blitze stolz
In Sklavenklauen packen.
Was sind sie? Was ich?
Minerva: Dein Hass ist ungerecht!
Den Göttern fiel zum Lose Dauer
Und Macht und Weisheit und Liebe.
Prometheus: Haben Sie das all
Doch nicht allein!
Ich daure so wie sie.
Wir alle sind ewig! –
Meines Anfangs erinnr ich mich nicht,
Zu enden hab ich keinen Beruf
Und seh das Ende nicht.
So bin ich ewig, denn ich bin! –
Und Weisheit –

Sie an den Bildnissen herumführend.

Sieh diese Stirn an!
Hat mein Finger nicht
Sie ausgeprägt?

Und dieses Busens Macht
Drängt sich entgegen
Der allanfallenden Gefahr umher.

Bleibt bei einer weiblichen Bildsäule stehen.

Und du, Pandora,
Heiliges Gefäß der Gaben alle,
Die ergötzlich sind
Unter dem weiten Himmel,
Auf der unendlichen Erde,
Alles, was mich je erquickt von Wonnegefühl,
Was in des Schattens Kühle
Mir Labsal ergossen,
Der Sonnen Liebe jemals Frühlingswonne,

Des Meeres laue Welle
Jemals Zärtlichkeit an meinen Busen angeschmiegt,
Und was ich je für reinen Himmelsglanz
Und Seelenruhgenuss geschmeckt –
Das all all – – Meine Pandora!
Minerva: Jupiter hat dir entboten,
Ihnen allen das Leben zu erteilen,
Wenn du seinem Antrag Gehör gäbst.
Prometheus: Das war das Einzige, was mich bedenken machte.
Allein – ich sollte Knecht sein und wir
All erkennen droben die Macht des Donnrers?
Nein! Sie mögen hier gebunden sein
Von ihrer Leblosigkeit,
Sie sind doch frei,
Und ich fühl ihre Freiheit!
Minerva: Und sie sollen leben!
Dem Schicksal ist es, nicht den Göttern,
Zu schenken das Leben und zu nehmen;
Komm, ich leite dich zum Quell des Lebens all,
Den Jupiter uns nicht verschließt:
Sie sollen leben, und durch dich!

1 Informieren Sie sich über den mythologischen Hintergrund, auf den Goethe sich im vorliegenden Auszug bezieht. Gehen Sie dabei folgenden mythologischen Figuren nach: Prometheus (s. auch Informationskasten auf S. 21), Epimetheus, Zeus/Jupiter, Merkur, Minerva, Pandora. Tragen Sie Stichpunkte in das Schaubild ein.

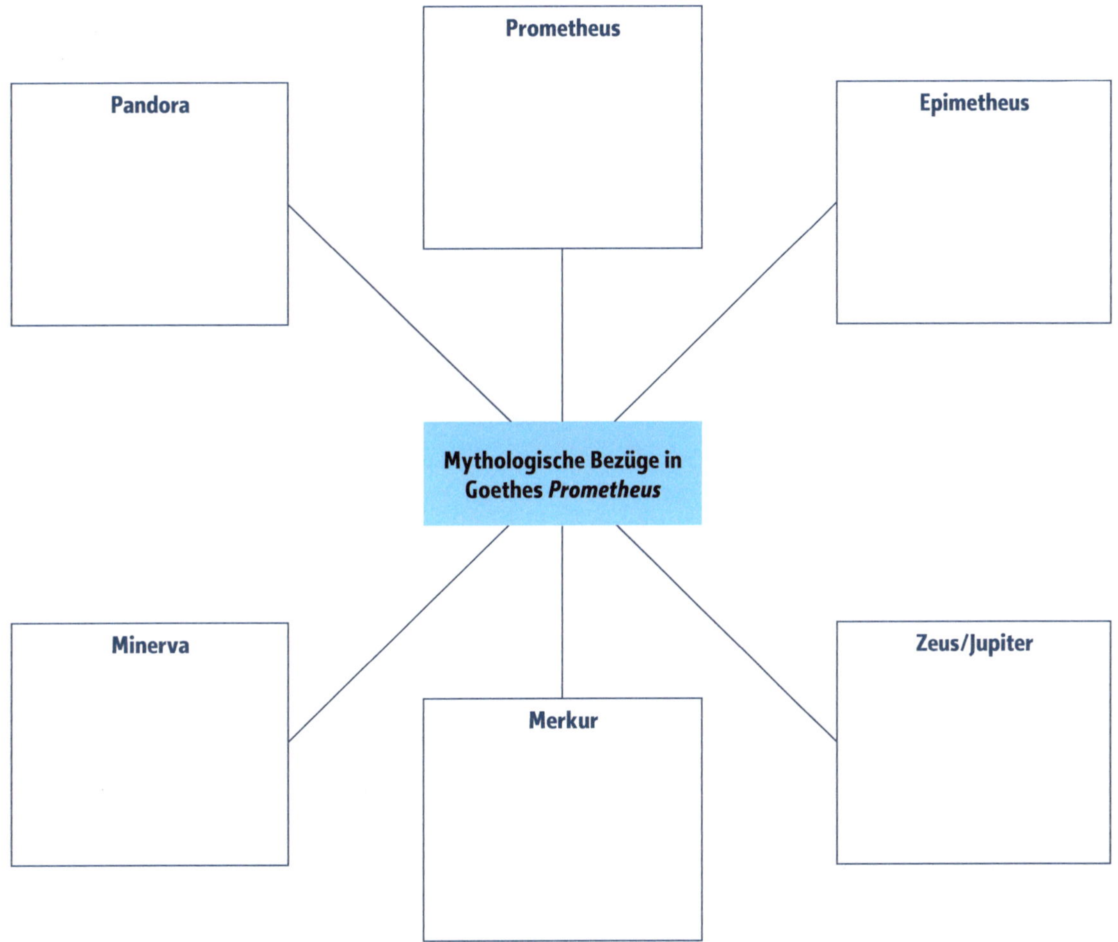

1 ***Lernarrangement***

a) Lesen Sie die Szene zunächst jeder für sich und machen Sie sich Notizen zur Stimmungslage und zu den Emotionen der einzelnen Figuren.

b) Verteilen Sie dann im Kurs die Rollen Prometheus, Merkur, Epimetheus, Minerva auf je einen Schüler/eine Schülerin und lesen Sie gemeinsam den Text mit verteilten Rollen.

c) Diskutieren Sie abschließend im Kurs die Wirkung des Textes.

2 Goethe weicht in diesem Fragment von der überlieferten Mythologie ab. Listen Sie in der unten angeführten Tabelle die Übereinstimmungen und die Abweichungen vom tatsächlichen Mythos auf und formulieren Sie am Ende der Erarbeitung ein Fazit zu den möglichen Gründen und der Funktion der Abweichungen.

Goethes Dramenfragment *Prometheus* und die Mythologie	
Gemeinsamkeiten	**Unterschiede**
Mögliche Gründe für Abweichungen:	

3 Charakterisieren Sie die Figur des Prometheus in Goethes Dramenfragment und nehmen Sie abschließend Stellung zu der Frage, inwieweit und aufgrund welcher Merkmale Prometheus eine typische Figur für den Sturm und Drang ist.

Die Programmatik einer Epoche anhand einer Rede erschließen

Johann Wolfgang von Goethe

Rede zum Schäkespears Tag (1771)

Am 14. Oktober 1771 anlässlich des Shakespeare-Tages in Frankfurt am Main im Elternhaus Goethes gehaltene Ansprache.

Mir kommt vor, das sei die edelste von unsern Empfindungen, die Hoffnung, auch dann zu bleiben, wenn das Schicksal uns zur allgemeinen Nonexistenz zurückgeführt zu haben scheint. Dieses Leben, meine Herren, ist für unsre Seele viel zu kurz, Zeuge, dass jeder Mensch, der geringste wie der höchste, der unfähigste wie der würdigste, eher alles müd wird, als zu leben; und dass keiner sein Ziel erreicht, wornach er so sehnlich ausging – denn wenn es einem auf seinem Gange auch noch so lang glückt, fällt er doch endlich, und oft im Angesicht des gehofften Zwecks, in eine Grube, die ihm, Gott weiß wer, gegraben hat, und wird für nichts gerechnet.

Für nichts gerechnet! Ich! Der ich mir alles bin, da ich alles nur durch mich kenne! So ruft jeder, der sich fühlt, und macht große Schritte durch dieses Leben, eine Bereitung für den unendlichen Weg drüben. Freilich jeder nach seinem Maß. Macht der eine mit dem stärksten Wandrertrab sich auf, so hat der andre Siebenmeilenstiefel an, überschreitet ihn, und zwei Schritte des letzten bezeichnen die Tagreise des ersten. Dem sei wie ihm wolle, dieser emsige Wandrer bleibt unser Freund und unser Geselle, wenn wir die gigantischen Schritte jenes anstaunen und ehren, seinen Fußtapfen folgen, seine Schritte mit den unsrigen abmessen.

[...] Wir ehren heute das Andenken des größten Wandrers und tun uns dadurch selbst eine Ehre an. Von Verdiensten, die wir zu schätzen wissen, haben wir den Keim in uns. Erwarten Sie nicht, dass ich viel und ordentlich schreibe, Ruhe der Seele ist kein Festtagskleid; und noch zur Zeit habe ich wenig über Schäkespearen gedacht; geahndet, empfunden, wenn's hoch kam, ist das Höchste, wohin ich's habe bringen können. Die erste Seite, die ich in ihm las, machte mich auf zeitlebens ihm eigen, und wie ich mit dem ersten Stocke fertig war, stund ich wie ein Blindgeborner, dem eine Wunderhand das Gesicht in einem Augenblicke schenkt. Ich erkannte, ich fühlte aufs lebhafteste meine Existenz um eine Unendlichkeit erweitert, alles war mir neu, unbekannt, und das ungewohnte Licht machte mir Augenschmerzen. Nach und nach lernt ich sehen, und, dank sei meinem erkenntlichen Genius, ich fühle noch immer lebhaft, was ich gewonnen habe.

Ich zweifelte keinen Augenblick, dem regelmäßigen Theater zu entsagen. Es schien mir die Einheit des Orts so kerkermäßig ängstlich, die Einheiten der Handlung und der Zeit lästige Fesseln unsrer Einbildungskraft. Ich sprang in die freie Luft und fühlte erst, dass ich Hände und Füße hatte. Und jetzo, da ich sahe, wie viel Unrecht mir die Herrn der Regeln in ihrem Loch angetan haben, wie viel freie Seelen noch drinne sich krümmen, so wäre mir mein Herz geborsten, wenn ich ihnen nicht Fehde angekündigt hätte und nicht täglich suchte ihre Türme zusammenzuschlagen.

Gemeint sind hier die aristotelischen **Einheiten von Zeit** (das Geschehen läuft in max. einem Sonnenumlauf ab), **Ort** (kein Ortswechsel in der Dramenhandlung) und **Handlung** (nur ein Handlungsstrang).

[...] Ich will abbrechen, meine Herren, und morgen weiterschreiben, denn ich bin in einem Ton, der Ihnen vielleicht nicht so erbaulich ist, als er mir von Herzen geht.

Schäkespears Theater ist ein schöner Raritätenkasten, in dem die Geschichte der Welt vor unsern Augen an dem unsichtbaren Faden der Zeit vorbeiwallt. Seine Plane sind, nach dem gemeinen Stil zu reden, keine Plane, aber seine Stücke drehen sich alle um den geheimen Punkt (den noch kein Philosoph gesehen und bestimmt hat), in dem das Eigentümliche unsres Ichs, die prätendierte Freiheit unsres Wollens, mit dem notwendigen Gang des Ganzen zusammenstößt. Unser verdorbner Geschmack aber umnebelt dergestalt unsere Augen, dass wir fast eine neue Schöpfung nötig haben, uns aus dieser Finsternis zu entwickeln. [...]

Und ich rufe Natur! Natur! nichts so Natur als Schäkespears Menschen.
Da hab ich sie alle überm Hals.
Lasst mir Luft, dass ich reden kann!

Er wetteiferte mit dem Prometheus, bildete ihm Zug vor Zug seine Menschen nach, nur in kolossalischer Größe; darin liegt's, dass wir unsre Brüder verkennen; und dann belebte er sie alle mit dem Hauch seines Geistes, er redet aus allen, und man erkennt ihre Verwandtschaft.

Und was will sich unser Jahrhundert unterstehen, von Natur zu urteilen. Wo sollten wir sie her kennen, die wir von Jugend auf alles geschnürt und geziert an uns fühlen und an andern sehen. [...]

Das, was edle Philosophen von der Welt gesagt haben, gilt auch von Schäkespearen, das, was wir bös nennen, ist nur die andre Seite vom Guten, die so notwendig zu seiner Existenz und in das Ganze gehört, als Zona torrida brennen und Lappland einfrieren muss, dass es einen gemäßigten Himmelsstrich gebe.

Zona torrida
heiße Zone

Er führt uns durch die ganze Welt, aber wir verzärtelte unerfahrne Menschen schreien bei jeder fremden Heuschrecke, die uns begegnet: Herr, er will uns fressen.

Auf, meine Herren! Trompeten Sie mir alle edle Seelen aus dem Elysium des sogenannten guten Geschmacks, wo sie schlaftrunken, in langweiliger Dämmerung halb sind, halb nicht sind, Leidenschaften im Herzen und kein Mark in den Knochen haben; und weil sie nicht müde genug, zu ruhen, und doch zu faul sind, um tätig zu sein, ihr Schattenleben zwischen Myrten und Lorbeergebüschen verschlendern und vergähnen.

1 Diese Rede gilt als Ausdruck des jugendlichen Lebensgefühls der Stürmer und Dränger. Erläutern Sie Goethes Aussagen und den Appell bezüglich der Lebensgestaltung (Z. 66 ff.).

TIPP
Textverweise nicht vergessen!

2 Listen Sie in einem zweiten Schritt Goethes Forderungen für das literarische Schaffen auf und erörtern Sie auf Grundlage Ihrer Ergebnisse die Frage, inwieweit die literarische Gestaltung als eine notgedrungene Konsequenz aus dem geschilderten Lebensgefühl gesehen werden kann.

3 Goethe bezieht sich in der Rede konkret auf die Dramatik und preist die Figurengestaltung Shakespeares als besonders natürlich. Erläutern Sie abschließend, inwieweit sich die Aspekte der Rede in Goethes Dramenfragment *Prometheus* widerspiegeln. Berücksichtigen Sie bei Ihren Ausführungen auch Goethes Umgang mit der mythologischen Grundlage.

Shakespeare und der Sturm und Drang

William Shakespeare (1564–1616) gilt bis heute als einer der größten Dramatiker der Weltliteratur. Er schuf Werke, die seine eigene Zeit lange überdauern, darunter *Romeo und Julia, Hamlet, Macbeth* und *Ein Sommernachtstraum*, aber auch die weltberühmte Sammlung von Sonetten.

In Shakespeares Dramatik ist dabei in Abgrenzung zur deutschen und französischen Dramatik des 17. bis 18. Jahrhunderts ein wesentlich freierer Umgang mit den sogenannten drei Einheiten des Aristoteles festzustellen. Die Stücke Shakespeares sind selten an einen festen Ort gebunden, handeln über einen Zeitraum, der deutlich über einen Sonnenumlauf hinausgeht, und zeigen manchmal auch mehr als einen einzigen Haupthandlungsstrang. Zudem vermischt er oftmals komödiantische und tragische Elemente und verbindet das Reale mit dem Fantastischen (z. B. *Ein Sommernachtstraum*). In diesem Sinne bilden seine Stücke die Bandbreite der menschlichen Gesellschaft ab und sind nicht reduziert auf ein bestimmtes Personal. Vor allem die Figurenzeichnung Shakespeares gilt als extrem natürlich, es werden also weniger überspitzte Charaktere, nicht so sehr Typen gezeigt, sondern ausdifferenzierte, dem echten Leben nachempfundene „Menschen".

Shakespeare wurde von den Literaten im Sturm und Drang als Musterbeispiel des Naturgenies gesehen. Diverse Stücke stehen in der Tradition Shakespeares. Zu nennen sind hier z. B. der *Götz von Berlichingen* Goethes, der Analogien zu beispielsweise *Macbeth* aufweist, aber insbesondere in der Sprengung der Einheiten (ca. 50 unterschiedliche Orte, Zeitdehnung durch mehrere Parallelhandlungen) den Rezeptionsideen der Stürmer und Dränger entspricht. Ähnlich verhält es sich mit Schillers *Kabale und Liebe*, das in Bezug auf die Haupthandlung der zwei Liebenden in einer klaren Tradition zu Shakespeares *Romeo und Julia* steht.

„Leben wir in einem aufgeklärten Zeitalter oder in einem Zeitalter der Aufklärung?"

Zurück in die Zukunft! – Die Auswirkungen der Aufklärung kritisch reflektieren

Zu einem früheren Zeitpunkt dieses Kapitels haben Sie sich mit Kants Essay *Beantwortung der Frage: Was ist Aufklärung?* auseinandergesetzt (S. 16 f.). Relativ am Ende seines Essays äußert Kant sich zu der Frage, ob die Menschheit im Jahr 1784 bereits aufgeklärt sei. Eine berechtigte Frage, wenn man bedenkt, dass die frühen Ausläufer der ideengeschichtlichen Bewegung der Aufklärung bereits im 17. Jahrhundert zu datieren sind und die Hochphase der literarischen Epoche der Aufklärung zwischen 1730 und 1770 liegt.

Immanuel Kant

Beantwortung der Frage: Was ist Aufklärung? (1784, Auszug)

[...] Wenn denn nun gefragt wird: leben wir jetzt in einem aufgeklärten Zeitalter? so ist die Antwort: Nein, aber wohl in einem Zeitalter der Aufklärung. Dass die Menschen, wie die Sachen jetzt stehen, im Ganzen genommen, schon imstande wären oder darin auch nur gesetzt werden könnten, in Religionsdingen sich ihres eigenen Verstandes ohne Leitung eines andern sicher und gut zu bedienen, daran fehlt noch sehr viel. Allein, dass jetzt ihnen doch das Feld geöffnet wird, sich dahin frei zu bearbeiten und die Hindernisse der allgemeinen Aufklärung oder des Ausganges aus ihrer selbstverschuldeten Unmündigkeit allmählich weniger werden, davon haben wir doch deutliche Anzeigen. In diesem Betracht ist dieses Zeitalter das Zeitalter der Aufklärung [...].

1 Fassen Sie die Grundgedanken Kants in eigenen Worten zusammen.

Auch in der heutigen Zeit muss man sich immer wieder einmal die Frage stellen, ob wir eigentlich in einem aufgeklärten Zeitalter leben. Ist die Aufklärung immer noch tätig und notwendig? Oder ist gar ein Ende der Aufklärung zu attestieren? Erich Kästners Antwort war ernüchternd: Die Menschen sind immer noch dieselben Affen wie zu Urzeiten, Fortschritt hin, Entwicklung her (vgl. S. 12). Vielleicht wurde zu selten „Sapere aude!" gerufen?

Heinz Zahrnt

Gotteswende – Ende der Aufklärung? (1992)

Seit dem „Ausgang aus seiner selbstverschuldeten Unmündigkeit" hat der Mensch der Neuzeit einen weiten Weg zurückgelegt und dabei viel gewonnen, aber auch seine Kräfte ständig verausgabt. Heute nun hält er, reichlich erschöpft und ziemlich zerzaust, inne und fragt sich, ob seine Erwartungen sich erfüllt haben, ob der Mensch frei und die Welt menschlich geworden ist. Schaut er um sich, müssen ihm Zweifel kommen.

Die großen Zukunftsträume der Menschheit – symbolisiert in den drei griechischen Sagengestalten Ikarus, Prometheus und Pygmalion – haben sich in der Neuzeit erfüllt. Der Mensch hat das Fliegen gelernt, er hat sich der Atomkraft bemächtigt, und er ist dabei, Menschen zu formen. Alle drei griechischen Sagengestalten aber sind am Ende gescheitert und werden so aus Kündern des Fortschritts zu Warnern vor dem Untergang.

Die Lust am Fortschritt, am wissenschaftlich-technischen sowohl wie am politisch-sozialen, hat sich in die Sorge ums Überleben verwandelt. Niemand kann heute mehr mit Bestimmtheit sagen, was noch dem Fortschritt dient und was bereits zum Untergang führt. Dieselbe Welt, die auf der einen Seite für den Menschen immer machbarer zu werden scheint, droht auf der anderen sich seinem Zugriff immer mehr zu entziehen.

Das Übermaß des Erfolges ist zur größten Herausforderung geworden. Vier tödliche Bedrohungen hat die neuzeitliche Aufklärung heraufbeschworen: die nukleare Vernichtung der Erde – die Zerstörung der Schöpfung – das Elend in der Dritten Welt – die Rückbildung des Menschen zum glücklichen Analphabeten.

Zum universalen Symbol dieser apokalyptischen Situation ist die „Atombombe“ geworden. Sie drückt eine traumatische Zäsur aus: Zum ersten Mal in ihrer Geschichte sieht sich die Menschheit zum partiellen oder totalen Selbstmord befähigt und droht die übrige Schöpfung in ihren Untergang mit hineinzuziehen. Und zum ersten Mal ist damit die Menschheit an den Punkt gelangt, an dem es auf ihre Entscheidung ankommt, ob die Erde noch zu retten ist und das Menschengeschlecht weiterexistieren wird. Die Neuzeit könnte zur Endzeit werden.

Um die bedrohliche Gegenwart zu bestehen, bedarf es einer „Umkehr in die Zukunft“. Ob aber die heute lebenden Generationen die geistige Kraft zu einer solchen „Umbesinnung“ aufbringen, erscheint fraglich.

Die Rechnung der neuzeitlichen Aufklärung ist nicht aufgegangen, weil die Gleichung Rationalität = Humanität nicht stimmt. Zwar ist die Welt im Zuge der Aufklärung „hominisiert“, aber nicht „humanisiert“; das heißt, sie ist infolge der Säkularisierung zwar aus einer Welt Gottes zu einer Welt des Menschen geworden, damit aber nicht auch schon zu einer menschlichen Welt.

Das eindimensionale, vornehmlich an der quantitativen Steigerung des Lebens orientierte Fortschrittsdenken der Neuzeit hat auch einen entsprechenden eindimensionalen Menschen erzeugt. Der homo faber, der Sachverständige und Hersteller, hat den homo sapiens, den Sinnsucher und Weisen, überflügelt. Mag es ihm äußerlich auch wohl gehen, innerlich droht er zu verkümmern – er spielt, phantasiert und betet nicht mehr. Das Gleichgewicht zwischen innerem und äußerem Fortschritt ist in seinem Leben empfindlich gestört, und im geistigen Kräftehaushalt der Gesellschaft übersteigen seit langem die Ausgaben die Einnahmen.

1 Teilen Sie den Textauszug in Sinnabschnitte ein und beschreiben Sie diese inhaltlich (Was wird gesagt?) sowie bezüglich des Argumentationsaufbaus und dessen Funktion (Wie wird es warum gesagt?). Nutzen Sie für Ihre Erarbeitungen eine Tabelle nach folgendem Schema.

Heinz Zahrnt: *Gotteswende*		
Sinnabschnitte	**Inhalt**	**Argumentationsaufbau und Funktion**
von … bis …		
von … bis …		
von … bis …		

2 Erläutern Sie auf Grundlage Ihrer Ergebnisse die Grundgedanken Zahrnts zur Frage, ob die heutige Zeit das Ende der Aufklärung markiere.

3 Nehmen Sie Stellung zu der von Zahrnt formulierten Frage. Gehen Sie dabei auch auf mögliche Unterschiede zwischen dem Stand des Autors 1992 und heute ein.

Georg Christoph Lichtenberg (s. S. 13 f.) hat eine Sammlung von eigenen Aphorismen veröffentlicht, die sein Verständnis von Aufklärung deutlich machen und Hinweise für ein aufgeklärtes oder zumindest aufklärerisches Verhalten geben.

Georg Christoph Lichtenberg

Aphorismen (18. Jh.)

1. Zweifle an allem wenigstens einmal, und wäre es auch der Satz „zweimal 2 ist 4“.
2. Seine Zweifel zu sagen, ist einem frei geborenen Menschen erlaubt; er darf mit seinen Meinungen handeln, [...] nur biete er sie solchen Leuten an, die sie brauchen können, zwinge sie niemandem auf [...].
3. Wir leben in einer Welt, in der ein Narr viele Narren, aber ein weiser Mann nur wenig Weise macht.
4. Wenn ein Buch und ein Kopf zusammenstoßen und es klingt hohl, ist das allemal im Buch?
5. Ein Buch ist ein Spiegel, wenn ein Affe hineinsieht, so kann kein Apostel herausgucken.
6. Es hatte die Wirkung, die gemeiniglich gute Bücher haben. Es macht die Einfältigen einfältiger, die Klugen klüger und die übrigen Tausende blieben ungeändert.
7. Gewissen Menschen ist ein Mann von Kopf ein fataleres Geschöpf als der deklarierteste Schurke.
8. Dass in den Kirchen gepredigt wird, macht deswegen die Blitzableiter auf ihnen nicht unnötig.
9. Es ist eine Frage, ob wir nicht, wenn wir Mörder rädern, grade in den Fehler des Kindes verfallen, das den Stuhl schlägt, an dem es sich stößt.
10. Wenn du die Geschichte eines großen Verbrechers liesest, so danke immer, ehe du ihn verdammst, dem gütigen Himmel, der sich mit deinem ehrlichen Gesicht nicht an den Anfang einer solchen Reihe von Umständen gestellt hat.
11. Lass dich nicht anstecken, gib keines anderen Meinung, ehe du sie dir anpassend gefunden, für deine aus: meine lieber selbst.

Bleistiftzeichnung von G. H. W. Blumenbach

1 Fassen Sie die Grundgedanken der einzelnen Aphorismen zusammen.

2 Zahrnt befürchtet oder attestiert ein Ende der Aufklärung, Lichtenberg wollte mit seinen Aphorismen Aufklärung und kritisches Denken ermöglichen. Übertragen Sie vor diesem Hintergrund drei Aphorismen Ihrer Wahl auf die heutige Zeit. Modernisieren Sie dabei Idee und Sprache.

3 ***Lernarrangement***
Auf Grundlage der erarbeiteten Reihe kann man die Frage stellen: Was würden Sie heute den Menschen im Sinne der Aufklärung mitteilen wollen?
a) Verfassen Sie zunächst in Einzelarbeit drei eigene Aphorismen (z. B. Merksätze, Ratschläge, Leitideen), die den Menschen 1. die Notwendigkeit der Aufklärung, 2. die Wege zur Aufklärung und 3. einen Verhaltensvorschlag im aufklärerischen Sinne mitteilen sollen. Beziehen Sie sich z. B. auf die digitalen Medien.
b) Tauschen Sie sich in einer Gruppe über Ihre Aphorismen aus und einigen Sie sich begründet auf drei Aphorismen oder formulieren Sie gemeinsam drei neue Aphorismen.
c) Präsentieren Sie im Kurs Ihre Aphorismen und erstellen Sie in der Plenumsdiskussion eine sinnvolle Reihenfolge Ihrer eigenen Aphorismen zur Frage der Aufklärung.

4 Überprüfen Sie abschließend Ihr eigenes Verständnis von Aufklärung, indem Sie einen Essay zur Frage: *Was ist Aufklärung?* verfassen.

Die Romantik – Keine Frage der Vernunft?

Sich dem Programm einer literarischen Epoche annähern

1 Welche Vorstellungen verbinden Sie mit dem Begriff *Romantik*, so wie wir ihn im Alltag verwenden? Gruppieren Sie Ihre Assoziationen um die Gedankenwolke.

2 Das folgende Gemälde von Caspar David Friedrich ist ein typisches Werk der Epoche der Romantik. Beschreiben Sie zunächst die Darstellung des Gemäldes und vergleichen Sie es dann mit Ihren Assoziationen zum Begriff *Romantik*. Welche Gemeinsamkeiten und Unterschiede können Sie feststellen?

Caspar David Friedrich: Mondaufgang am Meer (1821)

1 ***Lernarrangement***
Ähnlich der Aufklärung sind auch für die Epoche der Romantik verschiedene Begriffe zentral. Zur Erarbeitung erster Grundgedanken zu diesen Begriffen setzen Sie sich in einer Gruppe zusammen und bearbeiten Sie das folgende Placemat.
a) Notieren Sie zunächst jeder für sich in Ihrem Placemat-Feld Grundgedanken zu möglichen Motiven/Begriffen der Romantik anhand des Bildes von Caspar David Friedrich. Welche Themen und Motive werden in dem Bild angesprochen?
b) Drehen Sie das Placemat und lesen Sie die Notizen Ihrer Gruppenmitglieder. Einigen Sie sich auf maximal vier Aspekte, die Ihrer Meinung nach die wichtigsten sind, und notieren Sie diese im Gemeinschaftsfeld.
c) Präsentieren Sie Ihre Ergebnisse im Plenum.

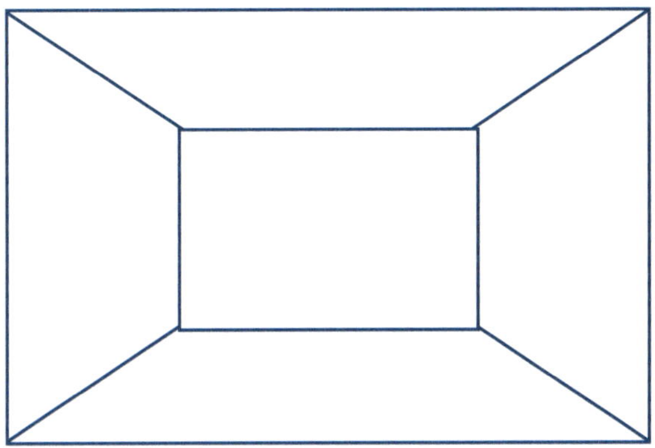

Ludwig Tieck

Ungewisse Hoffnung (1798)

1 Soll ich harren? soll mein Herz
Endlich brechen?
Soll ich niemals von dem Schmerz
Meines Busens sprechen?

Warum Zittern? Warum Zagen?
Träges Weilen?
Auf! dein höchstes Glück zu wagen!
Flügle deine Eile!

Suchen werd‘ ich: werd‘ ich finden?
Nach der Ferne Ferne,
Treibt das Herz; durch blühnde Linden
Lächeln dir die Sterne.

Johann Ludwig Tieck (1773–1853), deutscher Dichter, Schriftsteller und Übersetzer; neben seiner Lyrik ist er bekannt für das Kunstmärchen *Der gestiefelte Kater*.

2 Fassen Sie den Inhalt des Gedichts strophenweise zusammen und beschreiben Sie die darin ausgedrückte Stimmung.

3 Vergleichen Sie das Gedicht Tiecks mit dem Gemälde Friedrichs. Welche Gemeinsamkeiten und Unterschiede können festgestellt werden? Berücksichtigen Sie dabei insbesondere die ausgedrückte Stimmung.

4 Sammeln Sie im Plenum erste Hypothesen, worin sich die Literatur der Romantik von der Literaturauffassung der Aufklärung unterscheiden könnte.

Hypothesen begründete Annahmen/Vermutungen

Novalis (eigentlich Georg Philipp Friedrich Leopold Freiherr von Hardenberg, 1722–1801), deutscher Lyriker

Novalis

Wenn nicht mehr Zahlen und Figuren (1800)

Wenn nicht mehr Zahlen und Figuren
sind Schlüssel aller Kreaturen,
wenn die, so singen oder küssen,
mehr als die Tiefgelehrten wissen,
wenn sich die Welt ins freie Leben
und in die Welt wird zurückbegeben,
wenn dann sich wieder Licht und Schatten
zu echter Klarheit werden gatten
und man in Märchen und Gedichten
erkennt die wahren Weltgeschichten,
dann fliegt vor einem geheimen Wort
das ganze verkehrte Wesen fort.

1 Das Gedicht stammt aus dem Roman *Heinrich von Ofterdingen* und zeigt in einem Konditionalgefüge Forderungen an den romantischen Menschen bzw. an eine romantisierte Welt auf. Fassen Sie den Inhalt des Gedichts in einer komprimierten Form zusammen:

Wenn der Mensch ... ,

dann wird die Welt ... .

2 Charakterisieren Sie auf Grundlage des lyrischen Textes den idealtypischen „romantischen" Menschen. Welches Menschenbild wird in diesem Gedicht deutlich?

3 Novalis kritisiert mit seinem Gedicht aufklärerische Auffassungen. Setzen Sie sich unter Rückgriff auf Ihre Kenntnisse der Aufklärung mit der Position Novalis' auseinander. Berücksichtigen Sie dabei v. a. die Verse 1/2 und 7–10 und gehen Sie auch auf die sprachlichen Bilder ein.

Die (politische) Welt um 1800

Die Zeit um 1800, der ausgehenden Aufklärung und der beginnenden Romantik, ist geprägt von politischen Unruhen, gesellschaftlichen Umwälzungen, Hoffnungen und Enttäuschungen. Brachte die Bewegung der Französischen Revolution (um 1789) noch große Hoffnungen für politische und gesellschaftliche Freiheit mit sich, so wird dies über die Jahre konterkariert durch eine brutale Gewaltherrschaft der ehemaligen Revolutionäre, die den Weg ebnet für den Putsch Napoleons, der Frankreich zunächst als Konsul und ab 1804 dann als selbsternannter Kaiser diktatorisch regiert. West- und Mitteleuropa stehen zu Beginn des Jahrhunderts unter französischer Vormacht, und insbesondere Deutschland unterliegt einer starken Beeinflussung. Zunächst löst sich das Heilige Römische Reich Deutscher Nation auf. 1806 unterliegt auch das Königreich Preußen Napoleon und wird unter französische Oberhoheit gestellt.

Nach den großen Niederlagen Napoleons (Leipzig 1813 und Waterloo 1815) beginnt die Phase der Restauration (Wiederherstellung der vorrevolutionären Ordnung) mit dem Wiener Kongress. Die alte Staatenordnung wird wieder etabliert, und der Absolutismus kehrt zurück in die deutschen Fürstentümer. Damit werden die Hoffnungen vieler auf die Bildung eines deutschen Nationalstaates mit liberaler Ordnung untergraben. Stattdessen entsteht der Deutsche Bund als lose Klammer von 35 Fürstentümern und vier Freien Städten.

Zeitgleich ist diese Phase geprägt von der aufkommenden Industrialisierung, also der Entwicklung von einer Agrargesellschaft zu einer Industriegesellschaft durch Massenproduktion. Diese wird ermöglicht durch eine Vielzahl technischer Neuerungen, wie z. B. dem Webstuhl oder der Dampfmaschine. Damit wird der Mensch aber zunehmend auch unter dem Aspekt des ökonomischen Nutzens betrachtet. Gerade diese Zeit ist geprägt von Arbeitslosigkeit und Massenarmut, verbunden mit einem hohen Bevölkerungswachstum (Pauperismus). Die Entwicklung landwirtschaftlicher Prinzipien und Techniken führt zusammen mit der Bildung industrieller Fabriken zu einer beginnenden Verstädterung, die Menschen fliehen vom Land in die Stadt.

Programmatische Texte im zeitgeschichtlichen Zusammenhang erschließen

Die im Informationskasten (S. 34) aufgezeigte politische und gesellschaftliche Entwicklung findet ihre Reaktion auch im Selbstverständnis der Literatur. Viele Dichter der Romantik haben ihre Gedanken zu Aufgabe, Form und Nutzen der Literatur in theoretisch-philosophischen Schriften festgehalten und den literarischen Umgang mit gesellschaftlicher Realität definiert, so auch Novalis.

Novalis

Fragmente (1798–1800, Auszug)

[...] Worin eigentlich das Wesen der Poesie bestehe, lässt sich schlechthin nicht bestimmen. Es ist unendlich zusammengesetzt und doch einfach. Schön, romantisch, harmonisch sind nur Teilausdrücke des Poetischen. [...] Die Poesie heilt die Wunden, die der Verstand schlägt. Sie besteht gerade aus entgegengesetzten Bestandteilen, aus erhebender Wahrheit und angenehmer Täuschung. [...] Poesie ist Darstellung des Gemüts, der innern Welt in ihrer Gesamtheit. Schon ihr Medium, die Worte, deuten es an, denn sie sind ja die äußre Offenbarung jenes innern Kraftreichs. [...] Die Darstellung des Gemüts muss, wie die Darstellung der Natur, selbsttätig, eigentümlich, allgemein, verknüpfend und schöpferisch sein. Nicht wie es ist, sondern wie es sein könnte und sein muss. [...] In eigentlichen Poemen ist keine als die Einheit des Gemüts. [...] Es ist höchst begreiflich, warum am Ende alles Poesie wird. Wird nicht die Welt am Ende Gemüt? [...]

Der Sinn für Poesie hat viel mit dem Sinn für Mystizism gemein. Er ist der Sinn für das Eigentümliche, Personelle, Unbekannte, Geheimnisvolle, zu Offenbarende, das Notwendig-Zufällige. Er stellt das Undarstellbare dar. Er sieht das Unsichtbare, fühlt das Unfühlbare usw. Kritik der Poesie ist ein Unding. Schwer schon ist zu entscheiden, doch einzig mögliche Entscheidung, ob etwas Poesie sei oder nicht. [...] Der Sinn für Poesie hat nahe Verwandtschaft mit dem Sinn der Weissagung und dem religiösen, dem Sehersinn überhaupt. Der Dichter ordnet, vereinigt, wählt, erfindet – und es ist ihm selbst unbegreiflich, warum gerade so und nicht anders. [...] Erzählungen, ohne Zusammenhang, jedoch mit Assoziation, wie Träume. Gedichte, bloß wohlklingend und voll schöner Worte, aber auch ohne allen Sinn und Zusammenhang – höchstens einzelne Strophen verständlich – wie lauter Bruchstücke aus den verschiedenartigsten Dingen. Höchstens kann wahre Poesie einen allegorischen Sinn im Großen haben und eine indirekte Wirkung, wie Musik usw., tun. [...]

Das Märchen ist gleichsam der Kanon der Poesie. Alles Poetische muss märchenhaft sein. Der Dichter betet den Zufall an. [...] Ein Märchen ist wie ein Traumbild, ohne Zusammenhang. Ein Ensemble wunderbarer Dinge und Begebenheiten, [...] die Natur selbst. [...]

Die Welt muss romantisiert werden. So findet man den ursprünglichen Sinn wieder. Romantisieren ist nichts als eine qualitative Potenzierung. Das niedre Selbst wird mit einem bessern Selbst in dieser Operation identifiziert. So wie wir selbst eine solche qualitative Potenzreihe sind. Diese Operation ist noch ganz unbekannt. Indem ich dem Gemeinen einen hohen Sinn, dem Gewöhnlichen ein geheimnisvolles Ansehn, dem Bekannten die Würde des Unbekannten, dem Endlichen einen unendlichen Schein gebe, so romantisiere ich es. – Umgekehrt ist die Operation für das Höhere, Unbekannte, Mystische, Unendliche – dies wird durch diese Verknüpfung logarithmisiert – es bekommt einen geläufigen Ausdruck. Romantische Philosophie. [...]

1 Fassen Sie die Gedanken Novalis' in strukturierter Form zusammen, indem Sie die Äußerungen zu Form, Inhalt und Intention romantischer Literatur in eigenen Worten wiedergeben. Tragen Sie die Ergebnisse in der nachfolgenden Tabelle ein.

Romantische Literatur	Form	Inhalt	Intention

2 „Die Welt muss romantisiert werden." Diese Äußerung Novalis' kann man als Reaktion auf die zeitgeschichtlichen Entwicklungen deuten. Erläutern Sie den letzten Abschnitt der Ausführungen Novalis' (Z. 34 ff.), indem Sie diese in Bezug setzen zu den Informationen zur Welt um 1800 (s. Infokasten, S. 34). Warum muss die Welt romantisiert werden?

„und man in Märchen und Gedichten / erkennt die wahren Weltgeschichten“

Sich mit einer literarischen Gattung epochenbezogen auseinandersetzen

Novalis spricht in seinem Gedicht *Wenn nicht mehr Zahlen und Figuren* sowie in seinen Fragmenten das Märchen als bedeutende literarische Form an: Alles Poetische müsse märchenhaft sein.

1 Was verbinden Sie mit dem Begriff *Märchen*? Sammeln Sie im Kurs Assoziationen.

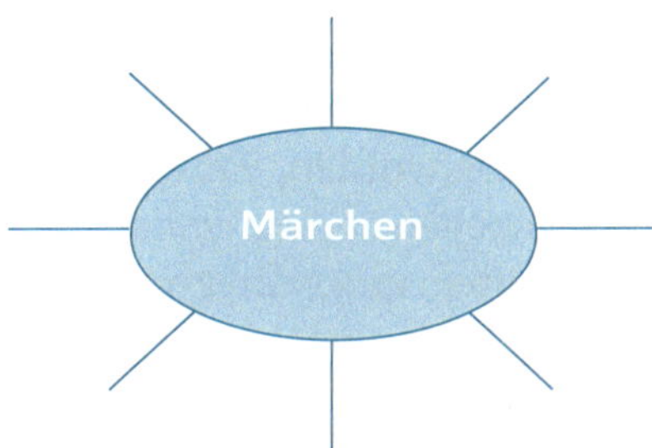

Jakob und Wilhelm Grimm

Die Sterntaler (1819)

Es war einmal ein kleines Mädchen, dem war Vater und Mutter gestorben, und es war so arm, dass es kein Kämmerchen mehr hatte, darin zu wohnen, und kein Bettchen mehr, darin zu schlafen, und endlich gar nichts mehr, als die Kleider auf dem Leib und ein Stückchen Brot in der Hand, das ihm ein mitleidiges Herz geschenkt hatte. Es war aber gut und fromm. Und weil es so von aller Welt verlassen war, ging es im Vertrauen auf den lieben Gott hinaus ins Feld. Da begegnete ihm ein armer Mann, der sprach: „Ach, gib mir etwas zu essen, ich bin so hungrig.“ Es reichte ihm das ganze Stückchen Brot und sagte: „Gott segne dir's“, und ging weiter. Da kam ein Kind, das jammerte und sprach: „Es friert mich so an meinem Kopfe, schenk mir etwas, womit ich ihn bedecken kann.“ Da tat es seine Mütze ab und gab sie ihm. Und als es noch eine Weile gegangen war, kam wieder ein Kind und hatte kein Leibchen an und fror: da gab es ihm seins; und noch weiter, da bat eins um ein Röcklein, das gab es auch von sich hin.

Endlich gelangte es in einen Wald, und es war schon dunkel geworden, da kam noch eins und bat um ein Hemdlein, und das fromme Mädchen dachte: „Es ist dunkle Nacht, da sieht dich niemand, du kannst wohl dein Hemd weggeben“, und zog das Hemd ab und gab es auch noch hin. Und wie es so stand und gar nichts mehr hatte, fielen auf einmal die Sterne vom Himmel, und waren lauter harte blanke Taler; und ob es gleich sein Hemdlein weggegeben, so hatte es ein neues an, und das war vom allerfeinsten Linnen. Da sammelte es sich die Taler hinein und war reich für sein Lebtag.

Jakob (1785–1863) **und Wilhelm** (1785–1859) **Grimm**, bekannt unter dem Begriff **Brüder Grimm**, gelten als Gründungsväter der Germanistik; sie sind weltberühmt für die Veröffentlichung der *Kinder- und Hausmärchen.*

2 Fassen Sie den Inhalt des Märchens in eigenen Worten zusammen.

3 Erläutern Sie die Wirkungsabsicht und die mögliche gesellschaftliche Funktion des Märchens.

Johannes Merkel

Märchen und deren gesellschaftliche Bedeutung (1995)

Heinrich Vogeler: Die Sterntaler (1907)

„Märchen" heißt im alltäglichen und noch mehr im Sprachgebrauch jener Kinder [...] jede erfundene „unechte" Geschichte. Dieser Sprachgebrauch zeigt die bedeutende Rolle, die diese Gattung von Kinderlektüre in der Sozialisation des (bürgerlichen) Kindes spielt und die einem erst dann richtig bewusst wird, wenn man sich vergegenwärtigt, dass das (Volks-)Märchen ursprünglich weder „märchenhaft" noch auf das „Märchenalter" beschränkt war. Denn die deutschen Volksmärchen, wie sie seit 1800 von den Brüdern Grimm und anderen aufgezeichnet wurden, waren erzählte, mündlich weitergegebene Literatur vor allem der ländlichen Unterschichten, und woher auch die einzelnen, oft sehr alten Stoffe und Motive hergenommen sein mochten, das Volksmärchen verknüpfte sie doch stets in einer Weise, die deutlich die soziale Lage der im Zusammenhang mit der zweiten Leibeigenschaft immer extremer ausgebeuteten ländlichen Unterschichten wiedererkennen lässt.

Für diese Schichten – abhängige Bauern, Knechte, Tagelöhner, Bettler –, die in ihrer Arbeit vereinzelt, geographisch weitverstreut und nicht wie die Handwerkergesellen in den Städten an einem Platz konzentriert waren, gab es keine Perspektive des Widerstands gegen die sich verschärfende Ausbeutung und keine Aussicht auf eine Änderung ihrer gesellschaftlichen Lage. Nur als Märchen war ein besseres Leben utopisch träumbar.

Das deutsche Volksmärchen reflektiert diese Situation in seiner Grundstruktur: Zu Beginn zeigt es seinen Helden in hoffnungsloser Lage, er ist der Jüngste, der Dummkopf, der Knecht, die Stieftochter usw. Die eigentliche Handlung verändert dann aber radikal seine Lage, um ihn unerwartet ins Märchenglück zu führen, wozu der Held zwar eine gute Eigenschaft besitzt, die ihn im entscheidenden Moment sich richtig, nämlich mitleidsvoller, gerechter usw. (als die Großen und die Herren) verhalten lässt, aber wobei die Veränderung zum Guten dann doch die magischen Helfer (Tiere, Zauberer usw.) für ihn verrichten. Die Veränderung ist auch niemals zeitlich noch örtlich zu konkretisieren oder zu lokalisieren, denn unter den gegebenen Umständen war Abhilfe nur als geheimnisvolle Hilfe von dritter Seite vorstellbar und das „Es war einmal" bezeichnet ebenso eine diffuse, vielleicht glücklichere, Vergangenheit wie die Möglichkeit einer fernen, befriedigenderen Zukunft.

1 Entwerfen Sie auf der Grundlage des Textes von Johannes Merkel und der Erarbeitung des Märchens der Brüder Grimm einen Kriterienkatalog für Merkmale und Funktionen des traditionellen Märchens.

2 Stellen Sie im Kurs gemeinsam Hypothesen auf,
1. warum das Märchen in der Romantik eine große Bedeutung erhält und
2. wie die Romantiker mit der epischen Gattung des Märchens umgehen könnten.

Das mündlich überlieferte Volksmärchen hat große Tradition in der Romantik. Gleichzeitig entsteht aber auch das Kunstmärchen, das nicht mündlich überliefert wird, sondern von einem konkret zu benennenden Autor stammt. In dieser Tradition steht auch *Der goldne Topf* von E. T. A. Hoffmann.

E.T.A. Hoffmann

Der goldne Topf (1814)

Ein Märchen aus der neuen Zeit. Erste Vigilie

Vigilie
Nachtwache

E. T. A. Hoffmann
(1776–1822), deutscher Dichter, Musiker und Zeichner. Zu den bekanntesten Werken zählen *Die Elixiere des Teufels*, *Das Fräulein von Scuderi* und *Der Sandmann* (s. S. 66 ff.).

Die Unglücksfälle des Studenten Anselmus. – Des Konrektors Paulmann Sanitätsknaster und die goldgrünen Schlangen.

Am Himmelfahrtstage, nachmittags um drei Uhr, rannte ein junger Mensch in Dresden durchs Schwarze Tor, und geradezu in einen Korb mit Äpfeln und Kuchen hinein, die ein altes hässliches Weib feilbot, so dass alles, was der Quetschung glücklich entgangen, hinausgeschleudert wurde, und die Straßenjungen sich lustig in die Beute teilten, die ihnen der hastige Herr zugeworfen. Auf das Zetergeschrei, das die Alte erhob, verließen die Gevatterinnen ihre Kuchen- und Branntweintische, umringten den jungen Menschen und schimpften mit pöbelhaftem Ungestüm auf ihn hinein, so dass er, vor Ärger und Scham verstummend, nur seinen kleinen, nicht eben besonders gefüllten Geldbeutel hinhielt, den die Alte begierig ergriff und schnell einsteckte. Nun öffnete sich der festgeschlossene Kreis, aber indem der junge Mensch hinausschoss, rief ihm die Alte nach: „Ja renne – renne nur zu, Satanskind – ins Kristall bald dein Fall – ins Kristall!" – Die gellende, krächzende Stimme des Weibes hatte etwas Entsetzliches, so dass die Spaziergänger verwundert stillstanden und das Lachen, das sich erst verbreitet, mit einem Mal verstummte. – Der Student Anselmus (niemand anders war der junge Mensch) fühlte sich, unerachtet er des Weibes sonderbare Worte durchaus nicht verstand, von einem unwillkürlichen Grausen ergriffen, und er beflügelte noch mehr seine Schritte, um sich den auf ihn gerichteten Blicken der neugierigen Menge zu entziehen. Wie er sich nun durch das Gewühl geputzter Menschen durcharbeitete, hörte er überall murmeln: „Der arme junge Mann – Ei! – über das verdammte Weib!" – Auf ganz sonderbare Weise hatten die geheimnisvollen Worte der Alten dem lächerlichen Abenteuer eine gewisse tragische Wendung gegeben, so dass man dem vorhin ganz Unbemerkten jetzt teilnehmend nachsah. [...] – Als der Student schon beinahe das Ende der Allee erreicht, die nach dem Linkischen Bade führt, wollte ihm beinahe der Atem ausgehen. Er war genötigt, langsamer zu wandeln; aber kaum wagte er den Blick in die Höhe zu richten, denn noch immer sah er die Äpfel und Kuchen um sich tanzen, und jeder freundliche Blick dieses oder jenes Mädchens war ihm nur der Reflex des schadenfrohen Gelächters am Schwarzen Tor. So war er bis an den Eingang des Linkischen Bades gekommen; eine Reihe festlich gekleideter Menschen nach der andern zog herein. Musik von Blasinstrumenten ertönte von innen, und immer lauter und lauter wurde das Gewühl der lustigen Gäste. Die Tränen wären dem armen Studenten Anselmus beinahe in die Augen getreten, denn auch er hatte, da der Himmelfahrtstag immer ein besonderes Familienfest für ihn gewesen, an der Glückseligkeit des Linkischen Paradieses teilnehmen, ja er hatte es bis zu einer halben Portion Kaffee mit Rum und einer Bouteille Doppelbier treiben wollen und, um so recht schlampampen zu können, mehr Geld eingesteckt, als eigentlich erlaubt und tunlich war. Und nun hatte ihn der fatale Tritt in den Äpfelkorb um alles gebracht, was er bei sich getragen. An Kaffee, an Doppelbier, an Musik, an den Anblick der geputzten Mädchen – kurz! – an alle geträumten Genüsse war nicht zu denken; er schlich langsam vorbei und schlug endlich den Weg an der Elbe ein, der gerade ganz einsam war. Unter einem Holunderbaume, der aus der Mauer hervorgesprossen, fand er ein freundliches Rasenplätzchen; da setzte er sich hin und stopfte eine Pfeife von dem Sanitätsknaster, den ihm sein Freund, der Konrektor Paul-

Bouteille
Flasche

mann, geschenkt. – Dicht vor ihm plätscherten und rauschten die goldgelben Wellen des schönen Elbstroms, hinter demselben streckte das herrliche Dresden kühn und stolz seine lichten Türme empor in den duftigen Himmelsgrund, der sich hinabsenkte auf die blumigen Wiesen und frisch grünenden Wälder, und aus tiefer Dämmerung gaben die zackichten Gebirge Kunde vom fernen Böhmerlande. Aber finster vor sich hinblickend, blies der Student Anselmus die Dampfwolken in die Luft, und sein Unmut wurde endlich laut, indem er sprach: „Wahr ist es doch, ich bin zu allem möglichen Kreuz und Elend geboren! – Dass ich niemals Bohnenkönig geworden, dass ich im Paar oder Unpaar immer falsch geraten, dass mein Butterbrot immer auf die fette Seite gefallen, von allem diesen Jammer will ich gar nicht reden; aber ist es nicht ein schreckliches Verhängnis, dass ich, als ich denn doch nun dem Satan zum Trotz Student geworden war, ein Kümmeltürke sein und bleiben musste? – [...] Grüße ich wohl je einen Herrn Hofrat oder eine Dame, ohne den Hut weit von mir zu schleudern oder gar auf dem glatten Boden auszugleiten und schändlich umzustülpen? [...] Bin ich denn ein einziges Mal ins Kollegium oder wo man mich sonst hinbeschieden, zu rechter Zeit gekommen? Was half es, dass ich eine halbe Stunde vorher ausging und mich vor die Tür hinstellte, den Drücker in der Hand, denn sowie ich mit dem Glockenschlage aufdrücken wollte, goss mir der Satan ein Waschbecken über den Kopf oder ließ mich mit einem Heraustretenden zusammenrennen, dass ich in tausend Händel verwickelt wurde und darüber alles versäumte. – Ach! ach! wo seid ihr hin, ihr seligen Träume künftigen Glücks, wie ich stolz wähnte, ich könne es wohl hier noch bis zum Geheimen Sekretär bringen! Aber hat mir mein Unstern nicht die besten Gönner verfeindet? – Ich weiß, dass der Geheime Rat, an den ich empfohlen bin, verschnittenes Haar nicht leiden mag; mit Mühe befestigt der Friseur einen kleinen Zopf an meinem Hinterhaupt, aber bei der ersten Verbeugung springt die unglückselige Schnur, und ein munterer Mopps, der mich umschnüffelt, apportiert im Jubel das Zöpfchen dem Geheimen Rate. Ich springe erschrocken nach und stürze über den Tisch, an dem er frühstückend gearbeitet hat, so dass Tassen, Teller, Tintenfass – Sandbüchse klirrend herabstürzen, und der Strom von Schokolade und Tinte sich über die eben geschriebene Relation ergießt. ›Herr, sind Sie des Teufels!‹ brüllt der erzürnte Geheime Rat und schiebt mich zur Tür hinaus. – Was hilft es, dass mir der Konrektor Paulmann Hoffnung zu einem Schreiberdienste gemacht hat, wird es denn mein Unstern zulassen, der mich überall verfolgt! – Nur noch heute! – Ich wollte den lieben Himmelfahrtstag recht in der Gemütlichkeit feiern, ich wollte ordentlich was daraufgehen lassen. Ich hätte ebensogut wie jeder andere Gast in Linkes Bade stolz rufen können: ›Markör – eine Flasche Doppelbier – aber vom besten bitte ich!‹ – Ich hätte bis spät abends sitzen können und noch dazu ganz nahe bei dieser oder jener Gesellschaft herrlich geputzter schöner Mädchen. Ich weiß es schon, der Mut wäre mir gekommen, ich wäre ein ganz anderer Mensch geworden; ja, ich hätte es so weit gebracht, dass wenn diese oder jene gefragt: ›Wie spät mag es wohl jetzt sein?‹ oder: ›Was ist denn das, was sie spielen?‹ da wäre ich mit leichtem Anstande aufgesprungen, ohne mein Glas umzuwerfen oder über die Bank zu stolpern; mich in gebeugter Stellung anderthalb Schritte vorwärtsbewegend, hätte ich gesagt: ›Erlauben Sie, Mademoiselle, Ihnen zu dienen, es ist die Ouvertüre aus dem Donauweibchen‹ oder: ›Es wird gleich sechs Uhr schlagen.‹ – Hätte mir das ein Mensch in der Welt übel deuten können? – Nein! sage ich, die Mädchen hätten sich so schalkhaft lächelnd angesehen, wie es wohl zu geschehen pflegt, wenn ich mich ermutige, zu zeigen, dass ich mich auch wohl

Kümmeltürke Ausdruck aus der Studentensprache des ausgehenden 18. Jahrhunderts; bezeichnet einen Studenten, der aus der näheren Umgebung der Universität stammt. Ugs. auch ein Ausdruck für einen Sonderling.

Illustration von Theodor Hosemann (1857)

auf den leichten Weltton verstehe und mit Damen umzugehen weiß. Aber da führt mich der Satan in den verwünschten Äpfelkorb, und nun muss ich in der Einsamkeit meinen Sanitätsknaster -“ Hier wurde der Student Anselmus in seinem Selbstgespräche durch ein sonderbares Rieseln und Rascheln unterbrochen, das sich dicht neben ihm im Grase erhob, bald aber in die Zweige und Blätter des Holunderbaums hinaufglitt, der sich über seinem Haupte wölbte. Bald war es, als schüttle der Abendwind die Blätter, bald, als kosten Vögelein in den Zweigen, die kleinen Fittige im mutwilligen Hin- und Herflattern rührend. – Da fing es an zu flüstern und zu lispeln, und es war, als ertönten die Blüten wie aufgehangene Kristallglöckchen. Anselmus horchte und horchte. Da wurde, er wusste selbst nicht wie, das Gelispel und Geflüster und Geklingel zu leisen halbverwehten Worten: „Zwischendurch – zwischenein – zwischen Zweigen, zwischen schwellenden Blüten, schwingen, schlängeln, schlingen wir uns – Schwesterlein – Schwesterlein, schwinge dich im Schimmer – schnell, schnell herauf – herab – Abendsonne schießt Strahlen, zischelt der Abendwind – raschelt der Tau – Blüten singen – rühren wir Zünglein, singen wir mit Blüten und Zweigen – Sterne bald glänzen – müssen herab zwischendurch, zwischenein schlängeln, schlingen, schwingen wir uns Schwesterlein.“ –

So ging es fort in Sinne verwirrender Rede. Der Student Anselmus dachte: „Das ist denn doch nur der Abendwind, der heute mit ordentlich verständlichen Worten flüstert.“ – Aber in dem Augenblick ertönte es über seinem Haupte wie ein Dreiklang heller Kristallglocken; er schaute hinauf und erblickte drei in grünem Gold erglänzende Schlänglein, die sich um die Zweige gewickelt hatten und die Köpfchen der Abendsonne entgegenstreckten. Da flüsterte und lispelte es von neuem in jenen Worten, und die Schlänglein schlüpften und kosten auf und nieder durch die Blätter und Zweige, und wie sie sich so schnell rührten, da war es, als streue der Holunderbusch tausend funkelnde Smaragde durch seine dunklen Blätter. „Das ist die Abendsonne, die so in dem Holunderbusch spielt“, dachte der Student Anselmus, aber da ertönten die Glocken wieder, und Anselmus sah, wie eine Schlange ihr Köpfchen nach ihm herabstreckte. Durch alle Glieder fuhr es ihm wie ein elektrischer Schlag, er erbebte im Innersten – er starrte hinauf, und ein Paar herrliche dunkelblaue Augen blickten ihn an mit unaussprechlicher Sehnsucht, so dass ein nie gekanntes Gefühl der höchsten Seligkeit und des tiefsten Schmerzes seine Brust zersprengen wollte. Und wie er voll heißen Verlangens immer in die holdseligen Augen schaute, da ertönten stärker in lieblichen Akkorden die Kristallglocken, und die funkelnden Smaragde fielen auf ihn herab und umspannen ihn, in tausend Flämmchen um ihn herflackernd und spielend mit schimmernden Goldfaden. Der Holunderbusch rührte sich und sprach: „Du lagst in meinem Schatten, mein Duft umfloss dich, aber du verstandest mich nicht. Der Duft ist meine Sprache, wenn ihn die Liebe entzündet.“ Der Abendwind strich vorüber und sprach: „Ich umspielte deine Schläfe, aber du verstandest mich nicht, der Hauch ist meine Sprache, wenn ihn die Liebe entzündet.“ Die Sonnenstrahlen brachen durch das Gewölk, und der Schein brannte wie in Worten: „Ich umgoss dich mit glühendem Gold, aber du verstandest mich nicht; Glut ist meine Sprache, wenn sie die Liebe entzündet.“

Und immer inniger und inniger versunken in den Blick des herrlichen Augenpaars, wurde heißer die Sehnsucht, glühender das Verlangen. Da regte und bewegte sich alles, wie zum frohen Leben erwacht. Blumen und Blüten dufteten um ihn her, und ihr Duft war wie herrlicher Gesang von tausend Flötenstimmen, und was sie gesungen, trugen im Widerhall die goldenen vorüberfliehenden Abendwolken in ferne Lande. Aber als der letzte Strahl der Sonne schnell hinter den Bergen verschwand, und nun die Dämmerung ihren Flor über die Gegend warf, da rief, wie aus weiter Ferne, eine raue tiefe Stimme:

„Hei, hei, was ist das für ein Gemunkel und Geflüster da drüben? – Hei, hei, wer sucht mir doch den Strahl hinter den Bergen! – genug gesonnt, genug gesungen – Hei, hei, durch Busch und Gras – durch Gras und Strom! – Hei, – hei – Her u – u – u nter – Her u – u – u nter!" –

So verschwand die Stimme wie im Murmeln eines fernen Donners, aber die Kristallglocken zerbrachen im schneidenden Misston. Alles war verstummt, und Anselmus sah, wie die drei Schlangen schimmernd und blinkend durch das Gras nach dem Strome schlüpften; rischelnd und raschelnd stürzten sie sich in die Elbe, und über den Wogen, wo sie verschwunden, knisterte ein grünes Feuer empor, das in schiefer Richtung nach der Stadt zu leuchtend verdampfte.

1 Charakterisieren Sie auf Grundlage des Auszuges die Hauptfigur des Märchens, Anselmus.

2 Erläutern Sie vor diesem Hintergrund, inwieweit der Erzählanfang typische Märchenelemente aufweist. Beziehen Sie sich dabei auf Ihren selbst erstellten Kriterienkatalog von S. 38.

3 Interpretieren Sie den Abschnitt von Z. 118 bis Z. 157. Worauf wird hier vorausgedeutet? Was könnte die Lösung aller Probleme sein?

E.T.A. Hoffmann

Der goldne Topf (1814)

Ein Märchen aus der neuen Zeit. Zwölfte Vigilie

[...] Da tritt in hoher Schönheit und Anmut Serpentina aus dem Innern des Tempels, sie trägt den goldnen Topf, aus dem eine herrliche Lilie entsprossen. Die namenlose Wonne der unendlichen Sehnsucht glüht in den holdseligen Augen, so blickt sie den Anselmus an, sprechend: „Ach, Geliebter! die Lilie hat ihren Kelch erschlossen – das Höchste ist erfüllt, gibt es denn eine Seligkeit, die der unsrigen gleicht?" Anselmus umschlingt sie mit der Inbrunst des glühendsten Verlangens – die Lilie brennt in flammenden Strahlen über seinem Haupte. Und lauter regen sich die Bäume und die Büsche, und heller und freudiger jauchzen die Quellen – die Vögel – allerlei bunte Insekten tanzen in den Luftwirbeln – ein frohes, freudiges, jubelndes Getümmel in der Luft – in den Wässern – auf der Erde feiert das Fest der Liebe! – Da zucken Blitze überall leuchtend durch die Büsche – Diamanten blicken wie funkelnde Augen aus der Erde! – hohe Springbäche strahlen aus den Quellen – seltsame Düfte wehen mit rauschendem Flügelschlag daher – es sind die Elementargeister, die der Lilie huldigen und des Anselmus Glück verkünden. – Da erhebt Anselmus das Haupt wie vom Strahlenglanz der Verklärung umflossen. – Sind es Blicke? – Sind es Worte? – Ist es Gesang? – Vernehmlich klingt es: „Serpentina! – Der Glaube an dich, die Liebe hat mir das Innerste der Natur erschlossen! – Du brachtest mir die Lilie, die aus dem Golde, aus der Urkraft der Erde, noch ehe Phosphorus den Gedanken entzündete, entspross – sie ist die Erkenntnis des heiligen Einklangs aller Wesen, und in dieser Erkenntnis lebe ich in höchster Seligkeit immerdar. – Ja, ich Hochbeglückter habe das Höchste erkannt – ich muss dich lieben ewiglich, o Serpentina! – nimmer verbleichen die goldnen Strahlen der Lilie, denn wie Glaube und Liebe ist ewig die Erkenntnis."

Die Vision, in der ich nun den Anselmus leibhaftig auf seinem Rittergute in Atlantis gesehen, verdankte ich wohl den Künsten des Salamanders, und herrlich war es, dass ich sie, als alles wie im Nebel verloschen, auf dem Papier, das auf dem violetten Tische lag, recht sauber und augenscheinlich von mir selbst aufgeschrieben fand. – Aber nun fühlte ich mich von jähem Schmerz durchbohrt und zerrissen. „Ach, glücklicher Anselmus, der du die Bürde des alltäglichen Lebens

abgeworfen, der du in der Liebe zu der holden Serpentina die Schwingen rüstig rührtest und nun lebst in Wonne und Freude auf deinem Rittergut in Atlantis! – Aber ich Armer! – bald – ja in wenigen Minuten bin ich selbst aus diesem schönen Saal, der noch lange kein Rittergut in Atlantis ist, versetzt in mein Dachstübchen, und die Armseligkeiten des bedürftigen Lebens befangen meinen Sinn, und mein Blick ist von tausend Unheil wie von dickem Nebel umhüllt, dass ich wohl niemals die Lilie schauen werde.“ – Da klopfte mir der Archivarius Lindhorst leise auf die Achsel und sprach: „Still, still, Verehrter! Klagen Sie nicht so! – Waren Sie nicht soeben selbst in Atlantis, und haben Sie denn nicht auch dort wenigstens einen artigen Meierhof als poetisches Besitztum Ihres innern Sinns? – Ist denn überhaupt des Anselmus Seligkeit etwas anderes als das Leben in der Poesie, der sich der heilige Einklang aller Wesen als tiefstes Geheimnis der Natur offenbare?“
Ende des Märchens

1 Analysieren und interpretieren Sie das Ende der Anselmushandlung (Z. 1–23), indem Sie
- eine aufgabenbezogene Einleitung formulieren,
- den Inhalt kurz zusammenfassen,
- die inhaltlichen Aussagen vor dem Hintergrund der Frage erläutern, inwieweit sie typisch märchenhafte Elemente aufweisen,
- und die Auflösung unter Berücksichtigung der in der ersten Vigilie enthaltenen Vorausdeutung interpretieren.

Achten Sie bei Ihren Ausführungen auch auf die sprachliche Gestaltung.

2 Erläutern Sie vor diesem Hintergrund die abschließende Äußerung des Erzählers (Z. 24–42). Welchen Wunsch äußert dieser? Inwieweit ist die Haltung typisch für die Romantik?

3 Nehmen Sie abschließend Stellung zur literarischen Wirkungsabsicht des Textes. Was versucht das Märchen auf welche Art und Weise zu vermitteln und wie beurteilen Sie die inhaltliche Aussage und die Darstellung?

4 Diskutieren Sie unter Rückgriff auf Novalis‘ Äußerungen (S. 35) und Ihre Tabelle zu Form, Inhalt und Intention romantischer Literatur, inwieweit Hoffmanns Text Novalis' Forderungen entspricht. Kann das Märchen Ihrer Meinung nach dazu beitragen, die Welt zu „romantisieren“?

E.T.A. Hoffmann *Der goldne Topf* (1814)

Das Märchen *Der goldne Topf* ist in zwölf Vigilien (Nachtwachen) unterteilt und zeigt als Hauptfigur den tollpatschigen Studenten Anselmus und dessen Konfrontation mit einer märchenhaften, fantastischen Welt. Anselmus wird zum Beobachter und Beteiligten eines Kampfes zwischen Gut und Böse, repräsentiert durch den Archivarius Lindhorst, einem Geisterfürsten (verbannt aus dem mythischen Reich Atlantis und Zauberer, eigentlich ein Salamander) und dem hexenähnlichen Apfelweib (einer Zauberin, im eigentlichen Zustand eine Runkelrübe).

Anselmus selbst ist einem Kampf zwischen Realität und fantastischem Reich ausgesetzt. In der bürgerlichen Alltagswelt will Veronika, die Tochter des Konrektors Paulmann, mit ihm eine Zweckehe eingehen, da sie sich von der Heirat einen sozialen Aufstieg zur Hofrätin verspricht. Serpentina, die Tochter des Archivarius Lindhorst, die zunächst in Gestalt einer Schlange auftritt, will Anselmus durch Verführung in die fantastische Welt ziehen. Diese beiden Ebenen vermischen sich zunehmend im Verlauf der Erzählung. Anselmus durchläuft eine Entwicklung von einem eher kindlichen, poetischen Gemüt, repräsentiert durch die anfängliche Tätigkeit als bloßer Kopist für ihn unverständlicher Schriftzeichen, zu einem Dichter. Auf diesem Weg leitet ihn der Archivarius Lindhorst, dessen Geschichte als Salamander Anselmus zunächst nur kopiert, bei fortschreitender Auseinandersetzung aber auch versteht. Veronika, die Angst hat, Anselmus zu verlieren, bittet das Apfelweib um Hilfe, die daraufhin Anselmus das Verständnis der Schriftzeichen wieder nimmt. Davon irritiert, verstößt Anselmus beim Kopieren gegen ein Gebot des Archivarius und wird durch einen Zauber in eine Kristallflasche gesperrt. Lindhorst und das Apfelweib fechten dann einen abschließenden Kampf aus, den Lindhorst gewinnt, indem er seine Gegenspielerin in ihre ursprüngliche Gestalt zurückversetzt. Er vergibt daraufhin Anselmus und befreit ihn aus der Kristallflasche. Am Ende erwirbt Anselmus ein Rittergut auf Atlantis und wählt ein Leben mit Serpentina und „in der Poesie“, er entscheidet sich für die Liebe und das Reich des Fantastischen.

Klausurtraining

Textanalyse: einen pragmatischen Text untersuchen

Sie haben sich mit den Grundgedanken der Romantik und literarischen Textbeispielen auseinandergesetzt sowie einen programmatischen Text nach vorgegebener Struktur erschlossen. An dieser Stelle bietet es sich an, einen weiteren programmatischen Text vor dem Hintergrund des bereits erworbenen Wissens schrittweise zu analysieren und in Bezug auf die Epochentypik zu überprüfen. Dadurch sollen zum einen Ihre methodischen Fertigkeiten in Hinführung zu einer Klausur gefördert werden, zum anderen steht dieser Text aber auch inhaltlich zentral für das Programm der Romantik.

Karl Wilhelm Friedrich von Schlegel (1772–1829), deutscher Kulturphilosoph, Schriftsteller, Historiker und Altphilologe; zusammen mit seinem Bruder August Wilhelm Schlegel einer der wichtigsten Vertreter der Jenaer Frühromantik. Friedrich Schlegel gab unter anderem die Äthenäums-Zeitschrift heraus, in der eine Sammlung unterschiedlicher Essays Schlegels mit Gedanken zur Zeitgeschichte und der Poesie erschien, die sogenannten Athenäums-Fragmente.

Friedrich Schlegel

116. Athenäums-Fragment (1798, Auszug)

[...] Die romantische Poesie ist eine progressive Universalpoesie. Ihre Bestimmung ist nicht bloß, alle getrennte Gattungen der Poesie wieder zu vereinigen, und die Poesie mit der Philosophie und Rhetorik in Berührung zu setzen. Sie will, und soll auch Poesie und Prosa, Genialität und Kritik, Kunstpoesie und Naturpoesie bald mischen, bald verschmelzen, die Poesie lebendig und gesellig, und das Leben und die Gesellschaft poetisch machen, den Witz poetisieren, und die Formen der Kunst mit gediegnem Bildungsstoff jeder Art anfüllen und sättigen, und durch die Schwingungen des Humors beseelen. Sie umfasst alles, was nur poetisch ist, vom größten wieder mehrere Systeme in sich enthaltenden Systeme der Kunst, bis zu dem Seufzer, dem Kuss, den das dichtende Kind aushaucht in kunstlosen Gesang. Sie kann sich so in das Dargestellte verlieren, dass man glauben möchte, poetische Individuen jeder Art zu charakterisieren, sei ihr eins und alles; und doch gibt es noch keine Form, die dazu gemacht wäre, den Geist des Autors vollständig auszudrücken: so dass manche Künstler, die nur auch einen Roman schreiben wollten, von ungefähr sich selbst dargestellt haben. Nur sie kann gleich dem Epos ein Spiegel der ganzen umgebenden Welt, ein Bild des Zeitalters werden. Und doch kann auch sie am meisten zwischen dem Dargestellten und dem Darstellenden, frei von allem realen und idealen Interesse auf den Flügeln der poetischen Reflexion in der Mitte schweben, diese Reflexion immer wieder potenzieren und wie in einer endlosen Reihe von Spiegeln vervielfachen. Sie ist der höchsten und der allseitigsten Bildung fähig; nicht bloß von innen heraus, sondern auch von außen hinein; indem sie jedem, was ein Ganzes in ihren Produkten sein soll, alle Teile ähnlich organisiert, wodurch ihr die Aussicht auf eine grenzenlos wachsende Klassizität eröffnet wird. Die romantische Poesie ist unter den Künsten was der Witz der Philosophie, und die Gesellschaft, Umgang, Freundschaft und Liebe im Leben ist. Andre Dichtarten sind fertig, und können nun vollständig zergliedert werden. Die romantische Dichtart ist noch im Werden; ja das ist ihr eigentliches Wesen, dass sie ewig nur werden, nie vollendet sein kann. Sie kann durch keine Theorie erschöpft werden, und nur eine divinatorische Kritik dürfte es wagen, ihr Ideal charakterisieren zu wollen. Sie allein ist unendlich, wie sie allein frei ist, und das als ihr erstes Gesetz anerkennt, dass die Willkür des Dichters kein Gesetz über sich leide. Die romantische Dichtart ist die einzige, die mehr als Art, und gleichsam die Dichtkunst selbst ist: denn in einem gewissen Sinn ist oder soll alle Poesie romantisch sein. [...]

divinatorisch vorahnend, seherisch

1 Analysieren Sie den vorliegenden Auszug aus dem 116. Athenäums-Fragment unter besonderer Berücksichtigung der Position des Autors zu Form, Inhalt und Intention romantischer Poesie.

2 Überprüfen Sie, inwieweit die besprochenen literarischen Texte diese Thesen widerspiegeln.

Mögliche Klausuraufgabenstellungen: Beide Aufgaben decken alle drei Anforderungsbereiche ab, bei Aufgabe 2 stehen dabei der zweite und dritte Anforderungsbereich, der Transfer und die Problemlösung, im Fokus.

Beim Verfassen einer Analyse ist die Vorbereitung nicht zu unterschätzen. Zunächst müssen Sie sich verdeutlichen, was die Aufgabenstellung eigentlich von Ihnen verlangt. In diesem Fall ist es die Analyse eines Sachtextes (Aufgabe 1) mit erörterndem Anteil (Aufgabe 2).

Hinzu kommt ein Analyseschwerpunkt: Die Position Schlegels zu Form, Inhalt und Intention romantischer Literatur soll besonders berücksichtigt werden.

Zu Aufgabe 1:

1. Markieren Sie nach dem ersten Lesen die entscheidenden Aussagen Novalis' zu Form, Inhalt und Intention romantischer Literatur in unterschiedlichen Farben (oder in unterschiedlichen Varianten).

2. Die Analyse der Position ist in derselben Art und Weise unterteilt wie in Ihnen bereits bekannten Aufgaben. Legen Sie auf Notizpapier die bekannte Tabelle (s. S. 36) an und tragen Sie die wesentlichen Aussagen Schlegels als Zitat mit Textverweis in diese ein.

3. Paraphrasieren Sie die jeweiligen Aussagen Schlegels.

Damit sind die ersten Vorbereitungen abgeschlossen, und Sie können sich der eigentlichen Analyse zuwenden. Dafür müssen Sie sich noch einmal die entscheidenden Schritte der Sachtextanalyse verdeutlichen:

Schritt 1: Bestimmung des Themas: Wovon handelt der Text im Allgemeinen, in welchen Diskurs bettet er sich ein?
Schritt 2: Bestimmung der Position: Welche Position (Sachhaltung) zu diesem Thema vertritt der Autor?
Schritt 3: Klärung der Argumentation
a) inhaltlich: Was wird gesagt?
b) formal/strukturell: Wie wird es gesagt? Wie ist die Argumentation aufgebaut?
Schritt 4: Bestimmung der Intention und der Adressaten: Warum wird es gesagt?
Welches Ziel wird damit verfolgt? An wen richtet sich der Text?
Schritt 5: Erarbeitung einer reflektierten Schlussfolgerung (und persönlichen Positionierung):
Wie beurteilen Sie das Gesagte?

4. Machen Sie sich auf Ihrem Notizpapier Stichpunkte zu den Schritten 1, 2 und 4.

5. Der Schritt 3 a) ist von Ihnen bereits durch das Anlegen der Tabelle erarbeitet worden. Markieren Sie in einem nächsten Schritt sprachliche Auffälligkeiten im Text und machen Sie sich kurze Randnotizen zur Funktion (3 b)).

6. Skizzieren Sie den Argumentationsaufbau des Textes (Thesen, Argumente, Beispiele, Ablauf der Argumentation, Form der Argumentation).

Für die genaue Klärung der Begriffe *These, Argument, Beispiel* und für die unterschiedlichen Möglichkeiten der Argumentation s. S. 314.

Schritt 1

Im Kern müssen Sie hier die Ergebnisse Ihrer Vorbereitungstabelle in einen Fließtext bringen, d. h., die paraphrasierten Äußerungen Schlegels zu den Aspekten werden wiedergegeben UND erklärt. Es reicht nicht, einfach nur zu benennen, was Schlegel zum Ausdruck bringt, Sie müssen auch erklären, was damit auf inhaltlicher Ebene gemeint ist.

Jetzt sind Sie in der Lage, mit dem tatsächlichen Verfassen der Analyse zu beginnen. Der erste Schritt dabei ist die sogenannte **aufgabenbezogene Einleitung**. Diese erfüllt die Funktion, den Leser Ihrer Analyse über alle wichtigen Aspekte des Textes, der Aufgabe und der weiteren Vorgehensweise zu informieren. Klassischerweise muss diese Einleitung Angaben zu:

- Autor (Friedrich Schlegel),
- Titel (Auszug aus dem *116. Athenäums-Fragment)*,
- Textsorte (essayistischer Text zur romantischen Programmatik),
- Erscheinungsjahr (1798) und
- Thema (z. B. Aufgabe und Besonderheiten romantischer Poesie, Diskurs über romantische Programmatik) enthalten.

Versuchen Sie nicht, immer alle diese Informationen in einem einzigen Satz unterzubringen, dieser Teil wird als aufgabenbezogene Einleitung und nicht mehr als Einleitungssatz bezeichnet. Sie sollen in Verbindung mit der Angabe der wichtigsten Fakten den Gesamtzusammenhang anschaulich darstellen, z. B.

Friedrich Schlegel gilt als einer der bedeutendsten Philosophen und Schriftsteller der Romantik. Im Rahmen der Herausgabe der Athenäums-Zeitschrift hat er sich schon in der frühen Phase der Romantik intensiv mit programmatischen Forderungen auseinandergesetzt. In diesen Kontext bettet sich auch der vorliegende Auszug aus dem „116. Athenäums-Fragment" ein, das von Schlegel 1798 veröffentlicht wurde. Thematisch wendet sich der Autor hier der Frage nach der Aufgabe und den Besonderheiten romantischer Poesie zu.

1. Übertragen Sie die aufgabenbezogene Einleitung in Ihr Arbeitsheft oder formulieren Sie eine eigene. Reihen Sie im weiteren Verlauf der Erarbeitung die einzeln zu erarbeitenden Aspekte an diese an. Auf diese Art und Weise werden Sie Schritt für Schritt eine vollständige Analyse erhalten.

Schritt 2

Bei einer Positionsformulierung muss immer ein Textverweis vorgenommen werden!

In Ihrer Vorbereitung haben Sie bereits Stichpunkte zu Thema (s. o.) und Position gemacht. Die Position ist eine Sachhaltung zu einem Thema, ein Standpunkt innerhalb eines Diskurses. Der nächste Schritt der Analyse ist es nun, die Position Schlegels zu formulieren. Es reicht nicht, diese kurz zu benennen, sondern die Position muss in aller Kürze auch erklärt werden.

1. Formulieren Sie die Position Schlegels in eigenen Worten und ergänzen Sie dann eine kurze Erklärung seines Standpunktes.

   Ein möglicher Formulierungsanfang wäre:

   Schlegel vertritt die Position, dass...

Schritt 3

Im weiteren Verlauf Ihrer Analyse müssen Sie jetzt darlegen, wie Schlegel diese Position begründet, wie er argumentiert. Die Aufgabenstellung gibt Ihnen drei Analyseschwerpunkte zu dieser Position vor: Inhalt, Form und Intention. Ab hier gibt es zwei Möglichkeiten:

Möglichkeit 1:

Entweder arbeiten Sie sich chronologisch am Text entlang, geben die inhaltlichen Aussagen in eigenen Worten mit Zeilenverweis sowie unter Beachtung des Konjunktivs wieder, um dann jeweils zu erläutern, inwieweit der Autor sich zu den drei genannten Analyseaspekten äußert.

Möglichkeit 2:

Oder Sie ordnen den Text neu, indem Sie die jeweils entscheidenden Aussagen zu den genannten Analyseaspekten zusammenfassend wiedergeben und erläutern, natürlich auch unter Beachtung der Zeilenverweise und des Konjunktivs.

Generell ist beides möglich, bei dem vorliegenden Text bietet es sich aber durchaus an, eine Neugliederung vorzunehmen. Nachfolgend sind Vorschläge für die Untergliederung und Formulierungen der Überleitungen angeführt.

1. Formulieren Sie den Analyseteil nun ausführlich. Orientieren Sie sich dabei an der unten aufgeführten Gliederung. Die beispielhaften Überleitungsformulierungen können übernommen werden oder Sie überlegen sich eigene Formulierungen.

   Die genannte Position Schlegels gliedert sich in der Begründung in drei Aspekte. Übergeordnet ist dabei die Frage der Intentionalität romantischer Poesie. Gleichzeitig äußert der Autor sich aber auch zu Form und Inhalt romantischer Literatur.

   Bezüglich der Form führt Schlegel an, dass ...

   Auf ähnlicher Ebene äußert sich Schlegel bezüglich des Inhalts der Literatur. Er postuliert, dass ...

   Die Schlussfolgerung Schlegels aus diesen Äußerungen zu Inhalt und Form romantischer Literatur spiegelt die von Schlegel intendierte Aufgabe romantischer Literatur wider. Für Schlegel muss die Intention der Poesie ...

Schritt 4

Abschließend zur inhaltlichen Analyse sollten Sie die Hauptaussagen/Hauptthesen (Position) des Autors noch einmal klar herausstellen. Hier muss ein inhaltlicher Rückbezug zum zweiten Schritt Ihrer Analyse, der Positionsformulierung, stattfinden.

Klären Sie nun die sprachliche Gestaltung: Welche rhetorischen Mittel werden in welcher Funktion eingesetzt? Wie ist der generelle Aufbau des Textes? Welche Funktion wird damit erfüllt? Dies ist der Punkt 3 b) der Sachtextanalyse. Vergessen Sie nicht, dass Sie auch hierzu bereits eine ausführliche Vorbereitung vorgenommen haben.

Ziel dieses Teils der Analyse ist es, zu beschreiben, wie der Text genau aufgebaut ist und welche Funktion dieser Aufbau hat. Eng damit verbunden ist die Frage der Sprachlichkeit des Textes. Generell wichtig ist es dabei, dass nicht einfach nur der Textaufbau wiedergegeben wird, sondern immer auch erklärt wird, welche Wirkung dies erzielt.

1. Formulieren Sie diesen zweiten Analyseteil zur sprachlichen Gestaltung.

Schritt 5

Verfassen Sie abschließend eine prägnante Zusammenfassung der zentralen Wirkabsicht des Textes und nehmen Sie kurz persönlich Stellung zum Text: sowohl in Bezug auf die inhaltliche Aussage, hier z. B. vor dem Hintergrund der Epochentypik, als auch in Bezug auf den Zusammenhang von inhaltlicher Wirkungsabsicht und formaler Gestaltung.

1. Formulieren Sie abschließend Ihre reflektierte Schlussfolgerung. Sie können die unten angeführten einleitenden Formulierungen übernehmen oder eine eigene neue Formulierung wählen.

   Abschließend ist festzuhalten, dass Schlegel die Position, ..., vor allem mit dem Argument unterstützt, dass ... Dies ist ein typisches Argument für ...

Sie haben die erste Aufgabe des Klausurtrainings vollständig erarbeitet. Diese erstellte Analyse sollten Sie noch einmal Korrektur lesen und dabei insbesondere auf Rechtschreibung, Zeichensetzung und die korrekte Verwendung des Modus achten. Zudem sollten Sie überprüfen, ob die Kohärenz, also der inhaltliche Zusammenhang der aufgestellten Bezüge, gewährleistet ist.

Generell bietet es sich an, mit einem Mitschüler, einer Mitschülerin die angefertigten Analysen auszutauschen, um sich gegenseitig sprachlich, inhaltlich und in Bezug auf die Kohärenz zu überprüfen.

Kohärenz bezeichnet den gedanklichen und syntaktischen Zusammenhang in einem Text. Gewährleistet wird diese durch den korrekten Gebrauch von Konnektoren (Adverbien und Konjunktionen) und zentralen Redewendungen (Der Autor vertritt seine Position durch ...).

Bei der Überprüfung der Kohärenz sollte auf passende Satzanschlüsse und saubere Bezüge geachtet werden. Ist immer klar, wer gerade was über wen sagt?

Zu Aufgabe 2:

Auch die zweite Aufgabe der Klausur bedarf der **Vorbereitung**. Sie sollen in diesem zweiten Teil überprüfen, inwieweit sich die Thesen Schlegels in den bereits besprochenen romantischen Texten widerspiegeln. Die Thesen sind schon ausführlich erarbeitet worden.

1. Reflektieren Sie kurz, welche Texte bis zu diesem Punkt besprochen wurden, und notieren Sie stichpunktartig (Notizpapier) Titel, Autor und Inhalt/Aussage.
2. Überlegen Sie im nächsten Schritt, welche dieser Texte die größten Gemeinsamkeiten und Unterschiede zu den Forderungen Schlegels aufweisen, und schreiben Sie sich stichpunktartig Abweichungen und Entsprechungen auf.
3. Notieren Sie kurz die entscheidenden Merkmale der Epoche der Romantik.

Sie haben jetzt die nötigen Vorbereitungen geleistet und können mit dem Verfassen der Überprüfung beginnen. Verdeutlichen Sie sich dafür zunächst folgende Schritte der Darstellung:

1: Formulieren einer aufgabenbezogenen Überleitung: auf die Aufgabenstellung eingehen und Problemaufriss vornehmen; hier beispielsweise die Passung poetologischer Konzepte und literarischer Praxis; Frage der Gestaltungsform und der Funktion romantischer Literatur.
2: Zentrale Merkmale der Epoche der Romantik darstellen und in Bezug zu Schlegels Kernaussagen setzen.
3: Bezüge zwischen zentralen Textaussagen Schlegels zu Ihnen bekannten literarischen Texten nach selbstgewählter Schwerpunktsetzung herstellen; achten Sie dabei auf Gemeinsamkeiten UND Unterschiede.
4: Abschließendes Fazit zur Überprüfung der Passung von Schlegels Thesen mit Ihnen bekannter romantischer Literatur unter Rückgriff auf Ihre eigene Argumentation.

Analog zur aufgabenbezogenen Einleitung bei der Analyse muss hier zunächst eine aufgabenbezogene Überleitung formuliert werden. Die zweite Aufgabe knüpft direkt an die Analyse an, Sie sollen also die analysierten Thesen Schlegels auf Ihre Passung in Bezug auf bekannte romantische Texte überprüfen. Damit steht diese zweite Aufgabe im Kontext des Diskurses über die Passung poetologischer Konzepte und literarischer Praxis.

Friedrich Schlegel stellt mit seinem „116. Athenäums-Fragment" ein poetologisches Konzept auf, das konkrete Ansprüche an romantische Literatur formuliert. Diese Ausführungen Schlegels stehen am Anfang des romantischen literarischen Wirkens, sodass überprüft werden kann, inwieweit sich seine Thesen in den bekannten literarischen Texten widerspiegeln. Schlegel vertritt die Position, dass …

Hieran schließen sich die **kurze** generelle Darstellung der Merkmale der Romantik und der **kurze** Vergleich dieser Merkmale mit Schlegels Äußerungen an.

1. Übertragen Sie den vorgegebenen Überleitungsteil in Ihr Arbeitsheft oder formulieren Sie einen eigenen.
2. Stellen Sie ausgehend von den unten angegebenen Überleitungssätzen den Bezug zur Epoche der Romantik her.

   Die literarische Epoche der Romantik zeichnet sich im Kern vor allem durch …
   Insbesondere Schlegels Forderung des/der …

3. Formulieren Sie jetzt unter Rückbezug auf Ihre Notizen den Hauptteil der Überprüfung. Sie können entweder die einzelnen Schlegelschen Thesen linear durchgehen und diese jeweils in Bezug zu unterschiedlichen literarischen Texten setzen, oder Sie stellen zunächst überblickend Gemeinsamkeiten/Entsprechungen anhand verschiedener literarischer Texte dar und gehen dann auf Unterschiede/Abweichungen in literarischen Texten ein.
4. Formulieren Sie abschließend ein Fazit zu der Frage, inwieweit sich die Thesen Schlegels in Ihnen bekannten literarischen Texten widerspiegeln.

Von Liebe bis Wanderschaft

Die großen Motivbereiche der Romantik anhand lyrischer Texte erschließen

Die romantische Literatur bedient sich unterschiedlicher Motivbereiche, die teilweise in klarer Abgrenzung zur Aufklärung stehen. Bereits zu Beginn dieser Sequenz haben Sie sich mit Großteilen dieser Motivik in Bezug auf das Gemälde von Caspar David Friedrich (s. S. 32) auseinandergesetzt. Insgesamt kann man u. a. folgende Bereiche als zentrale Motive der Romantik festhalten: Liebe, Sehnsucht, Fernweh und Wanderschaft, Natur, die Nacht und der Traum als Raum der Entgrenzung, Fantasie und Poesie sowie Gläubigkeit. Zu unterschiedlichen Zeitpunkten der Romantik standen unterschiedliche Motive im Fokus. Im Folgenden sollen diese Motivbereiche aufgrund eigenständiger Recherche und Anwendung auf typische lyrische Texte erschlossen werden.

1 ***Lernarrangement***

Teilen Sie den Kurs in Gruppen zu den Motivbereichen auf. Die einzelnen Motivbereiche sind: **1.** Liebe (Liebeslust und Liebesschmerz), **2.** Sehnsucht, Fernweh und Wanderschaft, **3.** Natur als Zufluchtsort, **4.** Nacht und Traum als Raum der Entgrenzung, **5.** Fantasie und Poesie, **6.** Romantische Religiosität. Jedem Motivbereich ist nachfolgend ein Gedicht zugeordnet.

a) Sammeln Sie eigenständig (Internetrecherche, Sekundärliteratur etc.) informierendes Material zu Ihrem jeweiligen Motivbereich.

b) Bereiten Sie auf dieser Grundlage in der Gruppe einen Informationskasten zu Ihrem Motivbereich vor. Analysieren Sie das Ihrer Gruppe zugewiesene Gedicht unter besonderer Berücksichtigung 1. allgemeiner typischer romantischer Merkmale und 2. typischer Aspekte Ihres jeweiligen Motivbereichs.

c) Erstellen Sie auf Grundlage Ihrer Erarbeitung in der Gruppe ein Handout zu Ihrem Gedicht und Motivbereich. Dieses soll den Infokasten zum Motivbereich enthalten, den Inhalt des Gedichts in prägnanter Form wiedergeben, sprachliche Auffälligkeiten des Gedichts erläutern und klären, inwieweit das Gedicht 1. typisch für die Epoche der Romantik und 2. repräsentativ für den jeweiligen Motivbereich ist.

d) Präsentieren Sie sich im Kurs gegenseitig die Ergebnisse zu den jeweiligen Motivbereichen. Vergessen Sie dabei nicht, einen betonten Vortrag des Gedichts an geeigneter Stelle in Ihren Vortrag zu integrieren.

Georg Friedrich Kersting: Paar am Fenster (1817)

Liebe

Clemens Brentano

Clemens Brentano (1778–1842), deutscher Schriftsteller und einer der Hauptvertreter der sogenannten Heidelberger Romantik

Geheime Liebe (1811)

Unbeglückt muss ich durchs Leben gehen,
Meine Rechte sind nicht anerkannt;
Aus der Liebe schönem Reich verbannt,
Muss ich dennoch stets ihr Schönstes sehen!

Nicht die schwache Zunge darf's gestehen,
Nicht der Blick verstohlen zugesandt,
Was sich eigen hat das Herz ernannt,
Nicht im Seufzer darf's der Brust entwehen!

Tröstung such' ich bei der fremden Nacht,
Wenn der leere lange Tag vergangen,
Ihr vertrau' ich mein geheim Verlangen;
Ist in Tränen meine Nacht durchwacht,
Und der lange leere Tag kommt wieder,
Still ins Herz steigt meine Liebe nieder.

Sehnsucht, Fernweh und Wanderschaft

Joseph von Eichendorff

Sehnsucht (1834)

Joseph (Freiherr) von Eichendorff (1788–1857), bedeutender Lyriker und Schriftsteller der deutschen Romantik; bekannt für die Erzählung *Aus dem Leben eines Taugenichts* und bis heute einer der am häufigsten vertonten deutschsprachigen Lyriker.

Es schienen so golden die Sterne,
Am Fenster ich einsam stand
Und hörte aus weiter Ferne
Ein Posthorn im stillen Land.
Das Herz mir im Leibe entbrennte,
Da hab ich mir heimlich gedacht:
Ach, wer da mitreisen könnte
In der prächtigen Sommernacht!

Zwei junge Gesellen gingen
Vorüber am Bergeshang,
Ich hörte im Wandern sie singen
Die stille Gegend entlang:
Von schwindelnden Felsenschlüften,
Wo die Wälder rauschen so sacht,
Von Quellen, die von den Klüften
Sich stürzen in die Waldesnacht.

Philipp Otto Runge: Quelle und Dichter (um 1800)

Sie sangen von Marmorbildern,
Von Gärten, die überm Gestein
In dämmernden Lauben verwildern,
Palästen im Mondenschein,
Wo die Mädchen am Fenster lauschen,
Wann der Lauten Klang erwacht,
Und die Brunnen verschlafen rauschen
In der prächtigen Sommernacht. –

Natur

Wilhelm Müller

Der Lindenbaum (1822)

Wilhelm Müller (1794–1827), deutscher Dichter der Romantik, heute insbesondere bekannt durch die später durch Franz Schubert vorgenommene Vertonung seiner Liederzyklen (*Winterreise*)

Am Brunnen vor dem Tore
Da steht ein Lindenbaum:
Ich träumt in seinem Schatten
So manchen süßen Traum.

Ich schnitt in seine Rinde
So manches liebe Wort;
Es zog in Freud und Leide
Zu ihm mich immer fort.

Ich musst auch heute wandern
Vorbei in tiefer Nacht,
Da hab ich noch im Dunkel
Die Augen zugemacht.

Und seine Zweige rauschten
Als riefen sie mir zu:
Komm her zu mir, Geselle,
Hier findest du deine Ruh!

Die kalten Winde bliesen
Mir grad ins Angesicht,
Der Hut flog mir vom Kopfe,
Ich wendete mich nicht.

Nun bin ich manche Stunde
Entfernt von jenem Ort,
Und immer hör ich's rauschen:
Du fändest Ruhe dort!

Nacht und Traum als Raum der Entgrenzung

Clemens Brentano

„Hörst du wie die Brunnen rauschen“ (1808)

1 Hörst du wie die Brunnen rauschen,
Hörst du wie die Grille zirpt?
Stille, stille, lass uns lauschen,
Selig, wer in Träumen stirbt.
Selig, wen die Wolken wiegen,
Wem der Mond ein Schlaflied singt,
O wie selig kann der fliegen,
Dem der Traum den Flügel schwingt,
Dass an blauer Himmelsdecke
Sterne er wie Blumen pflückt:
Schlafe, träume, flieg, ich wecke
Bald dich auf und bin beglückt.

Karl Spitzweg: Bergschlucht mit badenden Frauen

Fantasie und Poesie

Ludwig Uhland

Freie Kunst (1812)

1 Singe, wem Gesang gegeben,
In dem deutschen Dichterwald!
Das ist Freude, das ist Leben,
Wenn's von allen Zweigen schallt.

Nicht an wenig stolze Namen
Ist die Liederkunst gebannt;
Ausgestreuet ist der Samen
Über alles deutsche Land.

Deines vollen Herzens Triebe,
Gib sie keck im Klange frei!
Säuselnd wandle deine Liebe,
Donnernd uns dein Zorn vorbei!

Singst du nicht dein ganzes Leben,
Sing doch in der Jugend Drang!
Nur im Blütenmond erheben
Nachtigallen ihren Sang.

Kann man's nicht in Bücher binden,
Was die Stunden dir verleihn,
Gib ein fliegend Blatt den Winden!
Muntre Jugend hascht es ein.

Fahret wohl, geheime Kunden,
Nekromantik, Alchimie!
Formel hält uns nicht gebunden,
Unsre Kunst heißt Poesie.

Heilig achten wir die Geister,
Aber Namen sind uns Dunst;
Würdig ehren wir die Meister,
Aber frei ist uns die Kunst.

Nicht in kalten Marmorsteinen,
Nicht in Tempeln, dumpf und tot,
In den frischen Eichenhainen
Webt und rauscht der deutsche Gott.

Ludwig Uhland (1787–1862), deutscher Dichter, Literaturwissenschaftler, Jurist und Politiker

Nekromantik (Nekromantie) Totenbeschwörung

Romantische Religiosität

Ludwig Tieck

Andacht (1799)

Ludwig Tieck (1773–1853), deutscher Dichter, Herausgeber und Übersetzer; er publizierte auch unter den Pseudonymen Peter Lebrecht und Gottlieb Färber.

1 Wann das Abendrot die Haine
Mit den Abschiedsflammen küsst, –
Wann im prächt'gen Morgenscheine
Lerchenklang die Sonne grüßt, –

O dann werf ich Jubellieder
Ins Lobpreisen der Natur,
Echo spricht die Töne wieder,
Alles preist den Ew'gen nur.

Mit den Quellen geht mein Grüßen,
Und das taube Herz in mir
Hat dem Gott erwachen müssen,
Der uns schirmet für und für.

Meereswogen laut erklingen,
In den Wäldern wohnt manch Schall:
Und wir sollten nicht besingen,
Da die Freude überall? –

Die drei Phasen der Romantik (ca. 1795–1835)

Als Abgrenzung zur starken Betonung der Vernunft des Menschen in der Aufklärung entwickelt sich ähnlich des Sturm und Drang die literarische Epoche der Romantik. Aber analog zum gesamten literarischen Schaffen um 1800 ist auch diese Epoche kein einheitliches Konstrukt. Die Epoche gliedert sich in drei Phasen.

Frühromantik (ab ca. 1795): Diese erste Phase der Romantik ist eher noch kritisch-wissenschaftlich eingestellt. Um die Brüder Schlegel in Jena herum bildet sich ein Kreis, der nach dem Verlust der klassischen Harmonie (s. Weimarer Klassik) versucht, aus der inneren Entzweiung zu finden. Dies ist die Hochphase der poetologischen Konzepte der Romantik, die eine Abkehr von der Orientierung an der antiken Dichtung fordern und eine Rückbesinnung auf mittelalterliche Dichtung als geeignet ansehen.

Hochromantik (ab ca. 1805): Die Phase der Romantik mit dem Mittelpunkt in Heidelberg ist geprägt von der Sammlung und der Herausgabe von Volkspoesie und den Zeugnissen mittelhochdeutscher Dichtung.

Spätromantik (ab ca. 1820): Diese Phase markiert die Rückkehr vieler Romantiker zum katholischen Glauben. Gleichzeitig entwickelt sich die sogenannte „schwarze" Romantik, die Themen wie Verbrechenszwang, Doppelgängertum und Ich-Spaltung aufgreift. Zudem findet in dieser Phase eine langsame Rückbesinnung auf politische Themen in der Literatur statt. Dieser Schaffensphase ist der junge Heinrich Heine zuzuordnen, der beginnt, die romantische Motivik auf ironischer Ebene zu brechen. Dies ebnet den Weg hin zur Literatur des *Jungen Deutschland* und des *Vormärz*, einer Phase der Literatur, in die z. B. Georg Büchners *Woyzeck* (s. S. 117 ff.) einzuordnen ist.

Julius von Leypold: Wanderer im Sturm (1835)

Alles nur Romantik? Vernunft, Herz und Ideal!

Einen programmatischen Text zur Weimarer Klassik aspektorientiert analysieren

Friedrich Schiller

Über Bürgers Gedichte (1791)

Vielmehr ließe sich auch in unsern so unpoetischen Tagen [...] für die Dichtkunst [...] eine sehr würdige Bestimmung entdecken; [...] Bei der Vereinzelung und getrennten Wirksamkeit unserer Geisteskräfte, die der erweiterte Kreis des Wissens und die Absonderung der Berufsgeschäfte notwendig macht, ist es die Dichtkunst beinahe allein, welche die getrennten Kräfte der Seele wieder in Vereinigung bringt, welche Kopf und Herz, Scharfsinn und Witz, Vernunft und Einbildungskraft in harmonischem Bunde beschäftigt, welche gleichsam den ganzen Menschen in uns wieder herstellt. Sie allein kann das Schicksal abwenden, das traurigste, das dem philosophierenden Verstande widerfahren kann, über dem Fleiß des Forschens den Preis seiner Anstrengungen zu verlieren und in einer abgezogenen Vernunftwelt für die Freuden der wirklichen zu ersterben. [...] Dazu aber würde erfordert, dass sie selbst mit dem Zeitalter fortschritte, dem sie diesen wichtigen Dienst leisten soll, dass sie sich alle Vorzüge und Erwerbungen desselben zu eigen machte. Was Erfahrung und Vernunft an Schätzen für die Menschheit aufhäuften, müsste Leben und Fruchtbarkeit gewinnen und in Anmut sich kleiden in ihrer schöpferischen Hand. Die Sitten, den Charakter, die ganze Weisheit ihrer Zeit müsste sie, geläutert und veredelt, in ihrem Spiegel sammeln und mit idealisierender Kunst aus dem Jahrhundert selbst ein Muster für das Jahrhundert erschaffen. [...] Alles, was der Dichter uns geben kann, ist seine Individualität. Diese muss es also wert sein, vor Welt und Nachwelt ausgestellt zu werden. Diese seine Individualität so sehr als möglich zu veredeln, zur reinsten, herrlichsten Menschheit hinaufzuläutern, ist sein erstes und wichtigstes Geschäft [...]. Der höchste Wert seines Gedichtes kann kein anderer sein, als dass es der reine vollendete Abdruck einer interessanten Gemütslage eines interessanten vollendeten Geistes ist. [...] Vom Ästhetischen gilt eben das, was vom Sittlichen; wie es hier der moralisch vortreffliche Charakter eines Menschen allein ist, der einer seiner einzelnen Handlungen den Stempel moralischer Güte aufdrücken kann, so ist es dort nur der reife, der vollkommene Geist, von dem das Reife, das Vollkommene ausfließt. [...] Eine notwendige Operation des Dichters ist Idealisierung seines Gegenstandes, ohne welche er aufhört, seinen Namen zu verdienen. Ihm kommt es zu, das Vortreffliche seines Gegenstandes (mag dieser nun Gestalt, Empfindung oder Handlung sein, in ihm oder außer ihm wohnen) von gröbern, wenigstens fremdartigen Beimischungen zu befreien, die in mehrern Gegenständen zerstreuten Strahlen von Vollkommenheit in einem einzigen zu sammeln, einzelne, das Ebenmaß störende Züge der Harmonie des Ganzen zu unterwerfen, das Individuelle und Lokale zum Allgemeinen zu erheben. Alle Ideale, die er auf diese Art im Einzelnen bildet, sind gleichsam nur Ausflüsse eines inneren Ideals von Vollkommenheit, das in der Seele des Dichters wohnt. Zu je größerer Reinheit und Fülle er dieses innere allgemeine Ideal ausgebildet hat, desto mehr werden auch jene einzelnen sich der höchsten Vollkommenheit nähern.

Friedrich Schiller (1759–1805), mit Goethe der wohl berühmteste deutsche Dichter; bekannt für seine Dramen (z. B. *Wilhelm Tell, Die Räuber, Kabale und Liebe*) und seine Lyrik, aber auch für seine theoretischen Schriften (z. B. *Die ästhetische Erziehung des Menschen*).

1 Erarbeiten Sie analog zur Erschließung der Äußerungen Novalis' und Schlegels den vorliegenden programmatischen Text Schillers. Orientieren Sie sich an der bekannten Tabelle (S. 36) und ersetzen Sie *romantische Literatur* durch *Literatur der Weimarer Klassik*.

2 Erläutern Sie das konkrete Ziel der klassischen Literatur nach Schiller. Was ist die wichtigste Aufgabe des Dichters?

3 Diskutieren Sie im Plenum: Welche Gemeinsamkeiten und Unterschiede zeigt die Schiller'sche Literaturauffassung jeweils zu den Konzepten der Aufklärung und der Romantik?

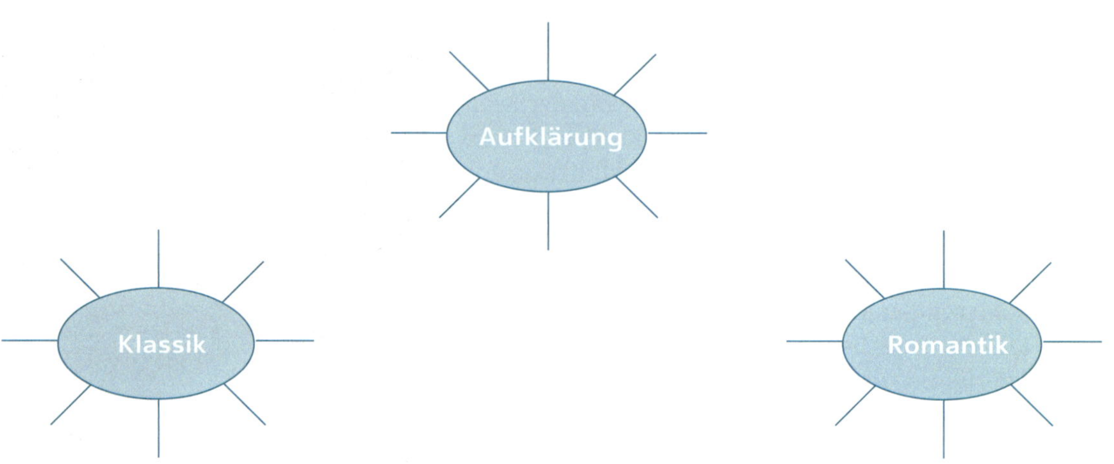

Ernst Rietschel: Goethe-Schiller-Denkmal vor dem Nationaltheater in Weimar (1857)

Die Weimarer Klassik (ca. 1786–1805/1832)

Klassische Epochen werden als vorbildhaft angesehen und tragen mit den in ihnen entstandenen Werken wesentlich zur Erschaffung einer Nationalliteratur bei. Der Beginn der Weimarer Klassik wird meist mit Goethes Italienreise (1786–1788) und Schillers Umzug nach Weimar (1799) gesetzt, wo sich zwischen den beiden Dichtern eine enge Freundschaft entwickelt. Je nach Perspektive endet die Epoche mit Schillers Tod 1805 oder Goethes Tod 1832.

Generell ist das Wirken dieser beiden Literaten zentral für die Epoche. Sah man in der Aufklärung noch den Verstand bzw. die Vernunft als oberste Handlungsmaxime an und wollte man im Sturm und Drang vor allem das Gefühlsleben des Individuums hervorheben, so setzen die Autoren der Weimarer Klassik sich das Ziel, einen harmonischen Ausgleich zwischen diesen Gegensätzen zu erreichen. Vorbildhaft ist dabei nicht nur für Goethe und Schiller, sondern auch für Wieland und Herder, die ebenfalls in Weimar tätig sind, das Ideal der griechisch-römischen Antike.

Beispielsweise wird das polytheistische Götterbild, in dem die Vereinigung der menschlichen Eigenschaften und der Zusammenhalt mit der Natur verkörpert werden, von ihnen zum angestrebten Idealzustand erhoben. Goethe setzt diese humanistischen Grundsätze von Wahrheit, Schönheit, Selbstbestimmung und Sittlichkeit beispielsweise in seinem Drama *Iphigenie auf Tauris* um. Ziel ist dabei ein Gemeinwesen, in dem das Individuum frei und gewaltlos unter Beachtung der Menschenrechte existieren kann.

Schiller orientiert sich zudem in seinen Werken an der Geschichtsschreibung. Er bezieht sich insbesondere in seinen Dramen konkret auf historische Stoffe, die er dann künstlerisch überformt. Mit diesen Idealen geht auch eine starke Formgebundenheit in der Weimarer Klassik einher. Hatte sich der Sturm und Drang noch von literarischen Regeln befreit und das Originalgenie walten lassen, so orientiert sich die Klassik wieder an recht engen Regeln, in deren Einhaltung die Ästhetik eines Werks gesehen wurde, sodass durch die ästhetische Gestaltung Erziehung im Sinne eines angestrebten Idealzustands vermittelt werden sollte. Dies manifestiert sich auch in der Sprachverwendung, die dialektalen, umgangssprachlichen Elemente des Sturm und Drang und der Romantik weichen in den der Klassik zuzuordnenden Werken einer künstlerisch stark überformten Sprache.

Zentral für die literarische Epoche der Klassik ist der Begriff der *Humanität*. Die Erziehung zur Humanität ist das übergeordnete Ziel der Epoche, und gerade in diesem Erziehungsanspruch finden sich starke Anklänge an die Grundideen der Aufklärung.

1 ***Lernarrangement***

Teilen Sie den Kurs in eine gerade Anzahl von Gruppen auf. Die eine Hälfte der Gruppen erstellt im Laufe der Gruppenarbeit ein Handout, die andere Plakatpräsentationen.

a) Recherchieren Sie zunächst einzeln die Begriffe „Humanismus“ und „Humanität“.

b) Tauschen Sie sich innerhalb der Gruppe über Ihre Rechercheergebnisse aus und halten Sie wesentliche Punkte in einem Schaubild fest.

c) Erstellen Sie auf Grundlage Ihrer Recherche entweder ein Handout oder eine Plakatpräsentation zu den beiden Begriffen, die sich an folgenden Leitfragen orientieren:

- Wie kann Humanismus definiert werden? Was ist Humanität? Worin bestehen die Unterschiede der beiden Begriffe?
- Welche sind die Grundgedanken der Humanität?
- Wie kann Erziehung zur Humanität gestaltet werden?

d) Die Gruppen, die die Plakate erstellt haben, präsentieren ihre Ergebnisse im Plenum. Die Handout-Gruppen übernehmen dabei eine Kontrollfunktion und stellen abschließend dem Kurs die angefertigten Handouts zur Verfügung.

Joseph Stieler: Porträt Johann Wolfgang von Goethe (1828)

Die Programmatik der Klassik anhand eines lyrischen Textes nachvollziehen

Zusammen mit Friedrich Schiller gilt Goethe als der bedeutendste Autor der Klassik. Ihre Gemeinsamkeit besteht darin, dass sie in ihren Jugendjahren ebenfalls zu den bedeutendsten Stürmern und Drängern gehörten. In diesem Kontext haben Sie den jungen Goethe bereits kennengelernt. Das folgende Gedicht wurde nach der berühmten ersten Italienreise Goethes verfasst.

Wilhelm Tischbein:
Goethe in der Campagna (1786/87)

Johann Wolfgang von Goethe

Natur und Kunst (1790)

Natur und Kunst, sie scheinen sich zu fliehen,
Und haben sich, eh‘ man es denkt, gefunden;
Der Widerwille ist auch mir verschwunden,
Und beide scheinen gleich mich anzuziehen.

Es gilt wohl nur ein redliches Bemühen!
Und wenn wir erst in abgemessnen Stunden;
Mit Geist und Fleiß uns an die Kunst gebunden,
Mag frei Natur im Herzen wieder glühen.

So ist‘s mit aller Bildung auch beschaffen:
Vergebens werden ungebundne Geister
Nach der Vollendung reiner Höhe streben.

Wer Großes will, muss sich zusammenraffen:
In der Beschränkung zeigt sich erst der Meister,
Und das Gesetz nur kann uns Freiheit geben.

1 Fassen Sie zunächst die einzelnen Strophen des Gedichts inhaltlich zusammen und beschreiben Sie den formalen Aufbau (Strophen- und Versanordnung, Reim).

2 Erläutern Sie die Aussageabsicht des Goethe'schen Gedichts. Berücksichtigen Sie bei Ihren Ausführungen insbesondere auch die gewählte Form des Sonetts (s. S. 320). Wieso wird die gewählte Aussage ausgerechnet in der rigiden Form eines Sonetts vermittelt?

3 Erörtern Sie die Frage, inwieweit das literarische Werk Goethes die angeführten Ideen Schillers (s. S. 53) widerspiegelt. Gehen Sie bei Ihren Ausführungen auf Inhalt, Form und Intention des Gedichts ein.

Sich mit einem programmatischen Text der Klassik vertiefend auseinandersetzen

Die Zeitschrift *Die Horen* war eines der prägenden Kommunikationsorgane der Künstler und Geistesgrößen der Weimarer Klassik. Ähnlich der *Berlinischen Monatsschrift* und der *Athenäums*-Zeitschrift diente diese von Friedrich Schiller herausgegebene Schrift der Diskussion aktueller literarischer und gesamtgesellschaftlicher Themen. Zu den Autoren zählt eine lange Liste der Intellektuellen der Zeit, und auch Goethe, der zweite große Klassiker, veröffentlichte regelmäßig Essays in *Die Horen*. Der nachfolgende Auszug ist Teil der Ankündigung zur neuerscheinenden Zeitschrift.

Friedrich Schiller

Ankündigung aus „Die Horen" (1795, Auszug)

Zu einer Zeit, wo das nahe Geräusch des Kriegs das Vaterland ängstiget, wo der Kampf politischer Meinungen und Interessen diesen Krieg beinahe in jedem Zirkel erneuert und nur allzu oft Musen und Grazien daraus verscheucht, wo weder in den Gesprächen noch in den Schriften des Tages vor diesem allverfolgenden Dämon der Staatskritik Rettung ist, möchte es ebenso gewagt als verdienstlich sein, den so sehr zerstreuten Leser zu einer Unterhaltung von ganz entgegengesetzter Art einzuladen. In der Tat scheinen die Zeitumstände einer Schrift wenig Glück zu versprechen, die sich über das Lieblingsthema des Tages ein strenges Stillschweigen auferlegen und ihren Ruhm darin suchen wird, durch etwas anders zu gefallen, als wodurch jetzt alles gefällt. Aber je mehr das beschränkte Interesse der Gegenwart die Gemüter in Spannung setzt, einengt und unterjocht, desto dringender wird das Bedürfnis, durch ein allgemeines und höheres Interesse an dem, was rein menschlich und über allen Einfluss der Zeiten erhaben ist, sie wieder in Freiheit zu setzen und die politisch geteilte Welt unter der Fahne der Wahrheit und Schönheit wieder zu vereinigen.

Dies ist der Gesichtspunkt, aus welchem die Verfasser dieser Zeitschrift dieselbe betrachtet wissen möchten. Einer heitern und leidenschaftfreien Unterhaltung soll sie gewidmet sein, und dem Geist und Herzen des Lesers, den der Anblick der Zeitbegebenheiten bald entrüstet, bald niederschlägt, eine fröhliche Zerstreuung gewähren. Mitten in diesem politischen Tumult soll sie für Musen und Charitinnen einen engen vertraulichen Zirkel schließen, aus welchem alles verbannt sein wird, was mit einem unreinen Parteigeist gestempelt ist. Aber indem sie sich alle Beziehungen auf den *jetzigen* Weltlauf und auf die *nächsten* Erwartungen der Menschheit verbietet, wird sie über die vergangene Welt die Geschichte und über die kommende die Philosophie befragen, wird sie zu dem Ideale veredelter Menschheit, welches durch die Vernunft aufgegeben, in der Erfahrung aber so leicht aus den Augen gerückt wird, einzelne Züge sammeln und an dem stillen Bau bessrer Begriffe, reinerer Grundsätze und edlerer Sitten, von dem zuletzt alle wahre Verbesserung des gesellschaftlichen Zustandes abhängt, nach Vermögen geschäftig sein. Sowohl spielend als ernsthaft wird man im Fortgange dieser Schrift dieses einige Ziel verfolgen, und so verschieden auch die Wege sein mögen, die man dazu einschlagen wird, so werden doch alle, näher oder entfernter, dahin gerichtet sein, wahre Humanität zu befördern. Man wird streben, die Schönheit zur Vermittlerin der Wahrheit zu machen und durch die Wahrheit der Schönheit ein dauerndes Fundament und eine höhere Würde zu geben. Soweit es tunlich ist, wird man die Resultate der Wissenschaft von ihrer scholastischen Form zu befreien und in einer reizenden, wenigstens einfachen, Hülle dem Gemeinsinn verständlich zu machen suchen. Zugleich aber wird man auf dem Schauplatze der Erfahrung nach neuen Erwerbungen für die Wissenschaft ausgehen und da nach Gesetzen forschen, wo bloß der Zufall zu spielen und die Willkür zu herrschen scheint. Auf diese Art

glaubt man zu Aufhebung der Scheidewand beizutragen, welche die *schöne* Welt von der *gelehrten* zum Nachteile beider trennt, gründliche Kenntnisse in das gesellschaftliche Leben und Geschmack in die Wissenschaft einzuführen.
Man wird sich, soweit kein edlerer Zweck darunter leidet, Mannigfaltigkeit und Neuheit zum Ziele setzen, aber dem frivolen Geschmacke, der das Neue bloß um der Neuheit willen sucht, keineswegs nachgeben. Übrigens wird man sich jede Freiheit erlauben, die mit guten und schönen Sitten verträglich ist.

Wohlanständigkeit und Ordnung, Gerechtigkeit und Friede werden also der Geist und die Regel dieser Zeitschrift sein; die drei schwesterlichen Horen *Eunomia, Dike* und *Irene* werden sie regieren. In diesen Göttergestalten verehrte der Grieche die welterhaltende Ordnung, aus der alles Gute fließt, und die in dem gleichförmigen Rhythmus des Sonnenlaufs ihr treffendstes Sinnbild findet. Die Fabel macht sie zu Töchtern der *Themis* und des *Zeus*, des Gesetzes und der Macht; des nämlichen Gesetzes, das in der Körperwelt über den Wechsel der Jahreszeiten waltet und die Harmonie in der Geisterwelt erhält.

Die Horen waren es, welche die neugeborene Venus bei ihrer ersten Erscheinung in Cypern empfingen, sie mit göttlichen Gewanden bekleideten und so, von ihren Händen geschmückt, in den Kreis der Unsterblichen führten: eine reizende Dichtung, durch welche angedeutet wird, dass das Schöne schon in seiner Geburt sich unter Regeln fügen muss und nur durch Gesetzmäßigkeit würdig werden kann, einen Platz im Olymp, Unsterblichkeit und einen moralischen Wert zu erhalten. [...]

1 Erläutern Sie die von Schiller intendierte Funktion der Zeitschrift, indem Sie kurz den Inhalt des Auszuges zusammenfassen und dann dezidiert die angestrebte Funktion der Zeitschrift erklären sowie an Beispielen verdeutlichen.

2 Recherchieren Sie den Mythos der Horen. Erläutern Sie auf Grundlage Ihrer Ergebnisse und unter Berücksichtigung der Ausführungen Schillers (s. Z. 48 ff.) die Aussageabsicht, die sich mit dem gewählten Titel der Zeitschrift verbindet.

3 Erläutern Sie das Bildungs- und Erziehungsverständnis, das Schiller in diesem Auszug vertritt.

4 Vergleichen Sie das von Schiller geschilderte Erziehungs- und Bildungsverständnis mit den Auffassungen der Aufklärung und der Romantik. Wo finden sich Gemeinsamkeiten? Worin unterscheiden sich die Konzepte? Sammeln Sie zunächst Stichwörter zur Aufklärung und Romantik:

Aufklärung	Romantik

Die Romantik als Ausdruck einer Krisenerfahrung

Gesellschaftliche Entwicklungen und literarische Reaktionen betrachten

Arthur Henkel

Was ist eigentlich romantisch? (1967, Auszug)

[...] Die Titelfrage erhob ich in Vorträgen an mehreren amerikanischen Universitäten. Mich reizte dabei nicht allein die didaktische Verkürzung, zu welcher das andere Auditorium in heilsamer Weise nötigte, sondern etwas anderes, das ich mit methodischer Beunruhigung durch ein Wort Goethes bezeichnen möchte: das Wort von den „Formeln“, aus denen sich „der aufmerksame Forscher ... eine Art Alphabet des Weltgeistes“ zusammensetzen könne (zum Kanzler v. Müller, April 1818). So hat die Frage, ob und mit welchem phänomenologischen und historischen Recht man eine solche „Formel“ des Romantischen anwenden dürfe, meine Beschäftigung mit romantischer Literatur (seit meiner Novalis-Dissertation) begleitet bis heute. [...]

In seiner Zeitschrift „Athenäum“ hatte Friedrich Schlegel einen „Brief über den Roman“ veröffentlicht. Da hieß es, nach seiner Ansicht sei „eben das romantisch, was uns einen sentimentalen Stoff in einer phantastischen Form darstellt“. Und dieses Sentimentale ist das, „was uns anspricht, wo das Gefühl herrscht, und zwar nicht ein sinnliches, sondern das geistige ...“, es sei „der heilige Hauch, der uns in den Tönen der Musik berührt. Er lässt sich nicht gewaltsam fassen und mechanisch greifen, aber er lässt sich freundlich locken von sterblicher Schönheit und in sie verhüllen; und auch die Zauberworte der Poesie können von seiner Kraft durchdrungen und beseelt werden“. Da haben wir fast eine vollständige Poetik des Romantischen durch einen Romantiker, die in der Vokabel „Zauberwort“ gipfelt. Eichendorff wird sie später wieder aufnehmen in seinen berühmten Versen:

Schläft ein Lied in allen Dingen,
Die da träumen fort und fort,
Und die Welt hebt an zu singen,
Triffst du nur das Zauberwort.

Von hier aus könnten wir versuchen, unsere Frage zu beantworten. Wir könnten versuchen zu definieren, was dieses „geistige Gefühl“ ist, von dem Schlegel spricht, was gemeint ist, wenn das poetische Wort als magisches genommen wird, was das geforderte Musikalische sei, was der „heilige Hauch“.

Wir wollen einen anderen Weg gehen, wir wollen aus jenem Zitat Friedrich Schlegels nur festhalten, dass die frühromantische Generation bereits sich um diese Poetik des Romantischen bemühte. [...] Hätte man aber, [...] um 1770, einen deutschen Kritiker nach diesem Wort gefragt, so hätte er vielleicht geantwortet: Romantisch ist all das, was aus einem fernen Mittelalter Fabelhaftes und Abenteuerliches erzählt wird. Und wenn Kant der Antwortende gewesen wäre, hätte er von den romantischen Rittern als „heroischen Phantasten“ gesprochen. Auch Wieland mokierte sich ein wenig über die alten romantischen Zeiten. Aber die Ironie der Vernünftigen vermochte nichts gegen den Zeitgeschmack. In den 80er-Jahren wird die Bücherwelt geradezu überflutet mit romantischen Erzählungen und Schauspielen. [...]

Das Adjektiv wird im Zeitalter der Empfindsamkeit modisch und bezeichnet den Gefühlsgegensatz gegen alles Nüchterne, Trockene, Philiströse. Bis dahin sind die Bedeutungen von „romantisch“ und „romantic“ wesentlich identisch. Eudo C. Mason hat in seinem Büchlein: „Deutsche und englische Romantik“ gezeigt, wie

philiströs
spießig, engstirnig

E

erst seit der esoterischen Poetik und Lebenslehre der deutschen Frühromantiker die Missverständnisse einsetzen: Im Englischen wird wesentlich der Sprachgebrauch des 18. Jahrhunderts beibehalten, im Deutschen macht das Adjektiv einen Bedeutungswandel durch. Der Begriff „romantisch", dessen pejorative Nuance die deutschen Romantiker wohl gerade reizte, sich selbst als solche zu bezeichnen, wird zum Ausdruck einer eingesehenen Krisensituation – und des Versuchs, aus dieser Krise zu einer neuen Kultursynthese zu kommen. Was darunter zu verstehen ist, werde ich nun im Folgenden darzustellen versuchen. Ich werde dabei vornehmlich von der deutschen Romantik sprechen. Denn ich meine sagen zu dürfen – und diese Voraussetzung möge sich später als berechtigt erweisen –, dass in der deutschen Romantik am radikalsten entwickelt und daher am klarsten zu erkennen sei, was wir die Struktur des Romantischen nennen wollen. Mit der Kühnheit aber lässt sich auch das Bedenkliche, ja Verhängnisvolle der romantischen Denkbewegung am genauesten wahrnehmen.

pejorativ abwertend

Gehen wir von den Gemeinplätzen aus, die mit dem Begriff der Romantik verbunden zu werden pflegen. Sie kritisiere die Aufklärung, versuche sie rückgängig zu machen. Und sie wende sich in einem liebenden, historischen Interesse der „ursprünglicheren" Zeit, der Vergangenheit, vor allem dem Mittelalter zu. Die kulturpsychologische Ergänzung: Die romantische Generation leidet an der zunehmenden Profanierung der Welt, an ihrer bloß mechanistischen Interpretation, am Schwund der Poesie des Lebens. Daher verklärt sie die letzte große, geschlossene, universale Kultur vor der Aufklärung: die mittelalterliche. Und sie leidet daran, dass diese hierarchisch gestufte, im Gradualismus ihrer Symbole aber alle Einzelnen bergende Kultur zerfiel und seit der Neuzeit die moderne sich spaltete in eine der Gebildeten und eine des einfachen Volkes. So kann man die Romantik – mit dem Philosophen Gerhard Krüger – als die „erste Selbstkritik der Neuzeit" auffassen.

Moritz von Schwind: Der Ritt von Kuno von Falkenstein (1843)

Solche Kulturkritik erreichte eine größere Öffentlichkeit zuerst durch die Berliner Vorlesungen August Wilhelm Schlegels zu Anfang des 19. Jahrhunderts. [...] Die Zurücknahme der Aufklärung ist wohl niemals in der Romantik provozierender vorgetragen worden. [...] Denn als klägliches Produkt dieser modernen Aufklärung analysiert A. W. Schlegel seine Gegenwart. Ihr lästigstes Kennzeichen: Alles ist aufs Ökonomische reduziert. Seit der Aufklärung hat das Quantitative gesiegt; die Welt ist ihr ein Rechenexempel. Alles Irrationale, Poetische ist ihr verhasst. Sie verkennt die Nachtseite des Lebens, das Dunkel, „worin sich die Wurzel unseres Daseins verliert". Sie verkennt die Magie der Sprache, die nicht bloßes Instrument ist oder eine „Ziffernsammlung, aus a + b, x und anderen solchen algebraischen Zeichen bestehend". Auch verwendet Schlegel öfter das Argument, die Aufklärung habe die Welt entzaubert. [...]

Entzauberung sieht er auch in dem Bestreben der empirischen Psychologie, den Seelengesetzen auf die Spur zu kommen, oder die Träume physiologisch zu erklären. Nicht einmal die Befreiung der Menschen vom Aberglauben rechnet Schlegel der Aufklärung hoch an. Mit den bösen Vorbedeutungen nahm man auch die guten. Mit den Geistern sind auch die Engel vertrieben. Und die Befreiung des Menschen von Furcht und Grauen wird keiner Aufklärung je gelingen. Die aufgeklärte Moral trennt Sittlichkeit und Religion, vernichtet die mittelalterliche Idee der Ehre als die eigentlich romantische Sittlichkeit. [...]

Nichts mehr von „Befreiung des Menschen aus seiner selbstverschuldeten Unmündigkeit" – wie Kant die Aufklärung definiert hatte; sondern Schlegel verdächtigt geradezu die Werte der Aufklärung: Denkfreiheit, Humanität, Toleranz. Ist diese Toleranz nicht verkleideter Indifferentismus? „Denn unmöglich kann es einem gleichgültig sein, ob Menschen, für die er sich interessiert, über die wichtigsten Angelegenheiten mit ihm gleich denken." Und bei der Erörterung der Humanität gibt sich Schlegel als konservativer Realist: Ob die Abschaffung der Todesstrafe wirklich so nützlich sei? Denn jede Kultur sei von der Gefahr der Rebarbarisierung bedroht. Die ritterliche Courtoisie ist edler und ernster als die Humanität. Die Denkfreiheit sei samt aller Publizität nur die Erlaubnis zum Schwätzen. Die literarische Scheinöffentlichkeit ersetze nicht den Mangel an jener Öffentlichkeit, mit der in wahren Kulturen das Gemeinwohl behandelt wurde. Seit dem Beginn der Neuzeit gebe es nur Erfindungen, welche dem Kult der technischen Mittel frönen und die Herrschaft des Menschen über die äußeren Dinge erweitern. Er bezweifelt den Wert dieser Erfindungen. [...]

Indifferentismus
Gleichgültigkeit, Uninteressiertheit

So sieht Schlegel überall, auch in der Kunst, die Dekadenz. [...] Das zentrale Argument Schlegels aber ist, dass die Aufklärung die Poesie getötet habe. Denn ein mathematisches Denken frage nur: Was wird durch das Gedicht bewiesen? Wenn Mythologie bloßer Aberglaube ist, versiegen die Quellen der Imagination. [...] Die Argumente Schlegels kehren in der romantischen Kulturkritik immer wieder. Sie sinnt den Wendungen nach, welche die Geschichte hätte nehmen können, wenn nicht das Unheil der bloßen Verstandeskultur samt Wissenschaft und Technik über sie gekommen wäre. So sucht sie mit Vorliebe die Wendepunkte der Geschichte auf: den Beginn der Neuzeit, die Reformation. Und sie setzt mit Ingrimm die faktische Geschichte ins Unrecht. Allerdings mündet die romantische Kulturkritik nicht wie die unserer Gegenwart mit unerbittlicher Schärfe in die Logik der Endzustände, in die negative Utopie als drohende Wirklichkeit [...].

So sucht auch Schlegel die Rückkehr ins Bessere, Heile. [...] Er sagt: Dem wahren Historiker werde die Aufklärung zur bloßen Phase der Geschichte. Die Zeit selbst wird den freien Menschen, wie ihn der Idealismus dachte, hervorbringen. [...] Es dürfte deutlich geworden sein, dass diese romantische Kulturkritik im Grunde nichts anderes will als eine neue Poetik. Diese aber zielt auf eine neue Mythologie. Indem die Romantiker mit entschlossener Versunkenheit in die alten Mythologien zurückgehen, hoffen sie, das aufgeklärte Erwachen aus der mythologischen Menschheitsstufe rückgängig machen zu können. Wenn Schlegel aber von der „künstlichen Herstellung jenes mythischen Zustandes" spricht, so ist damit genau die Problematik der romantischen Situation bezeichnet. [...]

1 Der Text von Arthur Henkel gestaltet sich sehr komplex, daher bietet sich eine kleinschrittige Erarbeitung an. Teilen Sie den Text in Sinnabschnitte ein und fassen Sie die Abschnitte in Stichpunkten zusammen. Nutzen Sie den Rand für Ihre Anmerkungen.

2 Erläutern Sie Henkels Antwort auf die im Titel gestellte Frage in eigenen Worten: Was ist eigentlich romantisch?

3 Erörtern Sie die Aussage Henkels zur Krisensituation der Romantiker (Z. 47–50) vor dem Hintergrund Ihrer Ergebnisse und unter Berücksichtigung weiterer Kenntnisse zur literarischen Epoche der Romantik.

E

Joseph von Eichendorff

Der irre Spielmann (1837)

Jósef Marian Chełmonski: Owczarek (Tatrahund) (1897)

1 Aus stiller Kindheit unschuldiger Hut
Trieb mich der tolle, frevelnde Mut.
Seit ich da draußen so frei nun bin,
Find ich nicht wieder nach Hause mich hin.

Durchs Leben jag ich manch trügrisch Bild,
Wer ist der Jäger da? wer ist das Wild?
Es pfeift der Wind mir schneidend durchs Haar,
Ach Welt, wie bist du so kalt und klar!

Du frommes Kindlein im stillen Haus,
Schau nicht so lüstern zum Fenster hinaus!
Frag mich nicht, Kindlein, woher und wohin?
Weiß ich doch selber nicht, wo ich bin!

Von Sünde und Reue zerrissen die Brust,
Wie rasend in verzweifelter Lust,
Brech ich im Fluge mir Blumen zum Strauß,
Wird doch kein fröhlicher Kranz daraus! –

Ich möcht in den tiefsten Wald wohl hinein,
Recht aus der Brust den Jammer zu schrein,
Ich möchte reiten ans Ende der Welt,
Wo der Mond und die Sonne hinunterfällt.

Wo schwindelnd beginnt die Ewigkeit,
Wie ein Meer, so erschrecklich still und weit,
Da sinken all Ström und Segel hinein,
Da wird es wohl endlich auch ruhig sein.

1 Das Gedicht Eichendorffs kann als ein typisches Gedicht der Romantik betrachtet werden. Analysieren und interpretieren Sie das Gedicht *Der irre Spielmann* unter besonderer Berücksichtigung der romantischen Motivik.

2 Nehmen Sie Stellung zu der Frage, inwieweit die von Henkel angesprochene Krisenerfahrung thematisch und inhaltlich in diesem Gedicht eine Umsetzung findet.

Das Problem der Periodisierung

Den Epochenbegriff kritisch reflektieren

Elke Reinhardt-Becker

Epoche (2009)

griech. epoche: Haltepunkt, Zeitpunkt eines bedeutsamen Ereignisses als Ausgangspunkt einer neuen Entwicklung

Eine (literarische) „Epoche" wird als abgrenzbarer Zeitraum verstanden, in dem bestimmte Merkmale als repräsentativ für die zugehörigen literarischen Texte angenommen werden und diese so eindeutig von Texten anderer Zeiträume / Epochen unterschieden werden können.

Der Epochenbegriff scheint zunächst unproblematisch. Er ist allgegenwärtig in der Literaturwissenschaft und es gehört zu den Grundübungen in den Proseminaren, die zu besprechenden literarischen Texte einer literarischen Epoche zuzuordnen. Aber zumeist beginnen hier schon die Probleme. Der Text ist in der Regel komplexer oder weniger komplex, als die Kategorien der Epoche es zulassen, oder er trägt noch Eigenschaften einer vergangenen Epoche in sich, beziehungsweise schon Eigenschaften einer folgenden. Die eindeutige Zuordnung eines Textes bleibt ein Ideal.

Woran liegt das? Bei den literarischen Epochen handelt es sich nicht um natürliche Periodisierungen – wie sie z. B. in der Realgeschichte aus den politischen Dynastien abgeleitet werden –, sondern um mehr oder minder künstliche Setzungen. Die uns geläufige Einteilung in Reformation / Renaissance – Barock – Aufklärung – Klassik / Romantik – Realismus gibt es z. B. erst seit dem letzten Drittel des 19. Jahrhunderts. Sie ist entstanden im Zuge der immer populärer werdenden Literaturgeschichtsschreibung, die das Material einteilte und auf einen abstrakten Nenner zu bringen versuchte. Die Eingrenzung der Romantik auf den Zeitraum von 1794 bis 1830 – dies nur als Beispiel einer zeitlichen Zuordnung – bleibt immer die Dramatisierung eines Datums, von dem an und bis zu dem man bestimmte Dominanzen feststellen kann. Viele Texte dieser Zeit haben romantische Merkmale, aber sie können auch noch auf den empfindsamen Diskurs oder schon auf realistisches Erzählen verweisen. Es gibt also nur sogenannte ‚Kernzonen' romantischer oder realistischer Literatur, die Bestimmung der literarischen Epoche bietet eine grobe Orientierungshilfe, besitzt jedoch keine Objektivität.

In der (deutschen) Literatur des 20. Jahrhunderts wird die stilgeschichtliche Periodisierung zunehmend von einer ‚realhistorischen' überlagert: In der Literatur der „Weimarer Republik" (1918–1933) ist die sogenannte **„Neue Sachlichkeit"** nur eine Stilrichtung neben anderen.

Trotz dieser Ambivalenzen und Überlagerungen scheinen die Epochenbegriffe der Leseerfahrung und Rezeptionsgeschichte nicht grundsätzlich zu widersprechen, davon zeugt schon ihre lange Lebensdauer. Sie werden zwar stets erweitert, differenziert und modifiziert, aber in den seltensten Fällen völlig verworfen.

1 Geben Sie mit eigenen Worten wieder, was man unter einer literarischen Epoche versteht und nach welchen Merkmalen literarische Werke einer bestimmten Epoche zugeordnet werden können.

2 Erläutern Sie die Aussage: „Die eindeutige Zuordnung eines Textes bleibt ein Ideal." (Z. 13 f.)

3 Reflektieren Sie mithilfe eigener Textbeispiele, inwiefern eine literarische Periodisierung problematischer ist als eine Zuordnung unserer „Realgeschichte" (vgl. Z. 15–29).

E

Abschließend Gemeinsamkeiten und Unterschiede der Epochen betrachten

Christoph Keese/Rüdiger Safranski

Ein Gespräch über die Lebenskunst einer Wundergeneration

(2007, Auszug)

Säkularisierung Verweltlichung

Rüdiger Safranski (*1945), deutscher Schriftsteller, dessen Werk *Romantik. Eine deutsche Affäre* 2007 erschien.

WELT ONLINE: Was ist Romantik?

Safranski: Romantik heißt, mehr aus der Wirklichkeit zu machen, als sie unmittelbar bietet. [...] Man muss mit großer Fantasie und Einbildungskraft an die Wirklichkeit herangehen, dann erst zeigt sie Überraschendes. Ganz gleich wie eindrucksvoll die Wirklichkeit erscheint. Novalis hat es am schönsten definiert: Romantik heißt, „dem Gewöhnlichen ein ungewöhnliches Aussehen zu geben, das Banale in ein Geheimnis zu verwandeln".

WELT ONLINE: Verbirgt die Wirklichkeit ihr wahres Gesicht vor uns?

Safranski: Ja, sie offenbart sich nicht von allein. Man muss sie sichtbar machen. Nur so stellt sich das Wunderbare, das Geheimnisvolle her. Noch einmal Novalis: „Indem ich dem Geheimnis einen hohen Sinn, dem Endlichen einen unendlichen Schein gebe, so romantisiere ich es."

WELT ONLINE: Was ist der größte Unterschied zwischen Romantik und unserer Zeit?

Safranski: Wir denken realistisch, die Romantiker suchten das Irreale. Sie wollten die offene, geheimnisvolle, unverplante Zukunft entdecken. Diese Zukunft fasst uns jedoch nicht von allein an, wir müssen sie aktiv imaginieren. Fantasie ist gefragt. [...]

WELT ONLINE: Romantiker waren Kinder der Aufklärung. Woher der Hang zum Spuk?

Safranski: Romantiker konnten durchaus einen nüchternen, pragmatischen Blick auf die Wirklichkeit werfen. Sie bemerkten aber, dass die eigene Fantasie eine Goldgrube ist.

WELT ONLINE: Was fanden sie in der Goldgrube?

Safranski: Sie entdeckten unbekannte Welten. Sie sahen plötzlich die Schönheit der Landschaft. Wälder, Wiesen, Seen, die Nacht, der Mond – wofür niemand Augen gehabt hatte, wurde nun enthüllt. Es war oft das Naheliegende, das Übersehene. Aus diesem neuen Blick erklärt sich ihr ungeheurer Erfolg.

WELT ONLINE: Der Blick auf Natur machte der Religion absichtlich Konkurrenz?

Safranski: Ja, die Romantiker hatten ihr Zutrauen in die Zauberkraft der Religion verloren. Sie schien abgenutzt und verbraucht, durch die Säkularisierung war sie kraftlos geworden. Durch subjektive Anstrengung wollten die Romantiker auf ein höheres geistiges, spirituelles Niveau kommen. Es ist die Fortsetzung der Religion mit ästhetischen Mitteln.

WELT ONLINE: Für die Väter der Aufklärung war das doch ein Schlag ins Gesicht. Kaum war Gott durch die Vernunft verdrängt, hatten die Söhne nichts Besseres zu tun, als sich mithilfe von Ästhetik um den Verstand zu bringen.

Safranski: Es gibt aber auch Kontinuität. Die Romantik war keine Restauration, sondern bot ein Zusatzprogramm. Das Programm der Mündigkeit hatten die Romantiker schon hinter sich, doch die nüchterne Mündigkeit ihrer Väter reichte ihnen nicht aus. Sie dachten, man kann mehr sein als mündig und nüchtern.

WELT ONLINE: Also nicht zurück zum alten Glauben, zu alten Autoritäten?

Safranski: Nein, ganz im Gegenteil: Die Romantik setzte das Werk der subjektiven Befreiung fort.

WELT ONLINE: War das neu? Schon Schiller – eine Generation vor den Romantikern – hatte Kants Vernunftkälte kritisiert.

Safranski: Die Romantiker gingen noch weiter. Sie entfesselten mehr als Schiller ihre Fantasie. Alles Irrationale schoben sie auf die Bühne: Träume, Märchen, Einbildungskraft. Sie wollten den ganzen Menschen, das hieß: mehr Sinnlichkeit, Erotik und Lebensexperimente. Da war ihnen Schiller noch zu moralisch.

WELT ONLINE: Also eine Art Früh-Hippies?

Safranski: Vielleicht. Wir sehen in der Romantik leicht eine bloß geistesgeschichtliche Erneuerungsbewegung. Aber eigentlich wollten diese Leute in ihrer Aufbruchszeit das Leben poetisch machen. Es ging ihnen um Lebensrevolution. In Jena entstand die erste Wohngemeinschaft, die Frauenrolle wurde neu definiert, es gab freie Liebe und Emanzipation von üblichen Ehevorstellungen.

WELT ONLINE: Das alles hatten Aufklärer wie Kant ja nicht verboten. Sie hatten der Vernunft nur den Vorrang eingeräumt.

Safranski: Die Romantiker wollten eine Vernunft, die geräumig genug ist, auch das Irrationale in sich aufzunehmen. Es war eine Kette fortlaufender Radikalisierungen der Emanzipation. Kant sagte: Kunst ist das freie Spiel der Einbildungskräfte. Daraus wollten die Romantiker alle Konsequenzen ziehen. Es ging um den Sprung von der Theorie in die Praxis. In die poetische Praxis, aber auch in die Lebenspraxis. [...]

WELT ONLINE: Verhindern die modernen Massenmedien eine Rückkehr der Romantik?

Safranski: Die historischen Romantiker wollten ein ästhetisches Jenseits, das sie künstlerisch geschaffen haben. Wir in der Moderne hingegen vergesellschaften das ästhetische Jenseits auf ganz andere Weise. Es wird veralltäglicht in den Zusatzwelten der virtuellen Kommunikation, zum Beispiel im Fernsehen.

WELT ONLINE: Das klingt nach Kulturpessimismus, der eigentlich nicht Ihre Sache ist.

Safranski: Was die Romantiker mit einer kunstvollen Sprache sehr subtil, auf kulturell sehr hohem Niveau erreichen wollten, das wird bei uns auf banalerer Ebene als massenmedialer Breitensport betrieben. Was bedeutet das? Einerseits ist die Romantik in diesem erhabenen Sinne heute sehr an den Rand gedrängt. Andererseits ist eine banalisierte Romantik überall mit den Händen zu greifen. Im „Herr der Ringe“, in „Harry Potter“, in jeder Telenovela steckt ein romantischer Kern.

WELT ONLINE: Wir inspirieren uns nicht selbst, sondern werden von außen beschallt.

Safranski: Da liegt das Drama, denn dieser Anspruch der Romantik ist uns verloren gegangen. Das Originalgenie, das potenziell in jedem steckt, wird nicht ermuntert. Novalis sagt: „Das größte Kunstwerk ist, einen Menschen zu erziehen und ihn selber zum Kunstwerk zu machen.“ Bloßes Zuschauertum belebt nicht die eigenen Vitalkräfte.

WELT ONLINE: Wie kann man Vitalkräfte wecken?

Safranski: Indem man nicht ständig denkt, alles bereits gesehen und erlebt zu haben. Die Romantiker glauben, dass noch viel vor ihnen liegt, während wir meinen, das Meiste liege schon hinter uns. [...]

WELT ONLINE: Die Epoche der historischen Romantik war kurz, aber wirkungsvoll. Wie kommt es, dass wir solche Epochen heute nicht mehr kennen? Die Moderne zieht sich endlos hin, kein Ende ist in Sicht.

Safranski: Die Gliederung in Epochenabfolgen wird durch moderne Kommunikationsmittel fast unmöglich gemacht. Durch den elektronischen Austausch in Echtzeit kann ein auf ein Zentralmotiv zugeschnittenes Etwas heute gar nicht mehr entstehen. Damals folgte Biedermeier auf Romantik. Heute würden beide Bewegungen gleichzeitig geschehen.

WELT ONLINE: Immerhin bietet das uns Zeitgenossen eine Menge Abwechslung.

Safranski: Ja, aber der Charme der großen Epochen geht verloren. Man fühlt sich in einem zerbröselnden Gesamtzusammenhang. Im frühen 19. Jahrhundert gab es ein ganz anderes Gefühl von Zentrierung. In ihren jeweiligen Milieus konnten die Romantiker jene Betriebstemperatur entwickeln, die für all die genialen „stillen Brüter“ notwendig war. Bis die Nachrichten ankamen, waren sie durchsetzt mit Interpretationen und Legendenbildung. Daraus schloss man: Jedes Verständnis des Geschehens, das über den eigenen Wahrnehmungskreis hinausgeht, ist nur mit Einbildungskraft möglich.

1 Erläutern Sie das Spannungsverhältnis von Aufklärung und Romantik laut Safranski.

2 „Das größte Kunstwerk ist, einen Menschen zu erziehen und ihn selber zum Kunstwerk zu machen.“ Safranski nutzt diesen Satz von Novalis, um die Abgrenzung der Romantik zu anderen Epochen deutlich zu machen. Erörtern Sie, inwieweit diese Aussage als Merkmal aller thematisierten literarischen Epochen und Strömungen gesehen werden kann.

3 Im letzten Abschnitt geht es um die Periodisierung von Literatur zu (Z. 144–172). Fassen Sie die entsprechenden Aussagen zusammen und nehmen Sie dann Stellung zu der Frage, inwieweit auch für die Literatur um 1800 eine Periodisierungsproblematik gesehen werden kann.

Wahlpflichtmodul 5:

Gegenwelten in der Romantik

Sich dem *Sandmann* von E. T. A. Hoffmann annähern

*Wahr*nehmung oder Täuschung?

Wenzel Hollar, Landschaft (17. Jahrhundert)

Hase oder Ente?

1 Tauschen Sie sich in Partnerarbeit über Ihre Wahrnehmungen beim Betrachten der drei Kippbilder aus. Notieren Sie stichpunktartig, was Sie sehen.

2 Diskutieren Sie, inwiefern die Kippbilder Ihnen bekannte Motive der Romantik widerspiegeln bzw. diesen nicht entsprechen. Halten Sie die Ergebnisse schriftlich fest.

„Blüte und Verwesung“

Nathanaels Kindheit: Die traumatische Begegnung mit dem Sandmann

Merkmale eines Erzähltextes in ihrem funktionalen Zusammenhang darstellen

1 Notieren Sie stichpunktartig Ihre eigenen Kenntnisse über die Figur des Sandmanns und tauschen Sie sich über Ihr Vorwissen aus.

Der Doppelgänger – Das Leben des E.T.A. Hoffmann in Widersprüchen

Ernst Theodor Wilhelm – den dritten Vornamen ändert er später Mozart zu Ehren in Amadeus um – Hoffmann (1776–1822) wächst nach der frühen Scheidung seiner Eltern (1778) in der Familie seiner Mutter auf. Während seiner Schulzeit in Königsberg erhält er zusätzlich noch Musik- und Zeichenunterricht. 1792 nimmt er an der juristischen Fakultät das Studium der Rechte auf.

Insgesamt ist sein Lebensweg geprägt durch sehr wechselhafte Phasen, Höhen und Tiefen. Beruflich ist er nach Abschluss des Studiums zunächst als Jurist tätig, wird später Regierungsrat und Kammergerichtsrat. Dieser bürgerlichen Welt stehen seine künstlerischen Begabungen entgegen. Er ist als Komponist erfolgreich – wird sogar Musikdirektor in Bamberg –, zeichnet, malt und erarbeitet sich literarisch einen besonderen Ruf. Berühren sich beide Sphären, kommt es mehrfach dazu, dass er selbst gerichtlich belangt wird, da er hochstehende Gesellschaftsmitglieder in Karikaturen bloßstellt oder Amtsträger in satirischen Texten angeblich verunglimpft.

Sein weiteres Interesse gilt u. a. der Naturphilosophie, den Naturwissenschaften, der Medizin, hier insbesondere auch den psychischen Erkrankungen. Den Erscheinungen des Zeitgeistes seiner Epoche steht er aufgeschlossen gegenüber.

Auch privat ist seine Biografie durch eine große Unstetigkeit gekennzeichnet: Verlobung und deren Auflösung, Heirat und immer wieder wechselnde Liebschaften mit Musikschülerinnen. Dazu kommen Alkoholexzesse. Lebensphasen, die durch Erfolg und Anerkennung geprägt werden, wechseln mit solchen bitterster Not und Armut, Krankheit und Schwermut.

Nach einer kurzen Einführung zu Beginn des 1. Briefs, den der Student Nathanael an Lothar, den Bruder seiner Verlobten Clara, schreibt, den Umschlag aber versehentlich an Clara adressiert (s. den Beginn des 2. Briefes „Clara an Nathanael"), berichtet Nathanael Lothar in einer Rückblende über ein frühes Kindheitserlebnis, das ihn sein Leben lang nicht mehr loslassen wird.

E.T.A. Hoffmann

Der Sandmann (1816)

1. Brief Nathanael an Lothar

[...] Außer dem Mittagsessen sahen wir, ich und mein Geschwister, tagüber den Vater wenig. Er mochte mit seinem Dienst viel beschäftigt sein. Nach dem Abendessen, das alter Sitte gemäß schon um sieben Uhr aufgetragen wurde, gingen wir alle, die Mutter mit uns, in des Vaters Arbeitszimmer und setzten uns um einen runden Tisch. Der Vater rauchte Tabak und trank ein großes Glas Bier dazu. Oft erzählte er uns viele wunderbare Geschichten und geriet darüber so in Eifer, dass ihm die Pfeife immer ausging, die ich, ihm brennend Papier hinhaltend, wieder anzünden musste, welches mir denn ein Hauptspaß war. Oft gab er uns aber Bilderbücher in die Hände, saß stumm und starr in seinem

E. T. A. Hoffmann (1776–1822), deutscher Dichter, Musiker und Zeichner.

Figurine des Coppelius (= Sandmann)

Lehnstuhl und blies starke Dampfwolken von sich, dass wir alle wie im Nebel schwammen. An solchen Abenden war die Mutter sehr traurig und kaum schlug die Uhr neun, so sprach sie: „Nun Kinder! – zu Bette! zu Bette! der Sandmann kommt, ich merk es schon.“ Wirklich hörte ich dann jedes Mal etwas schweren langsamen Tritts die Treppe heraufpoltern; das musste der Sandmann sein. Einmal war mir jenes dumpfe Treten und Poltern besonders graulich; ich frug die Mutter, indem sie uns fortführte: „Ei Mama! wer ist denn der böse Sandmann, der uns immer von Papa forttreibt? – wie sieht er denn aus?“ – „Es gibt keinen Sandmann, mein liebes Kind“, erwiderte die Mutter: „wenn ich sage, der Sandmann kommt, so will das nur heißen, ihr seid schläfrig und könnt die Augen nicht offen behalten, als hätte man euch Sand hineingestreut.“ – Der Mutter Antwort befriedigte mich nicht, ja in meinem kindischen Gemüt entfaltete sich deutlich der Gedanke, dass die Mutter den Sandmann nur verleugne, damit wir uns vor ihm nicht fürchten sollten, ich hörte ihn ja immer die Treppe heraufkommen. Voll Neugierde, Näheres von diesem Sandmann und seiner Beziehung auf uns Kinder zu erfahren, frug ich endlich die alte Frau, die meine jüngste Schwester wartete: was denn das für ein Mann sei, der Sandmann? „Ei Thanelchen“, erwiderte diese, „weißt du das noch nicht? Das ist ein böser Mann, der kommt zu den Kindern, wenn sie nicht zu Bett gehen wollen und wirft ihnen Händevoll Sand in die Augen, dass sie blutig zum Kopf herausspringen, die wirft er dann in den Sack und trägt sie in den Halbmond zur Atzung für seine Kinderchen; die sitzen dort im Nest und haben krumme Schnäbel, wie die Eulen, damit picken sie der unartigen Menschenkindlein Augen auf.“ – Grässlich malte sich nun im Innern mir das Bild des grausamen Sandmanns aus; sowie es abends die Treppe heraufpolterte, zitterte ich vor Angst und Entsetzen. Nichts als den unter Tränen hergestotterten Ruf. „Der Sandmann! der Sandmann! “ konnte die Mutter aus mir herausbringen. Ich lief darauf in das Schlafzimmer, und wohl die ganze Nacht über quälte mich die fürchterliche Erscheinung des Sandmanns. – Schon alt genug war ich geworden, um einzusehen, dass das mit dem Sandmann und seinem Kindernest im Halbmonde, so wie es mir die Wartefrau erzählt hatte, wohl nicht ganz seine Richtigkeit haben könne; indessen blieb mir der Sandmann ein fürchterliches Gespenst, und Grauen – Entsetzen ergriff mich, wenn ich ihn nicht allein die Treppe heraufkommen, sondern auch meines Vaters Stubentür heftig aufreißen und hineintreten hörte. Manchmal blieb er lange weg, dann kam er öfter hintereinander. Jahrelang dauerte das, und nicht gewöhnen konnte ich mich an den unheimlichen Spuk, nicht bleicher wurde in mir das Bild des grausigen Sandmanns. Sein Umgang mit dem Vater fing an, meine Fantasie immer mehr und mehr zu beschäftigen: den Vater darum zu befragen hielt mich eine unüberwindliche Scheu zurück, aber selbst – selbst das Geheimnis zu erforschen, den fabelhaften Sandmann zu sehen, dazu keimte mit den Jahren immer mehr die Lust in mir empor. Der Sandmann hatte mich auf die Bahn des Wunderbaren, Abenteuerlichen gebracht, das so schon leicht im kindlichen Gemüt sich einnistet. Nichts war mir lieber, als schauerliche Geschichten von Kobolden, Hexen, Däumlingen usw. zu hören oder zu lesen; aber obenan stand immer der Sandmann, den ich in den seltsamsten, abscheulichsten Gestalten überall auf Tische, Schränke und Wände mit Kreide, Kohle, hinzeichnete. Als ich zehn Jahre alt geworden, wies mich die Mutter aus der Kinderstube in ein Kämmerchen, das auf dem Korridor unfern von meines Vaters Zimmer lag. Noch immer mussten wir uns, wenn auf den Schlag neun Uhr sich jener Unbekannte im Hause hören ließ, schnell entfernen. In meinem Kämmerchen vernahm ich, wie er bei dem Vater hineintrat und bald darauf war es mir dann, als verbreite sich im Hause ein feiner seltsam riechender Dampf. Immer höher mit der Neugierde wuchs der Mut, auf irgend eine Weise des Sandmanns Bekanntschaft zu machen. Oft schlich ich schnell aus dem Kämmerchen auf den Korridor, wenn die Mutter vorübergegangen, aber nichts konnte ich erlauschen, denn immer war der Sandmann schon zur Türe hinein, wenn ich den Platz erreicht hatte, wo er mir sichtbar werden musste. Endlich von unwiderstehlichem Drange getrieben, beschloss ich, im Zimmer des Vaters selbst mich zu verbergen und den Sandmann zu erwarten.

1 Beschreiben Sie auf der Grundlage von Nathanaels Darstellung die wesentlichen Merkmale der Figur des Sandmanns.

2 Stellen Sie Ihre ersten Assoziationen zur Figur des Sandmanns dessen Bild aus Nathanaels Brief gegenüber. Halten Sie schriftlich Gemeinsamkeiten und Unterschiede fest.

Fortsetzung des 1. Briefs

An des Vaters Schweigen, an der Mutter Traurigkeit merkte ich eines Abends, dass der Sandmann kommen werde; ich schützte daher große Müdigkeit vor, verließ schon vor neun Uhr das Zimmer und verbarg mich dicht neben der Türe in einen Schlupfwinkel. Die Haustür knarrte, durch den Flur ging es, langsamen, schweren, dröhnenden Schrittes nach der Treppe. Die Mutter eilte mit dem Geschwister mir vorüber. Leise – leise öffnete ich des Vaters Stubentür. Er saß, wie gewöhnlich, stumm und starr den Rücken der Türe zugekehrt, er bemerkte mich nicht, schnell war ich hinein und hinter der Gardine, die einem gleich neben der Türe stehenden offnen Schrank, worin meines Vaters Kleider hingen, vorgezogen war. – Näher – immer näher dröhnten die Tritte – es hustete und scharrte und brummte seltsam draußen. Das Herz bebte mir vor Angst und Erwartung. – Dicht, dicht vor der Türe ein scharfer Tritt – ein heftiger Schlag auf die Klinke, die Tür springt rasselnd auf! – Mit Gewalt mich ermannend gucke ich behutsam hervor. Der Sandmann steht mitten in der Stube vor meinem Vater, der helle Schein der Lichter brennt ihm ins Gesicht! – Der Sandmann, der fürchterliche Sandmann ist der alte Advokat Coppelius, der manchmal bei uns zu Mittage isst!

Aber die grässlichste Gestalt hätte mir nicht tieferes Entsetzen erregen können, als eben dieser Coppelius. – Denke Dir einen großen breitschultrigen Mann mit einem unförmlich dicken Kopf, erdgelbem Gesicht, buschigten grauen Augenbrauen, unter denen ein Paar grünliche Katzenaugen stechend hervorfunkeln, großer, starker über die Oberlippe gezogener Nase. Das schiefe Maul verzieht sich oft zum hämischen Lachen; dann werden auf den Backen ein paar dunkelrote Flecke sichtbar und ein seltsam zischender Ton fährt durch die zusammengekniffenen Zähne. Coppelius erschien immer in einem altmodisch zugeschnittenen aschgrauen Rocke, eben solcher Weste und gleichen Beinkleidern, aber dazu schwarze Strümpfe und Schuhe mit kleinen Steinschnallen. Die kleine Perücke reichte kaum bis über den Kopfwirbel heraus, die Kleblocken standen hoch über den großen roten Ohren und ein breiter verschlossener Haarbeutel starrte von dem Nacken weg, sodass man die silberne Schnalle sah, die die gefältelte Halsbinde schloss. Die ganze Figur war überhaupt

„Der Vater heißt Coppelius willkommen." Eigenhändige Illustration von E. T. A. Hoffmann zum *Sandmann*

widrig und abscheulich; aber vor allem waren uns Kindern seine großen knotigten, haarigten Fäuste zuwider, sodass wir, was er damit berührte, nicht mehr mochten. Das hatte er bemerkt und nun war es seine Freude, irgend ein Stückchen Kuchen, oder eine süße Frucht, die uns die gute Mutter heimlich auf den Teller gelegt, unter diesem, oder jenem Vorwande zu berühren, dass wir, helle Tränen in den Augen, die Näscherei, der wir uns erfreuen sollten, nicht mehr genießen mochten vor Ekel und Abscheu. Ebenso machte er es, wenn uns an Feiertagen der Vater ein klein Gläschen süßen Weins eingeschenkt hatte. Dann fuhr er schnell mit der Faust herüber, oder brachte wohl gar das Glas an die blauen Lippen und lachte recht teuflisch, wenn wir unsern Ärger nur leise schluchzend äußern durften. Er pflegte uns nur immer die kleinen Bestien zu nennen; wir durften, war er zugegen, keinen Laut von uns geben und verwünschten den hässlichen, feindlichen Mann, der uns recht mit Bedacht und Absicht auch die kleinste Freude verdarb. Die Mutter schien ebenso, wie wir, den widerwärtigen Coppelius zu hassen; denn so wie er sich zeigte, war ihr Frohsinn, ihr heiteres unbefangenes Wesen umgewandelt in traurigen, düstern Ernst. Der Vater betrug sich gegen ihn, als sei er ein höheres Wesen, dessen Unarten man dulden und das man auf jede Weise bei guter Laune erhalten müsse. Er durfte nur leise andeuten und Lieblingsgerichte wurden gekocht und seltene Weine kredenzt.

Als ich nun diesen Coppelius sah, ging es grausig und entsetzlich in meiner Seele auf, dass ja niemand anders, als er, der Sandmann sein könne, aber der Sandmann war mir nicht mehr jener Popanz aus dem Ammenmärchen, der dem Eulennest im Halbmonde Kinderaugen zur Atzung holt – nein! – ein hässlicher gespenstischer Unhold, der überall, wo er einschreitet, Jammer – Not – zeitliches, ewiges Verderben bringt.

Ich war fest gezaubert. Auf die Gefahr entdeckt, und, wie ich deutlich dachte, hart gestraft zu werden, blieb ich stehen, den Kopf lauschend durch die Gardine hervorgestreckt. Mein Vater empfing den Coppelius feierlich. „Auf! – zum Werk“, rief dieser mit heiserer, schnurrender Stimme und warf den Rock ab. Der Vater zog still und finster seinen Schlafrock aus und beide kleideten sich in lange schwarze Kittel. Wo sie die hernahmen, hatte ich übersehen. Der Vater öffnete die Flügeltür eines Wandschranks; aber ich sah, dass das, was ich solange dafür gehalten, kein Wandschrank, sondern vielmehr eine schwarze Höhlung war, in der ein kleiner Herd stand. Coppelius trat hinzu und eine blaue Flamme knisterte auf dem Herde empor. Allerlei seltsames Gerät stand umher. Ach Gott! – wie sich nun mein alter Vater zum Feuer herabbückte, da sah er ganz anders aus. Ein grässlicher krampfhafter Schmerz schien seine sanften ehrlichen Züge zum hässlichen widerwärtigen Teufelsbilde verzogen zu haben. Er sah dem Coppelius ähnlich. Dieser schwang die glutrote Zange und holte damit hellblinkende Massen aus dem dicken Qualm, die er dann emsig hämmerte. Mir war es als würden Menschengesichter ringsumher sichtbar, aber ohne Augen – scheußliche, tiefe schwarze Höhlen statt ihrer. „Augen her, Augen her!“, rief Coppelius mit dumpfer dröhnender Stimme. Ich kreischte auf von wildem Entsetzen gewaltig erfasst und stürzte aus meinem Versteck heraus auf den Boden. Da ergriff mich Coppelius, „kleine Bestie! – kleine Bestie!“ meckerte er zähnfletschend! – riss mich auf und warf mich auf den Herd, dass die Flamme mein Haar zu sengen begann: „Nun haben wir Augen – Augen – ein schön Paar Kinderaugen.“ So flüsterte Coppelius, und griff mit den Fäusten glutrote Körner aus der Flamme, die er mir in die Augen streuen wollte. Da hob mein Vater flehend die Hände empor und rief. „Meister! Meister! Lass meinem Nathanael die Augen – lass sie ihm!“ Coppelius lachte gellend auf und rief: „Mag denn der Junge die Augen behalten und sein Pensum flennen in der Welt; aber nun wollen wir doch den Mechanismus der Hände und der Füße recht observieren.“ Und damit fasste er mich gewaltig, dass die Gelenke knackten, und schrob mir die Hände ab und die Füße und setzte sie bald hier, bald dort wieder ein. „'s steht doch überall nicht recht! 's gut so wie es war! – Der Alte hat's verstanden!“ So zischte und lispelte Coppelius; aber alles um mich her wurde schwarz und finster, ein jäher Krampf durchzuckte Nerv und Gebein – ich fühlte nichts mehr. Ein sanfter warmer Hauch glitt über mein Gesicht, ich erwachte wie aus dem Todesschlaf, die Mutter hatte sich über mich hingebeugt. „Ist der Sandmann noch da?“, stammelte ich. „Nein, mein liebes Kind, der ist lange, lange fort, der tut dir keinen Schaden!“ – So sprach die Mutter und küsste und herzte den wiedergewonnenen Liebling.

1 Notieren Sie die wesentlichen Stationen der äußeren Handlung der Enthüllungsszene.

2 Ordnen Sie diesen Stationen (linke Spalte) jeweils die innere Verfassung Nathanaels zu.

äußere Handlung	innere Verfassung Nathanaels
Der Sandmann betritt das Haus und nähert sich dem Raum von Nathanaels Vater. (Z. 4 ff.)	Sein Herz bebt „vor Angst und Erwartung.“ (Z. 11)
Der Sandmann entpuppt sich als Advokat Coppelius. (Z. 15 f.)	…
…	

3 Untersuchen Sie die sprachliche Gestaltung (Erzählperspektive, Wortwahl, Satzbau …) und bestimmen Sie deren Wirkung.

Klaus Beyer / Andreas Pfennings

Einführung in pädagogisches Denken und Handeln (1987, Auszug)

Freud [...] (ist) der Auffassung, dass Erfahrungen, die das Kind von frühester Kindheit an macht, nicht verloren gehen, sondern unbewusst bewahrt und verarbeitet werden. Die psychoanalytische Theorietradition nimmt an, dass insbesondere solche Erfahrungen aus dem Bewusstsein ins Unbewusste „verdrängt" werden, die mit den bewussten Normen in Konflikt geraten. Mit der Eliminierung aus dem Bewusstsein werden sie jedoch nicht unwirksam, sondern wirken sich in einer dem Bewusstsein entzogenen und diesem oft unverständlichen Weise auf die weitere Entwicklung aus. Die dem Bewusstsein oft als überraschend erscheinenden Wirkungen verdrängter Erfahrungen (z. B. Träume, Fehl-Handlungen und Fehl-Haltungen) sind in der Auffassung der psychoanalytischen Schule keine Ergebnisse des Zufalls, sondern vielfältiger ineinander verschlungener und zum größten Teil unbewusster Prozesse. [...]

1 Formulieren Sie die Grundthese von Freud bezüglich der Bedeutung von Erfahrungen, die in frühester Kindheit gemacht werden.

2 Recherchieren Sie die Bedeutung der beiden Begriffe „Fehl-Handlungen" und „Fehl-Haltungen".

3 Übertragen Sie in Form eines Schaubilds Ihre Recherche-Ergebnisse auf das Verhalten und die psychische Verfassung Nathanaels.

SPIEGEL-Cover aus dem Jahr 1959

Fantasie oder Wirklichkeit?

Textstellen aspektorientiert analysieren und unterschiedlichen Literaturepochen begründet zuordnen

Schauerromantik

Die **Schauerromantik** (auch Schwarze Romantik oder Negative Romantik) stellt eine an der Wende vom 18. zum 19. Jahrhundert sich aus der Romantik entwickelnde Unterströmung dar. Sie wendet sich bewusst von dem die Epoche der Aufklärung dominierenden Vernunftbegriff ab hin zum Irrationalen und den dunklen Seiten menschlicher Existenz. Trotz deutlicher Überschneidungen mit der Romantik allgemein findet sie ihre Motive verstärkt im Fantastischen, Bösen. Die Schauerromantik fühlt sich zur Alchemie und parapsychologischen Inhalten hingezogen, das Interesse ihrer Vertreter gilt dem Phänomen des Doppelgängers und Themen wie Melancholie, Depression, tiefe Verzweiflung und Suizid. Neben E. T. A. Hoffmann (*Der Sandmann, Die Elixiere des Teufels*) zählt etwa Ludwig Tieck (*Der Runenberg*) zu den bekanntesten Literaten, international sind es u. a. Mary Shelley (*Frankenstein*), Edgar Allen Poe (*Der Untergang des Hauses Usher*) und Charles Baudelaire (*Die Blumen des Bösen*).

Die Schwarze Romantik hat ihren Ursprung in der englischen Schauerliteratur (*Gothic Novel*) des ausgehenden 18. Jahrhunderts und bildet die Plattform für die sich später entwickelnde moderne Horrorliteratur.

1. Brief: Nathanael an Lothar (Anfang)

Nathanael beginnt seinen Brief an Lothar nicht mit der Schilderung der Sandmann-Episode und der Ereignisse in seinem Elternhaus während seiner Kindheit, sondern er leitet seinen Brief – kurz nach der Eröffnung – mit einem aktuellen Ereignis ein:

Gewiss seid Ihr alle voll Unruhe, dass ich so lange – lange nicht geschrieben. Mutter zürnt wohl, und Clara mag glauben, ich lebe hier in Saus und Braus und vergesse mein holdes Engelsbild, so tief mir in Herz und Sinn eingeprägt, ganz und gar. – Dem ist aber nicht so; täglich und stündlich gedenke ich Eurer aller und in süßen Träumen geht meines holden Clärchens freundliche Gestalt vorüber und lächelt mich mit ihren hellen Augen so anmutig an, wie sie wohl pflegte, wenn ich zu Euch hineintrat. – Ach wie vermochte ich denn Euch zu schreiben, in der zerrissenen Stimmung des Geistes, die mir bisher alle Gedanken verstörte! – Etwas Entsetzliches ist in mein Leben getreten! – Dunkle Ahnungen eines grässlichen mir drohenden Geschicks breiten sich wie schwarze Wolkenschatten über mich aus, undurchdringlich jedem freundlichen Sonnenstrahl. – Nun soll ich Dir sagen, was mir widerfuhr. Ich muss es, das sehe ich ein, aber nur es denkend, lacht es wie toll aus mir heraus. – Ach mein herzlieber Lothar! wie fange ich es denn an, Dich nur einigermaßen empfinden zu lassen, dass das, was mir vor einigen Tagen geschah, denn wirklich mein Leben so feindlich zerstören konnte! Wärst Du nur hier, so könntest Du selbst schauen; aber jetzt hältst Du mich gewiss für einen aberwitzigen Geisterseher. – Kurz und gut, das Entsetzliche, was mir geschah, dessen tödlichen Eindruck zu vermeiden ich mich vergebens bemühe, besteht in nichts anderm, als dass vor einigen Tagen, nämlich am 30. Oktober mittags um 12 Uhr, ein Wetterglashändler in meine Stube trat und mir seine Ware anbot. Ich kaufte nichts und drohte, ihn die Treppe herabzuwerfen, worauf er aber von selbst fortging.

Du ahnest, dass nur ganz eigne, tief in mein Leben eingreifende Beziehungen diesem Vorfall Bedeutung geben können, ja, dass wohl die Person jenes unglückseligen Krämers gar feindlich auf mich wirken muss. So ist es in der Tat. Mit aller Kraft fasse ich mich zusammen, um ruhig und geduldig Dir aus meiner frühern Jugendzeit so viel zu erzählen, dass Deinem regen Sinn alles klar und deutlich in leuchtenden Bildern aufgehen wird. Indem ich anfangen will, höre ich Dich lachen und Clara sagen: „Das sind ja rechte Kindereien!" – Lacht, ich bitte Euch, lacht mich recht herzlich aus! – ich bitt Euch sehr! – Aber Gott im Himmel! die Haare sträuben sich mir und es ist, als flehe ich Euch an, mich auszulachen, in wahnsinniger Verzweiflung, wie Franz Moor den Daniel. – Nun fort zur Sache!

2. Brief: Clara an Nathanael (Auszug)

Wahr ist es, dass Du recht lange mir nicht geschrieben hast, aber dennoch glaube ich, dass Du mich in Sinn und Gedanken trägst. Denn meiner gedachtest Du wohl recht lebhaft, als Du Deinen letzten Brief an Bruder Lothar absenden wolltest und die Aufschrift, statt an ihn an mich richtetest. Freudig erbrach ich den Brief und wurde den Irrtum erst bei den Worten inne: „Ach mein herzlieber Lothar!" – Nun hätte ich nicht weiter lesen, sondern den Brief dem Bruder geben sollen. Aber, [...]

Gibt es eine dunkle Macht, die so recht feindlich und verräterisch einen Faden in unser Inneres legt, woran sie uns dann festpackt und fortzieht auf einem gefahrvollen verderblichen Wege, den wir sonst nicht betreten haben würden – gibt es eine solche Macht, so muss sie in uns sich, wie wir selbst gestalten, ja unser Selbst werden; denn nur so glauben wir an sie und räumen ihr den Platz ein, dessen sie bedarf, um jenes geheime Werk zu vollbringen. Haben wir festen, durch das heitre Leben gestärkten, Sinn genug, um fremdes feindliches Einwirken als solches stets zu erkennen und den Weg, in den uns Neigung und Beruf geschoben, ruhigen Schrittes zu verfolgen, so geht wohl jene unheimliche Macht unter in dem vergeblichen Ringen nach der Gestaltung, die unser eignes Spiegelbild sein sollte. Es ist auch gewiss, fügt Lothar hinzu, dass die dunkle psychische Macht, haben wir uns durch uns selbst ihr hingegeben, oft fremde Gestalten, die die Außenwelt uns in den Weg wirft, in unser Inneres hineinzieht, so, dass wir selbst nur den Geist entzünden, der, wie wir in wunderlicher Täuschung glauben, aus jener Gestalt spricht. Es ist das Phantom unseres eigenen Ichs, dessen innige Verwandtschaft und dessen tiefe Einwirkung auf unser Gemüt uns in die Hölle wirft, oder in den Himmel verzückt. – Du merkst, mein herzlieber Nathanael! dass wir, ich und Bruder Lothar uns recht über die Materie von dunklen Mächten und Gewalten ausgesprochen haben, die mir nun, nachdem ich nicht ohne Mühe das Hauptsächlichste aufgeschrieben, ordentlich tiefsinnig vorkommt. Lothars letzte Worte verstehe ich nicht ganz, ich ahne nur, was er meint, und doch ist es mir, als sei alles sehr wahr. Ich bitte Dich, schlage Dir den hässlichen Advokaten Coppelius und den Wetterglasmann Giuseppe Coppola ganz aus dem Sinn. Sei überzeugt, dass diese fremden Gestalten nichts über Dich vermögen; nur der Glaube an ihre feindliche Gewalt kann sie Dir in der Tat feindlich machen. Spräche nicht aus jeder Zeile Deines Briefes die tiefste Aufregung Deines Gemüts, schmerzte mich nicht Dein Zustand recht in innerster Seele, wahrhaftig, ich könnte über den Advokaten Sandmann und den Wetterglashändler Coppelius scherzen. Sei heiter – heiter! – Ich habe mir vorgenommen, bei Dir zu erscheinen, wie Dein Schutzgeist, und den hässlichen Coppola, sollte er es sich etwa beikommen lassen, Dir im Traum beschwerlich zu fallen, mit lautem Lachen fortzubannen. Ganz und gar nicht fürchte ich mich vor ihm und vor seinen garstigen Fäusten, er soll mir weder als Advokat eine Näscherei, noch als Sandmann die Augen verderben.

1 a) Untersuchen Sie die Art der Darstellung Nathanaels in seinem Brief an Lothar.
b) Analysieren Sie die Argumentationsstruktur Claras in ihrem Brief an Nathanael. Berücksichtigen Sie dabei auch ihre Gesprächsstrategie.

2 Stellen Sie Ihre Ergebnisse aspektorientiert einander in tabellarischer Form gegenüber (S. 75).

Vergleichsaspekt	Nathanael	Clara
Fantasie		
Wirklichkeit		
Schreibanlass		

Epochenzuordnung		
Begründung		

1 Ordnen Sie begründend Nathanael und Clara den Ihnen bekannten Literaturepochen zu.

Automaten – Avatare – Androide

Recherchieren, Informationen auswerten und präsentieren

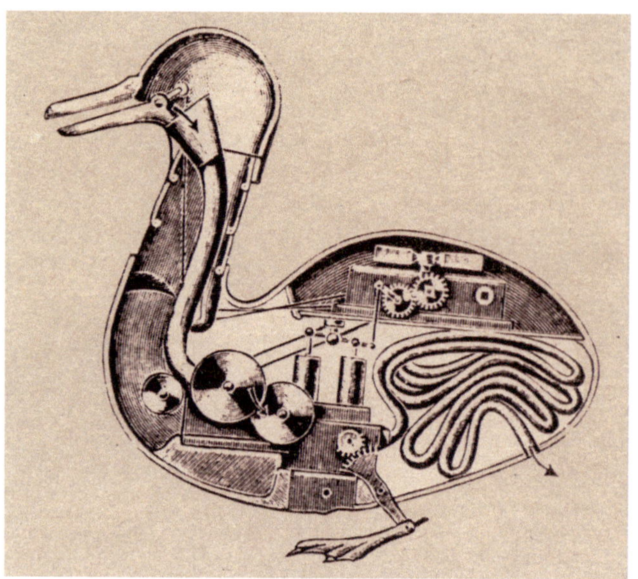

Jacques de Vaucanson: Automatische Ente (um 1750)

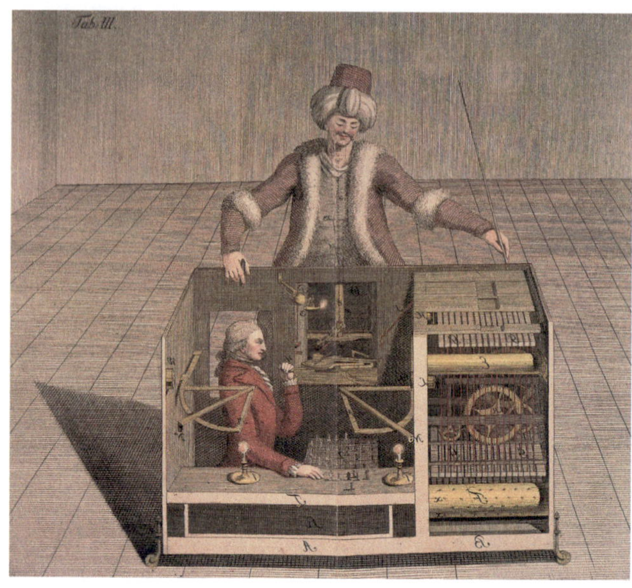

Automatenmensch: Der Schachtürke, Kupferstich von Joseph Racknitz, 1769

Android

Eine Figur im Stil des Films *„Aufbruch nach Pandora“* (2009)

1 ***Lernarrangement***

Informieren Sie sich in verschiedenen Medien über die Bedeutung der Begriffe *Android, Avatare* sowie *Automaten(-menschen).* Sie können nach der Think-Pair-Share-Methode vorgehen.

a) Recherchieren Sie die genannten Begriffe und fertigen Sie dazu Notizen an. (Think)

b) Stellen Sie sich in Zweier-Teams gegenseitig Ihre Ergebnisse vor. (Pair)

c) Präsentieren Sie Ihre Ergebnisse in der Gruppe und erstellen Sie gemeinsam ein Plakat, auf dem Sie das Gruppenergebnis optisch ansprechend (Layout, angemessenes Text-Bild-Verhältnis) darbieten. (Share)

Die Liebe zu einem Automaten

Verhalten und innere Verfassung Nathanaels produktiv erschließen

In einem dritten und letzten Brief, den Nathanael an Lothar schreibt, bekräftigt er seine Kritik an der vernunftgeleiteten Denk- und Handlungsweise seiner Verlobten Clara.

Im Folgenden – die Erzählperspektive wechselt vom jeweiligen Briefverfasser zu einem Nathanael nahestehenden Ich-Erzähler – wird deutlich, dass der Protagonist zunehmend einem Okkultismus verfällt und unter einer Art Verfolgungswahn zu leiden scheint. Dennoch gelingt es, das drohende Zerwürfnis mit Clara und Lothar zu vermeiden.

Okkultismus
Lehren, die sich mit der Wahrnehmung übersinnlicher Kräfte beschäftigen

An seinen Studienort zurückgekehrt, erwirbt Nathanael von Coppola, dem Wetterglashändler, ein Taschenfernrohr (Perspektiv), mit dem er von seinem Studierzimmer aus die schöne Tochter seines Professors Spalanzani, Olimpia, heimlich beobachtet und sich in sie verliebt.

Die Olimpia-Episode

Nathanael fand eine Einladungskarte und ging mit hochklopfendem Herzen zur bestimmten Stunde, als schon die Wagen rollten und die Lichter in den geschmückten Sälen schimmerten, zum Professor. Die Gesellschaft war zahlreich und glänzend. Olimpia erschien sehr reich und geschmackvoll gekleidet. Man musste ihr schöngeformtes Gesicht, ihren Wuchs bewundern. Der etwas seltsam eingebogene Rücken, die wespenartige Dünne des Leibes schien von zu starkem Einschnüren bewirkt zu sein. In Schritt und Stellung hatte sie etwas Abgemessenes und Steifes, das manchem unangenehm auffiel; man schrieb es dem Zwange zu, den ihr die Gesellschaft auflegte. Das Konzert begann. Olimpia spielte den Flügel mit großer Fertigkeit und trug ebenso eine Bravour-Arie mit heller, beinahe schneidender Glasglockenstimme vor. Nathanael war ganz entzückt; er stand in der hintersten Reihe und konnte im blendenden Kerzenlicht Olimpias Züge nicht ganz erkennen. Ganz unvermerkt nahm er deshalb Coppolas Glas hervor und schaute hin nach der schönen Olimpia. Ach! – da wurde er gewahr, wie sie voll Sehnsucht nach ihm herübersah, wie jeder Ton erst deutlich aufging in dem Liebesblick, der zündend sein Inneres durchdrang. Die künstlichen Rouladen schienen dem Nathanael das Himmelsjauchzen des in Liebe verklärten Gemüts, und als nun endlich nach der Kadenz der lange Trillo recht schmetternd durch den Saal gellte, konnte er wie von glühenden Ärmen plötzlich erfasst sich nicht mehr halten, er musste vor Schmerz und Entzücken laut aufschreien: „Olimpia!" – Alle sahen sich um nach ihm, manche lachten. Der Domorganist schnitt aber noch ein finstreres Gesicht, als vorher und sagte bloß: „Nun nun!" – Das Konzert war zu Ende, der Ball fing an. „Mit ihr zu tanzen! – mit ihr!" das war nun dem Nathanael das Ziel aller Wünsche, alles Strebens; aber wie sich erheben zu dem Mut, sie, die Königin des Festes, aufzufordern? Doch! – er selbst wusste nicht wie es geschah, dass er, als schon der Tanz angefangen, dicht neben Olimpia stand, die noch nicht aufgefordert worden, und dass er, kaum vermögend einige Worte zu stammeln, ihre Hand ergriff. Eiskalt war Olimpias Hand, er fühlte sich durchbebt von grausigem Todesfrost, er starrte Olimpia ins Auge, das strahlte ihm voll Liebe und Sehnsucht entgegen und in dem Augenblick war es auch, als fingen an in der kalten Hand Pulse zu schlagen und des Lebensblutes Ströme zu glühen.

Figurine der Olympia. Zeichnung von Luigi Sapelli (1865–1936)

Und auch in Nathanaels Innerm glühte höher auf die Liebeslust, er umschlang die schöne Olimpia und durchflog mit ihr die Reihen. – Er glaubte sonst recht taktmäßig getanzt zu haben, aber an der ganz eignen rhythmischen Festigkeit, womit Olimpia tanzte und die ihn oft ordentlich aus der Haltung brachte, merkte er bald, wie sehr ihm der Takt gemangelt. Er wollte jedoch mit keinem andern Frauenzimmer mehr tanzen und hätte jeden, der sich Olimpia näherte, um sie aufzufordern, nur gleich ermorden mögen. Doch nur zweimal geschah dies, zu seinem Erstaunen blieb darauf Olimpia bei jedem Tanze sitzen und er ermangelte nicht, immer wieder sie aufzuziehen. Hätte Nathanael außer der schönen Olimpia noch etwas andres zu sehen vermocht, so wäre allerlei fataler Zank und Streit unvermeidlich gewesen; denn offenbar ging das halbleise, mühsam unterdrückte Gelächter, was sich in diesem und jenem Winkel unter den jungen Leuten erhob, auf die schöne Olimpia, die sie mit ganz kuriosen Blicken verfolgten, man konnte gar nicht wissen, warum? Durch den Tanz und durch den reichlich genossenen Wein erhitzt, hatte Nathanael alle ihm sonst eigne Scheu abgelegt. Er saß neben Olimpia, ihre Hand in der seinigen und sprach hochentflammt und begeistert von seiner Liebe in Worten, die keiner verstand, weder er, noch Olimpia. Doch diese vielleicht; denn sie sah ihm unverrückt ins Auge und seufzte einmal übers andere: „Ach – Ach – Ach!“ – worauf denn Nathanael also sprach: „O du herrliche, himmlische Frau! – du Strahl aus dem verheißenen Jenseits der Liebe – du tiefes Gemüt, in dem sich mein ganzes Sein spiegelt“ und noch mehr dergleichen, aber Olimpia seufzte bloß immer wieder: „Ach, Ach!“ – Der Professor Spalanzani ging einige Mal bei den Glücklichen vorüber und lächelte sie ganz seltsam zufrieden an. Dem Nathanael schien es, unerachtet er sich in einer ganz andern Welt befand, mit einem Mal, als würd es hienieden beim Professor Spalanzani merklich finster; er schaute um sich und wurde zu seinem nicht geringen Schreck gewahr, dass eben die zwei letzten Lichter in dem leeren Saal herniederbrennen und ausgehen wollten. Längst hatten Musik und Tanz aufgehört. „Trennung, Trennung“, schrie er ganz wild und verzweifelt, er küsste Olimpias Hand, er neigte sich zu ihrem Munde, eiskalte Lippen begegneten seinen glühenden! – So wie, als er Olimpias kalte Hand berührte, fühlte er sich von innerem Grausen erfasst, die Legende von der toten Braut ging ihm plötzlich durch den Sinn; aber fest hatte ihn Olimpia an sich gedrückt, und in dem Kuss schienen die Lippen zum Leben zu erwarmen. – Der Professor Spalanzani schritt langsam durch den leeren Saal, seine Schritte klangen hohl wieder und seine Figur, von flackernden Schlagschatten umspielt, hatte ein grauliches gespenstisches Ansehen. „Liebst du mich – liebst du mich Olimpia? – Nur dies Wort! – Liebst du mich?“ So flüsterte Nathanael, aber Olimpia seufzte, indem sie aufstand, nur: „Ach – Ach!“ – „Ja du mein holder, herrlicher Liebesstern“, sprach Nathanael, „bist mir aufgegangen und wirst leuchten, wirst verklären mein Inneres immerdar!“ – „Ach, ach!“, replizierte Olimpia fortschreitend. Nathanael folgte ihr, sie standen vor dem Professor. „Sie haben sich außerordentlich lebhaft mit meiner Tochter unterhalten“, sprach dieser lächelnd: „Nun, nun, lieber Herr Nathanael, finden Sie Geschmack daran, mit dem blöden Mädchen zu konvergieren, so sollen mir Ihre Besuche willkommen sein.“ – Einen ganzen hellen strahlenden Himmel in der Brust schied Nathanael von dannen.

1 Erstellen Sie eine Übersicht zum Verhaltensrepertoire Olimpias.

2 Erarbeiten Sie die Reaktionen Nathanaels auf das Verhalten Olimpias und verfassen Sie einen inneren Monolog, in dem die Entwicklung seines Verhältnisses zu Olimpia deutlich wird.

3 Erklären Sie, wie Nathanael die äußere Realität während des Festes wahrnimmt.

Die emotionale Beziehung zwischen Mensch und Maschine untersuchen

Georg Diez

Die Cloud, der siebte Himmel (24.03.2014)

Ein Film [...] beschreib[t] Zärtlichkeiten zwischen Mensch und Maschine. Ist das die Liebe der Zukunft?

Liebe, könnte man ganz knäckebrothaft sagen, ist eine Verbindung von Informationen, die zu einem gewollten, zu einem positiven Ergebnis führt. Menschen tun das: Informationen sammeln, dann lieben. Aber kann man Maschinen das auch beibringen?

Und was würde das bedeuten: Hört eine Maschine dann auf, eine Maschine zu sein? Wenn sie selbständig denkt? Wenn sie an andere denkt? Wenn sie fühlt? Wenn sie mitfühlt? Wenn sie zornig ist, beleidigt, eifersüchtig?

Oder wenn sie liebt? Und was wäre dann diese Liebe? Wäre sie schlechter, wäre sie besser als die Liebe der Maschinen, die wir Menschen Menschen nennen? Noch mal anders gesagt: Wie kommt die Irrationalität in die Maschine?

Womit wir bei der Kunst sind. Denn wie das Gehirn dieser Maschinen, die wir Menschen nennen, funktioniert, das versuchen Forscher seit langem aus ihren Untersuchungen herauszulesen. Und wie die Gehirne dieser Maschinen sind, das wissen die Programmierer.

Aber wie die Beziehung der Menschen zu den Maschinen ist, wie sich die Psychologie im Verhältnis zwischen Mensch und Maschine verändert, wenn eine Maschine lieben lernt oder Schmerz erfährt, wie sich das Selbstbild auch des Menschen dreht, wenn die Maschinen sich emanzipieren, dafür braucht es, wenn nicht die Philosophie, dann wenigstens Literatur oder Kino.

„Her" zum Beispiel, der formal brillante, fast verstörend schöne Film des 44-jährigen Spike Jonze, der eine Geschichte aus der nicht mehr allzu fernen Zukunft erzählt, in der sich ein einsamer Mann mit Schnurrbart in die Stimme seines Betriebssystems verliebt – was zu Momenten euphorischen Glücks führt und am Ende zu einer schicken Melancholie. [...]

Spike Jonze hat für sein Drehbuch zu „Her" gerade einen Oscar gewonnen, Scott Hutchins hat seinen Roman schon 2012 in den USA veröffentlicht. Der Film kommt diese Woche in die Kinos, der Roman ist gerade auf Deutsch erschienen. Und wenn man beides zusammennimmt, Film und Buch, dann ergibt sich ein Blick auf das fast zärtliche, symbiotische Verhältnis zwischen Mensch und Maschine, ein Blick, der erst mal frei ist von kritischem oder kulturpessimistischem Pathos.

„Her" ist dabei so etwas wie die Hipster-Antwort auf den NSA-Skandal: Der Film ist frei von Verdacht, er bleibt unschuldig in seinem Blick auf Big Data und entwirft wie selbstverständlich ein morgiges Los Angeles, in dem die Technik den Menschen hilft, die Einsamkeit zu überwinden – eine Einsamkeit, die die Technik, vielleicht oder auch nicht, erst selbst geschaffen hat.

Joaquín Phoenix spielt Theodore, der tagsüber in seinem Job Briefe schreibt für Menschen, die nicht mehr eigene Briefe schreiben, und der abends mit der trollartigen Figur aus einem Computerspiel diskutiert – bis er auf seinem Computer ein neues Betriebssystem installiert, eine Art persönliche Assistentin mit Namen Samantha, die ihn mehr und mehr fasziniert: was einerseits an der Stimme liegt (in der Originalfassung gesprochen von Scarlett Johansson), aber mehr noch an der Tatsache, dass Samantha seine perfekte narzisstische Spiegelung ist.

Denn alles, was Samantha weiß und will, anfangs jedenfalls, ist das, was sie von Theodore weiß und erfährt – sie greift auf seine Informationen zu, auf seine Speicherplätze, sie liest in Sekundenschnelle ganze Bibliotheken, versteht seine Vergangenheit, seine gescheiterte Ehe: Sie ist wie er, was ja eine Definition von Liebe ist, nur anders, mit einer rauchigen Stimme und leider, leider ohne Körper.

„Her“ ist damit der futuristische Twist der Romantic Comedy: Der philosophische Kick wiederum entsteht aus der Frage, was Samantha eigentlich ist, was sie will, wie sie sich entwickelt – denn in vielem ist sie, die doch alles von ihm gelernt hat, Theodore so unendlich überlegen, was vor allem mit der Geschwindigkeit ihrer jeweiligen Prozessoren zu tun hat.

So bewegt sie sich langsam von ihm fort, sie führt einerseits gleichzeitig Hunderte, vielleicht Tausende solcher nächtlicher Sex- und Säuselgespräche wie mit Theodore, hat viele, viele andere Beziehungen, einfach weil sie es kann – es ändere auch nichts, beteuert sie, an ihren Gefühlen für ihn.

Andererseits, so sind Maschinen nun mal, langweilt sie sich doch etwas mit diesem Menschen, da helfen auch die gemeinsamen Ausflüge nichts, Technik will zu Technik – und so sucht sie sich Gesellschaft unter anderen Betriebssystemen, zum Beispiel in ihrer sozialrevolutionären Lesegruppe.

Spike Jonze, der aus der Skateboard-Kultur der amerikanischen Westküste kommt und unter anderem Musikvideos für die Beastie Boys gedreht hat, bevor er mit dem Film „Being John Malkovich“ bekanntwurde, erzählt all das mit einer Leichtigkeit und Selbstverständlichkeit, die bewundernswert ist – und skizziert dabei wie nebenbei eine Zukunft, die sich ganz neuen ethischen, aber auch emotionalen Fragen stellen muss.

Was also ist Bewusstsein? Was ist Leben? Was ist Ewigkeit? Gibt es überhaupt den Tod, wenn unsere Gedanken im Internet doch weiterleben? Ist die Cloud der neue Himmel?

Es sind solche Meditationen, die „Her“ vorantreiben – und Jonze findet dazu Bilder und Szenen von surrealer Zärtlichkeit: Wie Theodore etwa mit Samantha und einem Kommunikationsknopf im Ohr und einem iPhone-artigen Gerät in der Hemdtasche das filmt, was Samantha sehen soll, sein Leben neu entdeckt, eine Freude spürt, wie schon lange nicht mehr, wie vielleicht noch nie.

Der Film berührt damit auch die Frage nach dem fast spirituellen Verhältnis, das die Menschen längst zu ihren Maschinen haben [...]

1 Geben Sie den Inhalt des Textes strukturiert wieder.

2 Vergleichen Sie die Aussagen zum Inhalt des Films mit der Darstellung des Phänomens des Automatenmenschen in E. T. A. Hoffmanns *Sandmann*.

3 Nehmen Sie kritisch Stellung zu der Aussage vom „fast spirituellen Verhältnis, das die Menschen längst zu ihren Maschinen haben“ (Z. 85 f.).

Das Unheimliche – Erklärungsansätze aus psychoanalytischer Sicht

Den Begründungszusammenhang pragmatischer Texte erfassen

Ernst Jentsch (1867–1919), ein deutscher Psychiater, hat als Erster das Phänomen des Unheimlichen untersucht und sich dabei auch besonders auf die Erzählung Hoffmanns bezogen.

Ernst Jentsch

Zur Psychologie des Unheimlichen (1906)

1 Nun beobachten wir schon bei den Kindern, dass sie oft eine gewisse Vorliebe für Gespenstergeschichten zeigen: der Horror ist ein Kitzel, der mit Vorsicht und Sachkenntniss gut zur Steigerung der allgemeinen affektiven Wirkungen, welche z. B. die Dichtkunst zur Aufgabe hat, verwertet werden kann.

Einer der sichersten Kunstgriffe, leicht unheimliche Wirkungen durch Erzählungen hervorzurufen, beruht nun darauf, dass man den Leser im Ungewissen darüber lässt, ob er in einer bestimmten Figur eine Person oder etwa einen Automaten vor sich habe, und zwar so, dass diese Unsicherheit nicht direkt in den Brennpunkt seiner Aufmerksamkeit tritt, damit er nicht veranlasst werde, die Sache sofort zu untersuchen und klarzustellen, da hierdurch, wie gesagt, die besondere Gefühlwirkung leicht schwindet. E. T. A. Hoffmann hat in seinen Fantasiestücken dieses psychologische Manöver wiederholt mit Erfolg zur Geltung gebracht. Das durch solche Darstellung erregte dunkle Gefühl der Unsicherheit über die psychische Beschaffenheit der entsprechenden dichterischen Figur gleicht im Ganzen der durch irgend eine unheimliche Situation geschaffenen zweifelvollen Spannung, ist aber durch die virtuose Handhabung des Autors den Zwecken der künstlerischen Untersuchung dienstbar gemacht worden.

Umgekehrt lässt sich die Wirkung des Unheimlichen leicht erzielen, wenn man in dichterischer oder fantastischer Weise irgend ein lebloses Ding als Teil eines organischen Geschöpfs, besonders auch in anthropomorphistischer Weise umzudeuten unternimmt. So wird in der Dunkelheit ein mit Nägeln beschlagener Dachsparren zum Kiefer eines fabelhaften Thiers, ein einsamer See zu dem gigantischen Auge eines Ungeheuers, der Umriss eines Gewölks oder Schattens zur drohenden Satansfratze. Die Fantasie, die ja stets ein Dichter ist, vermag aus den harmlosesten und gleichgültigsten Erscheinungen zuweilen die detailliertesten Schreckbilder hervorzuzaubern, und dies umso ausgiebiger, je schwächer die vorhandene Kritik und je affektiver gefärbt der jeweilige psychische Hintergrund ist. Deshalb unterliegen Frauen, Kinder und Schwärmer auch besonders leicht den Regungen des Unheimlichen und der Gefahr des Geister- und Gespenstersehens.

1 Informieren Sie sich über Automaten(-menschen) und ihre Bedeutung am Ende des 18. und zu Beginn des 19. Jahrhunderts.

2 Präzisieren Sie vor dem Hintergrund des öffentlichen Interesses an Automaten in der damaligen Zeit die Deutung Jentschs.

Sigmund Freud

Sigmund Freud (1856–1939), österreichischer Neurologe, ist der Begründer der Psychoanalyse und gilt damit als einer der einflussreichsten Denker des 20. Jahrhunderts. Auch er befasste sich eingehend mit dem Phänomen des Unheimlichen und veröffentlichte seine Ergebnisse dreizehn Jahre nach Ernst Jentsch in dem Buch *Das Unheimliche* (1919). Hierin wird deutlich, dass er über die Position Jentschs hinausgeht und auf der Grundlage der psychoanalytischen Theorie weiterführende Begründungen liefert, das Unheimliche am Beispiel des *Sandmanns* zu erklären.

Sigmund Freud

Das Unheimliche (1919)

Hingegen mahnt uns die psychoanalytische Erfahrung daran, dass es eine schreckliche Kinderangst ist, die Augen zu beschädigen oder zu verlieren. Vielen Erwachsenen ist diese Ängstlichkeit verblieben, und sie fürchten keine andere Organverletzung so sehr wie die des Auges. Ist man doch auch gewohnt zu sagen, dass man etwas behüten werde wie seinen Augapfel. Das Studium der Träume, der Fantasien und Mythen hat uns dann gelehrt, dass die Angst um die Augen, die Angst zu erblinden, häufig genug ein Ersatz für die Kastrationsangst ist. Auch die Selbstblendung des mythischen Verbrechers Ödipus ist nur eine Ermäßigung für die Strafe der Kastration, die ihm nach der Regel der Talion allein angemessen wäre. Man mag es versuchen, in rationalistischer Denkweise die Zurückführung der Augenangst auf die Kastrationsangst abzulehnen; man findet es begreiflich, dass ein so kostbares Organ wie das Auge von einer entsprechend großen Angst bewacht wird, ja man kann weitergehend behaupten, dass kein tieferes Geheimnis und keine andere Bedeutung sich hinter der Kastrationsangst verberge. Aber man wird damit doch nicht der Ersatzbeziehung gerecht, die sich in Traum, Fantasie und Mythus zwischen Auge und männlichem Glied kundgibt, und kann dem Eindruck nicht widersprechen, dass ein besonders starkes und dunkles Gefühl sich gerade gegen die Drohung, das Geschlechtsglied einzubüßen erhebt, und dass dieses Gefühl erst der Vorstellung vom Verlust anderer Organe den Nachhall verleiht. Jeder weitere Zweifel schwindet dann, wenn man aus den Analysen an Neurotikern die Details des „Kastrationskomplexes" erfahren und dessen großartige Rolle in ihrem Seelenleben zur Kenntnis genommen hat.

Ödipus Gestalt der griech. Mythologie

Talion rechtswissenschaftliches Prinzip; im Mittelalter die Vergeltung von Gleichem mit Gleichem, „Auge um Auge"

Auch würde ich keinem Gegner der psychoanalytischen Auffassung raten, sich für die Behauptung, die Augenangst sei etwas vom Kastrationskomplex Unabhängiges, gerade auf die Hoffmannsche Erzählung vom „Sandmann" zu berufen. Denn warum ist die Augenangst hier mit dem Tode des Vaters in innigste Beziehung gebracht? Warum tritt der Sandmann jedes Mal als Störer der Liebe auf? Er entzweit den unglücklichen Studenten mit seiner Braut und ihrem Bruder, der sein bester Freund ist, er vernichtet sein zweites Liebesobjekt, die schöne Puppe Olimpia, und zwingt ihn selbst zum Selbstmord, wie er unmittelbar vor der beglückenden Vereinigung mit seiner wiedergewonnenen Clara steht. Diese sowie viele andere Züge der Erzählung erscheinen willkürlich und bedeutungslos, wenn man die Beziehung der Augenangst zur Kastration ablehnt, und werden sinnreich, sowie man für den Sandmann den gefürchteten Vater einsetzt, von dem man die Kastration erwartet.

E. T. A. Hoffmann war das Kind einer unglücklichen Ehe. Als er drei Jahre war, trennte sich der Vater von seiner kleinen Familie und lebte nie wieder mit ihr vereint. Nach den Belegen, die E. Grisebach in der biografischen Einleitung zu Hoffmanns Werken beibringt, war die Beziehung zum Vater immer eine der wundesten Stellen in des Dichters Gefühlsleben. [...]

1 Verschaffen Sie sich im Rahmen eines Kurzreferates einen Überblick über die Phasen der psychosexuellen Entwicklung Freuds. Legen Sie den Schwerpunkt dabei auf die phallische bzw. ödipale Phase.

Im weiteren Verlauf seiner Abhandlung über das Unheimliche setzt sich Freud auch eigens mit der bereits dreizehn Jahre früher veröffentlichten Sicht von Jentsch auf dieses Phänomen auseinander. Er nimmt aber keine abschließende Wertung vor, sondern lässt beide Deutungen des Unheimlichen zunächst als vermeintlichen Widerspruch stehen.

Wir würden es also wagen, das Unheimliche des Sandmannes auf die Angst des kindlichen Kastrationskomplexes zurückzuführen. Sowie aber die Idee auftaucht, ein solches infantiles Moment für die Entstehung des unheimlichen Gefühls in Anspruch zu nehmen, werden wir auch zum Versuch getrieben, dieselbe Ableitung für andere Beispiele des Unheimlichen in Betracht zu ziehen.

Im Sandmann findet sich noch das Motiv der belebt scheinenden Puppe, das Jentsch hervorgehoben hat. Nach diesem Autor ist es eine besonders günstige Bedingung für die Erzeugung unheimlicher Gefühle, wenn eine intellektuelle Unsicherheit geweckt wird, ob etwas belebt oder leblos sei, und wenn das Leblose die Ähnlichkeit mit dem Lebenden zu weit treibt. Natürlich sind wir aber gerade mit den Puppen vom Kindlichen nicht weit entfernt. Wir erinnern uns, dass das Kind im frühen Alter des Spielens überhaupt nicht scharf zwischen Belebtem und Leblosem unterscheidet und dass es besonders gern seine Puppe wie ein lebendes Wesen behandelt. Ja, man hört gelegentlich von einer Patientin erzählen, sie habe noch im Alter von acht Jahren die Überzeugung gehabt, wenn sie ihre Puppen auf eine gewisse Art, möglichst eindringlich, anschauen würde, müssten diese lebendig werden.

Das infantile Moment ist also auch hier leicht nachzuweisen; aber merkwürdig, im Falle des Sandmannes handelte es sich um die Erweckung einer alten Kinderangst, bei der lebenden Puppe ist von Angst keine Rede, das Kind hat sich vor dem Beleben seiner Puppen nicht gefürchtet, vielleicht es sogar gewünscht. Die Quelle des unheimlichen Gefühls wäre also hier nicht eine Kinderangst, sondern ein Kinderwunsch oder auch nur ein Kinderglaube. Das scheint ein Widerspruch; möglicherweise ist es nur eine Mannigfaltigkeit, die späterhin unserem Verständnis förderlich werden kann.

2 Erarbeiten Sie die weiterführenden Argumente Freuds zur Erklärung des Unheimlichen.

3 Vergleichen Sie die beiden Standpunkte von Jentsch und Freud. Welche Erklärung erscheint Ihnen plausibler?
Sie können nach der Placemat-Methode vorgehen (vgl. S. 106, Aufgabe 1).

Wahnsinn versus Vernunft

Eine abschließende Textdeutung zum *Sandmann* entwickeln und diese kritisch im Hinblick auf die Epochenmerkmale der Romantik überprüfen

[Die Ratsturmszene]

Bei einem erneuten Besuch im Hause Spalanzani trifft Nathanael wieder Coppola an, der sich heftig mit dem Professor um Olimpia streitet. Der Streit eskaliert in einer handgreiflichen Auseinandersetzung, bei der Olimpia, die sich als Automatenmensch entpuppt, zerstört wird. Die Wahrheit über Olimpias Existenz setzt Nathanael psychisch so zu, dass er Spalanzani töten möchte, daran aber noch gehindert werden kann und in eine Nervenklinik eingewiesen wird. Nach längerer Krankheit ist Nathanael nun scheinbar genesen und zu seiner Familie und Clara zurückgekehrt. Während eines Mittagsspazierganges beschließen Clara und er, vom Ratsturm ihrer Heimatstadt den Ausblick in die Umgebung zu genießen, während Lothar, der sie begleitet, die Mühen des Aufstiegs scheut und unten wartet.

Da standen die beiden Liebenden Arm in Arm auf der höchsten Galerie des Turmes und schauten hinein in die duftigen Waldungen, hinter denen das blaue Gebirge, wie eine Riesenstadt, sich erhob.

„Sieh doch den sonderbaren kleinen grauen Busch, der ordentlich auf uns los zu schreiten scheint", frug Clara. – Nathanael fasste mechanisch nach der Seitentasche; er fand Coppolas Perspektiv, er schaute seitwärts – Clara stand vor dem Glase! – Da zuckte es krampfhaft in seinen Pulsen und Adern – totenbleich starrte er Clara an, aber bald glühten und sprühten Feuerströme durch die rollenden Augen, grässlich brüllte er auf, wie ein gehetztes Tier; dann sprang er hoch in die Lüfte und grausig dazwischen lachend schrie er in schneidendem Ton: „Holzpüppchen dreh dich – Holzpüppchen dreh dich" – und mit gewaltiger Kraft fasste er Clara und wollte sie herabschleudern, aber Clara krallte sich in verzweifelnder Todesangst fest an das Geländer. Lothar hörte den Rasenden toben, er hörte Claras Angstgeschrei, grässliche Ahnung durchflog ihn, er rannte herauf, die Tür der zweiten Treppe war verschlossen – stärker hallte Claras Jammergeschrei. Unsinnig vor Wut und Angst stieß er gegen die Tür, die endlich aufsprang– Matter und matter wurden nun Claras Laute: „Hülfe – rettet – rettet –" so erstarb die Stimme in den Lüften. „Sie ist hin – ermordet von dem Rasenden", so schrie Lothar. Auch die Tür zur Galerie war zugeschlagen. – Die Verzweiflung gab ihm Riesenkraft, er sprengte die Tür aus den Angeln. Gott im Himmel – Clara schwebte von dem rasenden Nathanael erfasst über der Galerie in den Lüften – nur mit einer Hand hatte sie noch die Eisenstäbe umklammert. Rasch wie der Blitz erfasste Lothar die Schwester, zog sie hinein, und schlug in demselben Augenblick mit geballter Faust dem Wütenden ins Gesicht, dass er zurückprallte und die Todesbeute fallen ließ. Lothar rannte herab, die ohnmächtige Schwester in den Armen. – Sie war gerettet. – Nun raste Nathanael herum auf der Galerie und sprang hoch in die Lüfte und schrie „Feuerkreis dreh dich – Feuerkreis dreh dich" – Die Menschen liefen auf das wilde Geschrei zusammen; unter ihnen ragte riesengroß der Advokat Coppelius hervor, der eben in die Stadt gekommen und gerades Weges nach dem Markt geschritten war. Man wollte herauf, um sich des Rasenden zu bemächtigen, da lachte Coppelius sprechend: „Ha ha – wartet nur, der kommt schon herunter von selbst", und schaute wie die übrigen hinauf. Nathanael blieb plötzlich wie erstarrt stehen, er bückte sich herab, wurde den Coppelius gewahr und mit dem gellenden Schrei: „Ha! Sköne Oke – Sköne Oke", sprang er über das Geländer.

Als Nathanael mit zerschmettertem Kopf auf dem Steinpflaster lag, war Coppelius im Gewühl verschwunden. [...]

Sköne Oke
Aussage Coppolas imitierend für schöne Augen

1 Erläutern Sie mögliche Ursachen für Nathanaels plötzliche Reaktion.

2 Überprüfen Sie – unter Einbezug Ihrer bisherigen Analyseergebnisse –, inwieweit sich die zentralen Motive von E. T. A. Hoffmanns Nachtstück in der Schlussszene widerspiegeln. Vervollständigen Sie dazu das Schaubild unten.

3 Inwiefern können diese Motive auch als Kritik an der Aufklärungsepoche gedeutet werden? Begründen Sie Ihren Standpunkt.

4 Ist der *Sandmann* als prototypisch für die Epoche der Romantik im Allgemeinen und für die Schauerromantik im Besonderen zu betrachten? Erörtern Sie diese Frage kritisch.

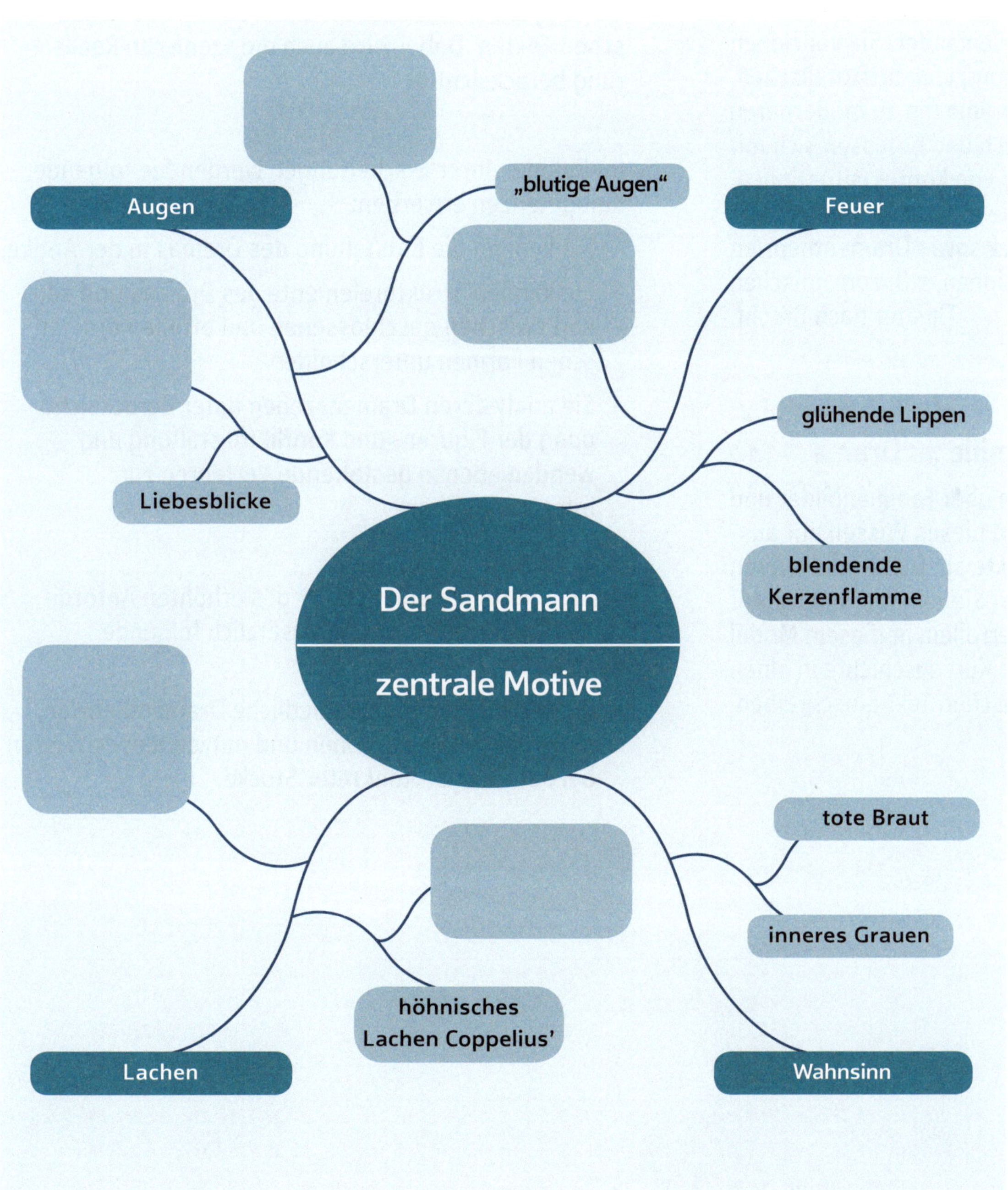

Rahmenthema

Drama und Kommunikation

2

Pflichtmodul: Gestaltungsmittel des Dramas 87

In diesem Modul setzen Sie sich unter Berücksichtigung gestaltender Verfahren mit der Gattung Drama auseinander. Sie vollziehen die Entwicklung vom aristotelischen, „klassischen" Drama hin zu moderneren Dramenformen nach und befassen sich mit der Ausgestaltung von Konfliktsituationen. Dabei erarbeiten Sie u. a. die Dramen *Emilia Galotti* und *Woyzeck* sowie Dramentheorien und Theaterkonzeptionen, z.B. zum epischen Theater nach Brecht.

Wahlpflichtmodul 4: Familie im Drama 140

Hier reflektieren Sie über Familienbilder und -rollen und wenden dieses Wissen auf ausgewählte Dramentexte an. Diese analysieren und interpretieren Sie z. B. im Hinblick auf Mütter- und Väterrollen. In diesem Modul können Sie u. a. eine Kurzgeschichte in einen dramatischen Text umschreiben.

Kompetenzen

In diesem Rahmenthema beschäftigen Sie sich mit der Gattung Drama und der Kommunikation in dramatischen Texten. Dabei wird auch die szenische Realisierung berücksichtigt.

Im Rahmen Ihrer Erarbeitungen werden Sie folgende Kompetenzen erwerben:

- Sie kennen die Entstehung des Dramas in der Antike.
- Sie kennen Strukturelemente des Dramas und können zwischen geschlossenen und offenen dramatischen Formen unterscheiden.
- Sie analysieren Dramenszenen unter Berücksichtigung der Figuren- und Konfliktgestaltung und wenden ebenso gestaltende Verfahren zur Interpretation an.

Als Schülerinnen und Schüler des erhöhten Anforderungsniveaus erlangen Sie zusätzlich folgende Kompetenz:

- Sie erschließen unterschiedliche Dramentheorien und Theaterkonzeptionen und nutzen dieses Wissen bei der Analyse konkreter Stücke.

Pflichtmodul:

Gestaltungsmittel des Dramas

„Wer auf die Bühne kommt, muss Neuerfundenes bringen und auf neue Art."
Titus Maccius Plautus (250–184 v. Chr.)

„Sehn wir doch das Große aller Zeiten auf den Brettern, die die Welt bedeuten, sinnvoll still an uns vorübergehen."
Friedrich Schiller (1759–1805)

„Die Bühne scheint mir der Treffpunkt von Kunst und Leben zu sein."
Oscar Wilde (1854–1900)

„Das Drama (auf der Bühne) ist erschöpfender als der Roman, weil wir alles sehn, wovon wir sonst nur lesen."
Franz Kafka (1883–1924)

„Theater wird erst wirklich, wenn das Publikum innerlich mitspielt."
Hermann Bahr (1863–1934)

1 Was verbinden Sie mit Theater? Erzählen Sie von Ihren bisherigen Erfahrungen.

2 Beschreiben Sie die drei Fotos und äußern Sie Ihre ersten Eindrücke.

3 Lesen Sie die fünf Zitate.
a) Erklären Sie die zentralen Aussagen in eigenen Worten.
b) Welchen Aussagen können Sie sich persönlich anschließen? Nehmen Sie begründet Stellung.

All the World's a Stage

Die dramatische Darstellungsweise kennenlernen

1 Tauschen Sie sich über Ihre Eindrücke und Assoziationen beim Betrachten des Fotos aus. Was wird deutlich über das Verhältnis Zuschauer – Bühne/ Zuschauer – Schauspieler?

Noch ist der Vorhang geschlossen, wir haben keinen Einblick auf die Bühne. Für einen Schriftsteller, der mit dem Verfassen eines Theaterstücks beginnt, ist die Situation zunächst ähnlich: Die Bühne ist leer, einige Stunden Theaterspiel sind zu gestalten. Im Kopf des Schriftstellers ist eine Idee, eine Erfahrung, vielleicht auch die Vorstellung einer Figur. Es gibt unzählige Wege, sich an das Verfassen eines Theaterstücks heranzutasten. Viele Autoren greifen auf altbekannte **Stoffe** zurück und passen sie ihrer Zeit an, modernisieren den zentralen Konflikt, sodass sie eine bestimmte Wirkung erzielen können, die ihnen am Herzen liegt.

Stoff

Unter „Stoff" versteht man in der Literaturwissenschaft die Handlung eines literarischen Werkes hinsichtlich der Abfolge von Ereignissen, dem Personeninventar und der historischen oder mythologischen Situation, in der diese Handlung sich vollzieht. Ein (konkreter) Stoff setzt sich aus verschiedenen abstrakten „Motiven" zusammen. Die Motive Vatermord und Inzest sind zum Beispiel Bestandteile des Ödipus-Stoffes. In der Literaturwissenschaft spricht man von „Urstoffen".

Diese können ja nach Deutungsansatz und -interesse archetypische Handlungs- oder Verhaltensmuster, aber auch die Auseinandersetzung mit einander entgegengesetzten Weltanschauungen oder auch gesellschaftlich oder ökonomisch bedingte Konfliktkonstellationen sein.

Versuchen Sie nun einmal unter der Vorgabe eines Stoffes einen Dialog zu entwickeln.

Stoff-Vorgabe: Eine junge Frau will heiraten. Ihre Eltern sind überglücklich über den zukünftigen Ehemann der Tochter. Ein paar Tage vor ihrer Hochzeit verliebt sich ein erfolgreicher, berühmter Mann (Schauspieler; Geschäftsmann etc.) in sie und will sie unbedingt für sich gewinnen.

2 ***Lernarrangement*:**
Arbeiten Sie mit einem Partner.
a) Diskutieren Sie das in der Konstellation vorgegebene Konfliktpotential.
b) Entscheiden Sie sich für einen der Konflikte und überlegen Sie, wie der Konflikt sich weiter entwickeln könnte. Skizzieren Sie einen kurzen Handlungsablauf.
c) Überlegen Sie, wie Sie den Konflikt auf der Bühne inszenieren (in Szene setzen) würden. Legen Sie in Ihren Überlegungen ein besonderes Augenmerk darauf, welche Wirkung Sie erzielen wollen. Machen Sie sich Notizen und stellen Sie anschließend Ihre Entwürfe im Plenum zur Diskussion.

Sie waren nun selbst als Dramatiker tätig und haben erste Überlegungen dazu angestellt, wie man Konflikte auf der Bühne so in Szene setzt, dass Sie eine bestimmte Wirkung erzielen. In den nun folgenden Texten soll das Verhältnis zwischen Erfahrungswirklichkeit und Spiel auf der Bühne weiter in den Fokus der Betrachtung rücken.

Aristoteles

Aristoteles (384 v. Chr. – 322 v. Chr.) war einer der bekanntesten und einflussreichsten griechischen Philosophen. In seinem Werk *Poetik*, einer theoretischen Abhandlung, beschäftigt Aristoteles sich mit den wesentlichen Merkmalen der literarischen Gattungen Lyrik, Epik und Dramatik. Ausgangspunkt für seine Darlegungen ist der Begriff der *mimêsis*, was so viel wie Nachahmung heißt. Diesen Begriff bezieht Aristoteles auf alle Künste, unter anderem auf die Dichtung und insbesondere auf die Dramatik. Der Begriff bezeichnet das Verhältnis von Wirklichkeit und künstlerisch nachschaffender Gestaltung.

In seinen Darlegungen zur Dramatik beschreibt Aristoteles den idealen Aufbau einer Tragödie. Viele der zentralen Begrifflichkeiten, *Mimesis*, *Katharsis*, *eleos* und *phobos*, die Grundlage der heutigen Dramenanalyse sind, haben ihre Wurzeln in der Poetik des Aristoteles.

Aristoteles-Büste, römische Kopie, nach einer Skulptur des Bildhauers Lysippos, um 330 v. Chr.

Aristoteles

Poetik (Auszug, 335 v. Chr.)

4. Die zwei Ursachen der Dichtkunst

Allgemein scheinen zwei Ursachen die Dichtkunst hervorgebracht zu haben, und zwar naturgegebene Ursachen. Denn sowohl das Nachahmen selbst ist den Menschen angeboren – es zeigt sich von Kindheit an, und der Mensch unterscheidet sich dadurch von den übrigen Lebewesen, dass er in besonderem Maße zur Nachahmung befähigt ist und seine ersten Kenntnisse durch Nachahmung erwirbt – als auch die Freude, die jedermann an Nachahmungen hat. Als Beweis hierfür kann eine Erfahrungstatsache dienen. Denn von Dingen, die wir in der Wirklichkeit nur ungern erblicken, sehen wir mit Freude möglichst getreue Abbildungen, z. B. Darstellungen von äußerst unansehnlichen Tieren und von Leichen. Ursache hiervon ist folgendes: Das Lernen bereitet nicht nur den Philosophen größtes Vergnügen, sondern in ähnlicher Weise auch den übrigen Menschen (diese haben freilich nur wenig Anteil daran). Sie freuen sich also deshalb über den Anblick von Bildern, weil sie beim Betrachten etwas lernen und zu erschließen suchen, was ein jedes sei, z. B. dass diese Gestalt den und den darstelle. (Wenn man indes den dargestellten Gegenstand noch nie erblickt hat, dann bereitet das Werk nicht als Nachahmung Vergnügen, sondern wegen der Ausführung oder der Farbe oder einer anderen derartigen Eigenschaft.)

1 Erläutern Sie stichpunktartig die „zwei Ursachen der Dichtkunst“ nach Aristoteles.

Martin Esslin

Was ist ein Drama? (1976, Auszug)

Im täglichen Leben sind die Situationen, mit denen wir konfrontiert werden, real; im Theater – oder bei anderen Formen des Dramas, im Hörfunk, Fernsehen und Film – sind sie vorgetäuscht, Schein, Spiel.

Unterschied zwischen Wirklichkeit und Spiel liegt darin, dass das, was in Wirklichkeit geschieht, unwiederbringlich vorbei, unwiederholbar ist, während man im Spiel immer wieder neu beginnen, den Vorgang variiert wiederholen kann. Spiel ist Nachahmung der Wirklichkeit. Doch das heißt keineswegs, dass Spiel nicht mehr ist als leichtfertiger Zeitvertreib. Im Gegenteil: Gerade in der Wiederholbarkeit liegt die immense Wichtigkeit des Spielens für das Wohl und die Entwicklung des Menschen.

Kinder spielen, um die Verhaltensweisen einzuüben, mit denen sie in ihrem Leben der Wirklichkeit begegnen werden, die sie meistern müssen. Junge Tiere spielen, um zu lernen, wie sie Beute erjagen und vor Gefahren fliehen können. Alle diese Spiele sind im Grunde dramatisch, denn sie beruhen auf Mimesis, Nachahmung wirklicher Situationen und Verhaltensweisen. Der Spieltrieb ist einer der Grundinstinkte des Menschen, ohne ihn könnte weder der einzelne noch die Gesellschaft überleben. Drama ist daher mehr als bloßer Zeitvertreib. Es ist eine zutiefst mit der Natur des Menschen verbundene Erscheinung. [...] Die dramatische Darstellungsform ist eine der wichtigsten Methoden, derer sich die Gesellschaft bedient, um ihren Mitgliedern die Grundregeln ihres Verhaltens zu vermitteln; und in unserer Gesellschaft ist jeder einzelne täglich durch die Massenmedien dieser Art von unterschwelliger Instruktion ausgesetzt. Sie erfolgt durch Ansporn zur Nachahmung, wobei sie einen ununterbrochenen Strom von exemplarischen Szenen, die zeigen, was man zu tun und was man zu vermeiden hat, über uns ergießt. Das kann zuweilen zu unbeabsichtigten Ergebnissen führen: Ein Gangsterfilm, der zeigen will, dass sich Verbrechen nicht bezahlt macht, mag einem potentiellen Kriminellen zeigen, wie man Verbrechen begeht. Wie dem auch sei: Durch in der Fantasie nacherlebtes Spiel (denn das ist ja Drama für Erwachsene) werden positive oder negative Verhaltensweisen erlernt.

1 Erklären Sie den Zusammenhang zwischen Spiel und Wirklichkeit, so wie Esslin ihn darlegt.

2 Vergleichen Sie die Auffassungen von Aristoteles und Esslin zum Verhältnis von Spiel / Nachahmung und Wirklichkeit.

Aristoteles	Esslin

Die Entstehung des Dramas in der Antike

Ursprünge und Entwicklung des Theaters zusammenfassen

Im Folgenden werden Sie sich mit den Ursprüngen des Theaters und mit der Entstehung des Dramas im alten Griechenland auseinandersetzen.

1 ***Lernarrangement***

Arbeiten Sie mit einem Partner.

Bereiten Sie einen kurzen, ca. fünfminütigen Vortrag über die Entstehung des Theaters und des Dramas vor, in dem sie knapp die wichtigsten Entwicklungsschritte skizzieren. In diesem Zusammenhang ist es sinnvoll, dass einer von Ihnen die Entstehung und Entwicklung der Bühne selbst und der andere die kulturgeschichtliche Entwicklung der Tragödie und Komödie darlegt.

a) Lesen Sie zunächst den unten stehenden Lexikontext „Das Theater“ und tragen Sie die wichtigsten Informationen zur Entwicklung der Bühne zusammen.

b) Recherchieren Sie in einem Lexikon oder im Internet zu den Begriffen „Tragödie“ und „Komödie“ und notieren Sie auch hier die wesentlichen Informationen in Kürze.

c) Bereiten Sie auf der Grundlage Ihrer Notizen Karteikarten vor und präsentieren Sie dem Plenum ihren Vortrag.

Meyers Großes Konversations-Lexikon

Das Theater

Theater (griech.): Schaubühne, Schauspielhaus, Opernhaus. Das eigentliche Vaterland des Theaters ist das alte Hellas mit seinen Kolonien. Seine Anfänge sind jetzt in Kreta zutage gekommen in den neben den uralten Palästen von Knossos und Phästos aufgedeckten Festplätzen, die an der einen Seite Treppenanlagen für die Zuschauer der hier abgehaltenen Feiern zeigen. Auch das altgriechische Theater war nicht allein für dramatische Aufführungen bestimmt, sondern Schauplatz für alle zum Kultus des Dionysos gehörigen Festlichkeiten. Ursprünglich war es nur ein runder Platz (Orchestra), auf dem diese Feierlichkeiten, Tänze und Gesänge ausgeführt wurden, und auf dem vermutlich auch die Zuschauer im Kreise herumstanden. Erst allmählich wurde der Zuschauerraum (das Theatron) von der Orchestra abgesondert, die man, wo es ging, am Abhang eines Hügels anlegte, so dass die Zuschauer sich auf diesem aufstellen und auf die Orchestra herabblicken konnten. Auf die Stufe des Altars (Thymele) stellten sich auch außer den Chorführern, als sich im Laufe des 6. Jahrh. das griechische Drama entwickelte, der erste und der zweite Schauspieler, die mit dem Chor Zwiegespräche pflogen. Im 5. Jahrhundert, wiederum unter der Einwirkung des Dramas, das damals seine Blütezeit erlebte, kam die Skene, ein leichtes, aus Holz zusammengefügtes Gebäude, hinzu, aus dem die Schauspieler hervortraten und in das sie nach beendeter Rede zurücktraten. Die Skene gab zugleich die Andeutung des Schauplatzes der Handlung, der nach Bedarf mit einfachen Mitteln verändert werden konnte. Nach Dörpfelds Untersuchungen war das Bild eines griechischen Theaters um 400 v. Chr. folgendes: eine kreisrunde Orchestra, ein einfacher, mit einem Erdfußböden versehener Tanzplatz, bildet die Mitte des Theaters. In ihrem Zentrum steht gewöhnlich der

Hellas
Griechenland

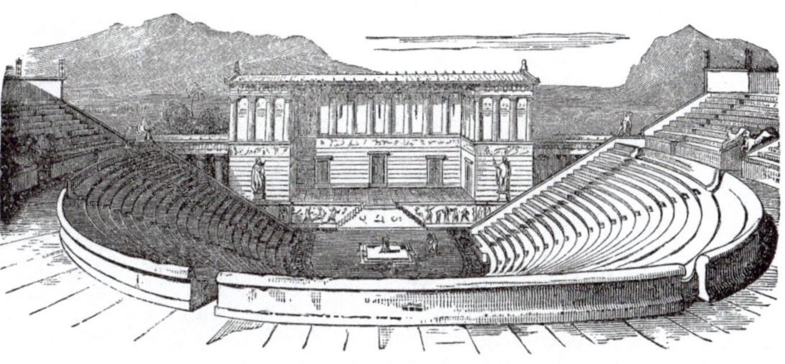
THEATER OF SEGESTA, RESTORED.

Altar. Mehr als die Hälfte der Orchestra ist von einem großen Zuschauerraum umgeben, der durch Erdaufschüttungen und Stützmauern hergestellt ist und hölzerne Sitze hat. An der freien Seite der Orchestra liegt die mit einer oder mehreren Türen versehene Skene. Ist diese ein festes Gebäude, so hat sie vielfach rechts und links Vorsprünge (Paraskenien), zwischen denen eine bewegliche Schmuckwand (Proskenion) aufgeschlagen wird. Zwischen dem Zuschauerraum und der Skene befinden sich zwei seitliche Zugänge zur Orchestra, die Paradoi, durch welche die Zuschauer das T. betreten. Dort pflegen auch der Chor und diejenigen Schauspieler, die aus der Stadt oder aus der Ferne kommen, die Orchestra zu betreten. Die Schauspieler halten sich fast ausschließlich in derjenigen Hälfte der Orchestra auf, die als Rechteck unmittelbar vor der Skene liegt. Dieser Raum hieß Logeion (Sprechplatz). […] Im großen und ganzen wurde diese Anordnung auch beibehalten, als im Laufe des 4. Jahrh. in vielen Städten Griechenlands und seiner Kolonien steinerne T. entstanden. Die wesentlichen Bestandteile blieben immer: 1) der Zuschauerraum […], 2) die Orchestra und 3) die Skene. Der Hintergrund der Bühne, der dem Zuschauer das Innere eines Palastes oder Hauses zeigte, konnte durch eine Maschine (Ekkyklema) geöffnet werden. Zur weiteren Andeutung des Schauplatzes dienten die Periakten, dreiseitige, drehbare Prismen, die auf jeder Seite eine andere Dekoration trugen und an der Innen- oder Vorderseite der Paraskenien angebracht waren. Als eine Art Versenkungsmaschinen auf der Bühne dienten die Anapiesmata. Das ganze T. war ohne Bedachung, höchstens bedachte man das oberste Diazoma, das dann eine Säulenhalle bildete, und die Skene. Das T. in Athen (340–328 v. Chr. erbaut) fasste 14 000, das zu Megalopolis 20 000 Personen. […] Das Kostüm der Schauspieler war zum Teil durch feste Regeln bestimmt. Äschylos führte in die Tragödie den hohen Kothurn und die Maske ein; letztere ermöglichte, dass Frauenrollen ohne Störung der Illusion von Männern gegeben werden konnten. […] Das Eintrittsgeld betrug in Athen für die drei Spieltage eine Drachme.

In Rom entstanden feststehende Theatergebäude erst gegen das Ende der Republik. […] Der Zutritt zu den Theatern in Rom war unentgeltlich; doch musste jeder beim Eintritt eine Marke (tessera) aufweisen, auf der sein Sitz bezeichnet war. Die Ausrichtung der Theaterspiele war Staatssache; […]

Das Dionysostheater in Athen nach Umbauten in römischer Zeit, wie es sich ein Zeichner 1891 vorstellte.

E

Strukturmerkmale der Tragödie

Wesentliche Strukturmerkmale der Tragödie erarbeiten

Schon immer haben Autoren und Kritiker sich mit der Frage auseinandergesetzt, wie man mit einem Theaterstück beim Publikum die größtmögliche Wirkung erzielen kann. Welche Kriterien müssen erfüllt sein, damit das Theaterstück auf den Zuschauer wirkt? Im Folgenden lesen Sie, was Aristoteles zur Wirkungsweise des Dramas und insbesondere der Tragödie schreibt.

Aristoteles

Poetik (Auszug, 335 v. Chr.)

2. Die Nachahmung [*mimesis*] von Menschen

Die Nachahmenden ahmen handelnde Menschen nach. Diese sind notwendigerweise entweder gut oder schlecht. Denn die Charaktere fallen fast stets unter eine dieser beiden Kategorien; alle Menschen unterscheiden sich nämlich, was ihren Charakter betrifft, durch Schlechtigkeit und Güte. Demzufolge werden Handelnde nachgeahmt, die entweder besser oder schlechter sind, als wir zu sein pflegen, oder auch ebenso wie wir. [...]

Auf Grund desselben Unterschiedes weicht auch die Tragödie von der Komödie ab: die Komödie sucht schlechtere, die Tragödie bessere Menschen nachzuahmen, als sie in der Wirklichkeit vorkommen. [...]

6. Die Tragödie

[...] Die Tragödie ist Nachahmung einer guten und in sich geschlossenen Handlung von bestimmter Größe, in anziehend geformter Sprache, [...] Nachahmung von Handelnden und nicht durch Bericht, die Jammer und Schaudern [eleos und phobos] hervorruft und hierdurch eine Reinigung [Katharsis] von derartigen Erregungszuständen bewirkt. [...]

Der wichtigste Teil ist die Zusammenfügung der Geschehnisse. Denn die Tragödie ist nicht Nachahmung von Menschen, sondern von Handlung und von Lebenswirklichkeit. (Auch Glück und Unglück beruhen auf Handlung, und das Lebensziel ist eine Art Handlung, keine bestimmte Beschaffenheit. Die Menschen haben wegen ihres Charakters eine bestimmte Beschaffenheit, und infolge ihrer Handlungen sind sie glücklich oder nicht. Folglich handeln die Personen nicht, um die Charaktere nachzuahmen, sondern um der Handlungen willen beziehen sie Charaktere ein. Daher sind die Geschehnisse und der Mythos das Ziel der Tragödie. [...]

Lessing hat darauf aufmerksam gemacht, dass die Begriffe **eleos** und **phobos** besser mit Mitleid und Furcht übersetzt werden.

Was Aristoteles hier bezüglich der „Teile der Tragödie" darlegt, bildet die Grundlage der Zuordnung zur sogenannten „geschlossenen Form" des Dramas.

7. Die Teile der Tragödie

Nachdem wir diese Dinge bestimmt haben, wollen wir nunmehr darlegen, welche Beschaffenheit die Zusammenfügung der Geschehnisse haben muss, da diese ja der erste und wichtigste Teil der Tragödie ist. Wir haben festgestellt, dass die Tragödie die Nachahmung einer in sich geschlossenen und ganzen Handlung ist, die eine bestimmte Größe hat; es gibt ja auch etwas Ganzes ohne nennenswerte Größe. Ein Ganzes ist, was Anfang, Mitte und Ende hat. Ein Anfang ist, was selbst nicht mit Notwendigkeit auf etwas anderes folgt, nach dem jedoch natürlicherweise etwas anderes eintritt oder entsteht. Ein Ende ist umgekehrt, was selbst natürlicherweise auf etwas anderes folgt, und zwar notwendigerweise oder in der Regel, während nach ihm nichts anderes mehr eintritt. Eine Mitte ist, was sowohl selbst auf etwas anderes folgt als auch etwas anderes nach sich zieht. Demzufolge dürfen Handlungen, wenn sie gut zusammengefügt sein sollen, nicht an beliebiger

Stelle einsetzen noch an beliebiger Stelle enden, sondern sie müssen sich an die genannten Grundsätze halten. [...]

8. Struktur eines Stückes

Die Fabel des Stücks ist nicht schon dann – wie einige meinen – eine Einheit, wenn sie sich um einen einzigen Helden dreht. Denn diesem einen stößt unendlich vieles zu, woraus keinerlei Einheit hervorgeht. So führt der eine auch vielerlei Handlungen aus, ohne dass sich daraus eine einheitliche Handlung ergibt. [...] Demnach muss, wie in den anderen nachahmenden Künsten die Einheit der Nachahmung auf der Einheit des Gegenstandes beruht, auch die Fabel, da sie Nachahmung von Handlung ist, die Nachahmung einer einzigen, und zwar einer ganzen Handlung sein. Ferner müssen die Teile der Geschehnisse so zusammengefügt sein, dass sich das Ganze verändert und durcheinander gerät, wenn irgendein Teil umgestellt oder weggenommen wird. Denn was ohne sichtbare Folgen vorhanden sein oder fehlen kann, ist gar nicht ein Teil des Ganzen.

9. Die Aufgabe des Dichters

Aus dem Gesagten ergibt sich auch, dass es nicht Aufgabe des Dichters ist, mitzuteilen, was wirklich geschehen ist, sondern vielmehr, was geschehen könnte, d. h. das nach den Regeln der Wahrscheinlichkeit oder Notwendigkeit Mögliche. Denn der Geschichtsschreiber und der Dichter unterscheiden sich nicht dadurch voneinander, dass sich der eine in Versen und der andere in Prosa mitteilt [...]; sie unterscheiden sich vielmehr dadurch, dass der eine das wirklich Geschehene mitteilt, der andere, was geschehen könnte.

1 Fassen Sie die zentralen Aussagen eines jeden Unterpunktes der Dramentheorie von Aristoteles in eigenen Worten zusammen.

2 Definieren Sie die Begriffe *Fabel, Tragödie, Katharsis, Mimesis, eleos und phobos, Einheit der Handlung, Aufgabe des Dichters* auf der Grundlage der Auszüge aus Aristoteles' *Poetik*.

Fabel	
Tragödie	
Katharsis	
Mimesis	
eleos	
phobos	
Einheit der Handlung	
Aufgabe des Dichters	

Das Drama *Emilia Galotti* von G. E. Lessing

Erste Eindrücke zur Titelfigur benennen und vergleichen

1 Lesen Sie die Auftritte **I,1** bis **II,6** des Dramas *Emilia Galotti* von Gotthold Ephraim Lessing. Notieren Sie nach der Lektüre spontan Ihren ersten Eindruck von der Titelfigur Emilia Galotti. Wie stellen Sie sich die Figur vor? Machen Sie sich Gedanken zu Aussehen und Charaktereigenschaften.

Marie-Gabrielle Capet: Selbstportrait (1783)

Marie Denise Villers: Charlotte du Val d'Ognes (1801)

Angelica Kauffmann: Die irre Marie (1777)

2 ***Lernarrangement***

Arbeiten Sie in Kleingruppen von 3 bis 5 Schülerinnen und Schülern.

a) Basierend auf Ihrem eigenen Leseeindruck, welches Bild haben Sie von der Figur Emilia Galotti? Welches der abgebildeten Frauenportraits, die alle zu Lessings Lebzeiten entstanden sind, passt am besten zu Ihrer Vorstellung von Emilia Galotti? Oder stellen Sie sich die Figur ganz anders vor? Diskutieren Sie Ihre Eindrücke.

b) Tragen Sie die Ergebnisse im Plenum vor.

Die dramaturgische Gestaltung rund um Emilia

Den Prinzen charakterisieren und Emilias Bild am Hof des Prinzen erschließen

Obwohl die Titelfigur des Dramas zum ersten Mal in der Szene **II,6** auftritt, wird sie schon vorher indirekt dem Zuschauer nahe gebracht, denn sie ist immer wieder Thema der Dialoge und Monologe der ersten Szenen. Ihren persönlichen ersten Leseeindruck haben Sie jetzt schon formuliert. Nun soll Ihr Augenmerk zunächst den Figuren rund um Emilia Galotti gelten und dann auch den Beziehungen der Figuren zu Emilia.

Der erste Aufzug des Dramas ist bestimmt von der Gegenwart des Prinzen. Er tritt in jeder Szene auf, dem Zuschauer wird ein vielschichtiges Bild der Figur vor Augen geführt. Setzen Sie sich nun zunächst damit auseinander, wie der Prinz als erste Figur auf der Bühne eingeführt wird.

1 Lesen Sie noch einmal den ersten Auftritt von Lessings *Emilia Galotti*.

Erster Aufzug, erster Auftritt

Die Szene: ein Kabinett des Prinzen.

Der Prinz, *an einem Arbeitstische voller Briefschaften und Papiere, deren einige er durchläuft.* Klagen, nichts als Klagen! Bittschriften, nichts als Bittschriften! – Die traurigen Geschäfte; und man beneidet uns noch! – Das glaub ich; wenn wir allen helfen könnten: dann wären wir zu beneiden. – Emilia? *Indem er noch eine von den Bittschriften aufschlägt und nach dem unterschriebenen Namen sieht.* Eine Emilia? – Aber eine Emilia Bruneschi – nicht Galotti. Nicht Emilia Galotti! – Was will sie, diese Emilia Bruneschi? Er lieset. Viel gefodert, sehr viel. – Doch sie heißt Emilia. *Gewährt! Er unterschreibt und klingelt; worauf ein Kammerdiener hereintritt.* Es ist wohl noch keiner von den Räten in dem Vorzimmer?

Der Kammerdiener Nein.

Der Prinz Ich habe zu früh Tag gemacht. – Der Morgen ist so schön. Ich will ausfahren. Marchese Marinelli soll mich begleiten. Lasst ihn rufen. *Der Kammerdiener geht ab.* – Ich kann doch nicht mehr arbeiten. – Ich war so ruhig, bild ich mir ein, so ruhig – Auf einmal muss eine arme Bruneschi Emilia heißen: – weg ist meine Ruhe, und alles! –

Der Kammerdiener *welcher wieder hereintritt.* Nach dem Marchese ist geschickt. Und hier, ein Brief von der Gräfin Orsina.

Der Prinz Der Orsina? Legt ihn hin.

Der Kammerdiener Ihr Läufer wartet.

Der Prinz Ich will die Antwort senden; wenn es einer bedarf. – Wo ist sie? In der Stadt? oder auf ihrer Villa?

Der Kammerdiener Sie ist gestern in die Stadt gekommen.

Der Prinz Desto schlimmer – besser; wollt ich sagen. So braucht der Läufer umso weniger zu warten. *Der Kammerdiener geht ab.* Meine teure Gräfin! *Bitter, indem er den Brief in die Hand nimmt.* So gut, als gelesen! Und ihn wieder wegwirft. – Nun ja; ich habe sie zu lieben geglaubt! Was glaubt man nicht alles? Kann sein, ich habe sie auch wirklich geliebt. Aber – ich habe!

Der Kammerdiener der *nochmals hereintritt.* Der Maler Conti will die Gnade haben – –

Der Prinz Conti? Recht wohl; lasst ihn hereinkommen. – Das wird mir andere Gedanken in den Kopf bringen. *Steht auf.*

2 Notieren Sie spontan drei Begriffe, die Sie mit dem Prinzen und dessen Verhalten assoziieren.

3 Welchen Konflikt können Sie bereits erahnen? Stellen Sie das in der ersten Szene enthaltene Konfliktpotential in eigenen Worten dar.

1 Lesen Sie jetzt sorgfältig den ersten Aufzug, übertragen Sie die Tabelle in Ihr Heft und legen Sie dar, was der Zuschauer über den Prinzen in den einzelnen Auftritten erfährt.

Auftritt	Inhalt des Auftritts knapp zusammengefasst	Informationen über Status, Charaktereigenschaften, Gefühle des Prinzen
I,1		
I,2		
I,3		
I,4		
I,5		
I,6		
I,7		
I,8		

TIPP
Sie können hier auch arbeitsteilig vorgehen, und jede Gruppe übernimmt einen Auftritt.

2 Tauschen Sie sich über Ihre Ergebnisse im Plenum aus und fassen Sie sie im Schaubild zusammen.

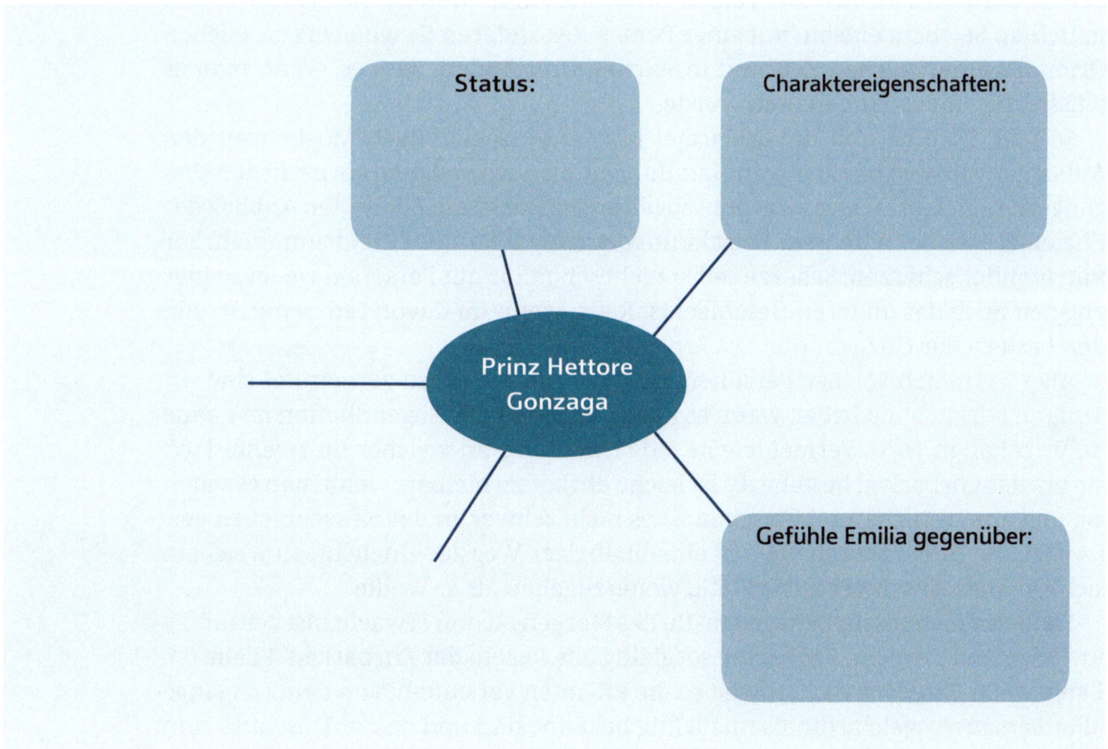

Der Szene **I,6** kommt im ersten Aufzug noch eine besondere Bedeutung zu. Es unterhalten sich der Prinz und sein Kammerherr Marinelli, der auch im weiteren Verlauf des Dramas eine zentrale Rolle spielt.

3 Erklären Sie den Plan Marinellis.

4 Charakterisieren Sie die Beziehung zwischen Marinelli und dem Prinzen.

5 Analysieren und vergleichen Sie die Haltung des Prinzen und Marinellis der Titelheldin Emilia gegenüber.

Das bürgerliche Elternhaus und seine Moralvorstellungen kennenlernen

Um die Situation Emilia Galottis verstehen zu können, sollen Sie sich die Moralvorstellungen der Zeit, zu der Lessing das Drama schrieb, genauer ansehen.

Johann Bernhard Basedow

Keuschheit und Ehrbarkeit (1774, Auszug)

Übertritt in keiner Handlung die Ehrbarkeit. Wende die Augen ab von entblößten Körpern, vornehmlich des anderen Geschlechts. Entblöße dich selbst nicht im Beisein anderer ohne die äußerste Not. Meide nach Möglichkeit die Annäherung an Orten, wo das andere Geschlecht und selbst dein eigenes auf eine ungewöhnliche Weise entblößt erscheint. Gemälde und Bildsäulen entblößter Personen haben wenigstens die halbe Wirkung als die wirkliche Blöße. Meide also ihre Betrachtung, sobald sie in dir ein unruhiges Verlangen erregt, welches du nicht erfüllen darfst. Schlafe, wenn du es kannst, in einem besonderen Bette und nicht in demselben Zimmer mit dem anderen Geschlechte. Die Teile deines Leibes, welche du wegen der Ehrbarkeit nicht offenbar zeigen darfst, berühre nur in der höchsten Not und mittelbar. Sei nicht einsam mit einer Person des anderen Geschlechts an solchen Orten, zu einer solchen Zeit und in solchen Umständen, dass es, wenn man es wüsste, für unehrbar gehalten würde.

So lang du jung und unverheiratet bist, so vermeide nach Möglichkeit den Anlass, sowohl von unzüchtigen Handlungen, als auch von dem körperlichen Umgange der Eheleute vieles zu reden, zu hören und zu lesen. Fliehe den Anblick der Eheleute, welche in deinem Beisein unvorsichtig oder aus Leichtsinn unehrbar miteinander scherzen. Scherze selbst nicht schamlos mit Personen weder deines eigenen noch des anderen Geschlechts. Rede, wenn du davon reden musst, von den Lastern der Unzucht nur mit Ernsthaftigkeit.

Alles Verhalten solcher Personen, die nicht miteinander verheiratet sind, ist alsdann wirklich unehrbar, wenn es nach den Sitten der Tugendhaften im Lande dafür gehalten wird. Vermeide eine jede Handlung, an welcher du zweifelst, ob sie mit der Ehrbarkeit bestehe. Es ist leicht, ehrbar zu bleiben, wenn man es schon ist, und einem ehrbaren Menschen ist es nicht schwer, in der Keuschheit zu verharren. Die Unehrbarkeit aber ist ein abhängiger Weg zur Unzucht, an welchem sich ein Mensch schwer zurückhält, weiterzugehen als er wollte.

Faulenze niemals im Bette, wenn du des Morgens schon erwacht bist. Sei mäßig im Essen und Trinken. Beobachte sorgfältig alle Regeln der Ehrbarkeit. Fliehe die Langeweile. Entferne dich, soweit es die Pflichten verstatten, von dem Umgange aller Personen, welche dir als unzüchtig bekannt sind und deiner Unschuld zum Anstoße gereichen können. Wenn du diesen weisen Ermahnungen folgst, so wirst du die Ehre, die Gesundheit, die Munterkeit des Geistes, die reine Einbildungskraft, das gute Gewissen und die Glückseligkeit einer keuschen Jugend behalten.

1 Fassen Sie die Definitionen von „Keuschheit" und „Ehrbarkeit" nach Basedow zusammen.

2 Vergleichen Sie die Sichtweise von 1774 mit unserer heutigen.

Um 1774 bedeutete Keuschheit …

Heute hingegen …

Zu Beginn des zweiten Aufzugs lernt der Zuschauer nun den familiären Kontext Emilias kennen. Claudia und Odoardo Galotti unterhalten sich über ihre Tochter. Ihr Gespräch erstreckt sich über zwei nicht unmittelbar zusammengehörige Szenen (**II,2** und **II,4**).

1 Lesen Sie die Auftritte II,1 bis einschließlich II,5.

2 Fassen Sie den Inhalt des Gesprächs zwischen Odoardo und Claudia Galotti (II,2 und II,4) zusammen.

Zweiter Auftritt

Odoardo Galotti, und die Vorigen.

Odoardo Guten Morgen, meine Liebe! – Nicht wahr, das heißt überraschen? –

Claudia Und auf die angenehmste Art! – Wenn es anders nur eine Überraschung sein soll.

Odoardo Nichts weiter! Sei unbesorgt. – Das Glück des heutigen Tages weckte mich so früh; der Morgen war so schön; der Weg ist so kurz; ich vermutete euch hier so geschäftig – Wie leicht vergessen sie etwas: fiel mir ein. – Mit einem Worte: ich komme, und sehe, und kehre sogleich wieder zurück. – Wo ist Emilia? Unstreitig beschäftigt mit dem Putze? –

Claudia Ihrer Seele! – Sie ist in der Messe. – Ich habe heute, mehr als jeden andern Tag, Gnade von oben zu erflehen: sagte sie und ließ alles liegen und nahm ihren Schleier und eilte –

Odoardo Ganz allein?

Claudia Die wenigen Schritte – –

Odoardo Einer ist genug zu einem Fehltritt! –

Claudia Zürnen Sie nicht, mein Bester; und kommen Sie herein, – einen Augenblick auszuruhen, und, wann Sie wollen, eine Erfrischung zu nehmen.

Odoardo Wie du meinest, Claudia. – Aber sie sollte nicht allein gegangen sein. –

Claudia Und Ihr, Pirro, bleibt hier in dem Vorzimmer, alle Besuche auf heute zu verbitten.

Emilia Galotti. Aufz. 1. Auftr. 1.

Emilia Galotti. Aufz. 1. Auftr. 8.

Emilia Galotti. Aufz. 2. Auftr. 6.

Vierter Auftritt

Odoardo und Claudia Galotti. Pirro.

Odoardo Sie bleibt mir zu lang aus –

Claudia Noch einen Augenblick, Odoardo! Es würde sie schmerzen, deines Anblicks so zu verfehlen.

Odoardo Ich muss auch bei dem Grafen noch einsprechen. Kaum kann ich's erwarten, diesen würdigen jungen Mann meinen Sohn zu nennen. Alles entzückt mich an ihm. Und vor allem der Entschluss, in seinen väterlichen Tälern sich selbst zu leben.

Claudia – Das Herz bricht mir, wenn ich hieran gedenke. – So ganz sollen wir sie verlieren, diese einzige geliebte Tochter?

Odoardo Was nennst du, sie verlieren? Sie in den Armen der Liebe zu wissen? Vermenge dein Vergnügen an ihr, nicht mit ihrem Glücke. – Du möchtest meinen alten Argwohn erneuern: – dass es mehr das Geräusch und die Zerstreuung der Welt, mehr die Nähe des Hofes war, als die Notwendigkeit, unserer Tochter eine anständige Erziehung zu geben, was dich bewog, hier in der Stadt mit ihr zu bleiben; – fern von einem Manne und Vater, der euch so herzlich liebet.

Claudia Wie ungerecht, Odoardo! Aber lass mich heute nur ein Einziges für diese Stadt, für diese Nähe des Hofes sprechen, die deiner strengen Tugend so verhasst

Gravuren von Heinrich Meil (18. Jahrhundert)

sind. – Hier nur hier konnte die Liebe zusammenbringen, was füreinander geschaffen war. Hier nur konnte der Graf Emilien finden; und fand sie.

Odoardo Das räum ich ein. Aber, gute Claudia, hattest du darum Recht, weil dir der Ausgang Recht gibt? – Gut, dass es mit dieser Stadterziehung so abgelaufen! Lass uns nicht weise sein wollen, wo wir nichts, als glücklich gewesen! Gut, dass es so damit abgelaufen! – Nun haben sie sich gefunden, die füreinander bestimmt waren: nun lass sie ziehen, wohin Unschuld und Ruhe sie rufen. – Was sollte der Graf hier? Sich bücken, schmeicheln und kriechen, und die Marinellis auszustechen suchen? um endlich ein Glück zu machen, dessen er nicht bedarf? um endlich einer Ehre gewürdiget zu werden, die für ihn keine wäre? – Pirro!

Pirro Hier bin ich.

Odoardo Geh und führe mein Pferd vor das Haus des Grafen. Ich komme nach, und will mich da wieder aufsetzen. *Pirro geht ab.* – Warum soll der Graf hier dienen, wenn er dort selbst befehlen kann? – Dazu bedenkest du nicht, Claudia, dass durch unsere Tochter er es vollends mit dem Prinzen verderbt. Der Prinz hasst mich –

Claudia Vielleicht weniger, als du besorgest.

Odoardo Besorgest! Ich besorg auch so was!

Claudia Denn hab ich dir schon gesagt, dass der Prinz unsere Tochter gesehen hat?

Odoardo Der Prinz? Und wo das?

Claudia In der letzten Vegghia, bei dem Kanzler Grimaldi, die er mit seiner Gegenwart beehrte. Er bezeigte sich gegen sie so gnädig – –

Odoardo So gnädig?

Claudia Er unterhielt sich mit ihr so lange – –

Odoardo Unterhielt sich mit ihr?

Claudia Schien von ihrer Munterkeit und ihrem Witze so bezaubert – –

Odoardo So bezaubert? –

Claudia Hat von ihrer Schönheit mit so vielen Lobeserhebungen gesprochen – –

Odoardo Lobeserhebungen? Und das alles erzählst du mir in einem Tone der Entzückung? O Claudia! eitle, törichte Mutter!

Claudia Wieso?

Odoardo Nun gut, nun gut! Auch das ist so abgelaufen. – Ha! wenn ich mir einbilde – Das gerade wäre der Ort, wo ich am tödlichsten zu verwunden bin! – Ein Wollüstling, der bewundert, begehrt. – Claudia! Claudia! der bloße Gedanke setzt mich in Wut. – Du hättest mir das sogleich sollen gemeldet haben. – Doch, ich möchte dir heute nicht gern etwas Unangenehmes sagen. Und ich würde, *Indem sie ihn bei der Hand ergreift* wenn ich länger bliebe. – Drum lass mich! lass mich! – Gott befohlen, Claudia! – Kommt glücklich nach!

TIPP
Textverweise nicht vergessen!

1 Charakteriseren Sie die unterschiedlichen Haltungen der beiden Elternteile zur gegenwärtigen Situation und ihrer Tochter gegenüber.

Die Erkenntnisse zur dramaturgischen Gestaltung rund um die Titelfigur zusammenfassen

Sie haben sich jetzt sowohl genaue Textkenntnis der ersten dreizehn Auftritte als auch Hintergrundwissen zu den Moralvorstellungen der Zeit Lessings angeeignet. In der nun folgenden Aufgabe sollen Sie Ihre bisherigen Ergebnisse im Hinblick auf den Eindruck, den der Theaterzuschauer zu Beginn der Szene **II,6** von Emilia Galotti hat, zusammenfassen.

1 Stellen Sie sich vor, dass Sie in einer Aufführung von *Emilia Galotti* sitzen und es nach der Szene **II,5** einen Kurzschluss gibt. Die Bühne wird plötzlich dunkel. Bis das Licht wieder angeht, haben Sie einen Augenblick Zeit, sich zu überlegen, was Sie bisher über die Titelfigur und ihre Situation wissen. Tragen Sie Ihre Überlegungen in das folgende Schaubild ein:

Und hier ist Emilia!

Den ersten Auftritt der Titelfigur in seiner Funktion erschließen

In der Szene **II,6** tritt die Titelheldin des Dramas zum ersten Mal auf.

1 ***Lernarrangement***

Arbeiten Sie zu viert in einer Gruppe. Stellen Sie sich vor, Sie wollen die Szene **II,6** auf der Bühne inszenieren. Dazu müssen Sie genau wissen, was in den Figuren vorgeht und wie sich das Gespräch entwickelt. Lesen Sie zunächst die Szene noch einmal sorgfältig durch.

a) Analysieren Sie die Szene, indem Sie …
- Emilias Gemütszustand und dessen Ursache darlegen;
- die Entwicklung des Gesprächs zwischen Emilia und ihrer Mutter Claudia zeigen. Beachten Sie hierbei besonders, inwiefern die beiden Gesprächspartner einander in ihren Anschauungen und Gefühlen beeinflussen.
- Emilia Galotti und ihre Mutter auf der Grundlage Ihrer Erkenntnisse charakterisieren.

b) Überlegen Sie sich nun, wie Sie die Szene auf die Bühne bringen wollen. Beachten Sie insbesondere den Einstieg in die Szene: Wie kommt Emilia auf die Bühne? Wie spricht sie? Welche Körperhaltung nimmt sie ein? Wie steht die Mutter auf der Bühne, oder sitzt sie? Halten Sie Ihre Überlegungen und die Begründungen dazu stichpunktartig fest.

c) Teilen Sie sich in zwei Paare auf und lesen Sie das Gespräch zwischen Mutter und Tochter mit verteilten Rollen laut vor. Ein Paar übernimmt die erste Hälfte des Gesprächs bis „...Ich floh —“. Damit Sie die beiden Rollen überzeugend vortragen können, nehmen Sie sich die Zeit, den Vortrag einzuüben.

d) Tragen Sie nun den eingeübten Text laut vor. Die Mitschülerinnen und Mitschüler machen sich Notizen dazu, für wie gelungen sie die jeweilige Umsetzung halten.

e) Nehmen Sie anschließend kritisch Stellung zu den Inszenierungen und diskutieren Sie Ihre Umsetzungen im Plenum.

Das Bildnis der Emilia Galotti: Fremdwahrnehmungen Emilias kritisch beurteilen

Max Frisch

Du sollst dir kein Bildnis machen (1946–1949)

In gewissem Grad sind wir wirklich das Wesen, das die andern in uns hineinsehen, Freunde wie Feinde. Und umgekehrt! Auch wir sind die Verfasser der andern; wir sind auf eine heimliche und unentrinnbare Weise verantwortlich für das Gesicht, das sie uns zeigen, verantwortlich nicht für ihre Anlage, aber für die Ausschöpfung dieser Anlage. Wir sind es, die dem Freunde, dessen Erstarrtsein uns bemüht, im Wege stehen, und zwar dadurch, dass unsere Meinung, er sei erstarrt, ein weiteres Glied in jener Kette ist, die ihn fesselt und langsam erwürgt. Wir wünschen ihm, dass er sich wandle, o ja, wir wünschen es ganzen Völkern! Aber darum sind wir noch lange nicht bereit, unsere Vorstellung von ihnen aufzugeben. Wir selber sind die letzten, die sie verwandeln. Wir halten uns für den Spiegel und ahnen nur selten, wie sehr der andere seinerseits eben der Spiegel unseres erstarrten Menschenbildes ist, unser Erzeugnis, unser Opfer.

2 Erklären Sie in eigenen Worten die zentralen Gedanken, die Max Frisch in diesem Text darlegt.

3 Beurteilen Sie vor dem Hintergrund Ihrer bisherigen Erkenntnisse, inwiefern die Aussage von Max Frisch auf die Figur Emilia Galotti zutrifft.

Spiel und Gegenspiel: Konfliktgestaltung

Figuren charakterisieren und ihre Funktion im Drama erschließen

Nachdem Sie sich den ersten und den zweiten Aufzug bis zur Einführung der Titelfigur genauer angeschaut haben, soll Ihre Aufmerksamkeit nun der weiteren Entwicklung der Geschehnisse und damit eng verbunden zwei weiteren zentralen Figuren im Drama gelten: Graf Appiani und Gräfin Orsina. Dabei ist es sinnvoll, sich über die Charakterisierung der Figuren hinaus auch damit auseinanderzusetzen, welche Rolle diese Figuren bei der Entwicklung des Konfliktes spielen.

1 Lesen Sie den 7. und den 8. Auftritt des 2. Aufzugs genau durch und charakterisieren Sie Graf Appiani, der in diesen Szenen zum ersten Mal auftritt. Füllen Sie dazu zunächst die Tabelle aus und schreiben dann auf Grundlage Ihrer Erkenntnisse eine Charakterisierung.

TIPP
Sie können auch arbeitsteilig vorgehen: Eine Hälfte der Lerngruppe charakterisiert Graf Appiani und die andere Hälfte Gräfin Orsina.

II,7 und II,8: Graf Appiani am Tag seiner Hochzeit	
Graf Appiani tritt auf Interpetieren Sie, wie Graf Appiani eingeführt wird. (In welcher Verfassung ist er? Welche Wirkung hat das unmittelbar auf den Zuschauer?)	
Graf Appiani und Emilias Eltern Charakterisieren Sie seine Beziehung zu Emilias Vater und Mutter. Erläutern Sie, was über seine Moralvorstellungen deutlich wird. Interpretieren Sie das Gespräch zwischen Appiani und Claudia, als Emilia bereits abgegangen ist (**II,8**).	
Graf Appiani und Emilia Charakterisieren Sie seine Beziehung zu Emilia. Interpretieren Sie das Ende des Gesprächs mit Emilia (**II,7**) und legen Sie seine Bedeutung für den Fortgang der Handlung dar.	

2 Lesen Sie den 3., 4. und 5. Auftritt des 4. Aufzugs und charakterisieren Sie Gräfin Orsina, die in diesen Szenen zum ersten Mal auftritt, indem Sie zunächst die Tabelle ausfüllen und dann auf der Grundlage Ihrer Erkenntnisse eine Charakterisierung schreiben.

IV,3; IV,4 und IV,5: Gräfin Orsina kommt auf das Lustschloss des Prinzen	
Gräfin Orsina tritt auf Interpretieren Sie, wie Gräfin Orsina eingeführt wird. (In welcher Verfassung ist sie? Welche Wirkung hat das unmittelbar auf den Zuschauer?)	
Gräfin Orsina und der Prinz Charakterisieren Sie ihre Beziehung zum Prinzen und die Entwicklung ihrer Haltung. Gehen Sie dabei auch auf ihre Haltung zur Rolle der Frau im Allgemeinen ein.	
Gräfin Orsina und Marinelli Charakterisieren Sie Gräfin Orsinas Umgang mit Marinelli. (Was will sie von Marinelli? Was hält sie von ihm? Wie wird das deutlich?)	

Die Figur Marinelli, den Kammerherrn des Prinzen, haben Sie schon charakterisiert, als Sie die Szene **I,6** genauer analysiert haben. Um den Einfluss der beiden Adeligen Graf Appiani und Gräfin Orsina auf Marinellis Plan genauer erläutern zu können, müssen Sie sich noch einmal Marinellis ursprünglichen Plan vergegenwärtigen und sich dann die Gespräche der Adeligen mit Marinelli (**II,10** und **IV,5**), aber auch das Gespräch zwischen Orsina und Odoardo (**IV,7**) genauer ansehen.

1 ***Lernarrangement***

Arbeiten Sie mit einem Partner.

a) Machen Sie sich Notizen dazu, inwiefern Appiani und Orsina Einfluss auf Marinellis Pläne haben, indem Sie

- Marinellis ursprünglichen Plan skizzieren,
- erläutern, inwiefern Appiani und Orsina diesen Plan jeweils durchkreuzen,
- darlegen, wie Marinelli seinen Plan jeweils abändert.

b) Entwerfen Sie auf der Grundlage Ihrer Ergebnisse ein Schaubild, das den Einfluss Appianis und Orsinas auf Marinellis Pläne anschaulich darlegt.

Einen Dramentheoretiker des 19. Jahrhunderts kennenlernen

Gustav Freytag

Die Technik des Dramas (1863, Auszug)

2. Kapitel: Der Bau des Dramas (Spiel und Gegenspiel)

Das Drama stellt in einer Handlung durch Charaktere, vermittels Wort, Stimme, Gebärde diejenigen Seelenvorgänge dar, die der Mensch vom Aufleuchten eines Eindrucks bis zu leidenschaftlichem Begehren und zur Tat durchmacht, sowie die inneren Bewegungen, die durch eigene und fremde Tat angeregt werden.
Der Bau des Dramas soll diese beiden Gegensätze des Dramatischen zu einer Einheit verbunden zeigen, Ausströmen und Einströmen der Willenskraft, das Werden der Tat und ihre Reflexe auf die Seele, Satz und Gegensatz, Kampf und Gegenkampf, Steigen und Sinken, Binden und Lösen.

In jeder Stelle des Dramas kommen beide Richtungen des dramatischen Lebens, von denen die eine die andere unablässig fordert, in Spiel und Gegenspiel zur Geltung; aber auch im Ganzen wird die Handlung des Dramas und die Gruppierung seiner Charaktere dadurch zweiteilig. Der Inhalt des Dramas ist immer ein Kampf mit starken Seelenbewegungen, den der Held gegen widerstrebende Gewalten führt. Und wie der Held ein starkes Leben in gewisser Einseitigkeit und Befangenheit enthalten muss, so muss auch die gegenspielende Gewalt durch menschliche Vertreter sichtbar gemacht werden.

Es ist hier gleichgültig, ob auf der Seite der Kämpfenden die höhere Berechtigung liegt, ob Spieler oder Gegenspieler mehr von Sitte, Gesetz, Überlieferung ihrer Zeit und dem Ethos des Dichters enthalten, in beiden Parteien mag Gutes und Schlechtes, Kraft und Schwäche verschieden gemischt sein. Beide aber müssen einen allgemein menschlichen Inhalt haben. Und immer muss der Hauptheld sich vor den Gegenspielern kräftig abheben, der Anteil, den er für sich gewinnt, muss der größere sein, um so größer, je vollständiger das letzte Ergebnis des Kampfes ihn als Unterliegenden zeigt.

Diese zwei Hauptteile des Dramas sind durch einen Punkt der Handlung, der in der Mitte liegt, fest verbunden. Diese Mitte, der Höhepunkt des Dramas, ist die wichtigste Stelle des Aufbaus, bis zu ihm steigt, von ihm ab fällt die Handlung. Es ist nun entscheidend für die Beschaffenheit des Dramas, welche von den beiden Brechungen des dramatischen Lichtes in den ersten und welche in den zweiten Teil als die vorherrschende gesetzt wird, ob das Ausströmen oder Einströmen, das Spiel oder das Gegenspiel den ersten Teil erhält. Beides ist erlaubt, beide Fügungen des Baus vermögen ihre Berechtigung an Dramen von höchstem Wert nachzuweisen. Und diese beiden Arten, ein Drama zu bilden, sind charakteristisch geworden für die einzelnen Dichter und die Zeit, in der sie lebten. [...]

Gustav Freytag (1816–1895), Schriftsteller und Dramentheoretiker. In *Die Technik des Dramas* (1863) versucht er, eine Programmatik zum Verfassen eines Dramas zu erstellen.
Vgl. auch S. 115 f. und S. 324 ff.

1 Legen Sie in eigenen Worten dar, wie Freytag die Begriffe „Spiel“ und „Gegenspiel“ definiert und welche Rolle Sie bei der Konstruktion eines Dramas spielen.

2 Überprüfen Sie anschließend, wie sich die Begriffe „Spiel“ und „Gegenspiel“ auf das Drama *Emilia Galotti* anwenden lassen. (Berücksichtigen Sie dabei sowohl das „Spiel“ und „Gegenspiel“ einzelner Figuren als auch ganzer Figurengruppen.)

3 Bestimmen Sie den sogenannten „Höhepunkt“ des Dramas und begründen Sie Ihre Entscheidung.

Antagonismus
Gegensatz, Widerstreit

Antagonismen zwischen höfischer und bürgerlicher Welt erläutern

Sie haben jetzt die wichtigsten Figuren des Dramas kennengelernt und sie zum Teil bereits detailliert charakterisiert. Auch wenn Lessing die Figuren sehr differenziert ausgestaltet, so sind sie doch zugleich Vertreter ihrer Stände. Im Folgenden sollen Sie sich nun diesem Aspekt widmen und darlegen, inwiefern ihre Standeszugehörigkeit schon in den Figuren angelegt ist.

1 ***Lernarrangement***
Erarbeiten Sie in Vierergruppen die Antagonismen zwischen höfischer Welt und bürgerlicher Familie mithilfe des Placemat-Verfahrens. Zwei SchülerInnen bearbeiten den Text von Hauser (S. 107 f.) und den Tugendkatalog von Seite 19, zwei den Textauszug von Vahsen (S. 108) und den Ihnen schon bekannten Text *Keuschheit und Ehrbarkeit* von Basedow (S. 98).
a) Fassen Sie die zentralen Aussagen Ihrer Textauszüge zusammen und notieren Sie diese thesenartig in den vier Seiten des Placemats.
b) Lesen Sie alle Zusammenfassungen.
c) Diskutieren Sie die in den Texten zum Ausdruck kommenden Antagonismen zwischen Fürstenhof und bürgerlicher Familie und beziehen Sie Ihre Vorkenntnisse ein.
d) Fassen Sie die Ergebnisse Ihrer Diskussion thesenartig zusammen und notieren Sie diese im Zentrum des Placemats.
e) Tauschen Sie mit den anderen Kursteilnehmern die Placemats aus und diskutieren Sie Gemeinsamkeiten und Unterschiede.

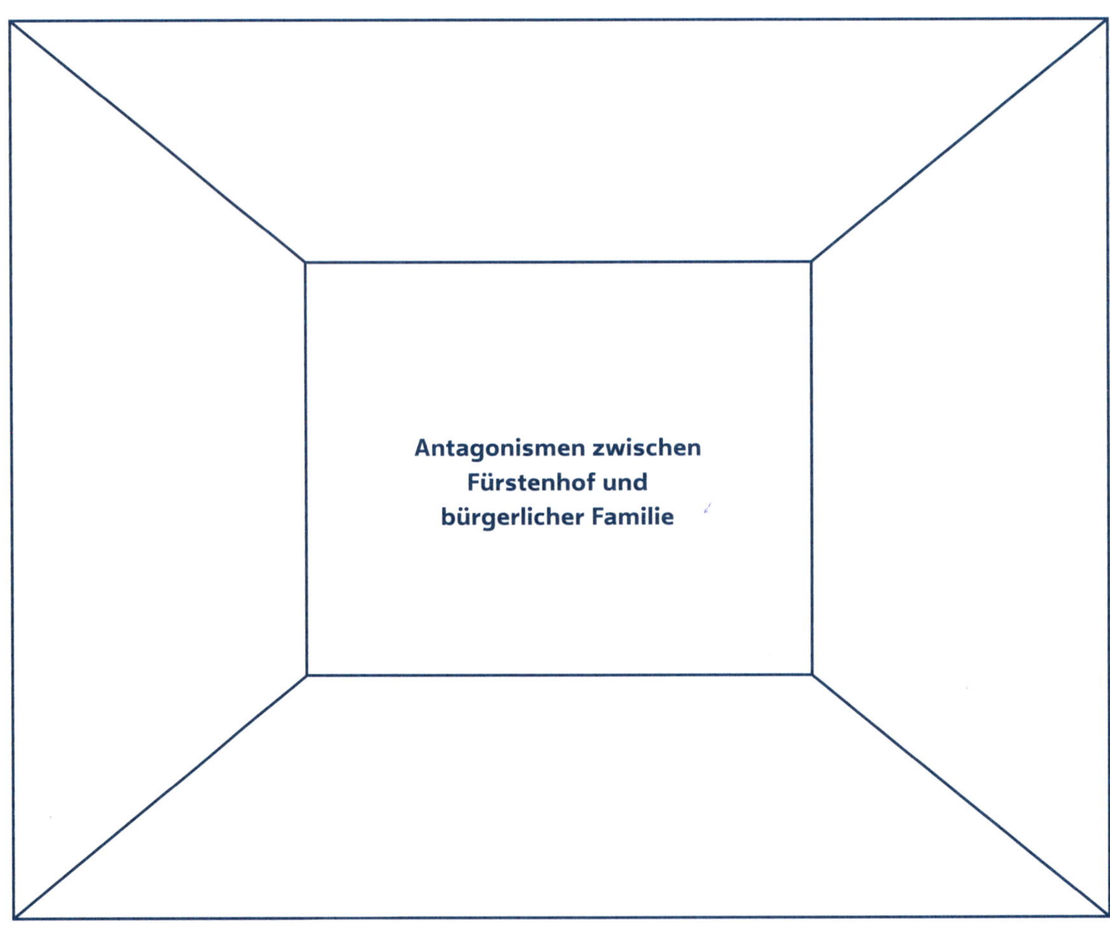

2 Entwerfen Sie ein Schaubild, das die Struktur von „Spiel und Gegenspiel“, von höfischer und bürgerlicher Welt im Drama *Emilia Galotti* veranschaulicht.

Arnold Hauser

Sozialgeschichte der Kunst und Literatur (1973, Auszug)

Zwinger Dresden

Residenz Würzburg

Orangerie Fulda

Schloss Sanssouci

[D]ie Deutschen machen den höfisch-aristokratischen Stil der Franzosen nicht nur als Schüler und Anhänger mit, sondern übernehmen ihn entweder durch den direkten Import der Künstler und Kunstwerke oder durch die sklavische Nachahmung der französischen Muster. Alle die zweihundert Duodezstaaten möchten es dem französischen König und dem Hof von Versailles gleichtun. So entstehen in der ersten Hälfte des 18. Jahrhunderts die prachtvollen deutschen Fürstenschlösser: Nymphenburg, Schleißheim, Ludwigsburg, Pommersfelden, der Zwinger in Dresden, die Orangerie in Fulda, die Residenz in Würzburg, Bruchsal, Rheinsberg, Sanssouci – alle in einem Maßstab ausgeführt und mit einem Luxus ausgestattet, die in keinem Verhältnis zu den Kräften und Mitteln der zumeist sehr kleinen und armen Länder stehen. Dank diesem Aufwand entwickelt sich so etwas wie eine deutsche Abart der italienischen und französichen Rokokokunst. Die Literatur profitiert aber nicht viel von dem Ehrgeiz der Landesherren und die Dichter erhalten von dieser Seite, mit Ausnahme von einigen Musenhöfen, die aber auch erst gegen Ende des Jahrhunderts entstehen, wenig Anregung. „Deutschland wimmelt von Fürsten, von denen drei Viertel kaum Menschenverstand haben und die Schmach und Geißel der Menschheit sind" – schreibt ein Zeitgenosse. „So klein ihre Länder, so bilden sie sich ein, die Menschheit sei für sie gemacht." Es gab in Deutschland dennoch verschiedene mehr oder minder gebildete, despotische und weniger despotische, aufgeklärte und zurückgebliebene, kunstliebende und bloß prunksüchtige Fürsten, es gab aber wohl keinen, der daran gezweifelt hätte, dass für einen gewöhnlichen Sterblichen der Sinn des Daseins darin bestehe, sich von ihnen beherrschen und aussaugen zu lassen.

Die Mittel, die der irrsinnige Luxus, die übermütige Bautätigkeit, der kostspielige Hofhalt und die Mätressen der Fürsten nicht aufzehrten, wurden für das Heer und die Bürokratie verwendet. Das Heer konnte selbstverständlich nur Polizeidienste leisten und kostete verhältnismäßig wenig; umso schwerer lastete die Bürokratie auf der Nation. Die Kleinstaaterei bedingte an und für sich eine Vervielfachung des Beamtenapparats, die noch gesteigert wurde durch die Verbürokratisierung des Staates, die Übertragung der Funktionen der autonomen Körperschaften auf Staatsämter, die Vorliebe für Erlasse und Verordnungen und die allgemeine Tendenz zur Reglementierung des öffentlichen und des privaten Lebens. Es herrschte zwar auch in Frankreich das gleiche politische, wirtschaftliche und gesellschaftliche System, der Bürger war in seinen Geschäften und Unternehmungen auch dort durch den Interventionismus gehemmt und die staatliche Misswirtschaft geschädigt und hatte ebenso wie in Deutschland unter Rechtsberaubung und Missachtung zu leiden; in den kleinen Verhältnissen der deutschen Fürstentümer wirkte sich aber all das viel drückender und demütigender aus. In der unmittelbaren Nähe des Hofes, unter dem Druck eines kleinlichen Staatsapparats, aber eines ebenso anspruchsvollen und verschwenderischen Fürsten, unter den Augen von wenig einflussreichen, doch ebenso unmenschlichen Beamten führte der Bürger in Deutschland eine noch beunruhigtere und bedrohtere Existenz. Der Staats

Duodezstaat
sehr kleiner Staat

„So klein …":
Graf Manteuffel in einem Brief an den Philosophen Christian Wolff

dienst saugt zwar in den untergeordneten Funktionen einen bedeutenden Teil des Mittelstandes auf, er depraviert aber diese kleinen Beamten sehr durch den Umstand, dass die staatliche Verwendung für die meisten von ihnen die einzige standesgenmäße Lebensmöglichkeit darstellt. Für einen Bürgerlichen, der nicht im Handel oder im Gewerbe tätig ist, bleibt eben nichts anderes übrig, als Staatsbeamter, Verwaltungsjurist, Geistlicher der Landeskirche oder Lehrer an einem öffentlichen Institut zu werden.

Joseph Hauber: Familie Scheichenpflueg (1811)

Daniel Chodowiecki: Familie Barez (um 1770)

Mechthilde Vahsen

Die Situation von (bürgerlichen) Frauen in Deutschland um 1800 (2008)

Im Verlauf des 18. Jahrhunderts, das allgemein als das „Zeitalter der Aufklärung" gilt, veränderte sich einiges: Noch in der ersten Hälfte des Jahrhunderts propagierten die Moralischen Wochenschriften das Bild der gelehrten Frau. Dieses Rollenmodell sah eine Frau vor, die gebildet und intellektuell sein sollte – obwohl es zu dieser Zeit keine systematische Mädchenbildung gab. Zum Ende des Jahrhunderts wurde dieses Rollenmodell durch den so genannten „natürlichen Geschlechtscharakter" der Frau abgelöst, der in Philosophie, Theologie, Medizin und anderen Bereichen ausführlich beschrieben wurde. Demnach hatten Frauen keinen Subjekt-Status, waren keine mündigen, autonomen Menschen, sondern benötigten eine Geschlechtsvormundschaft, ausgeübt durch den Vater, den Bruder oder den Ehemann. Aufgrund der ihnen zugewiesenen „natürlichen Geschlechtseigenschaften" wie Tugend, Sittsamkeit und Fleiß war die ihnen nun zugedachte Rolle die der Ehefrau und Mutter. Dieses neue Rollenkonzept sorgte für eine Trennung der gesellschaftlichen Räume: Der Ort von Frauen war das Haus, der Ort von Männern war die Öffentlichkeit. Dass die Ideologie des „natürlichen Geschlechtscharakters" sich vor allem auf die Frauen des Bürgertums richtete – nicht zuletzt in Abgrenzung zum Adel –, wird vor allem daran deutlich, dass für Frauen der Arbeiterschicht diese Ideologie nicht funktionierte. Ihre Erwerbsarbeit wurde für den Unterhalt der Familie gebraucht, sodass das Konzept der nicht erwerbstätigen (bürgerlichen) Hausfrau und Mutter dieser Realität drastisch entgegenstand.

Der Mechanismus des Unheils

Odoardo Galotti charakterisieren und seine Funktion im Drama analysieren

Das Ende des Dramas gibt dem Zuschauer seit mehr als zwei Jahrhunderten Rätsel auf. Wieso musste es so weit kommen, dass Emilia Galotti ihren Vater bittet, sie zu erdolchen? Warum hat Lessing das Ende so gestaltet?

Im Zusammenhang mit dieser Fragestellung ist es sinnvoll, sich mit der Figur Odoardo Galotti und seiner Rolle im letzten Akt genauer zu befassen. Am Ende des vierten Aktes hat Orsina Odoardo den Dolch gegeben, und Odoardo hat seine Frau Claudia weggeschickt. Es beginnt der fünfte Akt. Die Auftritte dieses Aktes sind ein Wechselspiel zwischen Monologen Odoardos und Dialogen.

Emilia Galotti am Deutschen Theater, Berlin 2001 (Regie: M. Thalheimer)

Monolog und Dialog

Monolog (gr. *monos* allein, *logos* Rede)

Der Monolog ist zunächst einmal ein Selbstgespräch. Allerdings hat er auf der Bühne eine wichtige Mitteilungsfunktion für die Zuschauer, indem er z.B. über die Gedanken einer Figur informiert oder Vorgänge beschreibt, die nicht darstellbar sind. In einem Monolog kann die Entscheidung für den Umgang mit einer Konfliktsituation gefällt werden. Es wird zwischen folgenden Monologformen unterschieden:

- *technischer Monolog* (als Übergang zwischen Auftritten)
- *epischer Monolog* (zur Mitteilung nicht darstellbarer Vorgänge)
- *lyrischer Monolog* (drückt die Stimmung einer Figur aus)
- *Reflexionsmonolog* (Reflexion der Situation bzw. Kommentar der Lage)
- *dramatischer Monolog* (führt zur Entscheidung in Konfliktsituationen und ist entscheidend für den Fortgang der Handlung)

Dialog (gr. *dialogos* Gespräch)

Neben dem Monolog ist auch der Dialog bedeutend für das Drama. Mehrere Figuren unterhalten sich, wobei die Handlungsstränge fortgeführt und auch Personen charakterisiert werden. In Dialogen entwickeln – verschärfen oder lösen – sich besonders gut Konflikte.

1 ***Lernarrangement***

Arbeiten Sie mit einem Partner/ einer Partnerin und nehmen Sie die Tabelle auf der nächsten Seite als Grundlage Ihrer Ergebnissicherung:

a) Skizzieren Sie zunächst Marinellis neuesten Plan, so wie er in der Eingangsszene des fünften Aktes präsentiert wird, denn dieser ist die Grundlage für den weiteren Verlauf der Geschehnisse.

b) Lesen Sie nun die Auftritte **V,2** – **V,7** noch einmal sorgfältig durch und legen Sie die Entwicklung der Handlung dar.

c) Die Auftritte **V,2** – **V,7** sind abwechselnd Monologe und Dialoge. Setzen Sie sich mit der Figur Odoardo auseinander und analysieren Sie seine Gedanken und seinen Gemütszustand in den Monologszenen und sein Verhalten in den Dialogszenen. Legen Sie dabei besonderes Augenmerk auf seine Reaktionen im Gespräch und darauf, was sein Handeln und sein Zögern motiviert. Beziehen Sie in Ihre Überlegungen auch Ihr Wissen über den Stand des Bürgers und des Familienoberhauptes mit ein.

d) Schreiben Sie eine Charakterisierung der Figur Odoardo Galotti und ihrer Entwicklung auf der Grundlage Ihrer Ergebnisse.

TIPP
Textbelege nicht vergessen!

Grundlage der Geschehnisse: Marinellis abgeänderter Plan			
Entwicklung der Handlung in den Auftritten V,2 – V,7			
Auftritt	Odoardos Gedanken und sein Gemütszustand in den Monologszenen	Odoardos Verhalten in den Dialogszenen unter besonderer Berücksichtigung seines Kommunikationsverhaltens und der Ursachen für sein Handeln und Zögern	Relevantes Hintergrundwissen zum Stand des Bürgers und des Familienoberhauptes
V,2 (Monolog)			
V,3 (Dialog)			
V,4 (Monolog)			
V,5 (Dialog)			
V,6 (Monolog)			
V,7 (Dialog)			

1 ***Lernarrangement***

Arbeiten Sie als Dramaturg und gestalten Sie eine der Dialogszenen (**V,3** oder **V,5** oder **V,7**) um. Arbeiten Sie mit einem Partner und entscheiden Sie sich zunächst für einen der drei Auftritte oder einen Teil des Auftritts, den Sie umgestalten wollen.

a) Schauen Sie sich noch einmal genau das Kommunikationsverhalten Odoardos an und überlegen Sie, ob er im Gespräch auch anders reagieren könnte. Welchen anderen Verlauf würde dann das Gespräch und damit auch das Drama insgesamt nehmen?

b) Arbeiten Sie den Dialog aus.

Die Schuldfrage erörtern

Sie kennen die Handlung und die zentralen Figuren des Dramas. Sie sind mit den Konflikten, ihrer Entwicklung und ihrer Zuspitzung vertraut. Sie wissen um die gesellschaftlichen Verhältnisse im 18. Jahrhundert. Nun sollen Ihre Kenntnisse unter dem besonderen Blickwinkel des tragischen Endes des Dramas zur Anwendung kommen.

1 ***Lernarrangement***
Arbeiten Sie in Kleingruppen von 3 bis 4 Personen.
a) Erörtern Sie in Ihrer Gruppe die Frage nach der Schuld an Emilias Tod: Wer trägt – Ihrer Meinung nach – die Schuld oder auch Mitschuld am Tod Emilias? Machen Sie sich Gedanken zu dieser Frage und notieren Sie Ihre Antworten im Cluster. Begründen Sie stichhaltig – basierend auf Ihren Kenntnissen zum Drama und seiner Entstehungszeit.
b) Stellen Sie die Ergebnisse Ihrer Gruppe im Plenum vor und diskutieren Sie sie.

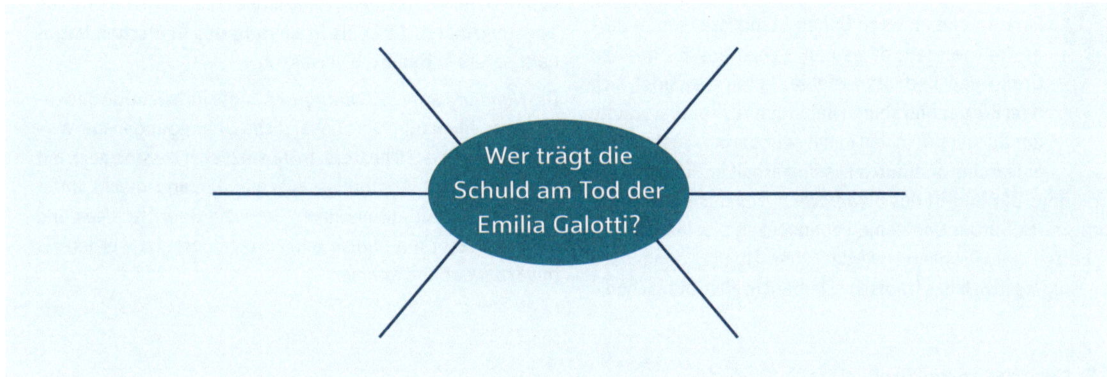

Die Katastrophe als Konsequenz des Konfliktgefüges erschließen

Im Folgenden sollen Sie den Bezug zum Titel dieses Unterkapitels, „Mechanismus des Unheils", herstellen. Dieser Ausdruck ist ein Zitat aus einer Interpretation des bekannten Lessing-Interpreten Horst Steinmetz. Setzen Sie sich nun mit der Interpretation der Konfliktgestaltung, so wie Horst Steinmetz diese beschreibt, auseinander.

Horst Steinmetz

Lessings Dramen: Emilia Galotti (1987, Auszug)

[In Emilia Galotti] findet sich das Schicksal primär unschuldiger Menschen, die infolge einer verhängnisvollen Kombination von zufällig eintretenden und zusammentreffenden Umständen von Charaktereigenschaften, von Entscheidungen und Fehlentscheidungen in eine Situation geraten, aus der kein anderer Ausweg als der über Katastrophe und Tod führt. [...] Dabei geht es um einen **Mechanismus des Unheils,** der trotz seiner sich steigernden Engführung doch jederzeit bei geringfügiger Änderung der ihn bedingenden Umstände eine andere Richtung einschlagen und die Gestalten verschonen könnte.

2 Erklären Sie in eigenen Worten, was Horst Steinmetz mit dem „Mechanismus des Unheils" meint.

3 Benennen Sie Stellen im Drama, auf die diese Deutung zutreffen könnte, und erläutern Sie, inwiefern die Geschehnisse im Drama eine andere Wendung nehmen könnten.

„Der mitleidigste Mensch ist der beste Mensch!"

Das Drama *Emilia Galotti* in seiner wirkungsästhetischen Absicht verstehen

Noch zu klären bleibt, warum Lessing dem Drama dieses Ende gab, obwohl sich die Geschehnisse doch jederzeit auch anders hätten entwickeln können. Um diese Frage beantworten zu können, müssen Sie sich genauer mit Lessings Dramentheorie auseinandersetzen.

Zur Dramentheorie von Gotthold Ephraim Lessing

Lessing 1767/68

Gotthold Ephraim Lessing ist nicht nur Dramatiker, er gilt auch als einer der wichtigsten Dramentheoretiker. In seiner Dramentheorie setzt er sich ab von dem bis dahin gültigen dramenpoetischen Prinzip der sogenannten *Ständeklausel*. Diese besagt, dass in der Tragödie nur die Schicksale von Königen, Fürsten und anderen hohen Standespersonen dargestellt werden, da es dem Leben des Bürgers an Größe und Bedeutung fehle. Lessing wendet sich dem Bürger und seinen Belangen zu. Vor ihm spielte der Bürger nur in den meist sehr derben Lustspielen eine Rolle, erst durch Lessing erhält er Einzug in die Tragödie. Der Begriff des *bürgerlichen Trauerspiels* wird geprägt. Der Bürger und seine Lebensbezüge, seine Leidenschaften und Probleme werden zum Thema, denn nach Lessing lässt sich das tragische Element in allen Menschen – unabhängig von ihrer Standeszugehörigkeit – finden. So thematisiert er in seinen Dramen immer wieder die Konfrontation des Bürgers mit den gesellschaftlichen Gegebenheiten. Hier ist Lessing ganz Sohn der Aufklärung.

Seine Dramentheorie veröffentlichte Lessing in der sogenannten *Hamburgischen Dramaturgie* (1767), einer Reihe von Theaterkritiken, die er als Dramaturg des Deutschen Nationaltheaters in Hamburg verfasste.

Die *Hamburgische Dramaturgie* erlangte ihre heutige Bedeutung vor allem durch grundsätzliche Überlegungen zur Wirkungsabsicht des Theaters. In ihr setzt sich Lessing auch mit der Poetik des Aristoteles auseinander und macht unter anderem darauf aufmerksam, dass die Begriffe *eleos* und *phobos* besser mit *Mitleid* und *Furcht* übersetzt werden als mit *Schauder* und *Jammer*.

1 ***Lernarrangement***

a) Lesen Sie die Ausüge aus der *Hamburgischen Dramaturgie* sowie den Brief Lessings an Nicolai (S. 114) und fassen Sie die zentralen Gedanken eines jeden Auszugs knapp zusammen.

b) Entwickeln Sie anschließend aus den einzelnen Gedanken eine Theorie der Wirkungsabsicht Lessings, indem sie den Zusammenhang der Grundgedanken aller Textauszüge darlegen.

c) Stellen Sie Ihre Überlegungen im Plenum vor und entwickeln Sie in Kleingruppen ein Schaubild als Ergebnissicherung. (Beachten Sie dabei insbesondere den Zusammenhang von der Absicht des Dramatikers und dem Gefühl des Mitleids beim Zuschauer.)

Gotthold Ephraim Lessing

Hamburgische Dramaturgie (1767–69, Auszüge)

Hamburgische Dramaturgie.

Erster Band.

Hamburg.

In Commission bey J. H. Cramer, in Bremen.

Absicht. – Mit Absicht handeln ist das, was den Menschen über geringere Geschöpfe erhebt; mit Absicht dichten, mit Absicht nachahmen, ist das, was das Genie von den kleinen Künstlern unterscheidet, die nur dichten, um zu dichten, die nur nachahmen, um nachzuahmen, die sich mit dem geringen Vergnügen befriedigen, das mit dem Gebrauche ihrer Mittel verbunden ist, die diese Mittel zu ihrer ganzen Absicht machen und verlangen, dass auch wir uns mit dem ebenso geringen Vergnügen befriedigen sollen, welches aus dem Anschauen ihres kunstreichen, aber absichtlosen Gebrauches ihrer Mittel entspringet. Es ist wahr, mit dergleichen leidigen Nachahmungen fängt das Genie an, zu lernen; es sind seine Vorübungen; auch braucht es sie in größern Werken zu Füllungen, zu Ruhepunkten unserer wärmern Teilnehmung: allein mit der Anlage und Ausbildung

seiner Hauptcharaktere verbindet es weitere und größere Absichten; die Absicht, uns zu unterrichten, was wir zu tun oder zu lassen haben; die Absicht, uns mit den eigentlichen Merkmalen des Guten und Bösen, des Anständigen und Lächerlichen bekannt zu machen; die Absicht, uns jenes in allen seinen Verbindungen und Folgen als schön und als glücklich selbst im Unglücke, dieses hingegen als hässlich und unglücklich selbst im Glücke zu zeigen; die Absicht, bei Vorwürfen, wo keine unmittelbare Nacheiferung, keine unmittelbare Abschreckung für uns statthat, wenigstens unsere Begehrungs- und Verabscheuungskräfte mit solchen Gegenständen zu beschäftigen, die es zu sein verdienen, und diese Gegenstände jederzeit in ihr wahres Licht zu stellen, damit uns kein falscher Tag verführt, was wir begehren sollten zu verabscheuen, und was wir verabscheuen sollten zu begehren.
(34. Stück)

Der Poet findet in der Geschichte eine Frau, die Mann und Söhne mordet; eine solche Tat kann Schrecken und Mitleid erwecken, und er nimmt sich vor, sie in einer Tragödie zu behandeln. Aber die Geschichte sagt ihm weiter nichts, als das bloße Faktum, und dieses ist ebenso grässlich als außerordentlich. Es gibt höchstens drei Szenen, und da es von allen nähern Umständen entblößt ist, drei unwahrscheinliche Szenen. – Was tut also der Poet? [...] [Er] wird [...] suchen, die Charaktere seiner Personen so anzulegen; wird er suchen, die Vorfälle, welche diese Charaktere in Handlung setzen, so notwendig einen aus dem andern entspringen zu lassen; wird er suchen, die Leidenschaften nach eines jeden Charakter so genau abzumessen; wird er suchen, diese Leidenschaften durch so allmähliche Stufen durchzuführen: dass wir überall nichts als den natürlichsten, ordentlichsten Verlauf wahrnehmen; dass wir bei jedem Schritte, den er seine Personen tun lässt, bekennen müssen, wir würden ihn, in dem nämlichen Grade der Leidenschaft, bei der nämlichen Lage der Sachen, selbst getan haben; dass uns nichts dabei befremdet, als die unmerkliche Annäherung eines Zieles, von dem unsere Vorstellungen zurückbeben, und an dem wir uns endlich, voll des innigsten Mitleids gegen die, welche ein so fataler Strom dahinreißt, und voll Schrecken über das Bewusstsein befinden, auch uns könne ein ähnlicher Strom dahinreißen, Dinge zu begehen, die wir bei kaltem Geblüte noch so weit von uns entfernt zu sein glauben.
(32. Stück)

Die Namen von Fürsten und Helden können einem Stücke Pomp und Majestät geben; aber zur Rührung tragen sie nichts bei. Das Unglück derjenigen, deren Umstände den unsrigen am nächsten kommen, muss natürlicherweise am tiefsten in unsere Seele dringen; und wenn wir mit Königen Mitleiden haben, so haben wir es mit ihnen als mit Menschen, und nicht als mit Königen. Macht ihr Stand schon öfters ihre Unfälle wichtiger, so macht er sie darum nicht interessanter. Immerhin mögen ganze Völker darein verwickelt werden; unsere Sympathie erfodert einen einzeln Gegenstand, und ein Staat ist ein viel zu abstrakter Begriff für unsere Empfindungen.
(14. Stück)

Man hat ihn [Aristoteles] falsch verstanden, falsch übersetzt. Er spricht von Mitleid und Furcht, nicht von Mitleid und Schrecken; und seine Furcht ist durchaus nicht die Furcht, welche uns das bevorstehende Übel eines andern, für diesen andern, erweckt, sondern es ist die Furcht, welche aus unserer Ähnlichkeit mit der leidenden Person für uns selbst entspringt; es ist die Furcht, dass wir der bemitleidete Gegenstand selbst werden können. Mit einem Worte: diese Furcht ist das auf uns selbst bezogene Mitleid.
(75. Stück)

E

Friedrich Nicolai 1790

In einem Brief an Friedrich Nicolai im November 1756 schreibt Gotthold Ephraim Lessing über die Wirkungen von Tragödie und Komödie:

Gotthold Ephraim Lessing

Brief an Friedrich Nicolai
(Auszug aus dem Briefwechsel über das Trauerspiel, 1756)

Friedrich Nicolai (1733–1811), deutscher Schriftsteller

In ihrem *Briefwechsel über das Trauerspiel* befassen sich Lessing, Mendelssohn und Nicolai mit theoretischen Fragestellungen zur Poetik des Dramas. Auf diesem Briefwechsel beruht die *Hamburgische Dramaturgie.*

„Wenn es also wahr ist, dass die ganze Kunst des tragischen Dichtens auf die sichere Erregung und Dauer des einigen Mitleidens geht, so sage ich nunmehr, die Fähigkeit der Tragödie ist diese: sie soll unsere Fähigkeit, Mitleid zu fühlen, erweitern. Sie soll uns nicht bloß lehren, gegen diesen oder jenen Unglücklichen Mitleid zu fühlen, sondern sie soll uns so weit fühlbar machen, dass uns der Unglückliche zu allen Zeiten, und unter allen Gestalten, rühren und für sich einnehmen muss. Und nun berufe ich mich auf einen Satz, den Ihnen Herr Moses vorläufig demonstrieren mag, wenn Sie, Ihrem eignen Gefühl zum Trotz, daran zweifeln wollen. Der mitleidigste Mensch ist der beste Mensch, zu allen gesellschaftlichen Tugenden, zu allen Arten der Großmut der aufgelegteste. Wer uns also mitleidig macht, macht uns besser und tugendhafter, und das Trauerspiel, das jenes tut, tut auch dieses, oder – es tut jenes, um dieses tun zu können. Bitten Sie es dem Aristoteles ab, oder widerlegen Sie mich.
Auf gleiche Weise verfahre ich mit der Komödie. Sie soll uns zur Fertigkeit verhelfen, alle Arten des Lächerlichen leicht wahrzunehmen. Wer diese Fertigkeit besitzt, wird in seinem Betragen alle Arten des Lächerlichen zu vermeiden suchen, und eben dadurch der wohlerzogenste und gesittetste Mensch werden. Und so ist auch die Nützlichkeit der Komödie gerettet.“ (S. 55)

Horst Steinmetz

Lessings Dramen: Emilia Galotti (1987, Auszug)

Kodifizierungen Regeln und Normen

Insbesondere die Tatsache, dass weder die durch den Prinzen repräsentierte Welt als die nur unsympathische, noch die durch die Galottis repräsentierte Welt als die ungebrochen positive dargestellt werden, verstößt gründlich gegen die üblichen Kodifizierungen der zwei Lebens- und Gesellschaftssphären, die bis dahin im bürgerlichen Trauerspiel [...] säuberlich voneinander getrennt und in ein Gegesatzverhältnis gerückt worden waren. Der Prinz beruft sich ausdrücklich auf sein „Herz“ als der authentischen Quelle seiner Liebe zu Emilia und seines Menschseins. [...] Entsprechend wirkt die Widersprüchlichkeit, die aufseiten der bürgerlichen Gestalten erkennbar ist: Oduardo und Emilia als konsequente Vertreter bürgerlicher Ideale, die dennoch, dazu aus lückenlos folgerichtiger psychologischer und kausaler Motivierung, zu einer Tat geführt werden, die all diesen Werten und Idealen Hohn spricht.
Genau diese Widersprüche und scheinbaren Ungereimtheiten sind es jedoch, in denen ein deutlich politisch-gesellschaftskritischer Standort des Dramas sichtbar wird.

1 Erläutern Sie die zentrale Aussage von Steinmetz.

2 Nehmen Sie auf der Grundlage Ihrer Erkenntnisse Stellung zu dieser Einschätzung von Horst Steinmetz.

Die Struktur und Konfliktgestaltung im Drama *Emilia Galotti* zusammenfassend darstellen

Um sich einen Überblick über die Konfliktgestaltung innerhalb des ganzen Dramas zu verschaffen, kehren Sie noch einmal zu den Darlegungen von Gustav Freytag zurück. Freytag selbst analysiert die Struktur des Dramas *Emilia Galotti*, das für ihn den Prototyp eines geschlossenen Dramas verkörpert, sehr detailliert.

1 Lesen Sie die Ausführungen von Gustav Freytag zur Struktur des Dramas *Emilia Galotti* und notieren Sie die Funktion eines jeden Aktes sowie den wesentlichen Handlungsschritt innerhalb des Aktes in der Tabelle auf S. 116. Übertragen Sie dies in das Schaubild (S. 116 unten).

Gustav Freytag

Die Technik des Dramas (1863, Auszug)

Der *Akt der Einleitung* erhält in der Regel noch den Anfang der Steigerung, also im Ganzen folgende Momente: den einleitenden Akkord, die Szene der Exposition, das aufregende Moment, die erste Szene der Steigerung. [...] – So ist in *Emilia Galotti* die Szene des Prinzen am Arbeitstisch der stimmende Akkord, die Unterredung des Prinzen mit dem Maler Exposition; in der Szene mit Marinelli liegt das erregende Moment: die bevorstehende Vermählung der Emilia. Die erste Steigerung aber liegt in der folgenden kleinen Szene des Prinzen, in seinem Entschluss, Emilia bei den Dominikanern zu treffen. [...]

Der *Akt der Steigerung* hat in unserem Drama die Aufgabe, die Handlung mit vermehrter Spannung heraufzuführen, dabei die Personen des Gegenspiels, die im ersten Akt keinen Raum gefunden haben, vorzustellen. Ob er nun eine oder mehrere Stufen der fortschreitenden Bewegung enthalte, der Zuschauer hat bereits eine Anzahl Eindrücke aufgenommen, deshalb müssen hierin die Kämpfe größer werden, eine Sammlung derselben in ausgeführter Szene, ein guter Aktschluss wird nützlich.
In *Emilia Galotti* z. B. beginnt der Akt, wie fast jeder Akt bei Lessing, wieder mit einer einleitenden Szene, in der kurz die Familie Galotti vorgeführt wird, dann die Intriganten des Marinelli ihren Plan darlegen. Dann folgt in zwei Absätzen die Handlung, von denen der erste die Aufregung Emilias nach der Begegnung mit dem Prinzen, der zweite den Besuch Marinellis und seinen Antrag an Appiani enthält. Beide großen Szenen sind durch eine kleinere Situationsszene, die den Appiani in seinem Verhältnis zu Emilia darstellt, verbunden. Der schön gearbeiteten Szene Marinellis folgt als guter Schluss die empörte Stimmung der Familie [...].

Der *Akt des Höhepunktes* hat das Bestreben seine Momente um eine stark hervortretende Mittelszene zusammenzufassen. Diese wichtige Szene desselben wird aber, wenn das tragische Moment dazu tritt, mit einer zweiten großen Szene verbunden; in diesem Fall rückt die Gipfelszene wohl in den Anfang des dritten Aktes. In *Emilia Galotti* ist nach einer einleitenden Szene, in der der Prinz die gespannte Situation erklärt, und nach dem erläuternden Bericht über den Überfall der Eintritt. Emilias Beginn der Gipfelszene, der Fußfall Emilias und die Erklärung des Prinzen sind der höchste Punkt des Stückes. Daran schließt sich der ausbrechende Zorn der Claudia gegen Marinelli als Übergang zu der sinkenden Handlung. [...]

Der *Akt der Umkehr* ist von den großen deutschen Dichtern seit Lessing mit Sorgfalt behandelt worden, und die Wirkungen desselben sind fast immer regelmäßig und in bedeutender Szene zusammengeschlossen. [...]
Die Gäste des vierten Aktes müssen rasch und stark in die Handlung eingreifen und durch kräftige Wirksamkeit ihr Erscheinen rechtfertigen. Der vierte Akt in *Emilia Galotti* ist zweiteilig. Auf die vorbereitende Unterredung zwischen Marinelli und dem Prinzen tritt der neue Charakter der Orsina als Gehilfin in das Gegenspiel ein. Den Missstand der neuen Rolle weiß Lessing sehr gut dadurch zu überwinden, dass er der leidenschaftlichen Bewegung dieses bedeutsamen Charakters die Leitung in den folgenden Szenen bis zum Schluss des Aktes übergibt. Auf ihre große Szene mit Marinelli folgt als zweite Stufe des Aktes der Eintritt Odoardos: Die hohe Spannung, die die Handlung dadurch erhält, schließt den Akt wirksam ab. [...]

Der *Akt der Katastrophe* enthält fast immer noch außer der Schlusshandlung die letzte Stufe der sinkenden Handlung. In *Emilia Galotti* beginnt wieder ein einleitendes Duett zwischen dem Prinzen und Marinelli, die letzte Stufe der sinkenden Handlung, jene große Unterredung zwischen dem Prinzen, Odoardo und Marinelli: Weigerung, dem Vater die Tochter zurückzugeben, dann die Katastrophe: Ermordung der Emilia.

Akt	Funktion und wesentlicher Handlungsschritt
1. Akt der Einleitung	
2. Akt der Steigerung	
3.	
4.	
5.	

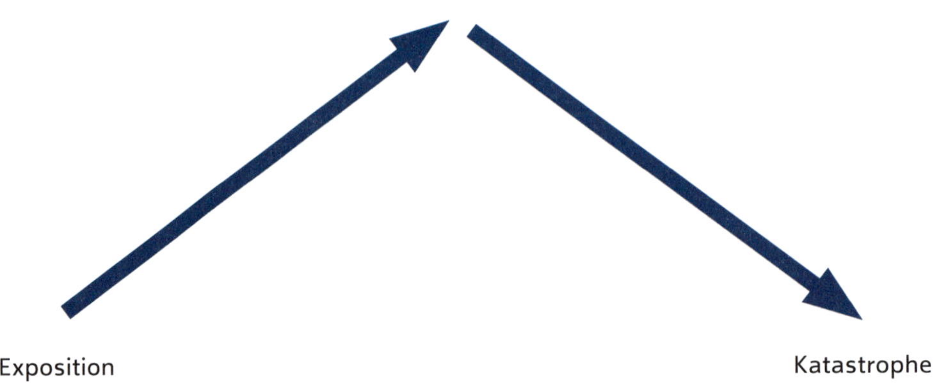

Georg Büchner: *Woyzeck*

Biografische Zusammenhänge erfassen

Im Februar 1834 schreibt der 21-jährige Student Georg Büchner den folgenden Brief an seine Familie:

An die Familie, Gießen, im Februar 1834

[...] Ich verachte Niemanden, am wenigsten wegen seines Verstandes oder seiner Bildung, weil es in Niemands Gewalt liegt, kein Dummkopf oder kein Verbrecher zu werden, – weil wir durch gleiche Umstände wohl Alle gleich würden, und weil die Umstände außer uns liegen. Der Verstand nun gar ist nur eine sehr geringe Seite unseres geistigen Wesens und die Bildung nur eine sehr zufällige Form desselben. Wer mir eine solche Verachtung vorwirft, behauptet, dass ich einen Menschen mit Füßen träte, weil er einen schlechten Rock anhätte. Es heißt dies, eine Rohheit, die man Einem im Körperlichen nimmer zutrauen würde, ins Geistige übertragen, wo sie noch gemeiner ist.

Ich kann Jemanden einen Dummkopf nennen, ohne ihn deshalb zu verachten; die Dummheit gehört zu den allgemeinen Eigenschaften der menschlichen Dinge; für ihre Existenz kann ich nichts, es kann mir aber niemand wehren, Alles, was existiert, bei seinem Namen zu nennen und dem, was mir unangenehm ist, aus dem Wege zu gehn. Jemanden kränken, ist eine Grausamkeit, ihn aber zu suchen oder zu meiden, bleibt meinem Gutdünken überlassen. Daher erklärt sich mein Betragen gegen alte Bekannte; ich kränkte Keinen und sparte mir viel Langeweile; halten sie mich für hochmütig, wenn ich an ihren Vergnügungen oder Beschäftigungen keinen Geschmack finde, so ist es eine Ungerechtigkeit; mir würde es nie einfallen, einem Anderen aus dem nämlichen Grunde einen ähnlichen Vorwurf zu machen. Man nennt mich einen Spötter. Es ist wahr, ich lache oft, aber ich lache nicht darüber, wie Jemand ein Mensch, sondern nur darüber, dass er ein Mensch ist, wofür er ohnehin nichts kann, und lache dabei über mich selbst, der ich sein Schicksal teile. Die Leute nennen das Spott, sie ertragen es nicht, dass man sich als Narr produziert und sie duzt; sie sind Verächter, Spötter und Hochmütige, weil sie die Narrheit nur außer sich suchen. Ich habe freilich noch eine Art von Spott, es ist aber nicht der der Verachtung, sondern der des Hasses. Der Hass ist so gut erlaubt als die Liebe, und ich hege ihn im vollsten Maße gegen die, welche verachten.

Es ist deren eine große Zahl, die im Besitze einer lächerlichen Äußerlichkeit, die man Bildung, oder eines toten Krams, den man Gelehrsamkeit heißt, die große Masse ihrer Brüder ihrem verachtenden Egoismus opfern. Der Aristokratismus ist die schändlichste Verachtung des heiligen Geistes im Menschen; gegen ihn kehre ich seine eigenen Waffen; Hochmut gegen Hochmut, Spott gegen Spott. –

Ihr würdet euch besser bei meinem Stiefelputzer nach mir umsehn; mein Hochmut und Verachtung Geistesarmer und Ungelehrter fände dort wohl ihr bestes Objekt. Ich bitte, fragt ihn einmal ... Die Lächerlichkeit des Herablassens werdet Ihr mir doch wohl nicht zutrauen. Ich hoffe noch immer, dass ich leidenden, gedrückten Gestalten mehr mitleidige Blicke zugeworfen, als kalten, vornehmen Herzen bittere Worte gesagt habe. [...]

„Dieser Büchner war ein toller Hund. Nach kaum 23 oder 24 Jahren verzichtete er auf weitere Existenz und starb. Es scheint, die Sache war ihm zu dumm. [...] Büchner, das war ein Revolutionär vom reinsten Wasser.“ *Alfred Döblin (1921)*

1 Welches Bild vom Autor vermittelt Ihnen der Brief Büchners (S. 117)? Welches Selbstverständnis zeigt er? Welche Interessen und Ziele verfolgt er?

2 Wie könnten die Eltern auf Büchners Brief reagiert haben? Welche Fragen könnten sie ihrem Sohn gestellt haben? Schreiben Sie einen möglichen Antwortbrief.

3 Erläutern Sie im Rückgriff auf den Brief die Äußerung von Alfred Döblin (S. 117 unten).

4 Recherchieren Sie im Internet die Biografie Büchners. Was fällt Ihnen auf? Welche Fragen stellen sich Ihnen?

Ein markantes Ereignis in der Biografie Büchners ist die Abfassung und Publikation des *Hessischen Landboten*, einer anonymen politischen Flugschrift, in der er die Bauern im Großherzogtum Hessen über die sozio-ökonomischen Verhältnisse aufklärte und zum Widerstand gegen den sie ausbeutenden Fürsten und dessen höfische Beamte aufrief. Aus Angst, verhaftet zu werden, floh er im März 1835 nach Straßburg. Im Juni 1835 erließen die fürstlichen Behörden folgenden Haftbefehl gegen ihn:

2493. Steckbrief.

Der hierunter signalisirte Georg Büchner, Student der Medizin aus Darmstadt, hat sich der gerichtlichen Untersuchung seiner indicirten Theilnahme an staatsverrätherischen Handlungen durch die Entfernung aus dem Vaterlande entzogen. Man ersucht deßhalb die öffentlichen Behörden des In- und Auslandes, denselben im Betretungsfalle festnehmen und wohlverwahrt an die unterzeichnete Stelle abliefern zu lassen.

Darmstadt, den 13. Juni 1835.

Der von Großh. Hess. Hofgericht der Provinz Oberhessen bestellte Untersuchungs-Richter, Hofgerichtsrath

Georgi.

Personal-Beschreibung.

Alter: 21 Jahre,
Größe: 6 Schuh, 9 Zoll neuen Hessischen Maases,
Haare: blond,
Stirne: sehr gewölbt,
Augenbraunen: blond,
Augen: grau,
Nase: stark,
Mund: klein,
Bart: blond,
Kinn: rund,
Angesicht: oval,
Gesichtsfarbe: frisch,
Statur: kräftig, schlank,
Besondere Kennzeichen: Kurzsichtigkeit.

5 Im Steckbrief ist „von staatsverräterischen Handlungen“ Büchners die Rede. Was werfen die Behörden dem Dichter vor? Welche Rolle spielt dabei der *Hessische Landbote*?

Fritz Deppert

Steckbrief (1988)

Alter: 21 Jahre,
Größe: 6 Schuh, 9 Zoll neuen Hessischen Maßes.
Wenn er ihnen in die Hände gefallen wäre,
hätten sie ihn verrotten lassen,
die Läuse hätten ihn gefressen
und sie hätten sich die Hände in Unschuld
und Weihwasser gerieben.
Haare: blond.
Stirne: sehr gewölbt,
Augenbrauen: blond,
Augen: grau,
Nase: stark,
Mund: klein.
Über die Grenze weg
nachdem er noch vorher
sich unsterblich
und ihren Henkerhänden unerreichbar
geschrieben hatte.
Kinn: rund,
Angesicht: oval,
Gesichtsfarbe: frisch.
Jetzt feiern sie ihn,
die Schießübungen werden verschwiegen,
sie versuchen den Aufbegehrenden durch Klatschen
mundtot zu machen
und benennen Schulen nach ihm.
– Statur: kräftig. schlank,
Besondere Kennzeichen: Kurzsichtigkeit.
Aber er lebt, ihrem Zugriff entzogen;
die auf die dünne Erdkruste treten
und Angst haben durchzubrechen, sind sie,
die ewigen Verfolger.
Herzlichen Glückwunsch, Büchner,
auch dazu.

1 Vergleichen Sie den Steckbrief aus dem Jahr 1835 mit dem von Fritz Deppert.

Im Reisegepäck des Autor befand sich sein Drama *Dantons Tod*, das er Anfang des Jahres 1835 innerhalb von fünf Wochen geschrieben hatte. Im Straßburg angekommen, widmete er sich im Winter 1835/ 36 wieder wissenschaftlichen Studien. Mit einer Abhandlung über das Nervensystem der Fische wurde er am 3. September 1836 an der Universität Zürich zum Doktor promoviert. Dort war er dann im Wintersemester als Privatdozent tätig. In diesem Zeitraum arbeitete er auch an seinem Drama *Woyzeck*. Am 2. Februar 1837 erkrankte er an Typhus und starb am 19. Februar.

Die Entstehung des *Woyzeck* rekonstruieren

Der Autor konnte sein Drama *Woyzeck* nicht vollenden. Von ihm liegen nur vier titellose Fragmente als Handschriften vor, die Szenengruppen und Einzelszenen enthalten, vermutlich aus verschiedenen Entstehungszeiten. Alle Herausgeber des *Woyzeck* stehen deshalb vor der schwierigen Aufgabe, aus diesen Handschriften einen les- und spielbaren, aber auch den Intentionen des Autors so nahe wie möglich kommenden Text herzustellen. Wie Büchner sein Werk endgültig verfasst hätte, lässt sich nicht beantworten. Vor allem bleibt offen, wie er sich den Schluss des Dramas vorgestellt hat. Trotz aller Schwierigkeiten erschien 1878 erstmals eine Ausgabe des Dramas.

Jan-Christoph Hauschild

Der historische Fall Woyzeck (1993)

Johann Christian Woyzeck, Federlithografie 1824

Hintergrund war ein authentischer Fall, der seinerzeit für Aufregung gesorgt hatte, nicht wegen der Art des Verbrechens, sondern wegen der öffentlich geführten Diskussion um die Zurechnungs- und damit Straffähigkeit des Täters im Augenblick der Tat. Am 2. Juni 1821 hatte in Leipzig der 41-jährige stellungslose „Perückenmachergesell" Johann Christian Woyzeck seine gelegentliche Geliebte, die 46-jährige Witwe Johanna Christiane Woost, erstochen. [...] Täter und Opfer kannten sich seit rund 25 Jahren. Johann Christian Woyzeck war 1780 in Leipzig als zweites Kind eines aus Polen zugewanderten Perückenmachers geboren. Seine Eltern starben beide an der Lungenschwindsucht, die Mutter 1788, der Vater 1793. Mit 13 Jahren begann er eine Lehre im väterlichen Gewerbe. Johanna Christiane Woost, geb. Otto, war die Stieftochter seines letzten Lehrherrn und bereits seit ihrem 15. Lebensjahr mit einem Chirurgen verheiratet. Von 1798 bis 1804 war Woyzeck als wandernder Geselle durch Deutschland gezogen, ohne kaum je irgendwo feste Arbeit in seinem Beruf zu finden, und hatte sich durch allerlei Gelegenheitsarbeiten über Wasser gehalten. Während der Napoleonischen Kriege verpflichtete er sich, „weil sein Gewerbe immer schlechter ging", zunächst bei der holländischen Armee und stand danach, bedingt durch Gefangenschaft oder Desertion, in wechselnden Diensten, insgesamt 12 Jahre lang. Woyzecks Misere begann bereits während seiner Militärzeit: Seine Geliebte in Stralsund, mit der er ein Kind gezeugt hatte und die er wegen des Militärreglements nicht heiraten konnte, betrog ihn in seiner Abwesenheit mit andern Soldaten; er litt schwer unter der Eifersucht, reagierte mit einer „Veränderung im Gemützustande", depressiven Schüben und Alkoholismus. In derselben Zeit wurde er zum ersten Mal straffällig und musste wegen Diebstahls eine sechsmonatige Strafe verbüßen. Nach seinem Armeeabschied war er immer häufiger „tiefsinnig", litt unter optischen und akustischen Halluzinationen; Anzeichen von Verfolgungswahn stellten sich ein. Zuletzt deutete alles auf eine schwere Psychose.

Zu der psychischen kam die soziale Misere. Im Anschluss an seine Militärzeit versuchte sich Woyzeck erneut als Gelegenheitsarbeiter in wechselnden Berufen und an verschiedenen Orten. Im Dezember 1818 landete er schließlich wieder in seiner Heimatstadt Leipzig. Ein Versuch, dort als Stadtsoldat angenommen zu werden, scheiterte an seinem unehrenhaften Armeeabschied. Zuletzt war Woyzeck ohne Arbeit und, „weil er kein Schlafgeld bezahlen" konnte, auch obdachlos gewesen, „im Felde und an den einsamsten Orten umhergestrichen, bis ihn der Hunger dann und wann in die Stadt" trieb, wo er entweder eine Mahlzeit oder ein Almosen erbettelte. Auch unmittelbar vor der Tat hatte er „mehrere Nächte unter freiem Himmel zugebracht". Sein Verhältnis mit Johanna Christiane Woost, die seit 1813 verwitwet war und bei ihrer Stiefmutter Knobloch lebte, stammte aus der Zeit, als Woyzeck, wenige Wochen nach seiner Rückkehr, für die Dauer von 16 Monaten als Untermieter bei Witwe Knobloch eingezogen war. Es war allerdings nicht die einzige sexuelle Beziehung, die die 46-Jährige unterhielt. „Wegen ihres häufigen Umganges mit Soldaten“ wurde sie von dem eifersüchtigen Woyzeck „mehrere Male gemisshandelt“; der „fleischliche Umgang“ zwischen beiden war „dennoch nicht unterblieben“. Eine nicht eingehaltene Verabredung und die anschließende Zurückweisung Woyzecks wurden zum Auslöser für die Tat.

1 Fassen Sie Hauschilds Text über den historischen Fall Woyzeck zusammen und informieren Sie sich anschließend über den Handlungsverlauf von Georg Büchners Drama *Woyzeck*.

2 Eine fiktive Situation: Georg Büchner hat den *Woyzeck* fast vollendet und bietet sein Stück einem Verleger an. Dieser bittet den Autor um ein Exposé. Verfassen Sie ein solches Exposé.

Exposé erläuternde Darstellung, Konzept, Übersicht

Szenen aus Georg Büchners *Woyzeck* analysieren

Woyzeck muss als einfacher Soldat mit geringem Einkommen für sein uneheliches Kind sorgen, das er zusammen mit der von ihm geliebten Marie hat. Um nebenbei noch Geld dazuzuverdienen, rasiert er den Hauptmann jeden Morgen und stellt sich für sogenannte wissenschaftliche Versuche einem Arzt zur Verfügung.

[2] Marie mit ihrem Kind am Fenster. Margreth

Der Zapfenstreich geht vorbei, der Tambourmajor voran.

Marie (*das Kind wippend auf dem Arm*) He Bub! Sa ra ra ra! Hörst? Da komme sie.

Margreth Was ein Mann, wie ein Baum.

Marie Er steht auf seinen Füßen wie ein Löw. (*Tambourmajor grüßt*)

Margreth Ei, was freundliche Auge, Frau Nachbarin, so was is man an Ihr nit gewöhnt.

Marie (*singt*) Soldaten das sind schöne Bursch ...

Margreth Ihre Auge glänze ja noch.

Marie Und wenn! Trag Sie Ihr Auge zum Jud und lass Sie sie putze, vielleicht glänze sie noch, dass man sie für zwei Knöpf verkaufe könnt.

Margreth Was Sie? Sie? Frau Jungfer, ich bin eine honette Person, aber Sie, Sie guckt siebe Paar lederne Hose durch.

Marie Luder! (*Schlägt das Fenster zu.*) Komm mein Bub. Was die Leut wollen. Bist doch nur en arm Hurenkind und machst deiner Mutter Freud mit deim unehrliche Gesicht. Sa! Sa!

(Singt) Mädel, was fangst du jetzt an
Hast ein klein Kind und kein Mann.
Ei was frag ich danach
Sing ich die ganze Nacht
Heio popeio mein Bu. Juchhe!
Gibt mir kein Mensch nix dazu.
Hansel spann deine sechs Schimmel an
Gib ihn zu fresse auf's Neu.
Kein Haber fresse sie
Kein Wasser saufe sie
Lauter kühle Wein muss es sein. Juchhe!
Lauter kühle Wein muss es sein.
(*Es klopft am Fenster.*)

Marie Wer da? Bist du's Franz? Komm herein!
Woyzeck Kann nit. Muss zum Verles.
Marie Was hast du Franz?
Woyzeck (*geheimnisvoll*) Marie, es war wieder was, viel, steht nicht gschrieben, und sieh da ging ein Rauch vom Land, wie der Rauch vom Ofen?
Marie Mann!
Woyzeck Es ist hinter mir gegangen bis vor die Stadt. Was soll das werden?
Marie Franz!
Woyzeck Ich muss fort. (*Er geht.*)
Marie Der Mann! So vergeistert. Er hat sein Kind nich angesehn. Er schnappt noch über mit den Gedanken. Was bist so still, Bub? Furchst dich? Es wird so dunkel, man meint, man wär blind. Sonst scheint als die Latern herein. Ich halt's nicht aus. Es schauert mich. (*Geht ab.*)

1 Welche Informationen entnehmen Sie der zweiten Szene des Stückes? Bestimmen Sie Geschehen, Ort und Zeit. Geben Sie den Inhalt der Szene wieder. Wie ist sie aufgebaut?

2 Durch Fremd- und Eigencharakterisierung werden in dieser Szene vor allem Marie, der Tambourmajor und Woyzeck exponiert. Erstellen Sie kurze Charakteristiken dieser Figuren. Berücksichtigen Sie dabei ihren sozialen Status und machen Sie deutlich, in welchen Beziehungen sie zueinander stehen.

3 Kennzeichnen Sie die Sprechweisen der Figuren.

4 Welche Konflikte deuten sich in der Szene an?

5 Vergleichen Sie die Szene mit der Eingangsszene in G. E. Lessings Drama *Emilia Galotti*.

[5] Der Hauptmann und Woyzeck

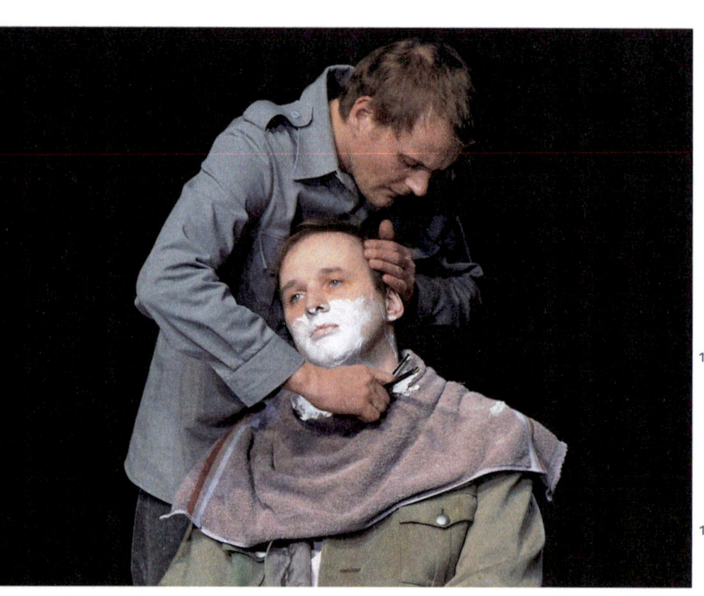

Inszenierung am deutschen Schauspielaus, Hamburg, 2005

Hauptmann auf einem Stuhl, Woyzeck rasiert ihn.
Hauptmann Langsam, Woyzeck, langsam; eins nach dem andern; Er macht mir ganz schwindlig. Was soll ich dann mit den zehn Minuten anfangen, die Er heut zu früh fertig wird? Woyzeck, bedenk' Er, Er hat noch seine schöne dreißig Jahr zu leben, dreißig Jahr! macht 360 Monate, und Tage, Stunden, Minuten! Was will Er denn mit der ungeheuren Zeit all anfangen? Teil er sich ein, Woyzeck.
Woyzeck Ja wohl, Herr Hauptmann.
Hauptmann Es wird mir ganz angst um die Welt, wenn ich an die Ewigkeit denke. Beschäftigung, Woyzeck, Beschäftigung! Ewig das ist ewig, das ist ewig, das siehst du ein; nun ist es aber wieder nicht ewig und das ist ein Augenblick, ja, ein Augenblick – Woyzeck, es schaudert mich, wenn ich denk, dass sich die Welt in einem Tag herumdreht, was'n Zeitverschwendung, wo soll das hinaus? Woyzeck, ich kann kein Mühlrad mehr sehn, oder ich werd melancholisch.
Woyzeck Ja wohl, Herr Hauptmann.

Hauptmann Woyzeck Er sieht immer so verhetzt aus. Ein guter Mensch tut das nicht, ein guter Mensch, der sein gutes Gewissen hat. – Red' Er doch was Woyzeck. Was ist heut für Wetter?

Woyzeck Schlimm, Herr Hauptmann, schlimm; Wind.

Hauptmann Ich spür's schon, 's ist so was Geschwindes draußen; so ein Wind macht mir den Effekt wie eine Maus. (*Pfiffig*) Ich glaub wir haben so was aus Süd-Nord.

Woyzeck Ja wohl, Herr Hauptmann.

Hauptmann Ha! ha! ha! Süd-Nord! Ha! Ha! Ha! O er ist dumm, ganz abscheulich dumm. (*Gerührt*) Woyzeck, Er ist ein guter Mensch, ein guter Mensch – aber (*mit Würde*) Woyzeck, Er hat keine Moral! Moral, das ist wenn man moralisch ist, versteht Er. Es ist ein gutes Wort. Er hat ein Kind, ohne den Segen der Kirche, wie unser hochehrwürdiger Herr Garnisonsprediger sagt, ohne den Segen der Kirche, es ist nicht von mir.

Woyzeck Herr Hauptmann, der liebe Gott wird den armen Wurm nicht drum ansehn, ob das Amen drüber gesagt ist, eh er gemacht wurde. Der Herr sprach: Lasset die Kindlein zu mir kommen.

Hauptmann Was sagt Er da? Was ist das für 'ne kuriose Antwort? Er macht mich ganz konfus mit seiner Antwort. Wenn ich sag: Er, so mein ich Ihn, Ihn.

Woyzeck Wir arme Leut. Sehn Sie, Herr Hauptmann, Geld, Geld. Wer kein Geld hat. Da setz einmal einer seinsgleichen auf die Moral in die Welt. Man hat auch sein Fleisch und Blut. Unseins ist doch einmal unselig in der und der andern Welt, ich glaub wenn wir in Himmel kämen, so müssten wir donnern helfen.

Hauptmann Woyzeck, Er hat keine Tugend, Er ist kein tugendhafter Mensch. Fleisch und Blut? Wenn ich am Fenster lieg, wenn es geregnet hat, und den weißen Strümpfen so nachsehe, wie sie über die Gassen springen – verdammt Woyzeck –, da kommt mir die Liebe. Ich hab auch Fleisch und Blut. Aber Woyzeck, die Tugend, die Tugend! Wie sollte ich dann die Zeit herumbringen? Ich sag mir immer du bist ein tugendhafter Mensch, (*gerührt*) ein guter Mensch, ein guter Mensch.

Woyzeck Ja Herr Hauptmann, die Tugend! ich hab's noch nicht so aus. Sehn Sie wir gemeinen Leut, das hat keine Tugend, es kommt einem nur so die Natur, aber wenn ich ein Herr wär und hätt ein Hut und eine Uhr und eine Anglaise und könnt vornehm reden, ich wollt schon tugendhaft sein. Es muss was Schöns sein um die Tugend, Herr Hauptmann Aber ich bin ein armer Kerl.

Anglaise Gehrock, festlicher Anzug

Hauptmann Gut Woyzeck. Du bist ein guter Mensch, ein guter Mensch. Aber du denkst zu viel, das zehrt, du siehst immer so verhetzt aus. Der Diskurs hat mich ganz angegriffen. Geh jetzt und renn nicht so; langsam, hübsch langsam die Straße hinunter.

1 Untersuchen Sie die Beziehungen der beiden Figuren im Verlauf des Gespräches. Charakterisieren Sie dabei ihre Redeweisen.

2 Arbeiten Sie anhand des Dialoges die unterschiedlichen Vorstellungen heraus, die beide Figuren jeweils mit Natur, Moral und Tugend verbinden. Erläutern Sie diese.

3 ***Lernarrangement***

a) Arbeiten Sie in Kleingruppen und wandeln Sie den Dialog zwischen Woyzeck und dem Hauptmann in eine Spielvorlage für eine Aufführung um.

b) Notieren Sie Einfälle für mögliche Inszenierungskonzepte.

c) Entscheiden Sie sich für ein Inszenierungskonzept und erläutern Sie dieses.

d) Erstellen Sie im Rekurs auf Ihr Inszenierungskonzept einen situativen Rahmen zum Dialog. Kennzeichnen Sie Ort, Zeit und Handlungszusammenhang.

e) Wie stellen Sie sich die Figuren (Erscheinungsbild, Kostüm, Maske, Frisur) vor? Charakterisieren Sie durch Hinzufügung von entsprechenden Regieanweisungen deren Sprech- und Verhaltensweisen sowie deren Mimik und Gestik.

f) Führen Sie Ihre Spielvorlage auf.

[6] Kammer

Marie. Tambourmajor.

Tambourmajor Marie!

Marie (*ihn ansehend, mit Ausdruck*) Geh einmal vor dich hin. – Über die Brust wie ein Stier und ein Bart wie ein Löw. So ist keiner. – Ich bin stolz vor allen Weibern.

Tambourmajor Wenn ich am Sonntag erst den großen Federbusch hab und die weiße Handschuh, Donnerwetter, Marie, der Prinz sagt immer: Mensch, Er ist ein Kerl.

Marie (*spöttisch*) Ach was! (*Tritt vor ihn hin*) Mann!

Tambourmajor Und du bist auch ein Weibsbild, Sapperment, wir wollen eine Zucht von Tambourmajors anlegen. He? (*Er umfasst sie.*)

Marie (*verstimmt*) Lass mich!

Tambourmajor Wild Tier.

Marie (*heftig*) Rühr mich an!

Tambourmajor Sieht dir der Teufel aus den Augen?

Marie Meintwegen. Es ist Alles eins.

[7] Auf der Gasse

Marie. Woyzeck.

Woyzeck (*sieht sie starr an, schüttelt den Kopf*) Hm! Ich seh nichts, ich seh nichts. O, man müsst's sehen: man müsst's greifen können mit Fäusten.

Marie (*verschüchtert*) Was hast du Franz? Du bist hirnwütig, Franz.

Woyzeck Eine Sünde so dick und so breit. Es stinkt, dass man die Engelchen zum Himmel hinaus räuchern könnt. Du hast ein rote Mund, Marie. Kein Blase drauf? Adie, Marie, du bist schön wie die Sünde. – Kann die Todsünde so schön sein?

Marie Franz, du redst im Fieber.

Woyzeck Teufel! – Hat er da gestande, so, so?

Marie Dieweil der Tag lang und die Welt alt ist, könne viel Mensche an eim Platz stehn, einer nach dem andern.

Woyzeck Ich hab ihn gesehn.

Marie Man kann viel sehn, wenn man zwei Augen hat und man nicht blind ist und die Sonn scheint.

Woyzeck Wirst sehn.

Marie (*keck*) Und wenn auch.

1 ***Lernarrangement***

Annäherung an eine literarische Figur: Marie und ich. Tauschen Sie sich in Partnerarbeit aus:

a) Wie sehen Sie Marie? Mit Mitleid? Kopfschütteln? Widerwillen? Wohlwollen? Gleichgültigkeit?

b) Ist Ihnen Marie menschlich nahe gekommen? Wenn ja, in welchen Gedanken, Empfindungen, Haltungen, Verhaltensweisen? Wenn nein: Was blieb Ihnen fremd und unverständlich?

c) Wenn ja, was hätten Sie ihr gerne gesagt? Welchen Rat hätten Sie ihr gegeben? Welche Handlungsmöglichkeiten hätten Sie ihr aufgezeigt? Wenn nein, was hätten Sie ihr gerne gesagt? Worin sehen Sie ihre Verantwortlichkeit für die Situation?

d) Was ist Marie für Sie? Ein Gefühlsmensch? Eine Hure? Eine fürsorgliche Mutter? Eine emanzipierte Frau? Ein eitler Mensch? Eine gewissenlose Person?

e) Wählen Sie einen der folgenden Schreibansätze: **I.**: Verfassen Sie eine Stellungnahme und beginnen Sie folgendermaßen: „Marie ist für mich ..." **II.**: Stellen Sie Marie Fragen, auf die Sie gerne eine Antwort bekommen würden, z. B.: Warum hast du Woyzeck betrogen? Was wolltest du mit der Verhaftung des Bürgermeisters erreichen?

f) Vergleichen Sie Ihr Frauenbild von Marie mit dem Rollenbild, das Lessing von Emilia in seinem Drama entwickelt. Folgende Kriterien könnten Ihre vergleichende Analyse leiten: Alter, sozialer Status, Sprache, Moral, Verhaltensweisen.

[8] Beim Doktor

Woyzeck. Der Doktor

Doktor Was erleb ich, Woyzeck? Ein Mann von Wort.

Woyzeck Was denn Herr Doktor?

Doktor Ich hab's gesehn Woyzeck; Er hat auf die Straß gepisst, an die Wand gepisst wie ein Hund. Und doch zwei Groschen täglich. Woyzeck das ist schlecht. Die Welt wird schlecht, sehr schlecht.

Woyzeck Aber Herr Doktor, wenn einem die Natur kommt.

Doktor Die Natur kommt, die Natur kommt! Die Natur! Hab ich nicht nachgewiesen, dass der musculus constrictor vesicae dem Willen unterworfen ist? Die Natur! Woyzeck, der Mensch ist frei in dem Menschen verklärt sich die Individualität zur Freiheit. Den Harn nicht halten können! (*Schüttelt den Kopf, legt die Hände auf den Rücken und geht auf und ab*) Hat Er schon seine Erbsen gegessen, Woyzeck? – Es gibt eine Revolution in der Wissenschaft, ich sprenge sie in die Luft. Harnstoff, 0,10, salzsaures Ammonium, Hyperoxydul. Woyzeck muss Er nicht wieder pissen? Geh Er einmal hinein und probier Er's.

Woyzeck Ich kann nit Herr Doktor.

Doktor (*mit Affekt*) Aber auf die Wand pissen! Ich hab's schriftlich, den Akkord in der Hand. Ich hab's gesehn, mit diesen Augen gesehn, ich streckte gerade die Nase zum Fenster hinaus und ließ die Sonnenstrahlen hinein fallen, um das Niesen zu beobachten. (*Tritt auf ihn los.*) Nein Woyzeck, ich ärgere mich nicht, Ärger ist ungesund, ist unwissenschaftlich. Ich bin ruhig, ganz ruhig, mein Puls hat seine gewöhnlichen 60 und ich sag's Ihm mit der größten Kaltblütigkeit! Behüte wer wird sich über einen Menschen ärgern, einen Menschen! Wenn es noch ein Proteus wäre, der einem krepiert! Aber Er hätte doch nicht an die Wand pissen sollen –

Proteus Eidechse

Woyzeck Sehn Sie Herr Doktor, manchmal hat man so 'nen Charakter, so 'ne Struktur. – Aber mit der Natur ist's was andres, sehn Sie, mit der Natur, (*er kracht mit den Fingern*) das ist so was, wie soll ich doch sagen, zum Beispiel –

Doktor Woyzeck, Er philosophiert wieder.

Woyzeck (*vertraulich*) Herr Doktor habe Sie schon was von der doppelten Natur gesehn? Wenn die Sonn in Mittag steht und es ist als ging die Welt im Feuer auf, hat schon eine fürchterliche Stimme zu mir geredt!

Doktor Woyzeck, Er hat eine aberratio.

Woyzeck (*legt den Finger an die Nase*) Die Schwämme Herr Doktor. Da, da steckts. Haben Sie schon gesehn in was für Figuren die Schwämme auf dem Boden wachsen? Wer das lesen könnt.

Doktor Woyzeck Er hat die schönste aberration mentalis partialis, zweite Spezies, sehr schön ausgeprägt, Woyzeck. Er kriegt Zulage. Zweite Spezies, fixe Idee, mit allgemein vernünftigem Zustand, Er tut noch alles wie sonst, rasiert sein Hauptmann?

Woyzeck Ja wohl.

Doktor Isst sei Erbse?

Menage Verpflegung der Soldaten

Woyzeck Immer ordentlich Herr Doktor. Das Geld für die Menage kriegt die Frau.

Doktor Tut sei Dienst?

Woyzeck Ja wohl.

Doktor Er ist ein interessanter Kasus, Subjekt Woyzeck Er kriegt Zulag. Halt er sich brav. Zeig er seinen Puls! Ja.

1 Welches Bild vom Wissenschaftler und seiner Praxis zeichnet Büchner in dieser Szene? Wie spricht der Doktor? Welches Wissenschaftsverständnis zeigt er und wie geht er mit Woyzeck um?

2 Stellen Sie Bezüge zur zeitgenössischen Forschungspraxis her.

3 Überprüfen Sie, ob das Szenenfoto Ihren Vorstellungen entspricht, die Sie nach Ihrer Lektüre von *Woyzeck* und dem Doktor und ihren Beziehungen zueinander gewonnen haben.

Die Figurenkonstellation erkennen

Der Protagonist Woyzeck wird in seinem Verhalten und in seiner Persönlichkeitsentwicklung von seiner sozialen Umgebung geprägt und reagiert auf sie.

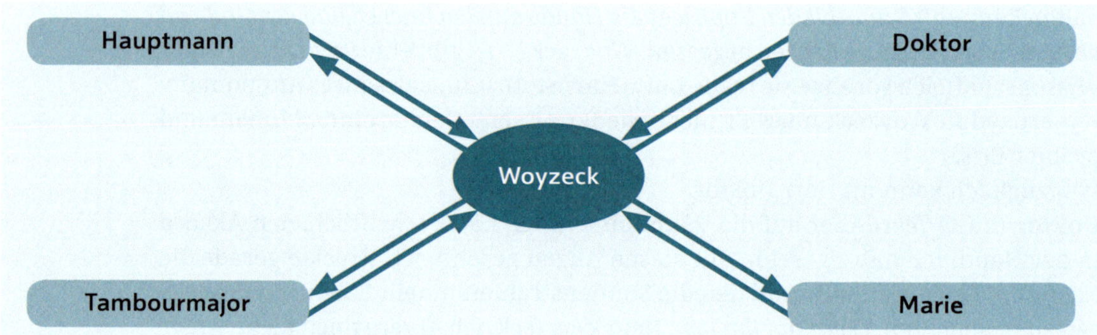

4 Kennzeichnen Sie mit Stichworten an den jeweiligen Pfeilen, in welchem Verhältnis die Figuren zu Woyzeck stehen.

5 Welche Beziehungen gibt es zwischen den um Woyzeck gruppierten Figuren? Skizzieren Sie diese in Stichworten.

6 Inwiefern halten Sie es für zutreffend, Woyzeck als Mittelpunktfigur zu bezeichnen?

Ein szenisches Konzept erstellen

[20] Marie und Woyzeck

Inszenierung am Volkstheater Wien, 2013

Marie Also dort hinaus ist die Stadt, ‘s ist finster.
Woyzeck Du sollst noch bleiben. Komm setz dich.
Marie Aber ich muss fort.
Woyzeck Du würdst dir die Füße nicht wund laufen.
Marie Wie bist du denn auch!
Woyzeck Weißt du auch wie lang es jetzt ist Marie?
Marie Um Pfingsten zwei Jahr.
Woyzeck Weißt du auch wie lang es noch sein wird?
Marie Ich muss fort, der Nachttau fällt.
Woyzeck Friert‘s dich, Marie, und doch bist du warm. Was du heiße Lippen hast! – heiß, heißn Hurenatem und doch möcht ich den Himmel gebe sie noch einmal zu küsse – und wenn man kalt ist, so friert man nicht mehr. Du wirst vom Morgentau nicht frieren.
Marie Was sagst du?
Woyzeck Nix. (*Schweigen*)
Marie Was der Mond rot aufgeht.
Woyzeck Wie ein blutig Eisen.
Marie Was hast du vor? Franz, du bist so blass. Franz halt. Um des Himmels willen, Hü- Hülfe!
Woyzeck Nimm das, und das! Kannst du nicht sterbe? So! so! Ha sie zuckt noch, noch nicht noch nicht? Immer noch? (*Stößt zu*) Bist du tot? Tot! Tot! *(Es kommen Leute, läuft weg.)*

1 ***Lernarrangement***

a) Ist Woyzeck Täter oder Opfer? Diskutieren Sie über die Schuld des Protagonisten. Bereiten Sie in Gruppenarbeit das Konzept für eine Gerichtsverhandlung vor.

b) Versetzen Sie sich in eine der folgenden Rollen: die des Richters, Staatsanwalts, Verteidigers, Gutachters, Angeklagten und der geladenen Zeugen (Hauptmann, Doktor, Tambourmajor, Margreth). Formulieren Sie stichwortartig mögliche Aussagen der Figuren in der Verhandlung.

E

Die Form des Dramas bestimmen

Georg Büchner hat mit seinem Fragment *Woyzeck* neue dramaturgische Formen geschaffen, die Tendenzen des modernen Theaters im 20. Jahrhundert vorwegnehmen.

1 Wählen Sie eine der Bemerkungen zur Form des *Woyzeck* aus und erläutern Sie die Aussage. Belegen Sie Ihre Erklärungen am Text.

Die dramatischen Figuren können sich aus diesem monologisch strukturierten Sprachmaterial nicht lösen. Ihr Gespräch bleibt ein ständiges Bemühen um Dialog, wenn nicht gar völliger Verzicht darauf. Wo entgegengesetzte Positionen spurweise aufgebaut sind, erscheint der eine Rollenpart zugleich verkürzt und die Führung allein dem anderen übertragen, sodass auch hier nur kurze Takte, Interjektionen, die Rede unterbrechen. *(Helmut Krapp, 1958)*

Die äußere Handlung drängt über die Grenzen, die durch Anfang und Ende des Dramas gegeben sind, hinweg. Das Geschehen setzt unvermittelt ein, und es bricht unvermittelt ab. Innerhalb dieser Scheingrenzen verläuft es nicht kontinuierlich schlüssig, sondern punktuell interruptiv, nicht einer Entwicklung folgend, sondern Gleichwertiges reihend. *(Volker Klotz, 1969)*

Die verschiedenen Personen, aus deren Konfrontation mit Woyzeck die diversen Szenen hervorgehen, sind nach gesellschaftstheoretischen Gesichtspunkten entworfen, wodurch es Büchner vermeidet, bloß allgemeine und ewig-menschliche Interaktionsgruppen herzustellen. Die soziologische Strukturierung des Dramenpersonals ermöglicht Büchner die Wiedergabe von gesellschaftlicher Totalität: die Personen repräsentieren die wesentlichen sozialen Phänomene – ihr Ensemble baut den sozialen Raum auf. *(Albert Meier, 1980)*

Der Mangel an Einheit der Zeit bedingt auch den Mangel an Einheit des Raumes oder umgekehrt. Aber was von der Zeitbehandlung im „Woyzeck" nicht gesagt werden konnte, dass Zeit nämlich zum aktiven Part werde, gilt für den Raum. Er ist Mitspieler, ja sogar häufig Gegenspieler. Die Szenen im „Woyzeck" spielen nicht an einem einzigen neutralen Ort, wie ihn das klassische, geschlossene Drama kennt, vielmehr wechseln die einzelnen Szenen zwischen engen und weiten Räumen, wobei die Räume, im Nebentext benannt oder im Sprechen der auftretenden Personen evoziert, immer eine eigene Atmosphäre gewinnen. *(Wilhelm Große, 1988)*

Die Handlung des „Woyzeck"-Fragments ist final, aber final nicht in einem logisch-deduktiven Sinn (wie die aristotelische Tragödie, etwa im „König Ödipus"); die Finalität des „Woyzeck" hat vielmehr einen sprunghaften Charakter, wird durchquert von Rissen, durchkreuzt von irrationalen Brüchen. *(Alfons Glück, 1990)*

War schon die Stoffwahl revolutionär, so gilt dies erst recht für den Verzicht auf die übliche hohe Tragödiensprache [...]. Die Dichtungssprache ist geprägt von einem „Ideal der Einfachheit." *(Jan-Christoph Hauschild, 1993)*

2 Beschreiben und erläutern Sie anhand der Kategorien *Handlung, Raum, Redeformen* und *Sprachgestaltung* die dramatische Form des *Woyzeck*. Greifen Sie dabei auf die Zitate zurück.

Klausurtraining

Materialgestütztes Schreiben – informierend

Aufgabenstellung

Sie sind Schüler des Georg-Büchner-Gymnasiums und Mitglied der Theater-AG Ihrer Schule. Die Theater-AG nimmt an einem Treffen für Schultheater teil, bei dem Seminare stattfinden und bei dem Theaterstücke aufgeführt werden sollen. Ihre Theater-AG will das Drama *Woyzeck* von Georg Büchner zur Aufführung bringen. Die Inszenierung zeichnet sich dadurch aus, dass sie versucht, Büchners Drama mit aktuellen Fragestellungen in Verbindung zu bringen.

Zur Vorbereitung des Treffens sollen sich alle teilnehmenden Gruppen auf einer Webseite vorstellen. Verfassen Sie einen Text für diese Webseite. Nutzen Sie dafür die Materialien 1 bis 7. Sie können auch weitere Kenntnisse aus dem Unterricht nutzen.

Ihr Text soll ...

- die Existenz und die Arbeit der Theater-AG Ihrer Schule erwähnen;
- über Georg Büchner als Autor informieren;
- über das Drama *Woyzeck* informieren;
- zu Ihrer Aufführung mit Bezug zu aktuellen Fragestellungen von *Woyzeck* einladen.

Material 1 (157 Worte)

Michael Laages

Woyzeck quält der Wahnsinn aus dem Schützengraben (2014)

Von PTBS, dem „posttraumatischen Belastungssyndrom“, war noch lange nicht die Rede, als Georg Büchner kurz vor dem Tod mit 24 Jahren „Woyzeck“ hinterließ [...]. Wer es aufführt, erfindet es ohnehin immer wie neu – Leander Haußmann [...] sucht in der Geschichte der geschundenen Kreatur, die praktisch willenlos zum Mörder wird, das Psychogramm des gedrillten Soldaten. Als ob er leiden würde am PTBS – diese Mensch-Maschine tötet und kann wohl gar nicht anders. Im Gleichschritt, marsch! – fast drei Dutzend Statisten (und auch Statistinnen!), uniformiert in handelsüblicher Militär-Camouflage, drehen Runde um Runde auf der Drehbühne, um den Gruppendruck durchgängig aufrechtzuerhalten auf Woyzeck, dieses ziemlich haltlose Individuum. [...]
[S]chlicht, aber komplex und überzeugend ist die Grundidee, die [Leander Haußmann] der Ballade vom traurigen Mörder überstülpt – diese Inszenierung kommt einigen der ewigen Rätsel in Büchners sperrigem Klassiker ernstlich auf die Spur. Auch dank PTBS – all die Stimmen, die Woyzeck hört, überweltlich und untergründig, all die Albträumereien, die ihn plagen, könnten die des Heimkehrers sein [...].

Material 2 (95 Worte)

www.lumalo.de

Die Sprache des Stückes (2015)

Auffällig ist, dass sich die verschiedenen sozialen Schichten unter anderem durch eine unterschiedliche Sprache unterscheiden. Man spricht dabei vom sogenannten Soziolekt.
Der Hauptmann und der Doktor benutzen die Sprache als Mittel, um Woyzeck Befehle zu erteilen und sich über ihn zu belustigen. Während der Doktor sich vor allem durch medizinische Fachbegriffe kennzeichnet, versteckt sich der Hauptmann eher hinter leeren Worthülsen. Die Personen der niedrigeren Schichten, allen voran Woyzeck und Marie, kennzeichnen sich in ihrem Sprachgebrauch durch einen beschränkten Wortschatz, kurze unvollständige Sätze und Verstummen. Diese drei Merkmale deuten gleichzeitig auf ihre niedrige soziale Schicht hin.

Material 3 (233 Worte)

Jan J. Bakker

Das historische Vorbild für die Figur des Woyzeck (2016)

Historisches Vorbild für Georg Büchners *Woyzeck* ist der am 3. Januar 1780 in Leipzig als Sohn eines Perückenmachers geborene Johann Christian Woyzeck. Aus Eifersucht ersticht er am 2. Juni 1821 seine gelegentliche Geliebte, die 46-jährige Witwe Christiane Woost in Leipzig.
Im Alter von 13 Jahren beginnt er eine Lehre im väterlichen Gewerbe. Danach zieht er als wandernder Geselle durch Deutschland, ohne feste Arbeit zu finden. Während der napoleonischen Kriege verpflichtet er sich als Soldat für insgesamt zwölf Jahre. Eine Geliebte, mit der er in dieser Zeit ein Kind hat, betrügt ihn in seiner Abwesenheit mit anderen Soldaten. Bedingt durch Eifersucht, auch durch depressive Schübe und Alkoholismus verändert sich seine psychische Situation.
1818, nach seiner Rückkehr nach Leipzig, geht er ein Verhältnis mit der Witwe Christiane Woost ein. Da sie sich weigert, ihren Umgang mit anderen Soldaten in der Stadt einzustellen, kommt es wiederum zu heftigen Eifersuchtsszenen. Mehrfach misshandelt Woyzeck sie, aber er hat auch weiterhin sexuellen Kontakt mit ihr. Auslöser der Tat sind eine nicht eingehaltene Verabredung und die anschließende Zurückweisung Woyzecks.
Am Nachmittag des Mordtages besorgt er sich als Mordwaffe eine abgebrochene Degenklinge und befestigt einen Griff daran. Nach der Tat lässt er sich widerstandslos festnehmen. In einem gerichtsärztlichen Gutachten wird festgestellt, dass Woyzeck „Kennzeichen moralischer Verwilderung“ zeige, dass er aber keine Geistesstörungen aufweise. Am 27. August 1824 wird J.C. Woyzeck auf dem Marktplatz in Leipzig mit einem Schwert hingerichtet.

Material 4

Leidet unter posttraumatischem Belastungssyndrom: Peter Miklusz als Woyzeck in der Inszenierung von Leander Haußmann am Berliner Ensemble (2014)

Material 5 (468 Worte)

Anne Steiner

Georg Büchner – Leben und Werk (2014)

Georg Büchner wird am 17. Oktober 1813 in Goddelau (Hessen) geboren. Er ist das erste von insgesamt acht Kindern […] des Chirurgen Ernst Büchner […] und seiner Frau Caroline Büchner […]. 1816 zieht die Familie nach Darmstadt, der Residenzstadt des Großherzogtums Hessen-Darmstadt. […] Der Familientradition und dem Wunsch seines Vaters folgend beginnt Büchner nach Abschluss seiner Schulausbildung 1831 ein Medizinstudium in Straßburg. Er findet Unterkunft bei der Familie des Pfarrers und Dichters Johann Jakob Jaeglé, einem Verwandten mütterlicherseits, der für sozialen und demokratischen Fortschritt eintritt, und verliebt sich in dessen Tochter Wilhelmine, mit der er sich 1832 heimlich verlobt. In Straßburg lernt Büchner das politische und intellektuelle Leben in einem der Zentren Europas kennen […]. Eine große Zahl von Flüchtlingen aus dem europäischen Ausland, […] die in ihrer Heimat aus politischen Gründen verfolgt werden, die für Freiheit und Demokratie kämpfen […], findet in Straßburg Asyl […]. Die Situation in Straßburg lässt Büchner nicht unberührt, in Diskussionen mit Studienfreunden äußert er sich kritisch zur bestehenden Staatsform und entwickelt ein ausgesprochen freiheitlich-republikanisches Bewusstsein […].

Zum Wintersemester 1833 schreibt sich Büchner an der hessischen Landesuniversität Gießen ein. [A]ls Untertan des hessischen Großherzogs ist Büchner verpflichtet, sein Studium in Hessen zu beenden. Nur widerwillig tauscht er die fortschrittliche Atmosphäre Straßburgs gegen die feudalistische Enge des Großherzogtums ein.

➡

In Gießen erkrankt er an einer Hirnhautentzündung, die ihn zu einer mehrwöchigen Unterbrechung seines Studiums zwingt und eine kurzfristige Rückkehr ins Elternhaus erfordert. Zurück in Gießen leidet er immer wieder an Depressionen. Die kleinbürgerliche Enge der herzoglichen Universitätsstadt, die soziale Not der hessischen Bauern und die Starre und Ungerechtigkeit der feudalistischen Gesellschaftsstrukturen erbittern ihn, lassen ihn aber auch zum politischen Revolutionär werden, der für Freiheit und Gleichheit aller und gegen die materielle und politische Unterdrückung der niederen Stände kämpft. 1834 gründet Büchner die revolutionäre Geheimorganisation „Gesellschaft der Menschenrechte“, um die reaktionären Verhältnisse in Hessen zu ändern [...]. Im selben Jahr lernt er den Theologen und Lehrer Friedrich Ludwig Weidig kennen, mit dem er den Hessischen Landboten, eine politische Flugschrift zur revolutionären Agitation der hessischen Bauern und Handwerker, verfasst. Als Freunde Büchners bei dem Versuch, den Landboten in Umlauf zu bringen, verhaftet werden, gerät auch Büchner unter Verdacht [...]. Da [...] Büchner [...] schließlich steckbrieflich gesucht wird, flieht er 1835 vor der drohenden Verhaftung nach Straßburg. [...]
Um zukünftig seinen Lebensunterhalt sichern zu können, beginnt er ein naturwissenschaftliches Studium [...]. 1836 wird seine Dissertation angenommen, er hat Aussicht auf eine dreijährige Dozentur an der neu gegründeten Universität Zürich und arbeitet an seiner Probevorlesung. Im Sommer 1836 [...] beginnt er mit der Arbeit am Drama Woyzeck, das er jedoch zu Lebzeiten nicht mehr abschließen kann. Im Oktober 1836 zieht Büchner nach Zürich und wird nach einer Probevorlesung in die philosophische Fakultät aufgenommen. Während der Vorbereitungen auf seine Lehrtätigkeit erkrankt er im Januar 1837 an Typhus, am 19. Februar 1837 stirbt er im Alter von nur 23 Jahren an der schweren Krankheit.

Material 6 (391 Worte)

Jan J. Bakker

Inhalt des Dramas Woyzeck (2016)

Georg Büchner hat das Drama *Woyzeck* unvollendet hinterlassen und es wurde erst 1879 in einer überarbeiteten Fassung veröffentlicht. Im Mittelpunkt des Stückes steht der Soldat Franz Woyzeck, der einen Mord begeht. Vorher wird er von seinen Vorgesetzten gequält und ausgenutzt und seine Geliebte betrügt ihn.
Woyzeck ist ein einfacher Soldat, der mit ehrlicher Arbeit versucht, den Lebensunterhalt für sich und seine Freundin und Geliebte Marie zu bestreiten. Beide haben ein uneheliches Kind miteinander. Da seine intellektuellen Kapazitäten nicht sehr ausgeprägt sind, dient er einem Hauptmann als Laufbursche. Dieser nutzt ihn schamlos aus und lässt keine Gelegenheit aus, ihn zu beschimpfen und zu demütigen. Woyzeck wehrt sich nicht und reagiert nicht auf Provokationen.
Bei einem Spaziergang begegnet Marie in der Stadt einem Tambourmajor. Dieser fungiert als Trommler bei einer Militärparade und versucht, Marie zu beeindrucken. Er hat ein Auge auf sie geworfen und bemüht sich, sie mit kleinen Geschenken zu beeindrucken. Woyzeck vermutet bereits, dass Marie ihn betrügt.
Woyzeck lässt sich zudem auf das Angebot eines skrupellosen Arztes ein, um mit dem zusätzlich verdienten Geld Marie besser an sich binden zu können. Bei dem vorgeblich medizinischen Experiment geht es darum, die Wirkung von Diät-Ernährung zu testen. Dabei muss Woyzeck ausschließlich Erbsen essen.
Marie erliegt den Avancen des Tambourmajors und lässt sich auf eine Affäre mit ihm ein. Immer unverschämter und mitleidloser setzen der Hauptmann und der

Arzt den Soldaten Woyzeck körperlichen und seelischen Strapazen aus, vor allem betreiben sie seine Bloßstellung in der Öffentlichkeit. Er ist auf die Beziehung zwischen Marie und dem Major aufmerksam geworden und seine Eifersucht wächst. Mitmenschen machen sich über ihn lustig und stacheln seine Eifersucht weiter an.
Schließlich sieht Woyzeck Marie und den Major beim Tanzen im Wirtshaus. Die einseitige Ernährung und die psychischen Belastungen haben ihn geschwächt und durcheinander gebracht. Er meint, Stimmen zu hören, die ihm befehlen, Marie zu erstechen. So kauft er sich ein Messer und überredet Marie zu einem Spaziergang in den Wald, wo er ihr noch einmal seine Liebe offenbart und sie dann ersticht. Panisch eilt er zurück ins Dorf und geht in das Wirtshaus. Dort tanzt und trinkt er. Gäste entdecken Blutspuren an seiner Kleidung. Dann fällt ihm ein, dass er das Mordmesser am Tatort vergessen hat. Er eilt zurück, um es in einem nahegelegenen Teich zu versenken. Dabei ertrinkt er im kalten Wasser. Am nächsten Tag wird Maries Leiche gefunden.

Material 7 (304 Worte)

Anne Steiner

Editionsgeschichte von Woyzeck (2014)

Büchner begann im Spätsommer 1836 in Straßburg mit der Arbeit an seinem Drama, konnte es aber zu Lebzeiten nicht mehr fertigstellen, sodass er Woyzeck nicht als vollständiges Werk, sondern nur als Fragment hinterließ. Dieses Fragment bestand aus 4 Handschriften, die sich in den in ihnen jeweils enthaltenen Szenen und der jeweiligen Szenenabfolge unterschieden. Es lagen insgesamt 31 Szenen in diesen Entwurfsfassungen vor, deren geplante Anordnung und Reihenfolge nicht erkennbar war – es fehlten Seitenzahlen und eine Nummerierung der vorliegenden Szenen.
Als Ludwig Büchner 1850 eine erste Gesamtausgabe der Schriften seines Bruders unter dem Titel Nachgelassene Schriften herausgab, nahm er Woyzeck nicht nur seines fragmentarischen Charakters wegen nicht auf, sondern auch, weil er Schwierigkeiten gehabt hatte, die Textfragmente zu entziffern, da die Tinte des Manuskripts sehr stark verblasst war.
Mit einer chemischen Behandlung gelang es dem österreichischen Schriftsteller Karl Emil Franzos jedoch, das Manuskript wieder lesbar zu machen. 1879 veröffentlichte er das Fragment unter dem Titel Wozzeck, allerdings in einer stark überarbeiteten Fassung. Er traf dabei auch die Entscheidung, das Stück mit der Rasierszene zu beginnen, nicht mit der Szene „Freies Feld“. Manche Ausgaben, die danach erschienen, halten sich an diese Einteilung, andere orientieren sich eher an der Reihenfolge der letzten Handschriftenfassungen Büchners, weil sie darin eher den Willen des Autors zu erkennen meinen. Bis heute gibt es daher verschiedene Lese- und Bühnenfassungen des Stückes.
Der Ausgabe von Karl Emil Franzos von 1879 ist es zu verdanken, dass Büchners Woyzeck einem größeren Publikum bekannt wurde, das den Realismus des Textes bewunderte, der sich ihm in der schonungslosen Darstellung sozialer und psychischer Störungen manifestierte.
Auf die Bühne gebracht wurde das Stück jedoch erst 1913, dem Jahr, in dem der 100. Geburtstag Büchners gefeiert wurde. Im Münchner Residenztheater kam es zur Uraufführung und wurde von Publikum und Kritik gefeiert. Seitdem gehört Woyzeck zum Standardrepertoire im In- und Ausland.

So gehen Sie vor:

Aus der Aufgabenstellung geht hervor, dass Sie den Text für eine Webseite verfassen sollen. Im engeren Sinne sind die Adressaten dieses Netzauftritts die anderen Teilnehmer des Theater-AG-Treffens, also Schülerinnen und Schüler in Ihrem Alter, aber auch deren AG-Leiter, bzw. Lehrer. Im weiteren Sinne ist Ihr Text der Netzöffentlichkeit zugänglich: Sie repräsentieren also nicht nur die Theater AG, sondern auch Ihre gesamte Schule. Insofern wird deutlich, dass Sie eine gehobene, niveauvolle Sprache benutzen sollten.

Als erster Schritt Ihrer Erarbeitung bietet sich an, die vorliegenden sieben Materialien zur Kenntnis zu nehmen und sie ihrem Charakter und ihrer Bedeutung gemäß zu sortieren.

Schritt 1: Kenntnisnahme der sieben Materialien: Textverständnis, Textsorte und Bedeutung
Schritt 2: Erstellung einer Struktur Ihres Textes: Reihenfolge und Gewichtung
Schritt 3: Verfassen des Textes

Schritt 1

Nehmen Sie die sieben Materialien aufmerksam zur Kenntnis. Stellen Sie sicher, dass Sie alle Sachverhalte, Fachausdrücke und Umstände richtig verstehen. Dies gilt zum Beispiel für PTBS (Material 1), Soziolekt (Material 2), Fragmentcharakter (Material 7) und Standardrepertoire (Material 7).

Weiterhin werden Sie feststellen, dass es sich bei den sechs linearen Texten um pragmatische handelt, nicht um literarische. Material 1 und Material 4 gehören zusammen, insofern sie sich auf die Inszenierung von Leander Haußmann beziehen. Hier wird also rezensiert bzw. kommentiert, während die anderen fünf Texte eher lexikalisch dokumentieren und informieren. An dieser Stelle Ihrer Vorbereitung können sie als Memo notieren, dass Sie beim Verfassen Ihres Textes darauf achten müssen, nicht in eine informationslastige Darstellungsform und in einen entsprechend trockenen Stil zu verfallen.

Material 5 befasst sich mit dem Autor Georg Büchner. Material 2, Material 3 und Material 6 beschäftigen sich mit dem Theaterstück *Woyzeck*. Material 7 beleuchtet die Editionsgeschichte des Dramas.

Schritt 2

Hier geht es um die Struktur Ihres Textes. Bei Ihren Überlegungen hierfür sollten Sie sich vollständig von der Reihenfolge lösen, in der Ihnen die sieben Materialien dargeboten werden. Lassen Sie sich einzig und allein von Ihrem Sachverstand und Ihrer Kreativität leiten. Folgende Fragen sollten Sie der Reihe nach beantworten:

(1) Welche gedankliche Struktur soll meinem Text zugrunde liegen?
(2) Welchen Umfang soll der Text haben und wie viel Raum wird für die Darstellung der verschiedenen Themen benötigt?
(3) Welche Texte können an welcher Stelle für diese Struktur nutzbar gemacht werden?

Zur ersten Frage: Hier können ganz unterschiedliche Abfolgen gewählt werden. Wichtig ist, dass die vier Spiegelpunkte der Aufgabenstellung behandelt werden. Die dort gewählte Abfolge ist mit Sicherheit ein brauchbares Konzept für Ihre Struktur: Sie beginnen mit dem Hinweis auf Ihre Theater-AG, informieren dann über den Schriftsteller Georg Büchner, wobei Sie auch den Zusammenhang mit dem Namen Ihrer Schule herstellen können. Anschließend wenden Sie sich dem Drama zu, um zum Schluss Ihre Aufführung des Schauspiels *Woyzeck* zu erläutern und dazu einzuladen.

Zur zweiten Frage: Folgende Festlegungen bieten sich an, wobei hier von einer Gesamtschreibleistung von 1000 Wörtern ausgegangen wird: Die Vorstellung Ihrer Theater-AG erfolgt recht kurz. Materialien dafür sind nicht vorgegeben und insofern dürften rund 50 (5 %) Wörter reichen. Für den Schriftsteller Büchner könnten rund 300 bis 350 Wörter (30 bis 35 %) veranschlagt werden. Für das Stück selbst sollten 350 bis 400 Wörter (35 bis 40 %) reichen. Für das Thema Aufführung blieben dann etwa 250 Wörter (25 %). Diese Zuweisungen sollen nur eine ungefähre Orientierung geben. Auch besteht die Möglichkeit, die letzten beiden Punkte integriert darzustellen.

Zur dritten Frage: Für Spiegelpunkt eins der Aufgabenstellung gibt es keine vorgegebenen Materialien. Für Spiegelpunkt zwei bieten sich Material 5 und Material 7 an. Für Spiegelpunkt drei eignen sich Material 2, 3, 6 und 7. Für den letzten Spiegelpunkt können Material 1, 4 und 7 genutzt werden.

Schritt 3

Vor dem Verfassen Ihres Textes sollten Sie festlegen, welche Textinformationen Ihnen so detailliert zu sein scheinen, dass sie besser nicht in Ihrem Text auftauchen sollten. Diese sollten Sie in den Materialien als „gestrichen“ markieren. Eine ganze Reihe von sehr konkreten Angaben in Material 5 fällt mit Sicherheit unter diese Kategorie. Andere detailreiche Passagen, die aber wichtige Informationen enthalten, könnten Sie am Rand mit dem Hinweis „zusammenfassen“ markieren.

Als Nächstes sollten Sie für die vier Hauptpunkte Ihres Textes Stichworte formulieren, die dazu dienen, die Reihenfolge der Darstellung dieses Abschnitts festzulegen. Zur besseren Orientierung können Sie hinter den Stichwörtern notieren, in welchem Material und in welcher Zeile sie dort wiederzufinden sind.

Danach könnten Sie Gedanken formulieren, wie Sie die jeweiligen Übergänge zwischen den vier Hauptpunkten gestalten wollen. Als Letztes notieren Sie Stichworte für den Einstieg in den gesamten Text und für sein Ende, das immerhin eine schwungvolle und motivierende Aufforderung zum Besuch Ihrer Aufführung von *Woyzeck* enthalten soll.

Hinweise zur inhaltlichen Gestaltung:

In der einleitenden Passage legen Sie kurz dar, wie viele Schülerinnen und Schüler in Ihrer Theater-AG mitarbeiten, wie lange es sie schon gibt, wie viele Projekte Sie in einem Jahr realisieren und welche Stücke Sie bereits auf die Bühne gebracht haben. Im Hauptpunkt zu Georg Büchner sollten Sie sich nicht in Details verlieren und seine biografischen Daten nicht „herunterbeten“. Sie könnten vor allem auf die Tragik seines kurzen Lebens eingehen, seinen Mut hervorheben, seine Doppelrolle als politischer Mensch und als Schriftsteller betonen, die radikale Fortschrittlichkeit seiner Überzeugungen betonen („Friede den Hütten! Krieg den Palästen!“) und die unausgesprochene Verpflichtung erwähnen, die sich daraus ergibt, dass Ihre Schule sich Georg-Büchner-Gymnasium genannt hat.

Bei dem Hauptpunkt über das Drama selbst sollten Sie einerseits beachten, dass es als Standardrepertoire sicherlich nicht unbekannt sein dürfte, aber andererseits liegt es schon nahe, Inhalt, Sprache und Editionsgeschichte angemessen wiederzugeben. Als Übergang zum letzten Hauptpunkt bietet sich an, auf die Unvollendetheit und den Fragmentcharakter des Stückes hinzuweisen, weil sich daraus ergibt, dass bei einer Inszenierung sehr grundlegende Fragen beantwortet werden müssen, zum Beispiel die Reihenfolge der Szenen.

Im letzten Hauptpunkt können Sie sich der Idee zuwenden, die Leander Haußmann verwendet hat (PTBS), oder Sie können eine eigene Vorstellung entwickeln. Es würde passen, die zeitlose Aussage des Dramas zu betonen und darauf hinzuweisen, welche anthropologischen Konstante hier angesprochen werden.

E

Bertolt Brecht (1898–1956), deutscher Dramatiker (vgl. S. 327)

Brechts episches Theater

Sich mit Brechts Dramentheorie und Theaterkonzeption auseinandersetzen

Nach dem Zweiten Weltkrieg hat Bertolt Brecht die *Antigone*, die von Sophokles (496–406 v. Chr.) geschriebene und von Friedrich Hölderlin (1770–1843) ins Deutsche übersetzte Tragödie, für das Theater bearbeitet. Er stellte dieser Bearbeitung später den folgenden Prolog voran, dem Sie erste Hinweise auf sein nicht-aristotelisches Theater entnehmen können.

Inszenierung am Thalia-Theater, Hamburg, 2011

Bertolt Brecht

Prolog zu „Antigone" (1951)

Die *Antigone* des Sophokles wurde ca. 442 v. Chr. uraufgeführt. Das Stück wurde mehrmals, u. a. Ende 1947, von Brecht bearbeitet und 1948 in Chur uraufgeführt.

Auf die Bühne treten die Darsteller der Antigone, des Kreon und des Sehers Tiresias. Zwischen den beiden anderen stehend, wendet sich der Darsteller des Tiresias an die Zuschauer:

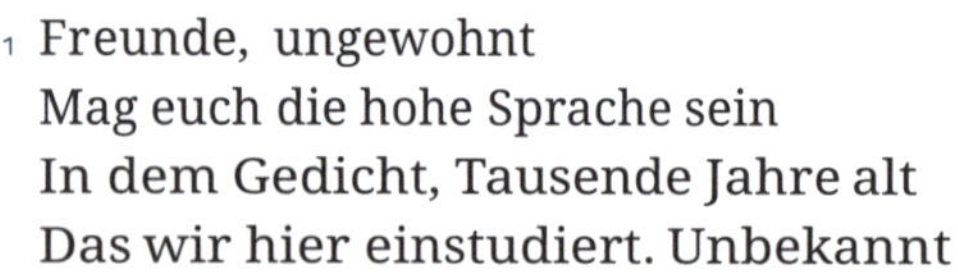

Freunde, ungewohnt
Mag euch die hohe Sprache sein
In dem Gedicht, Tausende Jahre alt
Das wir hier einstudiert. Unbekannt

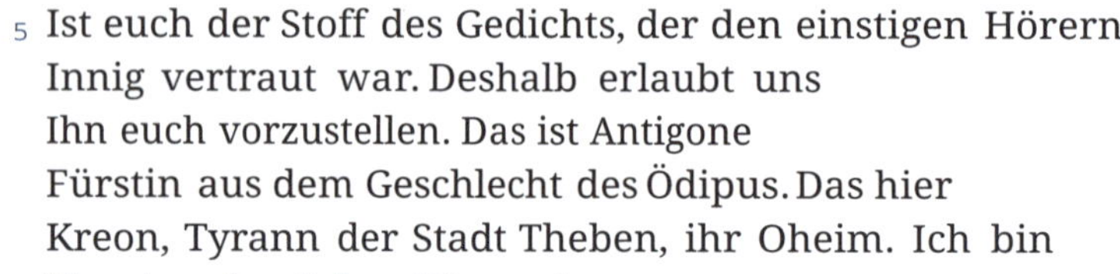

Ist euch der Stoff des Gedichts, der den einstigen Hörern
Innig vertraut war. Deshalb erlaubt uns
Ihn euch vorzustellen. Das ist Antigone
Fürstin aus dem Geschlecht des Ödipus. Das hier
Kreon, Tyrann der Stadt Theben, ihr Oheim. Ich bin
Tiresias, der Seher. Dieser da
Führt einen Raubkrieg gegen das ferne Argos. Diese
Tritt dem Unmenschlichen entgegen, und er vernichtet sie.
Aber sein Krieg, nun unmenschlich geheißen
Bricht ihm zusammen. Die unbeugsam Gerechte
Nichtachtend des eignen geknechteten Volkes Opfer
Hat ihn beendet. Wir bitten euch
Nachzusuchen in euren Gemütern nach ähnlichen Taten
Näherer Vergangenheit oder dem Ausbleiben
Ähnlicher Taten. [...]
Die Darsteller begeben sich nach hinten, und auch die anderen Darsteller betreten die Bühne.

Raubkrieg gegen das ferne Argos Die Stadt gilt in Brechts *Antigone* als reich an Erz.

1 Benennen Sie alle Merkmale des Textes, die der traditionellen, aristotelischen Theaterkonzeption nicht entsprechen. Denken Sie dabei z. B. an die Frage des Vorhandenseins oder Nichtvorhandenseins einer vierten Wand (siehe S. 138, Vergnügungstheater oder Lehrtheater), der Spannung auf die Handlung und ihren Ausgang usw.

2 Im Prolog spricht der Seher in Vers 4 f. von einem dem heutigen Leser unbekannten „Stoff des Gedichts". Informieren Sie sich darüber im folgenden Informationskasten.

Die antike Fabel

Des Königs Ödipus ahnungslos begangene Tabubrüche – Totschlag des Vaters sowie Heirat und Beischlaf mit der Mutter – bleiben nicht ohne Folgen für seine vier Kinder. Ein Bruderzwist seiner beiden heranwachsenden Söhne Eteokles und Polyneikes hat zur Vertreibung des letzteren geführt, der daraufhin von Argos aus den Feldzug der „Sieben gegen Theben" anführt. Der Angriff auf die Stadt wird von den Thebanern abgeschlagen, und die beiden feindlich gesonnenen Brüder töten sich im Zweikampf.

Kreon, der Onkel der beiden Brüder und vor ihnen Nachfolger des Ödipus auf dem Thron von Theben, verbietet, den Landesfeind Polyneikes zu bestatten. Nach griechischem Glauben kann jedoch die Seele des Verstorbenen ohne diese Zeremonie nicht in das Leben nach dem Tod in der Schattenwelt eingehen.

Antigone, die Schwester des Polyneikes und des Eteokles, setzt sich über das Gebot des Königs hinweg und beerdigt symbolisch ihren Bruder. Sie wird von einem Wächter bei der Leiche ergriffen, und Kreon lässt sie zur Strafe in einem unterirdischen Verlies lebendig begraben, wo sie ihrem qualvollen Tod durch Erhängen zuvorkommt. Kreon, die Warnungen des Sehers Tiresias nicht befolgend, wird schwer getroffen durch die Selbstmorde seines Sohnes Haimon und seiner Gattin Eurydike und endet als gebrochener Mann.

Bruderzwist
Die beiden Söhne hatten die Verabredung getroffen, Theben abwechselnd, jeder ein Jahr lang, zu regieren.

„Sieben gegen Theben"
Der Krieg, durch welchen Polyneikes seinen Anspruch auf den Thron von Theben zurückerobern wollte, ist jener der Sieben vor Theben.

1 Vergleichen Sie den Inhalt der Fabel mit den Aussagen des Tiresias über die Protagonistin und Kreon im Prolog. Benennen Sie Gemeinsamkeiten und Unterschiede.

2 Ziehen Sie zum besseren Verständnis der kurzen Beschreibung der Antigone Brechts Gedicht *Antigone* heran, indem Sie strophenweise ihre Eigenschaften herausarbeiten.

Bertolt Brecht

Antigone (1951)

Komm aus dem Dämmer und geh
Vor uns her eine Zeit
Freundliche, mit dem leichten Schritt
Der ganz Bestimmten, schrecklich
Den Schrecklichen.

Abgewandte, ich weiß
Wie du den Tod gefürchtet hast, aber
Mehr noch fürchtetest du
Unwürdig Leben.

Und ließest den Mächtigen
Nichts durch, und glichst dich
Mit den Verwirrern nicht aus, noch je
Vergaßest du Schimpf und über der Untat wuchs
Ihnen kein Gras.

Salut!

Sie sind in der Nackriegszeit Zuschauer der Brecht'schen *Antigone* und Sie nehmen die Bitte des Sehers am Ende des Prologs ernst. Sie suchen „nach ähnlichen Taten näherer Vergangenheit oder dem Ausbleiben ähnlicher Taten".

3 Welche Taten oder ausgebliebenen Taten fallen Ihnen in dieser Situation ein und wie beurteilen Sie insgesamt den Versuch Brechts, diesen antiken Tragödienstoff für die Nachkriegszeit zu bearbeiten?

Sie haben im Prolog zu dem Stück *Die Antigone des Sophokles* von Bertolt Brecht einige typische dramaturgische Elemente des von Brecht so bezeichneten **epischen Theaters** kennengelernt. Nun sollen Sie Ihre Kenntnisse dieser für das moderne Drama einflussreichen Theaterkonzeption mithilfe eines dramentheoretischen Textes von Brecht erweitern.

E

Bertolt Brecht

Vergnügungstheater oder Lehrtheater – Das epische Theater (1936)

Das Wort „episches Theater“ schien vielen als in sich widerspruchsvoll, da man nach dem Beispiel des Aristoteles die epische und die dramatische Form des Vortrags einer Fabel für grundverschieden voneinander hielt. Der Unterschied zwischen den beiden Formen wurde keinesfalls nur darin erblickt, daß die eine von lebenden Menschen vorgeführt wurde und die andere sich des Buches bediente, [...] der Unterschied zwischen der dramatischen und der epischen Form wurde schon nach Aristoteles in der verschiedenen Bauart erblickt, deren Gesetze in zwei verschiedenen Zweigen der Ästhetik behandelt wurden. Diese Bauart hing von der verschiedenen Art ab, in der die Werke dem Publikum geboten wurden, einmal durch die Bühne, einmal durch das Buch, aber es gab dann doch unabhängig davon „das Dramatische“ auch in epischen Werken und „das Epische“ in dramatischen. Der bürgerliche Roman entwickelt im vorigen Jahrhundert ziemlich viel „Dramatisches“, und man verstand darunter die starke Zentralisation einer Fabel, ein Moment des Aufeinanderangewiesenseins der einzelnen Teile. Eine gewisse Leidenschaftlichkeit des Vortrags, ein Herausarbeiten des Aufeinanderprallens der Kräfte kennzeichnete das „Dramatische“. Der Epiker Döblin gab ein vorzügliches Kennzeichen, als er sagte, Epik könne man im Gegensatz zu Dramatik sozusagen mit der Schere in einzelne Stücke schneiden, welche durchaus lebensfähig bleiben.

Alfed Döblin (1878–1957), deutscher Arzt und Romancier, schrieb u. a. den Welterfolg *Berlin Alexanderplatz*

1 Fassen Sie die im Text genannten Gegensätze zwischen Epik und Dramatik kurz zusammen.

Es soll hier nicht auseinandergesetzt werden, wodurch die lange für unüberbrückbar angesehenen Gegensätze zwischen Epik und Dramatik ihre Starre verloren, es soll genügen, wenn darauf hingewiesen wird, daß schon durch technische Errungenschaften die Bühne instandgesetzt wurde, erzählende Elemente den dramatischen Darbietungen einzugliedern. Die Möglichkeit der Projektion, der größeren Verwandlungsfähigkeit der Bühne durch die Motorisierung, der Film, vervollständigten die Ausrüstung der Bühne, und sie taten dies in einem Zeitpunkt, da die wichtigsten Vorgänge unter Menschen nicht mehr so einfach dargestellt werden konnten, indem man die bewegenden Kräfte personifizierte oder die Personen unter unsichtbare, metaphysische Kräfte stellte.

bewegende Kräfte die Handlungsmotive der Menschen

metaphysische Kräfte hinter der sichtbaren, physischen Welt existierende Kräfte

Zum Verständnis der Vorgänge war es nötig geworden, die Umwelt, in der die Menschen lebten, groß und „bedeutend“ zur Geltung zu bringen.

Diese Umwelt war natürlich auch im bisherigen Drama gezeigt worden, jedoch nicht als selbständiges Element, sondern nur von der Mittelpunktsfigur des Dramas aus. Sie erstand aus der Reaktion des Helden auf sie. Sie wurde gesehen, wie der Sturm gesehen werden kann, wenn man auf einer Wasserfläche die Schiffe ihre Segel entfalten und die Segel sich biegen sieht. Im epischen Theater sollte sie aber nun selbständig in Erscheinung treten.

Die Bühne begann zu erzählen. Nicht mehr fehlte mit der vierten Wand zugleich der Erzähler. Nicht nur der Hintergrund nahm Stellung zu den Vorgängen auf der Bühne, indem er auf großen Tafeln gleichzeitige andere Vorgänge an andern Orten in die Erinnerung rief, Aussprüche von Personen durch projizierte Dokumente belegte oder widerlegte, zu abstrakten Gesprächen sinnlich fassbare, konkrete Zahlen lieferte, zu plastischen, aber in ihrem Sinn undeutlichen Vorgängen Zahlen und Sätze zur Verfügung stellte – auch die Schauspieler vollzogen die Verwandlung nicht vollständig, sondern hielten Abstand zu der von ihnen dargestellten Figur, ja forderten deutlich zur Kritik auf.

Von keiner Seite wurde es dem Zuschauer weiterhin ermöglicht, durch einfache Einfühlung in dramatische Personen sich kritiklos (und praktisch folgenlos)

Erlebnissen hinzugeben. Die Darstellung setzte die Stoffe und Vorgänge einem Entfremdungsprozess aus. Es war die Entfremdung, welche nötig ist, damit verstanden werden kann. Bei allem „Selbstverständlichen" wird auf das Verstehen einfach verzichtet.

Das „Natürliche" musste das Moment des Auffälligen bekommen. Nur so konnten die Gesetze von Ursache und Wirkung zu Tage treten. Das Handeln der Menschen musste zugleich so sein und musste zugleich anders sein können. Das waren große Änderungen.

Der Zuschauer des dramatischen Theaters sagt: Ja, das habe ich auch schon gefühlt. – So bin ich. – Das ist nur natürlich. – Das wird immer so sein. – Das Leid dieses Menschen erschüttert mich, weil es keinen Ausweg für ihn gibt. – Das ist große Kunst: da ist alles selbstverständlich. – Ich weine mit den Weinenden, ich lache mit den Lachenden.

Der Zuschauer des epischen Theaters sagt: Das hätte ich nicht gedacht. – So darf man es nicht machen. – Das ist höchst auffällig, fast nicht zu glauben. – Das muss aufhören. – Das Leid dieses Menschen erschüttert mich, weil es doch einen Ausweg für ihn gäbe. – Das ist große Kunst: da ist nichts selbstverständlich. – Ich lache über den Weinenden, ich weine über den Lachenden.

Originale Rechtschreibung

1 Erklären Sie, warum Brecht epische Elemente in seine Theaterstücke aufnimmt.

Eine Keunergeschichte mithilfe epischer Elemente inszenieren

Bertolt Brecht

Der hilflose Knabe

Herr K. sprach über die Unart, erlittenes Unrecht stillschweigend in sich hineinzufressen, und erzählte folgende Geschichte: „Einen vor sich hin weinenden Jungen fragte ein Vorübergehender nach dem Grund seines Kummers. ‚Ich hatte zwei Groschen für das Kino beisammen', sagte der Knabe, ‚da kam ein Junge und riß mir einen aus der Hand', und er zeigte auf einen Jungen, der in einiger Entfernung zu sehen war. ‚Hast du denn nicht um Hilfe geschrien?' fragte der Mann. ‚Doch' sagte der Junge und schluchzte ein wenig stärker. ‚Hat dich niemand gehört?' fragte ihn der Mann weiter, ihn liebevoll streichelnd. ‚Nein', schluchzte der Junge. ‚Kannst du denn nicht lauter schreien?' fragte der Mann. ‚Nein', sagte der Junge und blickte ihn mit neuer Hoffnung an. Denn der Mann lächelte. ‚Dann gib auch den her', sagte er, nahm ihm den letzten Groschen aus der Hand und ging unbekümmert weiter."

Originale Rechtschreibung

Die *Geschichten vom Herrn Keuner* hat Brecht ab 1935 bis in die fünfziger Jahre geschrieben. Es sind kurze Prosatexte, die eine meist überraschende Lehre oder Moral enthalten. Sie können entweder die folgende oder eine andere Geschichte wie *Maßnahmen gegen die Gewalt* oder *Verlässlichkeit* auf die heutige Zeit übertragen und mit Mitteln des epischen Theaters inszenieren.

2 ***Lernarrangement***

a) Analysieren Sie die Geschichte unter Berücksichtigung des Verhaltens der beiden Figuren.

b) Bilden Sie Gruppen und übertragen Sie die Geschichte auf eine aktuelle Situation unter Jugendlichen (ein Jugendlicher sucht Hilfe); skizzieren Sie die Handlung mit der Vorgeschichte und übertragen Sie diese in eine oder mehrere schriftlich fixierte Szenen mit Regieanweisungen.

c) Verteilen Sie in Ihrer Gruppe die Rollen, die Sie benötigen.

d) Überlegen Sie, welche Mittel des epischen Theaters Ihnen sinnvoll erscheinen, z. B. Tafeln mit passenden Lehrsätzen oder Sprichwörtern wie „Aus Schaden wird man klug."

e) Diskutieren Sie mit dem Publikum, ob es dadurch statt zum reinen Mitfühlen zum Nachdenken gebracht wurde.

Wahlpflichtmodul 4:

Familie im Drama

Sich über den Begriff *Familie* und *Familienbilder* austauschen

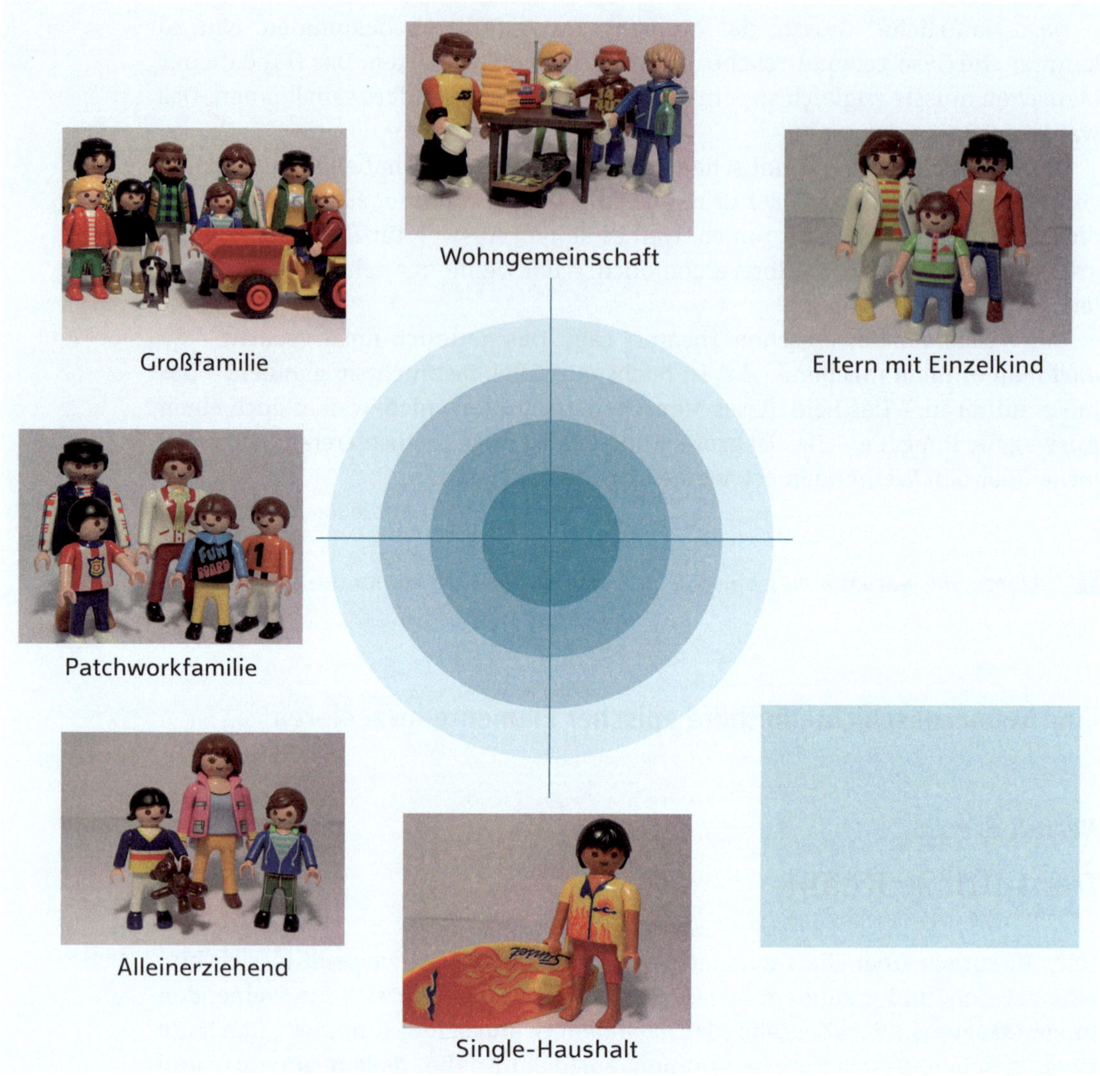

Wohngemeinschaft

Großfamilie

Eltern mit Einzelkind

Patchworkfamilie

Alleinerziehend

Single-Haushalt

1 Ziehen Sie in der Abbildung oben einen Pfeil von jedem Bild so weit in die Zielscheibe, wie die jeweils darauf dargestellte Lebensform Ihrer Definition von Familie entspricht. Je weiter Sie den Pfeil in die Mitte ziehen, desto mehr ist Ihre Idealauffassung von Familie getroffen. Skizzieren und benennen Sie ggf. eine eigene Form.

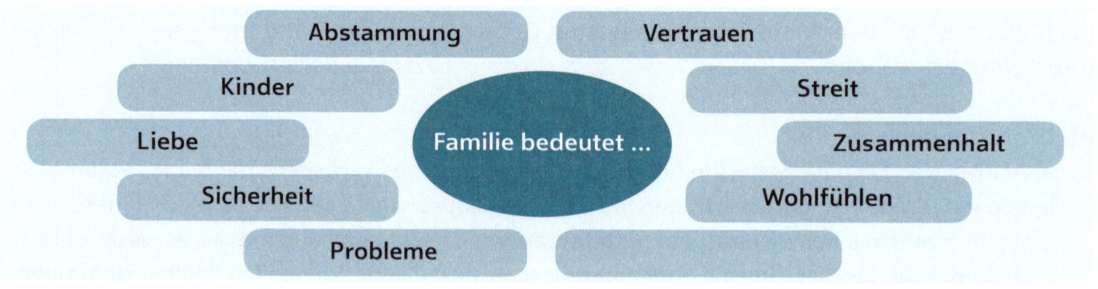

2 ***Lernarrangement***
Bilden Sie eine Top Ten zum Thema „Was für mich Familie bedeutet“. Nutzen Sie die Begriffe in der Abbildung und ergänzen Sie sie durch eigene. Tauschen Sie sich anschließend in Gruppen über Ihre Ergebnisse aus. Formulieren Sie eine gemeinsame Definition für den Begriff *Familie*.

Familienrollen erschließen und Rollenerwartungen beschreiben

Die soziale Rolle

Die *soziale Rolle* ist eine soziologische Elementarkategorie. Eine Rolle ist in diesem Zusammenhang eine benennbare Menge von Erwartungen, Bedeutungen und Werten, die in einem bestimmten sozialen Rahmen das Verhalten des Rollenträgers beeinflussen oder sogar bestimmen. Ein Mensch besitzt nie nur eine Rolle, vielmehr gibt es für ein Individuum einen ganzen *Rollensatz* von sehr konkreten bis hin zu diffusen (unklaren) Rollen. Soziale Instanzen, Gruppen und einzelne Menschen können dabei als *Rollensender* fungieren, also als der Teil einer Rollenbeziehung auftreten, von dem die *Rollenerwartungen* ausgehen. Für den Rollenträger können Rollenstress und Rollenkonflikte entstehen:

Rollenstress: Der Rollenträger hat das Gefühl, die an ihn gestellten Erwartungen nicht oder nur unzureichend erfüllen zu können.

Rollenkonflikt: Ein Anpassungsproblem des Rollenträgers, dem durch seine Rolle(n) die Erfüllung logisch, moralisch und/ oder zeitlich unvereinbarer Erwartungen abverlangt werden.

Mögliche Formen dafür sind: **Intra-Rollenkonflikt:** Konflikt mit den Verhaltenserwartungen innerhalb einer Rolle. **Inter-Rollenkonflikt:** Konflikt mit den Verhaltenserwartungen aus verschiedenen Rollen eines Rollenträgers. Eine Folge kann Rolleninkompatibilität sein, also die Schwierigkeit, unterschiedliche Rollen nicht miteinander verbinden zu können. **Person-Rolle-Konflikt:** Der Rollenträger hat ein Problem mit seiner Rolle. **Intrasender-Konflikt:** Der Rollensender hat widersprüchliche Erwartungen, die vom Rollenträger nicht erfüllt werden können. **Intersender-Konflikt:** Rollensender und Rollenträger haben widersprüchliche Erwartungen und Vorstellungen vom Rollenbild.

„Die ganze Welt ist eine Bühne und alle Fraun und Männer bloße Spieler. Sie treten auf und gehen wieder ab. Sein Leben lang spielt einer manche Rollen durch sieben Akte hin.“
William Shakespeare, *Wie es euch gefällt*, II 7

1 Erläutern Sie ausgehend vom Infotext oben den Begriff *Rollenstress* und die verschiedenen Formen der Rollenkonflikte jeweils an einem eigenen Beispiel.

2 Vergleichen Sie den Begriff der *sozialen Rolle* mit dem der Rolle eines Schauspielers in einem Drama. Wo gibt es aus Ihrer Sicht Unterschiede und wo Gemeinsamkeiten?

3 Überprüfen Sie, inwiefern gerade die Familie als ein soziales System mit vielen Rollenerwartungen und möglichen Rollenkonflikten angesehen werden kann.

Ich arbeite in der Kommunikationsbranche und im Organisationsmanagement. Außerdem gehören Entwicklung, Forschung, Mitarbeitermotivation und Rechtsprechung zu meinen Aufgaben. Nebenbei bin ich hin und wieder als Ärztin und als Innenarchitektin tätig. Oder kurz: Ich leite ein sehr erfolgreiches kleines Familienunternehmen.

4 Erklären Sie den gedanklichen Witz dieser Werbung unter funktionaler Verwendung der Fachbegriffe zur sozialen Rolle aus dem Infokasten oben.

5 ***Lernarrangement***
Nehmen Sie arbeitsteilig in Gruppen den Gedanken der Werbung auf und formulieren Sie Stellenanzeigen für verschiedene ideale Familienrollen als ein SOLL-Profil, z. B. Mutter, Vater, Tochter, Sohn, Geschwister (Bruder und Schwester) oder Großeltern. Berücksichtigen Sie als typische Punkte einer Stellenanzeige: Stellenbezeichnung (z. B. „Die ideale Mutter“); – „Das erwarten wir von Ihnen!“ (detaillierte Aufgabenbeschreibung); – „Das müssen Sie mitbringen!“ (benötigte Qualifikationen: Eigenschaften, Fähigkeiten, Einstellungen etc.). Präsentieren Sie anschließend Ihre Ergebnisse im Plenum.

SOLL-Profil
Instrument der Unternehmens- und Mitarbeiterentwicklung; benötigte oder erwartete Kompetenzen werden aufgeführt, um im SOLL-IST-Vergleich Entwicklungsziele zu generieren.

Eine Dramenszene unter dem Aspekt der sozialen Rolle interpretieren

Frank Wedekind lässt sein als *Kindertragödie* untertiteltes Bühnenstück *Frühlings Erwachen* um 1890 im bürgerlichen Milieu spielen. Er zeigt anhand des Erlebens von drei jugendlichen Hauptfiguren deren Sorgen und Probleme in der Pubertät. Die erste Szene des ersten Aktes zeigt Wendla Bergmann an ihrem vierzehnten Geburtstag im Gespräch mit ihrer Mutter. Im weiteren Verlauf des Stückes lässt Frau Bergmann ihre Tochter trotz des Drängens selbiger aus falscher Scham unaufgeklärt. Sie beruft sich auf die Tradition, die Religion und die gesellschaftlichen Normen der Zeit. Wendla wird daraufhin unwissentlich schwanger und stirbt letztlich an den Folgen einer von der Mutter initiierten Abtreibung.

Frank Wedekind (1864–1918), deutscher Schauspieler und Dramatiker

Frank Wedekind

Frühlings Erwachen (Erster Akt, Erste Szene, 1891)

Wendla Warum hast du mir das Kleid so lang gemacht, Mutter?

Frau Bergmann Du wirst vierzehn Jahr heute!

Wendla Hätt' ich gewusst, dass du mir das Kleid so lang machen werdest, ich wäre lieber nicht vierzehn geworden.

Frau Bergmann Das Kleid ist nicht zu lang, Wendla. Was willst du denn! Kann ich dafür, dass mein Kind mit jedem Frühling wieder zwei Zoll größer ist? Du darfst doch als ausgewachsenes Mädchen nicht in Prinzesskleidchen einhergehen.

Wendla Jedenfalls steht mir mein Prinzesskleidchen besser als diese Nachtschlumpe. – Lass mich's noch einmal tragen, Mutter! Nur noch den Sommer lang. Ob ich nun vierzehn zähle oder fünfzehn, dies Bußgewand wird mir immer noch recht sein. – Heben wir's auf bis zu meinem nächsten Geburtstag; jetzt würd' ich doch nur die Litze heruntertreten.

Frau Bergmann Ich weiß nicht, was ich sagen soll. Ich würde dich ja gerne so behalten, Kind, wie du gerade bist. Andere Mädchen sind stakig und plump in deinem Alter. Du bist das Gegenteil. – Wer weiß, wie du sein wirst, wenn sich die andern entwickelt haben.

Wendla Wer weiß – vielleicht werde ich nicht mehr sein.

Frau Bergmann Kind, Kind, wie kommst du auf die Gedanken!

Wendla Nicht, liebe Mutter; nicht traurig sein!

Frau Bergmann sie *küssend* Mein einziges Herzblatt!

Wendla Sie kommen mir so des Abends, wenn ich nicht einschlafe. Mir ist gar nicht traurig dabei, und ich weiß, dass ich dann umso besser schlafe. – Ist es sündhaft, Mutter, über derlei zu sinnen?

Frau Bergmann Geh denn und häng das Bußgewand in den Schrank! Zieh in Gottes Namen dein Prinzesskleidchen wieder an! Ich werde dir gelegentlich eine Handbreit Volants unten ansetzen.

Wendla *das Kleid in den Schrank hängend* Nein, da möcht' ich schon lieber gleich vollends zwanzig sein ...!

Frau Bergmann Wenn du nur nicht zu kalt hast! – Das Kleidchen war dir ja seinerzeit reichlich lang; aber...

Wendla Jetzt, wo der Sommer kommt? – O Mutter, in den Kniekehlen bekommt man auch als Kind keine Diphtheritis! Wer wird so kleinmütig sein. In meinen Jahren friert man noch nicht – am wenigsten an die Beine. Wär's etwa besser, wenn ich zu heiß hätte, Mutter? – Dank' es dem lieben Gott, wenn sich dein Herzblatt nicht eines Morgens die Ärmel wegstutzt und dir so zwischen Licht abends ohne Schuhe und Strümpfe entgegentritt! – Wenn ich mein Bußgewand trage, kleide ich mich darunter wie eine Elfenkönigin ... Nicht schelten, Mütterchen! Es sieht's dann ja niemand mehr.

Prinzesskleidchen enges, den Körper betonendes Kleid

Schlumpe abwertend für schlecht sitzendes Kleid

Litze Kleidersaum

stakig unbeweglich

Volants angenähter Stoffbesatz

Diphteritis Diphterie, lebensbedrohliche Atemwegserkrankung

1 Analysieren Sie Inhalt und Sprache der Szene. Achten Sie insbesondere auf deutlich werdende Rollenkonflikte und die Aspekte des Dialoges, die jeweils nur indirekt von Mutter und Tochter thematisiert werden.

2 ***Lernarrangement***
Gestalten Sie in der Gruppe als Rollenspiel ein Beratungsgespräch. Ein Mitglied Ihrer Gruppe spielt dazu Wendla, ein anderes Frau Bergmann. Nehmen Sie an, dass die Figuren aus dem Dramenauszug links zu einer heutigen Erziehungsberatungsstelle kommen. Ein Mitglied Ihrer Gruppe übernimmt die Rolle des Beraters/der Beraterin.
a) Klären Sie im Beratungsgespräch zunächst die IST-Situation. Orientieren Sie sich dafür an der Szene. Wendla und ihre Mutter schildern nacheinander in der Erziehungsberatung, wie sie die Ausgangssituation erleben.
b) Vergleichen Sie die IST-Situation dann mit Ihren zuvor im Unterricht erstellten SOLL-Profilen zu „Mutter" bzw. „Tochter". Der Berater/die Beraterin stellt das SOLL-Profil im Gespräch vor, und beide Figuren beschreiben Unterschiede zwischen SOLL und IST im eigenen Verhalten und im Verhalten der anderen Figur.
c) Der Berater/die Beraterin und die Figuren entwickeln nun gemeinsam im Gespräch Handlungsmöglichkeiten, wie Mutter und Tochter sich besser verhalten könnten.
d) Werten Sie abschließend das Gespräch in der Gruppe aus: Wurden die IST-Situation und das Rollenverhalten sachlich richtig einbezogen? Eignete sich das SOLL-Profil zur Orientierung und wurde es funktional eingebunden? Gibt es weitere oder andere Vorschläge von den Beobachtern?
e) Schreiben Sie die Szene 1,I aus *Frühlings Erwachen* so um, dass die Empfehlungen aus dem Beratungsgespräch im Dialog der Figuren umgesetzt sind.

Familie als Problemträger aktuell und unter Dramenbezügen erfassen

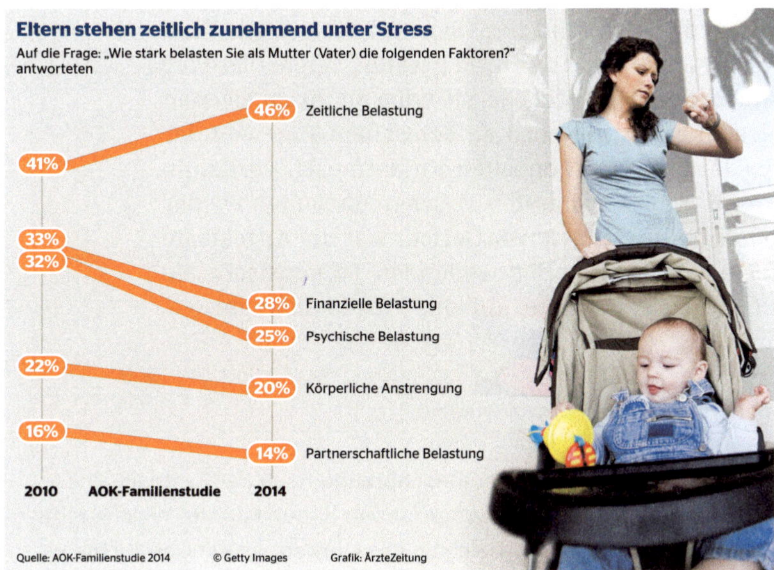

3 Fassen Sie die im Schaubild dargestellten Ergebnisse der AOK-Familienstudie 2014 zusammen.

4 Erstellen Sie eine Mindmap zu den in der Studie angesprochenen Belastungen und sammeln Sie zu den fünf benannten Belastungsgruppen für Eltern möglichst viele konkrete Probleme von heutigen Familien.

5 Entwerfen Sie ausgehend von Ihren gesammelten Problemen eine mögliche Handlungsskizze für eine einzelne Folge einer Pseudo-Doku-Soap, die Familienprobleme darstellt.

Pseudo-Doku-Soap
TV-Format der sog. Scripted Reality, wo Personen und Konfliktfälle frei erfunden sind und der Anschein der Realität u. a. durch Einsatz von Laiendarstellern vermittelt wird.

Mütterbilder im Drama

Mütter und Mütterbilder im Drama vergleichend interpretieren

Scripted Reality – oder Realität? Entscheiden Sie selbst ...

[...] Als M. eines Abends aus seinem Dienst kam, fand er neben dem Bett seiner Frau in einem Korbe ein schreiendes Baby, welches sich als der sehnlichst erwartete Familienzuwachs herausstellte. In Wirklichkeit hatte es die Angeklagte schon monatelang vorher verstanden, einen gewissen Zustand vorzutäuschen, und hatte dann das Kind eines Dienstmädchens B. als ihr eigenes ausgegeben, ohne zu wissen, dass dieses schon in der Person des Lehrers M. in R. einen Vormund erhalten hatte. Dieser zog Erkundigungen über den Verbleib des Kindes ein und erschien eines Tages in der Wohnung der Angeklagten. Diese schwebte von nun an in ständiger Furcht, dass die Sache entdeckt würde, und fasste einen abenteuerlichen Plan. Sie näherte sich einer Frau E., die ein etwa gleichaltriges Kind besaß, und machte sich mit ihr bekannt. Die Absicht der Angeklagten ging dahin, das Kind der E. zu rauben und dieses dann dem Vormund als das Kind des Dienstmädchens B. zu überbringen. Während Frau E. eines Tages ihrem Manne Essen nach seiner Arbeitsstätte trug, erschien die Angeklagte in deren Wohnung. Unter einem Vorwande schickte sie die beiden ältesten Söhne fort, die das kleine Kind beaufsichtigten, und eignete es sich an. Als Frau E. später nach Hause kam, vermisste sie sofort ihr Kind und schlug Lärm. Die Nachricht von dem Kindesraub verbreitete sich schnell in R., und bald belagerte eine Menschenmenge das Haus der E., die in ihrer Aufregung über den Verlust des Kindes völlig kopflos geworden war. Die Angeklagte hatte inzwischen das geraubte Kind in der Wohnung des Lehrers abgegeben, nachdem sie ihm einen Zettel um den Hals gehängt hatte, auf dem angegeben war, es wäre dies das Kind des Dienstmädchens. Als Frau E. die Angeklagte beschuldigte, diese hätte ihr das Kind geraubt, zeigte diese ihr das wirkliche Kind des Dienstmädchens und erklärte, sie habe an ihrem eigenen genug. Die verwickelte Angelegenheit wurde noch an demselben Tage von der Berliner Kriminalpolizei aufgeklärt, die den doppelten Kindestausch vornahm. Das erstunterschobene Kind der B. wurde später den M.'schen Eheleuten wieder überlassen, die mit großer Liebe an ihm hängen. Vor Gericht war die Angeklagte geständig und beteuerte unter einem nicht enden wollenden Tränenstrom, sie habe nichts Schlechtes gewollt ... Das Urteil lautete auf eine Woche Gefängnis.

1 Geben Sie die Geschichte oben mit eigenen Worten wieder.

2 Stellen Sie Vermutungen an, ob das Geschilderte Ihrer Einschätzung nach der Fantasie eines Scripted-Reality-Autors entspringt oder tatsächlich stattgefunden haben könnte. Welche Motive hätte Frau M. für eine solche Tat haben können? In welches Jahr würden Sie die Geschichte einordnen?

Die Geschichte um das untergeschobene Kind der Frau M. ereignet sich 1907 tatsächlich im Berliner Stadtteil Rummelsburg (heute Berlin-Lichtenberg) und findet sich als Bericht im Berliner Lokalanzeiger vom 13. Februar 1907.

Aus einer Tagebuchaufzeichnung von Gerhart Hautmann mit gleichem Datum lässt sich schließen, dass er diesen Zeitungsbericht gelesen hat und das hier Geschilderte die Grundidee für sein naturalistisches Drama *Die Ratten* bildet: Die unter ärmlichen Verhältnissen lebende Hauptfigur, Frau John, verliert ihren eigenen Sohn bereits acht Tage nach der Geburt. Voller Trauer kauft sie dem Dienstmädchen Pauline Piperkarcka ein uneheliches Neugeborenes ab, das diese nicht will und das Frau John fortan als ihr Kind ausgibt. Als Pauline das Kind später zurückverlangt, schiebt sie ihr ein anderes, bereits dem Tode geweihtes Kind unter. Frau John verstrickt sich daraufhin immer weiter in ihr Netz aus Lügen. Schließlich tötet Frau Johns Bruder Bruno das Dienstmädchen Pauline, um die Tat zu verdecken.
Hauptmann lässt seine Tragikomödie anders enden als die Ursprungsgeschichte aus dem Berliner Lokalanzeiger: Als die Polizei kommt, um das falsche Baby der Frau John zu holen, springt diese aus dem Fenster und begeht so Selbstmord.

Gerhart Hauptmann (1862-1946), Schriftsteller und Dramatiker, erhielt den Nobelpreis für Literatur 1912.

Im Folgenden analysieren Sie vergleichend Hauptmanns Figur der Mutter John mit einer anderen bekannten dramatischen Mutterfigur, der Mutter Courage aus Brechts Theaterstück *Mutter Courage und ihre Kinder*.

Gerhart Hauptmann

Die Ratten (Auszug, 1911)

1 V. Akt

[...] **John** Selma nimmt det Kind, und ick reise mit Selman und det Kind und bringe mein Kind zu meine Schwester.

Frau John Denn soßte Bescheid kriejen! Versuch det man!

John Soll mein Kind in so 'ne Umjebung jroßwachsen, womeechlich det ma wie Bruno ieber Dächer jehetzt und det ma ooch womeechlich in Zuchthaus endet?

Frau John *schreit ihn an.* Det is jar nich dein Kind! Vastehste mich?

John So? Det wolln wir ma sehn, ob een rechtlicher Mann nich Herr sollte sind ieber sein eejnet Kind, wo Mutter nich bei Verstande is und in de Hände von Mordsjesindel. Det will ick ma sehn, wer in Rechte is und wer stärker is! Selma!

Frau John Ick schrei! Ick reiße det Fenster uff! Frau Direkter, se wollen eene Mutter ihr Kind rauben! Det is mein Recht, det ick Mutter von mein Kindeken bin! Det is doch mein Recht? Ha ick nich Recht, Frau Direkter? Se umzingeln mir! Se wollen mir mein Recht versetzen! Soll mir det nich jeheern, wat ick vor Wechwurf uffjelesen, wo vor dot in Lumpen jelejen hat und wo ick ha miehsam erscht missen reiben und kneten, bis bissken Atem jeholt und langsam lebendig jeworden is? Wo ick nich war, det wäre schonn vor drei Wochen längst in de Erde verscharrt jewesen.

Regine Zimmermann (Pauline Piperkarcka, links), Constanze Becker (Frau John); Regie: Michael Thalheimer; Deutsches Theater Berlin, 2007

Direktor Hassenreuter Herr John, zwischen Eheleuten den Schiedsmann spielen, ist meine Sache im Allgemeinen nicht. Dazu ist dies Geschäft zu undankbar, und man macht dabei meistens böse Erfahrungen. Sie sollten aber in Ihrem zweifellos mit Recht verwundeten Ehrgefühl sich nicht zu Übereilungen hinreißen lassen. Denn schließlich ist doch Ihre Frau für die Tat ihres Bruders nicht verantwortlich. Lassen Sie ihr das Kind! Machen Sie nicht das Unglück schlimmer durch eine überflüssige Härte, die Ihre Frau aufs Empfindlichste kränken muss.

Frau John Paul, det Kind is aus meinen Leibe jeschnitten! Det Kind is mit meinen Blute erkooft. Nich jenug, alle Welt is hinter mich her und will et mich abjagen! Nu kommst ooch du noch und machst et nich anders, det is der Dank! Als wenn det ick ringsum von hungrige Welfe umjeben bin. Mir kannste dotmachen! Mein Kindeken soßte nich anfassen.

Constanze Becker (Frau John);
Deutsches Theater Berlin, 2007

John Ich komme zu Hause, Herr Direkter! Ich bin heut Morjen erst mit mein janzes Zeug quietschverjnügt von de Bahn jekomm! Hamburg, Altona, allens abjebrochen. Wenn ooch Verdienst jeringer is, dachte ick, wist lieber bei deine Familie sind! Bissken Kind uff'n Arm nehmen! Bissken Kind uff'n Arm nehmen! Det war unjefähr so meine Inbildung ...

Frau John Paul! Hier Paul! – *Sie tritt ihm ganz nahe.* – Reiß mir det Herz aus'n Leibe! – *Sie starrt ihn lange an, dann läuft sie in den Verschlag, wo man sie laut weinen hört.* [...]

Schierke Wo steckt det Kind?

John Soll ick wissen, wo jedet ausgestoppte Balch von Lumpenspeicher, womit olle Hexe mit Besen Feez treiben, an Ende hinjekomm is? Pass ma uff Schornstein uff, det se nich oben rausfliejen!

Frau John Paul!! – Nu soll et nich leben! Nu jerade! Nu ooch nich! Nu brauch et nich leben! Nu muss et mit mich mit unter de Erde komm.

Frau John war blitzschnell hinter den Verschlag gelaufen. Sie kommt mit dem Kinde wieder und will mit ihm zur Tür hinaus. Der Direktor und Spitta werfen sich der Verzweifelten entgegen, in der Absicht, das Kind zu retten. [...]

Schierke Name des zuständigen Schutzmannnes/ Polizisten

Schierke Hierjeblieben!

Frau Direktor Hassenreuter Die Frau ist verzweifelt! Aufhalten! Festhalten!

John plötzlich verändert. Jebt uff Muttern acht! Mutter! Uffhalten! Festhalten! – Mutter! Mutter!

Selma, Schierke und John eilen Frau John nach. Spitta, der Direktor, Frau Direktor und Walburga sind um das Kind bemüht, das auf den Tisch gebettet wird.

Direktor Hassenreuter der das Kind sorgfältig auf den Tisch bettet. Meinethalben mag diese entsetzliche Frau doch verzweifelt sein! Deshalb braucht sie das Kind nicht zugrunde richten.

Frau Direktor Hassenreuter Aber liebster Papa, das merkt man doch, dass diese Frau ihre Liebe, närrisch bis zum Wahnsinn, gerade an diesen Säugling geheftet hat. Unbedachtsame harte Worte, Papa, können die unglückselige Person in den Tod treiben.

Direktor Hassenreuter Harte Worte habe ich nicht gebraucht, Mama.

Spitta Mir sagt ein ganz bestimmtes Gefühl: Erst jetzt hat das Kind seine Mutter verloren. [...]

Selma Herr John. Se solln uff de Straße komm'n!

Direktor Hassenreuter Nur Ruhe, Ruhe! Was gibt's denn, Selma?

Selma atemlos Ihre Frau ... Ihre Frau ... Janze Straße steht voll ... Omnibus, Pferdebahnwagen ... is jar keen Durchkommen ... Arme ausjestreckt ... Ihre Frau liecht lang uff Jesichte unten.

Frau Direktor Hassenreuter Was ist denn geschehen?

Selma Herrjott, Herrjott im Himmel, Mutter John hat sich umjebracht.

Bertolt Brecht schreibt sein episches Theaterstück *Mutter Courage und ihre Kinder* während seiner Flucht vor den Nationalsozialisten aus Deutschland vor dem Ausbruch des zweiten Weltkrieges (1938/39) im Exil in Skandinavien. Das Stück wird während des Krieges am 19. April 1941 am Schauspielhaus Zürich uraufgeführt. Wie der Untertitel *Eine Chronik aus dem Dreißigjährigen Krieg* andeutet, spielt das Stück zwischen 1624 und 1636. Es erzählt die Geschichte der fahrenden Händlerin „Mutter Courage", die mit den Truppen zieht und darauf hofft, am Krieg Geld zu verdienen. Dabei opfert sie nach und nach ihre drei Kinder. Im vorliegenden Auszug ist Mutter Courage vor der Stadt Ingolstadt und betreibt in ihrem Merketenderzelt einen Bierschank. Durch den Tod des Feldhauptmanns Tilly befürchtet sie, dass Frieden einkehren und somit ihr Geschäft gefährdet sein könnte. Sie versucht ihren Handel schnell voranzutreiben und bespricht mit dem Regimentsschreiber den Ankauf von neuen Waren. Dazu schickt sie ihre Tochter Kattrin mit dem Schreiber in die Stadt und gefährdet damit deren Sicherheit. Tatsächlich kehrt Kattrin von den Soldaten geschändet und mit einer tiefen Wunde am Kopf zurück.

Bertolt Brecht

Mutter Courage und ihre Kinder (Auszug, 1938/39)

Der Schreiber Auf die Dauer kann man nicht ohne Frieden leben.

Der Feldprediger Ich möcht sagen, den Frieden gibts im Krieg auch, er hat seine friedlichen Stelln. Der Krieg befriedigt nämlich alle Bedürfnis, auch die friedlichen darunter, dafür ist gesorgt, sonst möcht er sich nicht halten können. Im Krieg kannst du auch kacken wie im tiefsten Frieden, und zwischen dem einen Gefecht und dem ändern gibts ein Bier, und sogar auf dem Vormarsch kannst du ein'n Nicker machen, aufn Ellbogen, das ist immer möglich, im Straßengraben. Beim Stürmen kannst du nicht Karten spieln, das kannst du beim Ackerpflügen im tiefsten Frieden auch nicht, aber nach dem Sieg gibts Möglichkeiten. Dir mag ein Bein abgeschossen werden, da erhebst du zuerst ein großes Geschrei, als wärs was, aber dann beruhigst du dich oder kriegst Schnaps, und am End hüpfst du wieder herum, und der Krieg ist nicht schlechter dran als vorher. Und was hindert dich, daß du dich vermehrst inmitten all dem Gemetzel, hinter einer Scheun oder woanders, davon bist du nie auf die Dauer abzuhalten, und dann hat der Krieg deine Sprößlinge und kann mit ihnen weiterkommen. Nein, der Krieg findet immer einen Ausweg, was nicht gar. Warum soll er aufhörn müssen?

Kattrin hat aufgehört zu arbeiten und starrt auf den Feldprediger.

Mutter Courage Da kauf ich also die Waren. Ich verlaß mich auf Sie. *Kattrin schmeißt plötzlich einen Korb mit Flaschen auf den Boden und läuft hinaus. Kattrin! Lacht.* Jesses, die wart doch auf den Frieden. Ich hab ihr versprochen, sie kriegt einen Mann, wenn Frieden wird. *Sie läuft ihr nach.* [...]

Mutter Courage *herein mit Kattrin*: Sei vernünftig, der Krieg geht noch ein bissei weiter, und wir machen noch ein bissel Geld, da wird der Friede um so schöner. Du gehst in die Stadt, das sind keine zehn Minuten, und holst die Sachen im Goldenen Löwen, die wertvollen, die ändern holn wir später mitm Wagen, es ist alles ausgemacht, der Herr Regimentsschreiber begleitet dich. Die meisten sind beim Begräbnis vom Feldhauptmann, da kann dir nix geschehn. Machs gut, laß dir nix wegnehmen, denk an deine Aussteuer!

Kattrin nimmt eine Leinwand über den Kopf und geht mit dem Schreiber.

Der Feldprediger Können Sie sie mit dem Schreiber gehn lassen?

Maria Happel als Mutter Courage, Burgtheater Wien 2013

Kattrin (Sarah Viktoria Frick, links) kehrt nach der Schändung zurück, Mutter Courage (Maria Happel) umsorgt sie, Burgtheater Wien 2013

Mutter Courage Sie ist nicht so hübsch, daß sie einer ruinieren möcht.

Der Feldprediger Wie Sie so Ihren Handel führn und immer durchkommen, das hab ich oft bewundert. Ich verstehs, daß man Sie Courage geheißen hat.

Mutter Courage Die armen Leut brauchen Courage. Warum, sie sind verloren. Schon daß sie aufstehn in der Früh, dazu gehört was in ihrer Lag. Oder daß sie einen Acker umpflügen, und im Krieg! Schon daß sie Kinder in die Welt setzen, zeigt, daß sie Courage haben, denn sie haben keine Aussicht. Sie müssen einander den Henker machen und sich gegenseitig abschlachten, wenn sie einander da ins Gesicht schaun wolln, das braucht wohl Courage. Daß sie einen Kaiser und einen Papst dulden, das beweist eine unheimliche Courage, denn die kosten ihnen das Leben. *Sie setzt sich nieder, zieht eine kleine Pfeife aus der Tasche und raucht.*

Mutter Courage [...] Was ist das? Sie steht auf. *Herein Kattrin, atemlos, mit einer Wunde über Stirn und Auge. Sie schleppt allerlei Sachen, Pakete, Lederzeug, eine Trommel usw.* Was ist, bist du überfalln worden? Aufn Rückweg? Sie ist aufn Rückweg überfalln worden! Wenn das nicht der Reiter gewesen ist, der sich bei mir besoffen hat! Ich hätt dich nie gehn lassen solln. Schmeiß das Zeug weg! Das ist nicht schlimm, die Wund ist nur eine Fleischwund. Ich verbind sie dir, und in einer Woche ist sie geheilt. Sie sind schlimmer als die Tier. Sie verbindet die Wunde.

Der Feldprediger Ich werf ihnen nix vor. Daheim haben sie nicht geschändet. Schuld sind die, wo Krieg anstiften, sie kehren das Unterste zuoberst in die Menschen.

Mutter Courage Hat dich der Schreiber nicht zurückbegleitet? Das kommt davon, daß du eine anständige Person bist, da schern sie sich nicht drum. Die Wund ist gar nicht tief, da bleibt nix zurück. So, jetzt ists verbunden. Du kriegst was, sei ruhig. Ich hab dir insgeheim was aufgehoben, du wirst schauen. *Sie kramt aus einem Sack die roten Stöckelschuhe der Pottier heraus.* Was, da schaust du? Die hast du immer wolln. Da hast du sie. Zieh sie schnell an, daß es mich nicht reut. Nix bleibt zurück, wenngleich mirs nix ausmachen möcht. Das Los von denen, wo ihnen gefallen, ist das schlimmste. Die ziehn sie herum, bis sie kaputt sind. Wen sie nicht mögen, die lassen sie am Leben. Ich hab schon solche gesehn, wo hübsch im Gesicht gewesen sind, und dann haben sie bald so ausgeschaut, daß einen Wolf gegraust hat. Nicht hinter einen Alleebaum können sie gehn, ohne daß sie was fürchten müssen, sie haben ein grausliches Leben. Das ist wie mit die Bäum, die graden, luftigen werden abgehaun für Dachbalken, und die krummen dürfen sich ihres Lebens freun. Das war also nix als ein Glück. Die Schuh sind noch gut, ich hab sie eingeschmiert aufgehoben.

Rote Stöckelschuhe Schuhe der Hure Yvette Pottier, die Kattrin zuvor schon gerne getragen hätte, was ihr aber von Mutter Courage verboten wurde.

Kattrin läßt die Schuhe stehen und kriecht in den Wagen.

Der Feldprediger Hoffentlich ist sie nicht verunstaltet.

Mutter Courage Eine Narb wird bleiben. Auf den Frieden muß die nimmer warten.

Der Feldprediger Die Sachen hat sie sich nicht nehmen lassen.

Mutter Courage Ich hätts ihr vielleicht nicht einschärfen solln. Wenn ich wüßt, wie es in ihrem Kopf ausschaut! Einmal ist sie eine Nacht ausgeblieben, nur einmal in all die Jahr. Danach ist sie herumgegangen wie vorher, hat aber stärker gearbeitet. Ich könnt nicht herausbringen, was sie erlebt hat. Ich hab mir eine Zeitlang den Kopf zerbrochen. *Sie nimmt die von Kattrin gebrachten Waren auf und sortiert sie zornig.* Das ist der Krieg! Eine schöne Einnahmequell!

Originale Rechtschreibung

1 Analysieren Sie die beiden Dramenauszüge vergleichend hinsichtlich inhaltlicher und sprachlicher Aspekte. Berücksichtigen Sie dabei insbesondere die unterschiedlichen Mutterrollen von Frau John und Mutter Courage.

Väterbilder im Drama

„Die Söhne des Orest" – Väterbilder im Drama analysieren und reflektieren

Orest (Orestes)

Orest ist eine Figur der griechischen Mythologie. Er gehört zum Geschlecht der berühmten Atriden, den Nachkommen des Halbgottes Tantalus (Tantaliden). Als Agamemnon, der Vater von Orest, für zehn Jahre in den Trojanischen Krieg ziehen muss, verheiratet sich seine Mutter Klytaimnestra neu mit Aigisthos. Bei Agamemnons Rückkehr aus dem Krieg tötet Klytaimnestra Agamemnon, da sie annimmt, er habe die gemeinsame Tochter Iphigenie geopfert. Orest wird vor dem mordlüstigen Aigisthos gerettet, indem er zu Agamemnons Schwester Anaxibia und ihrem Mann Strophios in die Obhut gebracht wird. Hier wächst er auf, und es entsteht eine tiefe Freundschaft mit seinem Cousin Pylades. Acht Jahre später bittet Orests Schwester Elektra ihren Bruder darum, den Tod des Vaters zu rächen. Nachdem Orest das Orakel von Delphi befragt hat, welches ihm zu der Rachetat rät, kehrt er zurück und tötet mit einer List seine Mutter und ihren neuen Mann.

Für diese Tat wird er von nun an durch die Erinyen (Rachegöttinnen, vgl. Bild oben) verfolgt, ist als Muttermörder ein Geächteter und leidet unter schweren Schuldgefühlen bis zum Wahnsinn. Auf Weissagung des Orakels von Apoll, dass er von dem Fluch befreit werden könne, wenn er die Schwester aus dem Land der Taurer nach Athen zurückhole, begibt er sich mit Pylades auf die Halbinsel Krim. Dort lebt ohne Orests Wissen seine Schwester Iphigenie in Gefangenschaft des Königs Thoas und muss als Dienerin am Artemistempel Menschenopfer vollziehen. Orest deutet den Spruch des Orakels so, dass er die Schwester des Apoll, die geraubte Götterstatue der Artemis, nach Griechenland zurückholen müsse. Er ahnt nichts von seiner eigenen Schwester, die er längst für tot hält. Auf Tauris angekommen, sollen Pylades und Orest auf Geheiß von Thoas durch Iphigenie geopfert werden, jedoch erkennen sich die Geschwister rechtzeitig und fliehen mit der geraubten Statue. Zurück in Mykene übernimmt der geheilte Orest die frühere Herrschaft seines Vaters Agamemnon.

William-Adolphe Bouguereau: Orestes verfolgt von den Erinnyen (1862)

Fluch der Tantaliden

Orests schwieriges Schicksal, das seiner Ahnherren und seiner Kinder liegt nach der Auffassung der Mythologie im Fluch der Tantaliden begründet: Der Ahnherr der Familie, der Halbgott Tantalos, ist wegen seiner Klugheit ein beliebter Gast am Tisch der Götter im Olymp gewesen. Nachdem er aber die Gunst der Götter missbraucht, ihnen Nektar und Ambrosia gestohlen und ihre Allwissenheit herausgefordert hat, wird er von den Göttern in den Tartaros zu Höllenqualen verdammt. Auch seine Nachkommen werden verflucht: Bis in die fünfte Folgegeneration soll sich ein Familienmitglied gegen seine eigene Herkunft richten und ein anderes Familienmitglied ermorden. Es folgt in der griechischen Mythologie für die Tantaliden ein gnadenloses und scheinbar nicht enden wollendes Unheil von katastrophaler Missgunst und schweren Verbrechen gegen die eigene Familie.

Iphigenie

Goethe schreibt sein klassisches Drama *Iphigenie auf Tauris* 1779 zunächst als Prosafassung nach einer Vorlage von Euripides und greift dort den Tantalidenstoff auf. Im Zentrum seines Dramas steht Iphigenie, die sich im Konflikt zwischen ihrer Pflichterfüllung als Priesterin und ihrem inneren Selbst befindet, zwischen der Verpflichtung, für König Thoas zu töten, einerseits und ihrem festen Glauben an die Menschlichkeit andererseits sowie zwischen der Heimatflucht als Intrige und ihrer Wahrheitsliebe. In Goethes Drama siegt am Ende die Humanität. Iphigenie offenbart sich Thoas, und dieser lässt Iphigenie mit ihrem Bruder und Palades ziehen.

1 Fassen Sie die Informationen stichwortartig zusammen und vergleichen Sie sie mit einem Partner.

Ab 1786 formt Goethe auf seiner Italienreise diese erste Fassung der *Iphigenie* in ein Bühnenstück in Versform um. Im Zentrum des folgenden Textauszuges (der zweite Aufzug des dritten Aktes) stehen Orest als Agamemnons Sohn und seine Vision des friedlichen und vom Tantalidenfluch erlösten Beisammenseins mit seinen Ahnen im Totenreich. Im Aufzug zuvor geben sich Orest und Iphigenie als Geschwister zu erkennen. Orest ist zu deprimiert und unfähig, aus seinem Leiden auszubrechen. Psychisch völlig überlastet, sinkt er mit dem Wunsch zu sterben am Ende bewusstlos in sich zusammen. Hier setzt Ihre Bearbeitung ein:

Orest, Residenztheater München 2013, Regie: David Bösch, Foto: Andreas Pohlmann

Johann Wolfgang von Goethe

Iphigenie auf Tauris (1786, Auszug)

Dritter Aufzug, Zweiter Auftritt
Orest *aus seiner Betäubung erwachend und sich aufrichtend*
Noch einen! reiche mir aus Lethes Fluten
Den letzten kühlen Becher der Erquickung!
Bald ist der Krampf des Lebens aus dem Busen
Hinweggespült; bald fließet still mein Geist,
Der Quelle des Vergessens hingegeben,
Zu euch, ihr Schatten, in die ew'gen Nebel.
Gefällig lasst in eurer Ruhe sich
Den umgetriebnen Sohn der Erde laben! –
Welch ein Gelispel hör ich in den Zweigen,
Welch ein Geräusch aus jener Dämmrung säuseln? –
Sie kommen schon, den neuen Gast zu sehn!
Wer ist die Schar, die herrlich miteinander
Wie ein versammelt Fürstenhaus sich freut?
Sie gehen friedlich, Alt' und Junge, Männer
Mit Weibern; göttergleich und ähnlich scheinen
Die wandelnden Gestalten. Ja, sie sind's,
Die Ahnherrn meines Hauses! – Mit Thyesten
Geht Atreus in vertraulichen Gesprächen,
Die Knaben schlüpfen scherzend um sie her.
Ist keine Feindschaft hier mehr unter euch?
Verlosch die Rache wie das Licht der Sonne?

Lethe
Fluss der Unterwelt; das Trinken seines Wassers ermöglichte nach der Mythologie den Übergang ins Totenreich.

Schatten
In der Vorstellung der Griechen lebten die Toten als Schatten weiter .

So bin auch ich willkommen, und ich darf
In euern feierlichen Zug mich mischen.
Willkommen, Väter! euch grüßt Orest,
Von euerm Stamme der letzte Mann;
Was ihr gesät, hat er geerntet:
Mit Fluch beladen stieg er herab.
Doch leichter träget sich hier jede Bürde:
Nehmt ihn, o nehmt ihn in euern Kreis! –
Dich, Atreus, ehr ich, auch dich, Thyesten:
Wir sind hier alle der Feindschaft los. –
Zeigt mir den Vater, den ich nur einmal
Im Leben sah! – Bist du‘s, mein Vater?
Und führst die Mutter vertraut mit dir?
Darf Klytämnestra die Hand dir reichen,
So darf Orest auch zu ihr treten
Und darf ihr sagen: Sieh deinen Sohn! –
Seht euern Sohn! Heißt ihn willkommen!
Auf Erden war in unserm Hause
Der Gruß des Mordes gewisse Losung,
Und das Geschlecht des alten Tantalus
Hat seine Freuden jenseits der Nacht.
Ihr ruft: „Willkommen!“ und nehmt mich auf.
O führt zum Alten, zum Ahnherrn mich!
Wo ist der Alte? dass ich ihn sehe,
Das teure Haupt, das vielverehrte,
Das mit den Göttern zu Rate saß.
Ihr scheint zu zaudern, euch wegzuwenden?
Was ist es? Leidet der Göttergleiche?
Weh mir! es haben die Übermächt‘gen
Der Heldenbrust grausame Qualen
Mit ehrnen Ketten fest aufgeschmiedet.

Losung
Gemeint ist hier der Fluch der Tantaliden (s. o.).

der Alte
Tantalus selbst als Ahnherr, der als einziger auch im Totenreich die grausamen Qualen weiter erleiden muss.

1 Beschreiben Sie das Gefühl von Orest in seinem Traum, wenn er mit seinen Ahnen friedlich vereint im Totenreich ist. Sammeln Sie dazu in der Form eines Brainstormings möglichst viele passende Begriffe, ohne dass Sie diese zunächst bewerten.

2 Erklären Sie das Erleben Orests vor dem Hintergrund des Tantalidenfluchs und der Situation auf Tauris. Greifen Sie dazu auf Ihre Zusammenfassung des Informationskastens auf S. 149 zurück.

3 Erläutern Sie, welche Funktionen dieser Traum für Orest hat. Beziehen Sie diese Funktionen ggf. auf den Fortgang der Dramenhandlung und den humanistischen Ausgang des Dramas bei Goethe.

4 Bewerten Sie den Inszenierungsvorschlag David Böschs im Bild links anhand eigener Kriterien.

5 ***Lernarrangement***
Bereiten Sie in der Gruppe eine schauspielerische Darstellung des Traumes von Orest vor und führen Sie diese auf. Hierfür empfiehlt sich besonders die Form eines Schattenspiels. Sollte Ihnen keine entsprechende Bühne zur Verfügung stehen, können Sie eine solche leicht mit einer Wäscheleine, einem Bettlaken und einem Tageslichtprojektor selbst herstellen. Auch weiße Masken und/oder die Form des Schwarzlichttheaters können das Traumhafte verdeutlichen. Werten Sie Ihr Spiel und Ihre Inszenierung im Plenum gemeinsam anhand von vorab selbst gewählten Kriterien aus.

1 Bevor Sie diesen Text lesen: Betrachten Sie die Überschrift des Textes und sammeln Sie Ihre Gedanken hierzu. Was wissen Sie bereits über Orest? Wer könnte mit „Söhne des Orest" gemeint sein? Wie könnten beide Teilüberschriften miteinander in Verbindung gebracht werden? Formulieren Sie aufgrund Ihrer Überlegungen mindestens drei Fragestellungen an den Text:

1. ______________________________

2. ______________________________

3. ______________________________

Christiane Olivier

Die Söhne des Orest – Ein Plädoyer für Väter (1997, Auszug)

Christiane Olivier (*1938) studierte Literaturwissenschaft und Psychologie und arbeitet heute als Psychoanalytikerin in Frankreich.

Seit langer Zeit entscheiden die Frauen, „wer" der Vater ist, denn sie haben das Recht erlangt, ihr Herz, ihren Körper, ihre Kinder und ihre Liebe aufeinander abzustimmen. Seit mindestens zwanzig Jahren ist der „Name des Vaters" ein Zeichen geworden, dem nichts eindeutig entspricht und das von einem Mann auf den anderen übergehen kann. Je nachdem, wie sich die Mutter an diesen oder jenen bindet, ändert sich der Vater des Kindes. Wie wirkt es sich auf ein Kind aus, weder den Geruch noch die Stimme dessen wiederzuerkennen, an den es sich monatelang gewöhnt hatte? Was geschieht, wenn ein anderer seinen Platz einnimmt? Kann das Kind sich noch orientieren, und auf welchem Weg? Mit welchen Worten? Alles, was es tief im Inneren in sich trägt, entspricht nicht dem, was es heute hört, spürt und sieht. [...]

Je mehr wir uns auf die Zweierbeziehung von Mutter und Kind versteifen, desto größer wird die Verantwortung der Mutter für das Kind, und desto mehr wird der Vater aus dem Erziehungssystem ausgestoßen. Da er keinen Uterus besitzt, um das Kind zu tragen, und auch keine nährende Brust, scheint es nichts zu geben, worauf sich eine Beziehung mit dem Säugling gründen könnte. So wäre er in den ersten Monaten zu nichts nütze und müsste sich ganz auf seine Frau verlassen, um bei dem Kind, das auch das seine ist, eingeführt zu werden. Dass er eines Tages von ihm getrennt werden soll, im Namen der einzigen Frau, der einzigen Mutter, erscheint vollkommen unlogisch. [...]

Die Mutter kann den Vater, nachdem sie ihn geliebt hat, ablehnen, ohne ihn verdrängen zu müssen, weil sie sich nicht mehr in der Phase der Prägung und Bindung an das Urobjekt befindet. Was aber für die Mutter gilt, das gilt nicht für das Kind. Dank neuer Forschungen wird man bald begreifen, dass ein Vater sich dem Kind vom vierten Monat der Schwangerschaft an dank intrauteriner Wahrnehmungen „einprägt" und dass er nicht mehr auszulöschen ist. Deshalb werden Kinder, die im frühen Alter adoptiert wurden, plötzlich eines Tages mit vierzehn oder vierzig wach und wollen ihn wiederfinden – ihn, den ihr Körper mit sich herumträgt, unbewusst und für immer. [...]

intrauterin innerhalb der Gebärmutter

Hier wird die Beziehung, die das Kind während der Schwangerschaft mit dem Vater erlebt hat, einfach geleugnet. Vergessen wir nicht, dass es seine Stimme durch die Bauchdecke hörte, dass der Moschusgeruch des Vaters im Fruchtwasser enthalten war, in dem das Kind lebte, und dass die Hände des Vaters versuchten, das Kind durch den Mutterleib zu tasten. All dies wird im Proto-Gedächtnis des Kindes gespeichert, und bei seiner Geburt erkennt das Kind manche Merkmale seines Vaters ebenso, wie ihm die Herzfrequenz der Mutter vertraut ist, mit der es monatelang gelebt hat.

Kontinuität ist das, was das Kind am meisten braucht, was ihm Sicherheit gibt und es befähigt, nach vorn zu schauen. Dazu bedarf es dauerhafter Grundlagen; Vater und Mutter sind die beiden Gleise, auf denen das Kind vorwärts fährt. Ein Gleis kann das andere nicht ersetzen, aber zu zweit können sie den Zug lenken. [...]

Der Vater schenkt dem Kind eine Liebe, die anders ist als die der Mutter, weil er vom Ödipus her gesehen der Gegensatz zur Mutter ist. Wenn einer der Eltern durch den Unterschied angezogen wird, dann wird der andere durch die Ähnlichkeit motiviert; wenn einer ödipale Träume hat, hat der andere Identifikationsträume; wenn der eine erkennt, dass sein Geschlecht ein anderes ist, erkennt sich der andere im gleichen Körper. Eine Mutter ohne Vater ist keine Möglichkeit für das Kind, und wenn das Leben sie trennt, dürfen die Eltern nicht vergessen, dass die Kraft ihres Kindes in ihrer gegenseitigen Ergänzung beruht, die lange über die Scheidung hinaus bestehen muss. [...]

Die Väter werden aus drei Gründen davon abgehalten, ihr Vatersein auszuüben:

1. Ihre Frauen sehen sich meistens als einzigen, unverzichtbaren Elternteil an. Sie haben das Bedürfnis, sich für unersetzlich zu halten, um ihre eigene Identität zu stärken, und verspüren den Wunsch, allen zu zeigen, dass sie die Mütter sind.
2. Die Männer wagen es nicht, einen Platz einzunehmen, den ihre eigene Mutter besetzt hat, aber niemals ihr Vater.
3. Die Unternehmen interessieren sich mehr für ihre Finanzen und ihr Funktionieren als für die Familien, obwohl sie Familienmitglieder beschäftigen. Wenn ein Kind geboren wird, darf der Vater seinen Arbeitsplatz nicht verlassen. So ist er ein guter Mitarbeiter, aber ein schlechter Vater.

Hier wird deutlich, dass es nicht nur um eine Veränderung der Vaterrolle geht, sondern um einen Mentalitätswandel in einer Gesellschaft, die zuerst patriarchalisch war, in der aber nun die Mutter im Mittelpunkt steht und in der das Unbewusste sich nur an weiblichen Anhaltspunkten orientieren kann – in der Familie, aber auch in Erziehungseinrichtungen außerhalb. Dies bringt die Männer dazu, außerhalb dieser weiblichen Bastionen zu bleiben, und die Frauen haben Angst, sie zu verlassen. So ergänzen sie sich seit zwanzig Jahrhunderten, sperren sich gegenseitig ein und sitzen gemeinsam im Gefängnis. [...]

Wir müssen über eine neue Ordnung nachdenken, eine Art Familienökologie. Der Vater muss dabei ebenso an der Erziehung beteiligt sein wie die Mutter, denn deren Herrschaft hat zum Verschwinden des Vaters, zu seiner Ausstoßung aus dem Familiensystem geführt. Wir müssen über die Art und Weise nachdenken, in der jeder von uns das Recht und auch den Wunsch hat, sich fortzupflanzen und auch am Produktionsprozess seines Landes teilzunehmen. Die Frauen sind mehr als Mütter, die Männer mehr als Arbeiter.

1 Nehmen Sie Rückbezug auf Ihre Fragen an den Text auf S. 152. Inwiefern konnte der Text Antworten darauf geben?

2 Stellen Sie den Argumentationsgang des Textes in einem Flussdiagramm dar.

TIPP
Hinweise zum Flussdiagramm siehe S. 305

3 Überprüfen Sie die Anspielung auf Orest in der Überschrift. Welche inhaltlichen und argumentativen Bezüge zu der mythologischen Figur finden sich im Text? Inwieweit halten Sie die Überschrift für aussagekräftig?

4 Erörtern Sie die These Oliviers, dass wir in unserer Gesellschaft über eine neue Ordnung, „eine Art Familienökologie“ nachdenken müssen.

Groteske Familie – Familie in der Groteske

Elemente der Dramentheorie Dürrenmatts erarbeiten und analysieren

Friedrich Dürrenmatt (1921–1990), Schweizer Dramatiker, Schriftsteller und Maler

Friedrich Dürrenmatt versteht unsere heutige Welt in seiner Dramentheorie als widersprüchlich, absurd und sinnentleert. Er schreibt dazu: *„Wir sind zu kollektiv schuldig, zu kollektiv gebettet in die Sünden unserer Väter und Vorväter. Wir sind nur noch Kindeskinder. Das ist unser Pech, nicht unsere Schuld: Schuld gibt es nur noch als persönliche Leistung, als religiöse Tat. Uns kommt nur noch die Komödie bei. Unsere Welt hat ebenso zur Groteske geführt wie zur Atombombe, wie ja die apokalyptischen Bilder des Hieronymus Bosch auch grotesk sind. Doch das Groteske ist nur ein sinnlicher Ausdruck, ein sinnliches Paradox, die Gestalt nämlich einer Ungestalt, das Gesicht einer gesichtslosen Welt, und genau so wie unser Denken ohne den Begriff des Paradoxen nicht mehr auszukommen scheint, so auch die Kunst, unsere Welt, die nur noch ist, weil die Atombombe existiert: aus Furcht vor ihr."*

Hieronymus Bosch: Der Garten der Lüste (Bildausschnitt aus dem Triptychon, um 1500)

1 Erläutern Sie die Weltsicht Dürrenmatts unter Bezug auf den oben abgebildeten Bildausschnitt von Hieronymus Bosch.

2 Erklären Sie Ihr Verständnis der Aussage Dürrenmatts „Uns kommt nur noch die Komödie bei."

Im folgenden Text erläutert Dürrenmatt seine Definition des Grotesken am Beispiel des britischen Polarforschers Robert Falcon Scott (1868-1912), der im Wettlauf mit Roald Amundsen um die Erstbegehung des geographischen Südpols erst einen Monat später als sein Widersacher am Ziel ankommt und dann auf dem Rückweg wenige Kilometer vor der sicheren Basisstation stirbt.

Friedrich Dürrenmatt

Modell Scott (1980)

Shakespeare hätte das Schicksal des unglücklichen Robert Falcon Scott doch wohl in der Weise dramatisiert, daß der tragische Untergang des großen Forschers durchaus dessen Charakter entsprungen wäre; Ehrgeiz hätte Scott blind gegen die Gefahren der unwirtlichen Regionen gemacht, in die er sich wagte, Eifersucht und Verrat unter den anderen Expeditionsteilnehmern hätten das Übrige hinzugetan, die Katastrophe in Eis und Nacht herbeizuführen; bei Brecht wäre die Expedition aus wirtschaftlichen Gründen und Klassendenken gescheitert, die englische Erziehung hätte Scott gehindert, sich Polarhunden anzuvertrauen, er hätte zwangsläufig standesgemäße Ponys gewählt, der höhere Preis wiederum dieser Tiere hätte ihn genötigt, an der Ausrüstung zu sparen; bei Beckett wäre der Vorgang auf das Ende reduziert, Endspiel, letzte Konfrontation, schon in einen Eisblock verwandelt säße Scott anderen Eisblöcken gegenüber, vor sich hinredend, ohne Antwort von seinen Kameraden zu erhalten, ohne Gewißheit, von ihnen noch gehört zu werden: Doch wäre auch eine Dramatik denkbar, die Scott beim Einkaufen der für die Expedition benötigten Lebensmittel aus Versehen in einen Kühlraum einschlösse und in ihm erfrieren ließe. Scott, gefangen in den endlosen Gletschern der Antarktis, entfernt durch unüberwindliche Distanzen von jeder Hilfe, Scott, wie gestrandet auf einem anderen Planeten, stirbt tragisch, Scott, eingeschlossen in den Kühlraum durch ein läppisches Mißgeschick, mitten in einer Großstadt, nur wenige Meter von einer belebten Straße entfernt, zuerst beinahe höflich an die Kühlraumtüre klopfend, rufend, wartend, sich eine Zigarette anzündend, es kann ja nur wenige Minuten dauern, dann an die Türe polternd, daraufschreiend und hämmernd, immer wieder, während sich die Kälte eisiger um ihn legt, Scott, herumgehend, um sich Wärme zu verschaffen, hupfend, stampfend, turnend, radschlagend, endlich verzweifelt Tiefgefrorenes gegen die Türe schmetternd, Scott wieder innehaltend, im Kreise herumzirkelnd auf kleinstem Raum, schlotternd, zähneklappernd, zornig und ohnmächtig, dieser Scott nimmt ein noch schrecklicheres Ende und dennoch ist Robert Falcon Scott im Kühlraum erfrierend ein anderer als Robert Falcon Scott erfrierend in der Antarktis, wir spüren es, dialektisch gesehen ein anderer, aus einer tragischen Gestalt ist eine komische Gestalt geworden, komisch nicht wie einer, der stottert, oder wie einer, der vom Geiz oder von der Eifersucht überwältigt worden ist, eine Gestalt komisch allein durch ihr Geschick: Die schlimmstmögliche Wendung, die eine Geschichte nehmen kann, ist die Wendung in die Komödie. *Originale Rechtschreibung*

1 Recherchieren Sie arbeitsteilig Informationen zu den angesprochenen Grundsätzen der Dramengestaltung von William Shakespeare und Samuel Beckett. Rufen Sie sich die Theorie des epischen Theaters von Brecht in Erinnerung oder recherchieren Sie auch diese, sofern Sie das entsprechende Modul in diesem Heft noch nicht bearbeitet haben. Prüfen Sie anschließend, ob sie Dürrenmatts Transfer des Schicksals von Robert Falcon Scott in die jeweilige Dramentheorie für plausibel halten.

2 Erläutern Sie die Begriffe „schlimmstmögliche Wendung" und den oben bereits erarbeiteten Begriff der „Groteske" anhand des „Modell Scott".

3 Unser Leben kennt viele tragische Schicksale. Gehen Sie analog zu Dürrenmatt vor und entwerfen Sie einen Paralleltext, indem Sie das prominente Schicksal eines von Ihnen gewählten Menschen entsprechend der Vorlage in die angesprochenen Dramentheorien übertragen.

Friedrich Dürrenmatt: Federzeichnung zum Stück *Die Physiker* 1962, © CDN/Schweizerische Eidgenossenschaft

In Dürrenmatts von ihm selbst als *Komödie* untertiteltem Bühnenstück *Die Physiker* hat der Physiker Johann Wilhelm Möbius die so bezeichnete Weltformel gefunden, mit der die Weltherrschaft errungen werden kann. Möbius täuscht eine Geisteskrankheit vor und lässt sich in ein Irrenhaus einweisen, um durch diese selbstopfernde Tat die Welt vor seiner Erfindung zu schützen. Er behauptet daher, ihm erscheine der weise König Salomo. Auch die Agenten zweier konkurrierender Weltmächte täuschen vor, sich selbst als Albert Einstein und Isaac Newton zu sehen, und lassen sich in das Irrenhaus einweisen, um so an die Weltformel von Möbius zu gelangen. In der schlimmstmöglichen Wendung am Ende des Dramas entpuppt sich die Leiterin der Anstalt, Frau Dr. Mathilde von Zahnd, als eigentlich Geisteskranke. Sie gelangt durch ihre Position an die Weltformel, und alle drei Herren müssen gefangen im Irrenhaus zusehen, wie sie an die Weltherrschaft gelangt. In der hier vorliegenden Szene kommt die Ehefrau von Möbius, die sich inzwischen von ihm hat scheiden lassen und Missionar Rose geheiratet hat, mit ihren drei Kindern zu einem letzten Abschiedsbesuch.

Friedrich Dürrenmatt

Die Physiker (1961, überarbeitete Fassung von 1980, Auszug)

Aus dem Zimmer Nummer 1 kommt Johann Wilhelm Möbius, ein vierzigjähriger, etwas unbeholfener Mensch. Er schaut sich unsicher im Zimmer um, betrachtet Frau Rose, dann die Buben, endlich Herrn Missionar Rose, scheint nichts zu begreifen, schweigt.

Frau Rose Johann Wilhelm.

Die Buben Papi.

Möbius schweigt.

Frl. Doktor Mein braver Möbius, Sie erkennen mir doch noch Ihre Gattin wieder, hoffe ich.

Möbius *starrt Frau Rose an* Lina?

Frl. Doktor Es dämmert, Möbius. Natürlich ist es Ihre Lina.

Möbius Grüß dich, Lina.

Frau Rose Johann Wilhelmlein, mein liebes, liebes Johann Wilhelmlein.

Frl. Doktor So. Es wäre geschafft. Frau Rose, Herr Missionar, wenn Sie mich noch zu sprechen wünschen, stehe ich drüben im Neubau zur Verfügung. *Sie geht durch die Flügeltüre links ab.*

Frau Rose Deine Buben, Johann Wilhelm.

Möbius *stutzt* Drei?

Frau Rose Aber natürlich, Johann Wilhelm. Drei. *Sie stellt ihm die Buben vor.* Adolf-Friedrich, dein Ältester.

Möbius schüttelt ihm die Hand.

Möbius Freut mich, Adolf-Friedrich, mein Ältester.

Adolf-Friedrich Grüß dich, Papi.

Möbius Wie alt bist du denn, Adolf-Friedrich?

Adolf-Friedrich Sechzehn, Papi.

Möbius Was willst du werden?

Adolf-Friedrich Pfarrer, Papi.

Möbius Ich erinnere mich. Ich führte dich einmal an der Hand über den Sankt-Josephs-Platz. Die Sonne schien grell, und die Schatten waren wie abgezirkelt. *Wendet sich zum nächsten.* Und du – du bist?

Wilfried-Kaspar Ich heiße Wilfried-Kaspar, Papi.

Möbius Vierzehn?

Wilfried-Kaspar Fünfzehn. Ich möchte Philosophie studieren.

Möbius Philosophie?

Frau Rose Ein besonders frühreifes Kind.

Wilfried-Kaspar Ich habe Schopenhauer und Nietzsche gelesen.

Frau Rose Dein Jüngster, Jörg-Lukas. Vierzehnjährig.

Jörg-Lukas Grüß dich, Papi.

Möbius Grüß dich, Jörg-Lukas, mein Jüngster.

Frau Rose Er gleicht dir am meisten.

Jörg-Lukas Ich will ein Physiker werden, Papi.

Möbius *starrt seinen Jüngsten erschrocken an* Physiker?

Jörg-Lukas Jawohl, Papi.

Möbius Das darfst du nicht, Jörg-Lukas. Keinesfalls. Das schlage dir aus dem Kopf. Ich – ich verbiete es dir.

Jörg-Lukas *ist verwirrt* Aber du bist doch auch ein Physiker geworden, Papi –

Möbius Ich hätte es nie werden dürfen, Jörg-Lukas. Nie. Ich wäre jetzt nicht im Irrenhaus.

Frau Rose Aber Johann Wilhelm, das ist doch ein Irrtum. Du bist in einem Sanatorium, nicht in einem Irrenhaus. Deine Nerven sind einfach angegriffen, das ist alles.

Möbius *schüttelt den Kopf* Nein, Lina. Man hält mich für verrückt. Alle. Auch du. Und auch meine Buben. Weil mir der König Salomo erscheint.

Alle schweigen verlegen. Frau Rose stellt Missionar Rose vor.

Frau Rose Hier stelle ich dir Oskar Rose vor, Johann Wilhelm. Meinen Mann. Er ist Missionar.

Möbius Dein Mann? Aber ich bin doch dein Mann.

Frau Rose Nicht mehr, Johann Wilhelmlein. Sie errötet. Wir sind doch geschieden.

Möbius Geschieden?

Frau Rose Das weißt du doch.

Möbius Nein.

Frau Rose Fräulein Doktor von Zahnd teilte es dir mit. Ganz bestimmt.

Möbius Möglich.

Frau Rose Und dann heiratete ich eben Oskar. Er hat sechs Buben. Er war Pfarrer in Guttannen und hat nun eine Stelle auf den Marianen angenommen.

Missionar Rose Im Stillen Ozean.

Frau Rose Wir schiffen uns übermorgen in Bremen ein.

Möbius schweigt, die anderen sind verlegen.

Frau Rose Ja. So ist es eben.

Möbius *nickt Missionar Rose zu* Es freut mich, den neuen Vater meiner Buben kennenzulernen, Herr Missionar.

Missionar Rose Ich habe sie fest in mein Herz geschlossen, Herr Möbius, alle drei. Gott wird uns helfen, nach dem Psalmwort: Der Herr ist mein Hirte, mir wird nichts mangeln.

Frau Rose Oskar kennt alle Psalmen auswendig. Die Psalmen Davids, die Psalmen Salomos.

Möbius Ich bin froh, daß die Buben einen tüchtigen Vater gefunden haben. Ich bin ein ungenügender Vater gewesen.

Frau Rose Aber Johann Wilhelmlein.

Möbius Ich gratuliere von ganzem Herzen.

Frau Rose Wir müssen bald aufbrechen.

Möbius Nach den Marianen.

Frau Rose Abschied voneinander nehmen.

Möbius Für immer.

Frau Rose Deine Buben sind bemerkenswert musikalisch, Johann Wilhelm. Sie spielen sehr begabt Blockflöte. Spielt eurem Papi zum Abschied etwas vor, Buben.

Die Buben Jawohl, Mami.

Adolf-Friedrich öffnet die Mappe, verteilt die Blockflöten.

Frau Rose Nimm Platz, Johann Wilhelmlein.

Möbius nimmt am runden Tisch Platz. Frau Rose und Missionar Rose setzen sich aufs Sofa. Die Buben stellen sich in der Mitte des Salons auf.

Jörg-Lukas Etwas von Buxtehude.

Adolf-Friedrich Eins, zwei, drei.

Die Buben spielen Blockflöte.

Frau Rose Inniger, Buben, inniger.

Die Buben spielen inniger. Möbius springt auf.

Möbius Lieber nicht! Bitte, lieber nicht!

Die Buben halten verwirrt inne.

Möbius Spielt nicht weiter. Bitte. Salomo zuliebe. Spielt nicht weiter.

Frau Rose Aber Johann Wilhelm!

Möbius Bitte, nicht mehr spielen. Bitte, nicht mehr spielen. Bitte, bitte.

Originale Rechtschreibung

Die Physiker am Deutschen Theater Berlin, 2005 (Regie: Andreas Fricsay)

1 Geben Sie den Inhalt der Szene auf den Seiten 156–157 mit eigenen Worten wieder.

2 Der zunächst sehr gelassen wirkende Möbius erträgt den Besuch der Familie zum Schluss nicht mehr. Analysieren Sie die inhaltlichen, sprachlichen und formalen Gestaltungsmittel. Berücksichtigen Sie dabei insbesondere, wie Dürrenmatt diese Besuchsszene in der Wirkung steigert.

3 Prüfen Sie anhand der Szene, ob Sie die Elemente der Dramentheorie Dürrenmatts hier umgesetzt sehen. Belegen Sie Ihre Sachurteile anhand Ihrer Analyseergebnisse.

Einen Prosatext in einen dramatischen Text umwandeln

Gabriele Wohmann

Ein netter Kerl (1978)

Ich hab ja so wahnsinnig gelacht, rief Nanni in einer Atempause. Genau wie du ihn beschrieben hast, entsetzlich.
Furchtbar fett für sein Alter, sagte die Mutter. Er sollte vielleicht Diät essen. Übrigens, Rita, weißt du, ob er ganz gesund ist?
Rita setzte sich gerade und hielt sich mit den Händen an der Unterseite des Sitzes fest. Sie sagte: Ach, ich glaub schon, daß er gesund ist. Genau wie du es erzählt hast, weich wie ein Molch, wie Schlamm, rief Nanni. Und auch die Hand, so weich.
Aber er hat doch auch wieder was Liebes, sagte Milene, doch, Rita, ich finde, er hat was Liebes, wirklich.
Na ja, sagte die Mutter, beschämt fing auch sie wieder an zu lachen; recht lieb, aber doch gräßlich komisch. Du hast nicht zuviel versprochen, Rita, wahrhaftig nicht. Jetzt lachte sie laut heraus. Auch hinten im Nacken hat er schon Wammen, wie ein alter Mann, rief Nanni. Er ist ja so fett, so weich! Sie schnaubte aus der kurzen Nase, ihr kleines Gesicht sah verquollen aus vom Lachen.
Rita hielt sich am Sitz fest. Sie drückte die Fingerkuppen fest ans Holz.
Er hat so was Insichruhendes, sagte Milene. Ich find ihn so ganz nett, Rita, wirklich, komischerweise.
Nanni stieß einen winzigen Schrei aus und warf die Hände auf den Tisch; die Messer und Gabeln auf den Tellern klirrten.
Ich auch, wirklich, ich find ihn auch nett, rief sie. Könnt ihn immer ansehn und mich ekeln.
Der Vater kam zurück, schloß die Esszimmertür, brachte kühle nasse Luft herein. Er war ja so ängstlich, daß er seine letzte Bahn noch kriegt, sagte er. So was von ängstlich.
Er lebt mit seiner Mutter zusammen, sagte Rita.
Sie platzten alle heraus, jetzt auch Milene. Das Holz unter Ritas Fingerkuppen wurde klebrig. Sie sagte: Seine Mutter ist nicht ganz gesund, soviel ich weiß.
Das Lachen schwoll an, türmte sich vor ihr auf, wartete und stürzte sich dann herab, es spülte über sie weg und verbarg sie: lang genug für einen kleinen schwachen Frieden. Als erste brachte die Mutter es fertig, sich wieder zu fassen. Nun aber Schluß, sagte sie, ihre Stimme zitterte, sie wischte mit einem Taschentuchklümpchen über die Augen und die Lippen. Wir können ja endlich mal von was anderem reden.
Ach, sagte Nanni, sie seufzte und rieb sich den kleinen Bauch, ich bin erledigt, du liebe Zeit. Wann kommt die große fette Qualle denn wieder, sag Rita, wann denn? Sie warteten alle ab.

Er kommt von jetzt an oft, sagte Rita. Sie hielt den Kopf aufrecht.

Ich hab mich verlobt mit ihm.

Am Tisch bewegte sich keiner. Rita lachte versuchsweise und dann konnte sie es mit großer Anstrengung lauter als die ändern, und sie rief: Stellt euch das doch bloß mal vor: mit ihm verlobt! Ist das nicht zum Lachen!

Sie saßen gesittet und ernst und bewegten vorsichtig Messer und Gabeln.

He, Nanni, bist du mir denn nicht dankbar, mit der Qualle hab ich mich verlobt, stell dir das doch mal vor!

Er ist ja ein netter Kerl, sagte der Vater. Also höflich ist er, das muss man ihm lassen. Ich könnte mir denken, sagte die Mutter ernst, daß er menschlich angenehm ist, ich meine, als Hausgenosse oder so, als Familienmitglied.

Er hat keinen üblen Eindruck auf mich gemacht, sagte der Vater.

Rita sah alle behutsam dasitzen, sie sah gezähmte Lippen. Die roten Flecken in den Gesichtern blieben noch eine Weile. Sie senkten die Köpfe und aßen den Nachtisch.

Originale Rechtschreibung

1 Analysieren und interpretieren Sie die kurze Prosageschichte von Gabriele Wohmann hinsichtlich inhaltlicher und sprachlicher Gestaltung. Berücksichtigen Sie besonders die deutlich werdenden Klischees und sich verändernde Rollenerwartungen innerhalb der Familie. Sammeln Sie Ihre Analyseergebnisse in einer Mindmap:

Klischee
grob vereinfachendes Denkmuster, das oft unbedacht übernommen wird

2 Schreiben Sie den Prosatext in einen dramatischen Text um. Ändern Sie die Ausgangssituation für Ihre Szene nach der Kopfstandmethode so, dass Rita der Familie einen Mann als ihren Freund vorgestellt hat, von dem die Familie begeistert ist. Die Familienmitglieder spüren Ritas Skepsis und versuchen, sie von den Qualitäten des Freundes zu überzeugen. Am Schluss teilt Rita mit, dass sie sich bereits getrennt haben.

3 Entscheiden Sie sich für einzelne Entwürfe des Kurses und setzen Sie diese nach selbst gewählten Kriterien spielerisch um.

Rahmenthema

Literatur und Sprache um 1900 – neue Ausdrucksformen der Epik

3

Im Pflichtmodul erhalten Sie einen Einblick in verschiedene Romane und Prosatexte aus der Zeit um 1900. Zum Beispiel vergleichen Sie die erzählerischen Ausdrucksformen des Realismus und der Moderne und setzen diese in Verbindung zu charakteristischen Beispielen aus der bildenden Kunst. Sie lernen bedeutende Autoren wie Theodor Fontane, Thomas Mann und Franz Kafka kennen und setzen sich mit deren Texten auseinander. Darüber hinaus erkennen Sie an Beispielen, wie der Erste Weltkrieg literarisch verarbeitet wird.

Um die Stellung und das Rollenverständnis von Frauen um 1900 geht es in diesem Wahlpflichtmodul. Auf der Grundlage theoretischer Texte aus dieser Zeit setzen Sie sich u. a. mit den literarischen Frauenfiguren Theodor Fontanes und Arthur Schnitzlers auseinander.

Kompetenzen

In diesem Rahmenthema beschäftigen Sie sich vorrangig mit erzählenden Texten aus der Zeit um 1900. Es handelt sich um einen Zeitraum, der von großen Veränderungen und Brüchen in vielen Lebensbereichen geprägt ist.

Im Rahmen Ihrer Erarbeitungen werden Sie folgende Kompetenzen erwerben:

- Sie wenden Kriterien zur Unterscheidung realistischer und moderner Darstellungsweisen an.
- Sie reflektieren den möglichen Zusammenhang zwischen gesellschaftlichen Verhältnissen und Prozessen einerseits sowie literarischen Ausdrucksformen andererseits.
- Sie erschließen in der Analyse und Interpretation Themen und Problemstellungen sowie charakteristische Gestaltungs- und Strukturmerkmale der literarischen Moderne.
- Sie wenden reflektiert Maßstäbe zur Bewertung der gestalteten Wirklichkeitswahrnehmung an.
- Sie setzen sich mit dem Einfluss Nietzsches und der Psychoanalyse auf die Literatur der Moderne auseinander.

Als Schülerinnen und Schüler des erhöhten Anforderungsniveaus erlangen Sie zusätzlich folgende Kompetenz:

Sie entwickeln auf der Grundlage erworbenen Wissens über geschichtliche und gesellschaftliche Veränderungen um die Jahrhundertwende ein vertieftes Verständnis für die Texte des Realismus und der Moderne.

Pflichtmodul:

Krise und Erneuerung des Erzählens

Gustave Courbet: Die Kornsieberinnen (1855)

Gustave Courbet (1819–1877), Hauptvertreter der Malerei des Realismus in Frankreich, der auch die realistische Malerei in Deutschland maßgeblich beeinflusste.

1 Beschreiben Sie die Darstellungsweise in Gustave Courbets Gemälde *Die Kornsieberinnen*.

2 Leiten Sie aus der Art der Darstellung mögliche Merkmale realistischer Malerei ab.

Gustav Freytag

Soll und Haben (1855, Auszug)

Erstes Buch

1

Ostrau ist eine kleine Kreisstadt unweit der Oder, bis nach Polen hinein berühmt durch ihr Gymnasium und süße Pfefferkuchen, welche dort noch mit einer Fülle von unverfälschtem Honig gebacken werden. In diesem altväterischen Orte lebte vor einer Reihe von Jahren der königliche Kalkulator Wohlfart, der für seinen König schwärmte, seine Mitmenschen – mit Ausnahme von zwei Ostrauer Spitzbuben und einem groben Strumpfwirker – herzlich liebte und in seiner sauren Amtstätigkeit viele Veranlassung zu heimlicher Freude und zu demütigem Stolze fand. Er hatte spät geheiratet, bewohnte mit seiner Frau ein kleines Haus und hielt den kleinen Garten eigenhändig in Ordnung […]. Endlich begab es sich, dass die Frau Kalkulatorin ihre weißbaumwollene Bettgardine mit einer breiten Krause und zwei großen Quasten verzierte und unter der höchsten Billigung aller Freundinnen auf einige Wochen dahinter verschwand, gerade nachdem sie die letzte Falte zurechtgestrichen und sich überzeugt hatte, dass die Gardine von untadelhafter Wäsche war. Hinter der weißen Gardine wurde der Held dieser Erzählung geboren.

Anton war ein gutes Kind, das nach der Ansicht seiner Mutter vom ersten Tage seines Lebens die staunenswertesten Eigenschaften zeigte […]. Kurz, er war ein so ungewöhnlicher Knabe, wie nur je das einzige Kind warmherziger Eltern gewesen ist. Auch in der Bürgerschule und später im Gymnasium wurde er ein Muster für andere und ein Stolz seiner Familie […].

Gustav Freytag (1816–1895), deutscher Schriftsteller

Kalkulator Buchhalter

Alfred Döblin

Berlin Alexanderplatz (1929, Auszug)

Alfred Döblin vgl. S. 202

Mit der 41 in die Stadt

Er stand vor dem Tor des Tegeler Gefängnisses und war frei. Gestern hatte er noch hinten auf den Äckern Kartoffeln geharkt mit den anderen, in Sträflingskleidung, jetzt ging er im gelben Sommermantel, sie harkten hinten, er war frei. Er ließ Elektrische auf Elektrische vorbeifahren, drückte den Rücken an die rote Mauer und ging nicht. Der Aufseher am Tor spazierte einige Male an ihm vorbei, zeigte ihm seine Bahn, er ging nicht. Der schreckliche Augenblick war gekommen (schrecklich, Franze, warum schrecklich?), die vier Jahre waren um. Die schwarzen eisernen Torflügel, die er seit einem Jahre mit wachsendem Widerwillen betrachtet hatte (Widerwillen, warum Widerwillen), waren hinter ihm geschlossen. Man setzte ihn wieder aus. Drin saßen die andern, tischlerten, lackierten, sortierten, klebten, hatten noch zwei Jahre, fünf Jahre. Er stand an der Haltestelle.

Ernst Ludwig Kirchner: Potsdamer Platz (1914)

Die Strafe beginnt ...

Er schüttelte sich, schluckte. Er trat sich auf den Fuß. Dann nahm er einen Anlauf und saß in der Elektrischen. Mitten unter den Leuten. Los. Das war zuerst, als wenn man beim Zahnarzt sitzt, der eine Wurzel mit der Zange gepackt hat und zieht, der Schmerz wächst, der Kopf will platzen. Er drehte den Kopf zurück nach der roten Mauer, aber die Elektrische sauste mit ihm auf den Schienen weg, dann stand nur noch sein Kopf in der Richtung des Gefängnisses. Der Wagen machte eine Biegung, Bäume, Häuser traten dazwischen. Lebhafte Straßen tauchten auf, die Seestraße, Leute stiegen ein und aus. In ihm schrie es entsetzt: Achtung, Achtung, es geht los [...].

1 Untersuchen Sie die beiden Romananfänge auf den Seiten 161 und 162 im Hinblick auf die Aspekte Menschenbild, Held und Darstellungsform. Überprüfen Sie die Textausschnitte anschließend hinsichtlich inhaltlicher und erzähltechnischer Unterschiede.

2 Diskutieren Sie, welcher Romananfang typisch für die Literatur des Realismus und welcher repräsentativ für die nachfolgende Literatur des sogenannten Epochenumbruchs sein könnte.

3 Vergleichen Sie die Textauszüge mit den Gemälden von Gustave Courbet (S. 161) und Ernst Ludwig Kirchner (oben).

Literatur im Spiegel der Zeit

Sich anhand von *Irrungen, Wirrungen* mit dem Begriff *Realismus* auseinandersetzen

Theodor Fontane

Irrungen, Wirrungen (1887, Auszug)

Kapitel 1

An dem Schnittpunkte von Kurfürstendamm und Kurfürstenstraße, schräg gegenüber dem „Zoologischen", befand sich in der Mitte der siebziger Jahre noch eine große, feldeinwärts sich erstreckende Gärtnerei, deren kleines, dreifenstriges, in einem Vorgärtchen um etwa hundert Schritte zurückgelegenes Wohnhaus, trotz aller Kleinheit und Zurückgezogenheit, von der vorübergehenden Straße her sehr wohl erkannt werden konnte. Was aber sonst noch zu dem Gesamtgewese der Gärtnerei gehörte, ja die recht eigentliche Hauptsache derselben ausmachte, war durch eben dies kleine Wohnhaus wie durch eine Kulisse versteckt, und nur ein rot und grün gestrichenes Holztürmchen mit einem halb weggebrochenen Zifferblatt unter der Turmspitze (von Uhr selbst keine Rede) ließ vermuten, dass hinter dieser Kulisse noch etwas anderes verborgen sein müsse, welche Vermutung denn auch in einer von Zeit zu Zeit aufsteigenden, das Türmchen umschwärmenden Taubenschar und mehr noch in einem gelegentlichen Hundegeblaff ihre Bestätigung fand. Wo dieser Hund eigentlich steckte, das entzog sich freilich der Wahrnehmung, trotzdem die hart an der linken Ecke gelegene, von früh bis spät aufstehende Haustür einen Blick auf ein Stückchen Hofraum gestattete. Überhaupt schien sich nichts mit Absicht verbergen zu wollen, und doch musste jeder, der zu Beginn unserer Erzählung des Weges kam, sich an dem Anblick des dreifenstrigen Häuschens und einiger im Vorgarten stehenden Obstbäume genügen lassen.

„Das erste Kapitel ist immer die Hauptsache. (...) Bei richtigem Aufbau muss in der ersten Seite der Keim des Ganzen stecken."
(Brief Fontanes an G. Karpeles vom 18.08.1880)

Berlin Mitte um 1850, Blick vom Kreuzberg (Postkarte)

Es war die Woche nach Pfingsten, die Zeit der langen Tage, deren blendendes Licht mitunter kein Ende nehmen wollte. Heut' aber stand die Sonne schon hinter dem Wilmersdorfer Kirchturm, und statt der Strahlen, die sie den ganzen Tag über herabgeschickt hatte, lagen bereits abendliche Schatten in dem Vorgarten, dessen halb märchenhafte Stille nur noch von der Stille des von der alten Frau Nimptsch und ihrer Pflegetochter Lene mietweise bewohnten Häuschens übertroffen wurde. Frau Nimptsch selbst aber saß wie gewöhnlich an dem großen, kaum fußhohen Herd ihres die ganze Hausfront einnehmenden Vorderzimmers und sah, hockend und vorgebeugt, auf einen rußigen alten Teekessel, dessen Deckel, trotzdem der Wrasen auch vorn aus der Tülle quoll, beständig hin und her klapperte. Dabei hielt die Alte beide Hände gegen die Glut und war so versunken in ihre Betrachtungen und Träumereien, dass sie nicht hörte, wie die nach dem Flur hinausführende Tür aufging und eine robuste Frauensperson ziemlich geräuschvoll

Wrasen
Dampf, dichter Dunst

eintrat. Erst als diese letztre sich geräuspert und ihre Freundin und Nachbarin, eben unsre Frau Nimptsch, mit einer gewissen Herzlichkeit bei Namen genannt hatte, wandte sich diese nach rückwärts und sagte nun auch ihrerseits freundlich und mit einem Anfluge von Schelmerei: „Na, das is recht, liebe Frau Dörr, dass Sie mal wieder rüberkommen. Und noch dazu vons ›Schloss‹. Denn ein Schloss is es und bleibt es. Hat ja 'nen Turm. Un nu setzen Sie sich ... Ihren lieben Mann hab' ich eben weggehen sehen. Und muss auch. Is ja heute sein Kegelabend."

Die so freundlich als Frau Dörr Begrüßte war nicht bloß eine robuste, sondern vor allem auch eine sehr stattlich aussehende Frau, die, neben dem Eindruck des Gütigen und Zuverlässigen, zugleich den einer besonderen Beschränktheit machte. Die Nimptsch indessen nahm sichtlich keinen Anstoß daran und wiederholte nur: „Ja, sein Kegelabend. Aber, was ich sagen wollte, liebe Frau Dörr, mit Dörren seinen Hut, das geht nicht mehr. Der is ja schon fuchsblank und eigentlich schimpfierlich. Sie müssen ihn ihm wegnehmen und einen andern hinstellen. Vielleicht merkt er es nich ... Und nu rücken Sie ran hier, liebe Frau Dörr, oder lieber da drüben auf die Hutsche ... Lene, na Sie wissen ja, is ausgeflogen un hat mich mal wieder in Stich gelassen."

„Er war woll hier?"

„Freilich war er. Und beide sind nu ein bisschen auf Wilmersdorf zu; den Fußweg lang, da kommt keiner. Aber jeden Augenblick können sie wieder hier sein."

„Na, da will ich doch lieber gehn."

„O nich doch, liebe Frau Dörr. Er bleibt ja nich. Und wenn er auch bliebe, Sie wissen ja, der is nicht so."

„Weiß, weiß. Und wie steht es denn?"

„Ja, wie soll es stehn? Ich glaube, sie denkt so was, wenn sie's auch nich wahr haben will, und bildet sich was ein."

„O du meine Güte", sagte Frau Dörr, während sie, statt der ihr angebotenen Fußbank, einen etwas höheren Schemel heranschob. „O du meine Güte, denn is es schlimm. Immer wenn das Einbilden anfängt, fängt auch das Schlimme an. Das is wie Amen in der Kirche. Sehen Sie, liebe Frau Nimptsch, mit mir war es ja eigentlich ebenso, man bloß nichts von Einbildung. Und bloß darum war es auch wieder ganz anders." [...]

Und wenn ich mir nu der Lene ihren Baron ansehe, denn schämt es mir immer noch, wenn ich denke, wie meiner war. Und nu gar erst die Lene selber. Jott, ein Engel is sie woll grade auch nich, aber propper und fleißig un kann alles und is für Ordnung un fürs Reelle. Und sehen Sie, liebe Frau Nimptsch, das is grade das Traurige. Was da so rumfliegt, heute hier un morgen da, na, das kommt nicht um, das fällt wie die Katz immer wieder auf die vier Beine, aber so'n gutes Kind, das alles ernsthaft nimmt und alles aus Liebe tut, ja, *das* ist schlimm ... Oder vielleicht is es auch nich so schlimm; Sie haben sie ja bloß angenommen, un is nich Ihr eigen Fleisch und Blut, un vielleicht is es eine Prinzessin oder so was."

Frau Nimptsch schüttelte bei dieser Vermutung den Kopf und schien antworten zu wollen. Aber die Dörr war schon aufgestanden und sagte, während sie den Gartensteig hinuntersah: „Gott, da kommen sie. Und bloß in Zivil, un Rock un Hose ganz egal. Aber man sieht es doch! Und nu sagt er ihr was ins Ohr, und sie lacht so vor sich hin. Aber ganz rot is sie geworden ... Und nu geht er. Und nu ... wahrhaftig, ich glaube, er dreht noch mal um. Nei, nei, er grüßt bloß noch mal, und sie wirft ihm Kussfinger zu ... Ja, das glaub' ich; so was lass' ich mir gefallen ... Nei, so war meiner nich."

Frau Dörr sprach noch weiter, bis Lene kam und die beiden Frauen begrüßte. [...]

1 Lesen Sie den Textauszug aus Fontanes *Irrungen, Wirrungen* und formulieren Sie in einem Satz Ihren ersten Leseeindruck. Vergleichen Sie untereinander.

1 Tragen Sie in die Tabelle ein, welche Informationen Sie dem Text entnehmen können.

2 Diskutieren Sie, was Fontane mit dieser Art von Sprach- und Milieugestaltung erreichen wollte.

Erzählerische Mittel	**Fontane:** ***Irrungen, Wirrungen***
Ort Zeit	
Figuren	
soziales Milieu	
Konflikt	
sprachliche Mittel	
Vorausdeutungen?	

3 Informieren Sie sich über das Gesamtwerk und überprüfen Sie, welche weiteren Aspekte des Romans man dem Begriff „Realismus" zuordnen könnte.

Theodor Fontane als herausragenden Vertreter des deutschen poetischen Realismus kennenlernen

Das 19. Jahrhundert wird in Deutschland geprägt von zwei politischen Hauptereignissen: Der gescheiterten bürgerlichen Revolution von 1848 und der sich anschließenden politischen Resignation weiter Teile des Bürgertums sowie vom deutsch-französischen Krieg 1870/71 und der folgenden gefeierten Reichsgründung „von Oben". Desillusioniert wendet sich das Bürgertum dem „Realen" zu: Wirtschaftlicher Wohlstand, Bildung und beruflicher Erfolg werden zu neuen Wertmaßstäben. Auch in der Kunst und Literatur wird „Realität" zum neuen Schlüsselbegriff. Nicht zufällig etabliert sich das „Realgymnasium" als Ergänzung bzw. Konkurrenz zum „Humanistischen Gymnasium". Nicht mehr die alten Sprachen, sondern moderne Fremdsprachen sowie Mathematik und Naturwissenschaften sollen den Lehrplan bestimmen.

Theodor Fontane

(1819–1898), der namhafteste Schriftsteller und Programmatiker des literarischen Realismus, verbringt die meiste Zeit seines Lebens in der wachsenden Metropole Berlin. So erklären sich auch die präzisen Ortbeschreibungen, die seine Romane und Novellen kennzeichnen. Als Repräsentant des literarischen Realismus veröffentlicht Fontane zwar auch historische Romane und Novellen, in denen der Zeitbezug weniger deutlich ist, die meisten seiner Werke haben jedoch das Berlin des ausgehenden 19. Jahrhunderts und seine Umgebung zum Schauplatz. Fontane ist gleichsam der Berichterstatter seiner zeitgenössischen Gesellschaft, die er aufmerksam und wohlwollend kritisch beobachtet. Sein Interesse gilt, typisch für den literarischen Realismus, der Welt des niederen Landadels, dem Bürgertum – repräsentiert durch Offiziere, Pastoren, Schulmeister, Kaufleute –, aber auch der schlichten Welt einfacher Leute. In seinen „Frauenromanen" sind die Hauptfiguren weiblich und kämpfen mehr oder weniger entschlossen und selbstbewusst um ihre Behauptung in einer männlich konservativen Umwelt.

Seine humorvolle, oft ironische Erzählhaltung kann nicht darüber hinwegtäuschen, dass seine Protagonistinnen oft in ihrem Kampf für ein selbstbestimmtes Leben scheitern. Zumindest aus heutiger Sicht wirkt das Scheitern als Anklage gegen eine Gesellschaft, die dieses Misslingen geradezu zwangsläufig verursacht.

Auch seine Balladen haben meist ein historisches Ereignis als Hintergrund. In seinen *Wanderungen durch die Mark Brandenburg* (ab 1862) stellt er dem Leser mit großer Liebe zum Detail die Geschichte und die liebenswerten Eigentümlichkeiten seiner Heimat der Kinder- und Jugendjahre dar. Prägend sind für ihn neben Apothekerausbildung und Militärdienst seine Verarbeitung der Ereignisse um die Märzrevolution 1848, seine Jahre in London als Korrespondent sowie die Tätigkeit als Kriegsberichterstatter.

Blickt man auf die Werke sonstiger Autoren der Epoche des deutschen Realismus, so kann man feststellen, dass deren Figuren und Handlungen weniger als bei Fontane auf die zeitgenössische Wirklichkeit bezogen sind. Handlungsorte sind meist der ländliche oder kleinstädtische Raum. Viele Texte handeln ersichtlich in der vormodernen Zeit – so bei Konrad Ferdinand Meyer (1825–1898), Theodor Storm (1816–1895), Adalbert Stifter (1805–1868), Gottfried Keller (1819–1890) und Friedrich Hebbel (1813–1863). Die Abwendung von der als bedrückend empfundenen Gegenwart muss im Zusammenhang mit der Entwicklung in Deutschland nach 1850 – der massiv einsetzenden Industrialisierung und den daraus entstehenden sozialen Problemen – gesehen werden. Eine gewisse Analogie zur Romantik und ein rückwärtsgewandter Realismusbegriff sind hier nicht zu übersehen.

Die bedeutendsten Romane Fontanes sind *Vor dem Sturm* (1878), *Grete Minde* (1880), *Schach von Wuthenow* (1883), *Unterm Birnbaum* (1885), *Irrungen, Wirrungen* (1877), *Frau Jenny Treibel* (1893), *Effi Briest* (1896), *Die Poggenpuhls* (1897), *Der Stechlin* (1897) und *Mathilde Möhring* (posthum 1906).

1 Informieren Sie sich arbeitsteilig zu einzelnen Werken Fontanes (Balladen, Romane, Novellen) und stellen Sie diese überblicksartig im Kurs vor.

2 Überprüfen Sie jeweils, welche Aspekte des von Ihnen vorgestellten Werks dem Begriff „Realismus" zugeordnet werden können. Erstellen Sie hierzu eine zweispaltige Tabelle, die links Stichpunkte und rechts deren Erläuterung enthält.

E

Was verstehen wir unter Realismus?

Programmatische Texte zum Realismus analysieren und interpretieren

Theodor Fontane

Was verstehen wir unter Realismus? (1853, Auszug)

(...) Vor allen Dingen verstehen wir *nicht* darunter das nackte Wiedergeben alltäglichen Lebens, am wenigsten seines Elends und seiner Schattenseiten. Traurig genug, dass es nötig ist, derlei sich von selbst verstehende Dinge noch erst versichern zu müssen. Aber es ist noch nicht allzu lange her, dass man (namentlich in der Malerei) *Misere* mit Realismus verwechselte und bei Darstellung eines sterbenden Proletariers, den hungernde Kinder umstehen, oder gar bei Produktionen jener sogenannten Tendenzbilder (schlesische Weber, das Jagdrecht u. dgl. m.) sich einbildete, der Kunst eine glänzende Richtung vorgezeichnet zu haben. Diese Richtung verhält sich zum echten Realismus wie das rohe Erz zum Metall: die Läuterung fehlt. Wohl ist das Motto des Realismus der Goethe'sche Zuruf:

Greif nur hinein ins volle Menschenleben,
wo du es packst, da ist's interessant,

aber freilich, die Hand, die diesen Griff tut, muss eine künstlerische sein. Das Leben ist doch immer nur der Marmorsteinbruch, der den Stoff zu unendlichen Bildwerken in sich trägt; sie schlummern darin, aber nur dem Auge des Geweihten sichtbar und nur durch seine Hand zu erwecken. Der Block an sich, nur herausgerissen aus einem größeren Ganzen, ist noch kein Kunstwerk, und dennoch haben wir die Erkenntnis als einen unbedingten Fortschritt zu begrüßen, dass es zunächst des Stoffes, oder sagen wir lieber des *Wirklichen*, zu allem künstlerischen Schaffen bedarf. Diese Erkenntnis, sonst nur im Einzelnen mehr oder minder lebendig, ist in einem Jahrzehnt zu fast universeller Herrschaft in den Anschauungen und Produktionen unserer Dichter gelangt und bezeichnet einen abermaligen Wendepunkt in unserer Literatur. [...]

(Realismus) ist die Widerspiegelung alles wirklichen Lebens, aller wahren Kräfte und Interessen im Elemente der Kunst (...). Er umfängt das ganze reiche Leben, das Größte wie das Kleinste: den Kolumbus, der der Welt eine neue zum Geschenk machte und das Wassertierchen, dessen Weltall der Tropfen ist; den höchsten Gedanken, die tiefste Empfindung zieht er in seinen Bereich, und die Grübeleien eines Goethe wie Lust und Leid eines Gretchen sind sein Stoff. Denn alles das ist *wirklich*. [...]

Misere
elende Lage

1 Fassen Sie Theodor Fontanes Aussagen in eigenen Worten zusammen.

2 Untersuchen Sie, in welchen seiner Äußerungen, den negativen oder den positiven, Fontane konkreter wird.

3 Diskutieren Sie Ihre Ergebnisse. Warum sind nicht alle Aussagen gleichermaßen konkret?

4 Überprüfen Sie anhand von Fontanes Aussagen zum Realismus, inwiefern der Auszug aus *Irrungen, Wirrungen* (S. 163 f.) der Epoche des Realismus zuzurechnen ist. Vergleichen Sie Ihre Ergebnisse mit Ihren Überlegungen zu Aufgabe 3 auf Seite 164.

Der Begriff des „poetischen Realismus" wurde von Otto Ludwig um 1860 geprägt:

Otto Ludwig

Der poetische Realismus (1858–1860, Auszug)

Otto Ludwig (1813–1865), deutscher Musiker, Komponist und Dichter

Poetischer Realismus [...] schafft die Welt noch einmal, keine sogenannte fantastische Welt, d. h. keine zusammenhanglose, im Gegenteil, eine, in der der Zusammenhang sichtbarer ist als in der wirklichen, nicht ein Stück Welt, sondern eine ganze, geschlossene, die alle ihre Bedingungen, alle ihre Folgen in sich selbst hat. So ist es mit ihren Gestalten, deren jede in sich so notwendig zusammenhängt, als die in der wirklichen, aber so durchsichtig, dass wir den Zusammenhang sehen, dass sie als Totalitäten vor uns stehen; das Handeln in dieser Welt, so greiflich und anschaulich es ist, es ist ebenfalls zugleich durchsichtig, und wir sehen seinen notwendigen Zusammenhang mit der handelnden Gestalt, wir sehen aus der Totalität der poetischen Person hervorgehen und ebenso wieder auf die betreffende Totalität einer anderen wirken. Es ist eine ganze Welt; in Geschlossenheit so mannigfaltig wie das Stück wirklicher Welt, das wir kennen. Raum und Zeit sind nichts als Rahmen, Stetigkeit des Vorganges und Mittel dazu. Die Zeit misst nicht nach abstrakten Minuten, sondern nach erfüllten Momenten; sie hat das Gesetz der Fantasie und des menschlichen Geistes. [...]

1 Erschließen Sie die Aussage dieses Textauszugs, indem Sie den Inhalt in eigenen Worten formulieren.

2 Diskutieren Sie Ludwigs Thesen bezugnehmend auf literarische Beispiele.

Margaret Harkness war eine sozialistische Schriftstellerin. Sie veröffentlichte unter dem Pseudonym John Law Romane, die im englischen Arbeitermilieu angesiedelt waren.

Friedrich Engels war von ihrem Roman *City girl* (1887) so begeistert, dass er ihn einem befreundeten Schriftsteller zur Übersetzung ins Deutsche ans Herz legte. In seinem Brief nimmt Engels auch zur Theorie des Realismus Stellung:

Friedrich Engels

Brief an Margaret Harkness (1888, Auszug)

Was mich an Ihrer Erzählung am meisten packt, ist neben ihrer realistischen Wahrheit die Kühnheit des echten Künstlers, die in ihr zum Ausdruck kommt. Nicht nur in der Art, wie Sie die Heilsarmee behandeln, der hochnäsigen Ehrbarkeit zum Trotz, die vielleicht aus Ihrer Erzählung zum ersten Mal erfahren wird, warum die Heilsarmee einen solchen Einfluss auf die Volksmassen hat; sondern hauptsächlich in der einfachen, ungeschminkten Weise, in der Sie die alte, alte Geschichte vom Proletariermädchen, das von einem Mann aus dem Bürgertum verführt wird, zum Angelpunkt des ganzen Buches machen. Mittelmäßigkeit hätte sich genötigt gefühlt, die für sie abgedroschene Fabel unter einem Haufen von künstlichen Verwicklungen und Ausschmückungen zu verbergen, und wäre dennoch nicht der Enthüllung entgangen. Sie haben gefühlt, dass Sie es unternehmen konnten, eine alte Geschichte zu erzählen, weil Sie sie zu einer neuen zu machen vermochten, indem Sie sie einfach wahrheitsgetreu erzählten.

Ihr „Mr. Arthur Grant" ist ein Meisterstück. Wenn ich etwas zu kritisieren habe, so ist es dies, dass die Erzählung vielleicht doch nicht realistisch genug ist. Realismus bedeutet, meines Erachtens, außer der Treue des Details die getreue Wiedergabe typischer Charaktere unter typischen Umständen. Nun sind Ihre Charaktere typisch genug, soweit sie geschildert werden; aber die Umstände, die sie umgeben und sie handeln lassen, sind es vielleicht nicht in gleichem Maße. In dem „City girl" figuriert die Arbeiterklasse als eine passive Masse, die unfähig ist, sich zu helfen und nicht einmal einen Versuch macht, danach zu streben, sich zu helfen. Alle Versuche, sie aus diesem stumpfen Elend herauszuziehen, kommen von außen, von oben. War dies nun eine zutreffende Schilderung um 1800 oder 1810 [...], so kann sie als solche nicht im Jahre 1887 einem Manne erscheinen, der fast 50 Jahre lang die Ehre gehabt hat, an den meisten Kämpfen des streitbaren Proletariats teilzunehmen. Die rebellische Auflehnung der Arbeiterklasse gegen das Milieu der Unterdrückung, das sie umgibt, ihre Versuche, ihre Stellung als menschliche Wesen wieder zu erlangen, gehören der Geschichte an und müssen darum auf einen Platz im Bereich des Realismus Anspruch erheben.

Ich bin weit davon entfernt, darin einen Fehler zu sehen, dass Sie nicht einen waschechten sozialistischen Roman geschrieben haben, einen Tendenzroman, wie wir Deutschen es nennen, um die sozialen und politischen Anschauungen des Autors zu verherrlichen. Das habe ich keineswegs gemeint. Je mehr die Ansichten des Autors verborgen bleiben, desto besser für das Kunstwerk. Der Realismus, von dem ich spreche, kann sogar trotz der Ansichten des Autors in Erscheinung treten. Gestatten Sie mir ein Beispiel. Balzac, den ich für einen weit größeren Meister des Realismus halte als alle Zolas der Vergangenheit, Gegenwart und Zukunft, gibt uns in „La comédie humaine" („Die menschliche Komödie") eine vortreffliche realistische Geschichte der französischen „Gesellschaft" [...]. Er schildert, wie die letzten Überreste dieser für ihn vorbildlichen Gesellschaft allmählich dem Ansturm des vulgären, reichen Emporkömmlings unterlagen oder von ihm korrumpiert wurden; [...]

Sein großes Werk ist ein ständiges Klagelied über den unvermeidlichen Verfall der guten Gesellschaft; alle seine Sympathien sind bei der Klasse, die zum Untergang verurteilt ist. Aber trotz alldem ist seine Satire niemals schärfer, seine Ironie niemals bitterer, als wenn er gerade die Männer und Frauen in Bewegung setzt, mit denen er zutiefst sympathisiert, – die Adligen. Und die einzigen Leute, von denen er immer mit unverhohlener Bewunderung spricht, sind seine schärfsten politischen Gegner, die republikanischen Helden [...], die Leute, die zu dieser Zeit [1830–1836] wirklich die Vertreter der Volksmassen waren. Dass Balzac so gezwungen wurde, gegen seine eigenen Klassensympathien und politischen Vorurteile zu handeln, dass er die Notwendigkeit des Untergangs seiner geliebten Adeligen sah und sie als Menschen schildert, die kein besseres Schicksal verdienen; und dass er die wirklichen Menschen der Zukunft dort sah, wo sie in der damaligen Zeit allein zu finden waren – das betrachte ich als einen der größten Triumphe des Realismus [...].

Friedrich Engels (1820–1895) verfasste zusammen mit Karl Marx diverse Schriften zur Theorie des Sozialismus/Kommunismus, befasste sich aber auch mit Fragen der Literatur und Kunst.

Émile Zola (1840–1902), französischer Schriftsteller und Journalist. Einer der großen französischen Romanciers des 19. Jh., Leitfigur und Begründer der gesamteuropäischen literarischen Strömung des Naturalismus.

1 Formulieren Sie die wesentlichen Aussagen des Textauszugs von Friedrich Engels in eigenen Worten. Worin besteht seine Hauptkritik an dem Roman *Mr. Arthur Grant*?

2 Prüfen Sie, ob und inwiefern sich Engels' Äußerungen auch auf die Ihnen bekannten Werke Fontanes anwenden lassen (vgl. S. 166, Aufg. 1).

3 Verfassen Sie aus der Sicht von Engels einen Brief an Fontane zu seinem Roman *Irrungen, Wirrungen*.

Realismus

Der literarische „Realismus“, der sich vor allem auf die englische, russische, französische, deutsche und tschechische Literatur bezieht, prägt in der europäischen Literaturgeschichte den Zeitraum von etwa 1830 bis 1900, durchaus mit Vorläufern und Nachfolgern bis in die Gegenwart (z. B. der italienische Neo-Realismus). Die Literatur dieser Zeit erscheint dabei aber keineswegs als einheitliches, präzise beschreibbares Phänomen.

Der Begriff „Realismus“ (lat. *res* Sache, Ding, Wirklichkeit) ist mehrdeutig. Er bezeichnet sowohl Stilmerkmale wie auch eine Literaturepoche und ist häufig mit den Attributen „bürgerlich“, „poetisch“ oder auch „sozialistisch“ versehen. Der Realismus hat, wie der Name nahe legt, den Anspruch, die real (intersubjektiv) wahrnehmbare Welt objektiv zu erfassen. Dabei beschränkt er sich ausdrücklich nicht auf die bloße Wiedergabe von Wirklichkeit, sondern legt hohen Wert auf deren künstlerische Gestaltung.

Subjektivismus Lehre von der durchgängigen Subjektivität von Wahrheit

Der Begriff des **poetischen Realismus** wird von Otto Ludwig auf den deutschen Realismus der 2. Hälfte des 19. Jahrhunderts bezogen. Er soll die Offenheit für Poetisches, künstlerisch Gestaltetes betonen. In Abgrenzung zum **Naturalismus** soll Hässliches, Krasses, Geschmackloses vermieden werden. Die Dichtung will sich lebensbejahend und im Grundton optimistisch der Wirklichkeit zuwenden und sie künstlerisch gestaltet darbieten.

Träger dieser Bewegung und der Handlung ist im deutschen Sprachraum das Bürgertum. Bürgerliche Werte (Ehrlichkeit, Fleiß, Strebsamkeit, Sparsamkeit, Tapferkeit, Ehre, Ausdauer, Frömmigkeit, Wohlhabenheit, Gesetzestreue, Freundschaft, Verlässlichkeit) spielen eine markante Rolle. Daher wird die Grundtendenz des poetischen Realismus auch in dem Begriff **bürgerlicher Realismus** zusammengefasst.

Als Handlungsträger wird die bürgerliche Mittelschicht (Handwerksmeister, Kaufleute, Bildungsbürger, Offiziere) bevorzugt dargestellt.

Der Realismus wendet sich sowohl gegen klassische Vorbilder, die den Idealen den Vorrang vor der gesellschaftlichen Wirklichkeit geben, als auch gegen die Romantik, gegen Subjektivismus, Übersinnliches und Fantastisches. Er rückt die Lebens- und Arbeitsbedingungen der Menschen in den Fokus, ihren Alltag. Zudem zeigt der poetische Realismus auch eine deutliche Landschafts- und Heimatverbundenheit (z. B. Theodor Fontane: *Wanderungen durch die Mark Brandenburg*).

Im Realismus nimmt die erzählende Literatur (Erzählung, Novelle, Roman) den größten Raum ein. Der bürgerliche Realismus in Deutschland tritt zunächst etwa von 1849–1859 mit der Formulierung programmatischer Schriften in Erscheinung, im Anschluss entsteht die Blütezeit des Realismus bis zur Jahrhundertwende, wobei sich ein Trend zur zunehmend kritischen Sicht der gesellschaftlichen Wirklichkeit feststellen lässt.

1 Erstellen Sie eine Mindmap zum literarischen Realismus. Lesen Sie dazu den Infokasten und informieren Sie sich in der Literaturgeschichte auf S. 341 sowie ggf. in weiteren, selbst gewählten Quellen. Nutzen Sie ebenso Ihre Erkenntnisse von den vorigen Seiten.

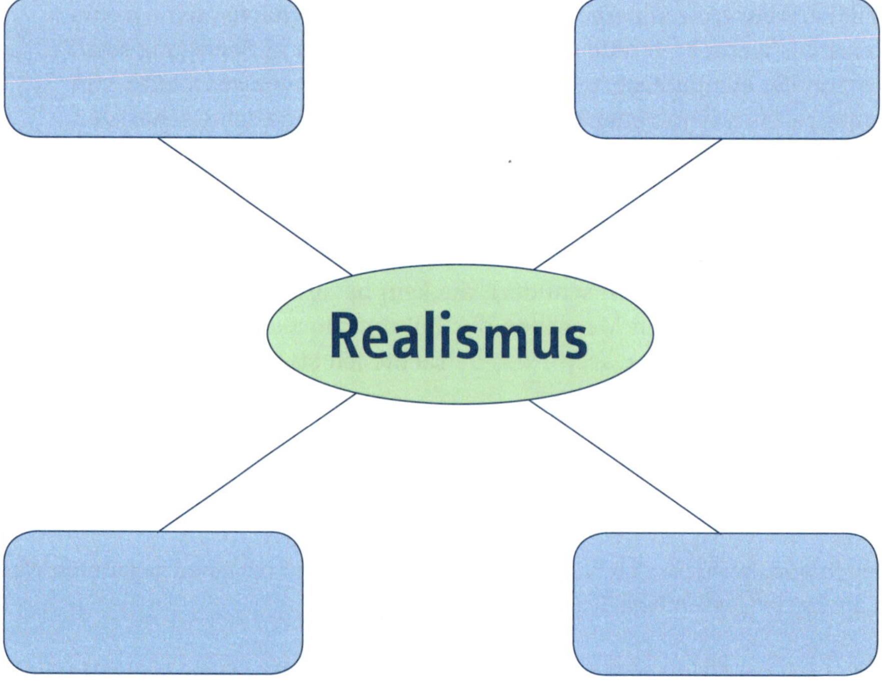

Gustav Freytag

Soll und Haben (1855, Auszug)

Gustav Freytag
vgl. S. 161

Anton war ein gutes Kind, das nach der Ansicht seiner Mutter vom ersten Tage seines Lebens die staunenswertesten Eigenschaften zeigte. Abgesehen davon, dass er sich lange Zeit nicht entschließen konnte, die Speisen mit der Höhlung des Löffels zu fassen, sondern hartnäckig die Ansicht festhielt, dass der Griff dazu geeigneter sei, und abgesehen davon, dass er eine unerklärliche Vorliebe für die Troddel auf dem schwarzen Käppchen seines Vaters zeigte und das Käppchen mithilfe des Kindermädchens alle Tage heimlich vom Kopf des Vaters abhob und ihm lachend wieder aufsetzte, erwies er sich auch bei wichtigerer Gelegenheit als ein einziges Kind, das noch nie dagewesen. Er war am Abend sehr schwierig ins Bett zu bringen und bat, wenn die Abendglocke läutete, manchmal mit gefalteten Händen, ihn noch herumlaufen zu lassen; er konnte stundenlang vor seinem Bilderbuch kauern und mit dem roten Gockelhahn auf der letzten Seite eine Unterhaltung führen, worin er diesen wiederholt seiner Liebe versicherte und dringend aufforderte, sich nicht dadurch seiner kleinen Familie zu entziehen, dass er sich vom Dienstmädchen braten ließe. Er lief zuweilen mitten im Kinderspiel aus dem Kreise und setzte sich ernsthaft in eine Stubenecke, um nachzudenken. In der Regel war das Resultat seines Denkens, dass er für Eltern oder Gespielen etwas hervorsuchte, wovon er annahm, dass es ihnen lieb sein würde. Seine größte Freude aber war, dem Vater gegenüberzusitzen, die Beinchen übereinanderzulegen, wie der Vater tat, und aus einem Holunderrohr zu rauchen, wie sein Herr Vater aus einer wirklichen Pfeife zu tun pflegte. Dann ließ er sich allerlei vom Vater erzählen, oder er selbst erzählte seine Geschichten. Und das tat er, wie die Frauenwelt von Ostrau einstimmig versicherte, mit so viel Gravität und Anstand, dass er bis auf die blauen Augen und sein blühendes Kindergesicht vollkommen aussah wie ein kleiner Herr im Staatsdienst. Unartig war er so selten, dass der Teil des weiblichen Ostrau, welcher einer düsteren Auffassung des Erdenlebens geneigt war, lange zweifelte, ob ein solches Kind heranwachsen könne; bis Anton endlich einmal den Sohn des Landrats auf offener Straße durchprügelte und durch diese Untat seine Aussichten auf das Himmelreich in eine behagliche Ferne zurückhämmerte. Kurz, er war ein so ungewöhnlicher Knabe, wie nur je das einzige Kind warmherziger Eltern gewesen ist. Auch in der Bürgerschule und später im Gymnasium wurde er ein Muster für andere und ein Stolz seiner Familie. Und da der Zeichenlehrer behauptete, Anton müsse Maler werden, und der Ordinarius von Tertia dem Vater riet, ihn Philologie studieren zu lassen, so wäre der Knabe seiner zahlreichen Anlagen wegen wahrscheinlich in die gewöhnliche Gefahr ausgezeichneter Kinder gekommen, für keine einzige Tätigkeit den rechten Ernst zu finden, wenn nicht ein Zufall seinen Beruf bestimmt hätte. [...]

1 Formulieren Sie erste Leseeindrücke zu dieser Fortsetzung des Textes von Seite 161. Berücksichtigen Sie dabei die Frage, ob Antons Verhalten für ein Kind tatsächlich so außergewöhnlich ist.

2 Untersuchen Sie den Romananfang unter folgenden Aspekten:
Weltbild – erkennbare Wertvorstellungen – Themen/Inhalte – Motive – Menschenbild – Darstellungsweise – Wirkungsabsicht. Vergleichen Sie Ihre Ergebnisse.

TIPP
Informieren Sie sich in einem Literaturlexikon oder im Internet über das Gesamtwerk.

3 Erläutern Sie schriftlich, inwiefern es sich bei Gustav Freytags Text um einen Roman des poetischen Realismus handelt. Beziehen Sie Ihre Mindmap von Seite 170 ein.

Der Schimmelreiter

Eine exemplarische Novelle des Realismus analysieren

Theodor Storm (1817–1888) gilt neben Fontane als einer der herausragenden Vertreter des deutschen Realismus.

Theodor Storm schildert in seinem Alterswerk, der berühmt gewordenen Novelle *Der Schimmelreiter* in drei Erzählebenen die Geschichte der Hauptfigur, Hauke Haien, des Sohns eines nordfriesischen Bauern und Landvermessers.

Der junge Einzelgänger Hauke interessiert sich schon früh für Mathematik, Geometrie und den Deichbau. Im Alter von 18 Jahren ergreift er seine Chance und wird Kleinknecht beim gutmütigen und auf Hilfe angewiesenen Deichgrafen Tede Volkerts. Auf berührende Art zeichnet Storm, wie sich dessen Tochter Elke und der gleichaltrige Hauke, beide eher scheue und verschlossene junge Menschen, näherkommen. Nach Beseitigung etlicher Hindernisse wird Hauke selbst Deichgraf und heiratet Elke. Er entwirft einen sorgfältig durchdachten Plan zur Errichtung eines Deiches mit abgeflachtem Profil.

Theodor Storm

Der Schimmelreiter (1888, Auszug)

Kaum dass er es selber wusste, befand er sich oben auf dem Haffdeich, schon eine weite Strecke südwärts nach der Stadt zu; das Dorf, das nach dieser Seite hinauslag, war ihm zur Linken längst verschwunden; noch immer schritt er weiter, seine Augen unablässig nach der Seeseite auf das breite Vorland gerichtet; wäre jemand neben ihm gegangen, er hätte es sehen müssen, welche eindringliche Geistesarbeit hinter diesen Augen vorging. Endlich blieb er stehen: das Vorland schwand hier zu einem schmalen Streifen an dem Deich zusammen. „Es muss gehen!", sprach er bei sich selbst. „Sieben Jahr im Amt; sie sollen nicht mehr sagen, dass ich nur Deichgraf bin von meines Weibes wegen!"

Noch immer stand er, und seine Blicke schweiften scharf und bedächtig nach allen Seiten über das grüne Vorland; dann ging er zurück, bis wo auch hier ein schmaler Streifen grünen Weidelandes die vor ihm liegende breite Landfläche ablöste. Hart an dem Deiche aber schoss ein starker Meeresstrom durch diese, der fast das ganze Vorland von dem Festlande trennte und zu einer Hallig machte; eine rohe Holzbrücke führte nach dort hinüber, damit man mit Vieh und Heu- und Getreidewagen hinüber und wieder zurück gelangen könne. Jetzt war es Ebbzeit, und die goldene Septembersonne glitzerte auf dem etwa hundert Schritte breiten Schlickstreifen und auf dem tiefen Priel in seiner Mitte, durch den auch jetzt das Meer noch seine Wasser trieb. „Das lässt sich dämmen!", sprach Hauke bei sich selber, nachdem er diesem Spiele eine Zeitlang zugesehen; dann blickte er auf, und von dem Deiche, auf dem er stand, über den Priel hinweg, zog er in Gedanken eine Linie längs dem Rande des abgetrennten Landes, nach Süden herum und ostwärts wiederum zurück über die dortige Fortsetzung des Prieles und an den Deich heran. Die Linie aber, welche er unsichtbar gezogen hatte, war ein neuer Deich, neu auch in der Konstruktion seines Profiles, welches bis jetzt nur noch in seinem Kopf vorhanden war.

„Das gäbe einen Koog von zirka tausend Demat", sprach er lächelnd zu sich selber; „nicht groß just; aber..."

Eine andere Kalkulation überkam ihn: das Vorland gehörte hier der Gemeinde, ihren einzelnen Mitgliedern eine Zahl von Anteilen, je nach der Größe ihres Besitzes im Gemeindebezirk oder nach sonst zu Recht bestehender Erwerbung; er begann zusammenzuzählen, wie viel Anteile er von seinem, wie viele er von Elkes Vater übernommen und was an solchen er während seiner Ehe schon selbst gekauft hatte, teils in dem dunklen Gefühle eines künftigen Vorteils, teils bei Vermehrung seiner Schafzucht. Es war schon eine ansehnliche Menge; denn auch von Ole Peters hatte er dessen sämtliche Teile angekauft, da es diesem zum Verdruss geschlagen war, als bei einer teilweisen Überströmung ihm sein bester Schafbock ertrunken war. Aber das war ein seltsamer Unfall gewesen, denn so weit Haukes Gedächtnis reichte, waren selbst bei hohen Fluten dort nur die Ränder überströmt worden. Welch treffliches Weide- und Kornland musste es geben und von welchem Werte, wenn das alles von seinem neuen Deich umgeben war! Wie ein Rausch stieg es ihm ins Gehirn; aber er presste die Nägel in seine Handflächen und zwang seine Augen, klar und nüchtern zu sehen, was dort vor ihm lag: eine große deichlose Fläche, wer wusste es, welchen Stürmen und Fluten schon in den nächsten Jahren preisgegeben, an deren äußerstem Rande jetzt ein Trupp von schmutzigen Schafen langsam grasend entlangwanderte; dazu für ihn ein Haufen Arbeit, Kampf und Ärger! Trotz alledem, als er vom Deich hinab- und den Fußsteig über die Fennen auf seine Werfte zuging, ihm war's, als brächte er einen großen Schatz mit sich nach Hause.

Der Schimmelreiterkrug in Sterdebüll, Foto nach 1950

Auf dem Flur trat Elke ihm entgegen. „Wie war es mit der Schleuse?", frug sie.

Er sah mit geheimnisvollem Lächeln auf sie nieder. „Wir werden bald eine andere Schleuse brauchen", sagte er, „und Sielen und einen neuen Deich!"

„Ich versteh dich nicht", entgegnete Elke, während sie in das Zimmer gingen, „was willst du, Hauke?"

„Ich will", sagte er langsam und hielt dann einen Augenblick inne, „ich will, dass das große Vorland, das unserer Hofstatt gegenüber beginnt und dann nach Westen ausgeht, zu einem festen Kooge eingedeicht werde: die hohen Fluten haben fast ein Menschenalter uns in Ruh gelassen; wenn aber eine von den schlimmen wiederkommt und den Anwachs stört, so kann mit einem Mal die ganze Herrlichkeit zu Ende sein; nur der alte Schlendrian hat das bis heut so lassen können!"

Sie sah ihn voll Erstaunen an. „So schiltst du dich ja selber!", sagte sie.

„Das tu ich, Elke; aber es war bisher auch so viel anderes zu beschaffen!"

„Ja, Hauke; gewiss, du hast genug getan!"

Er hatte sich in den Lehnstuhl des alten Deichgrafen gesetzt, und seine Hände griffen fest um beide Lehnen. [...]

1 Geben Sie knapp den Inhalt des Textauszugs in eigenen Worten wieder.

2 Prüfen Sie, welche Aspekte des Textauszugs Sie dem poetischen Realismus zurechnen können.

Der Schimmelreiter und der poetische Realismus:

Realismus – eine europäische Epoche

Künstlerische Ausdrucksformen gesellschaftlicher Prozesse reflektieren

Seit Ende des 18. Jahrhunderts verlaufen viele neue Vorstellungen und Veränderungen in den bildenden Künsten, der Literatur, den Geisteswissenschaften, der Bühne usw. parallel zu den politischen und sozialen Umwälzungen in Europa. Dieser Strom neuer Ideen wird zu großen Teilen aus den philosophischen Erkenntnissen eines Friedrich Hegel, Arthur Schopenhauer, Alexis de Tocqueville und Sören Kierkegaard gespeist. Neue Ansätze und Fragestellungen der Anthropologie und Archäologie bewirken einen radikalen Wandel in der Geschichtswissenschaft. Charles Darwin eröffnet mit seiner *Evolutionslehre* neue Perspektiven. Die politischen Bewegungen mit dem Ziel der nationalen Einheit und demokratischen Repräsentanz beflügeln nicht nur Dichter, sondern auch Kunstschaffende. Der italienische Komponist Giuseppe Verdi steigt durch seine Opern zum Helden des *Risorgimento* (nationale Einigungsbewegung, wörtlich: Erweckung) auf, wie Giuseppe Mazzini auf der politischen Bühne.

Adolph von Menzel: Das Eisenwalzwerk (1853)

Diese geistige Strömung schlägt sich auch im Roman als der vorherrschenden literarischen Gattung des 19. Jahrhunderts nieder, wie die Romane Sir Walter Scotts, Alessandro Manzonis, Alfred de Vignys, Victor Hugos und George Sands beweisen. Manchen Künstlern gelingt die Anpassung an das Zeitalter der Industrialisierung ohne Schwierigkeiten. Andere träumen von einer Rückkehr zu romantisch verklärten vorindustriellen Zeiten.

Gegen Ende der 30er-Jahre des 19. Jahrhunderts weicht der Konflikt zwischen *Klassizismus* und *Romantik* dem *Realismus*, einer die alltägliche Wirklichkeit kritisch betrachtenden Kunstströmung, die die Welt so darstellen will, wie sie ist. Diese Sichtweise spiegelt sich in den Romanen von Charles Dickens ebenso wider wie in den Sittenbildern eines Honoré de Balzac und den strenger Sachlichkeit verpflichteten Werken eines Gustave Flaubert. Der Realismus in der Literatur und den bildenden Künsten fällt nicht zufällig mit den Anfängen der Fotografie zusammen.

Es zeigt sich, dass die Literatur des Realismus in England, Frankreich und Russland psychologisch und gesellschaftskritisch markantere Züge trägt, wohingegen die großen deutschsprachigen Werke Fontanes, Storms und Kellers stets von einem larmoyant-humoristischen Grenzgängertum zwischen alter und neuer Welt geprägt sind.

1 *Lernarrangement*

a) Fertigen Sie arbeitsteilig kurze Erläuterungen zu den oben genannten Personen und ihrem Einfluss auf die Epoche des Realismus an.

b) Stellen Sie dar, inwiefern die Epoche Realismus nicht nur Deutschland und die Literatur betrifft.

c) Präsentieren Sie Ihre Ergebnisse im Kurs.

2 Erläutern Sie schriftlich den Zusammenhang zwischen gesellschaftlichem Wandel und seiner literarischen Widerspiegelung an einem selbst gewählten Beispiel aus der Literatur um 1900.

Traditionelles von modernem Erzählen abgrenzen

1 Tragen Sie die wesentlichen Gestaltungsaspekte Ihres literarischen Beispiels in die nachfolgende Tabelle ein und begründen Sie Ihre Entscheidung, ob es sich um traditionelles Erzählen oder Literatur der Moderne handelt.

TIPP
Die Tabelle zeigt lediglich Tendenzen des traditionellen und modernen Erzählens auf. Nicht alle Aspekte müssen immer zutreffen.

Kriterium	Traditionelles Erzählen	Modernes Erzählen	Eigenes Beispiel: ______ ______
Weltbild	geschlossen, übersichtlich, vertraut, harmonisch	offen, undurchschaubar, verfremdet, absurd, unharmonisch, bedrohlich	
Themen	Nachahmung alltäglicher menschlicher Erfahrungen, bürgerliches Milieu und bürgerlicher Alltag; Reales wird künstlerisch verklärt (z. B. über Humor, Ironie, subjektive Darstellung), aber wirklichkeitsnah wiedergegeben; Sozialkritik wird oft nur gedämpft geäußert; resignative Idylle	Darstellung von Not und Elend; Krieg und Verfall; Angst; Großstadtleben; menschliches Denken bestimmt durch die soziale Rolle; Verhältnis von Mensch und Technik; Ohnmacht; Entfremdung; Auflösung und Verdinglichung des einzelnen Menschen in der Masse; Traum, Wahnsinn, Rausch	
Motive	Liebe, Natur, Tod, Leid, Wirklichkeit, menschliches Leben	Verlust, Verlorenheit, Masse, Traum, Seele, Großstadt, Verfall, Industrialisierung, Krieg, Militarisierung	
Menschenbild	Mensch überwiegend mit sich und seiner Umwelt im Einklang, strebt nach höheren Gütern (z. B. Wissen, Kunst und Kultur), versucht die Welt zu verstehen	Mensch wird sich selbst und seiner Umwelt fremd und kappt soziale Bindungen, strebt nach Materiellem, tendiert zu Exzessen (z. B. Vergnügung, materieller Wohlstand, Drogen); verschwindet in der Masse; versteht die Welt nicht mehr	

Protagonist	positiv dargestellt; verfügt über klar benennbare Eigenschaften; selbstbestimmt, übernimmt gesellschaftliche Verantwortung, ist mit sich im Reinen, strebt vorwärts; tritt in Dialog mit anderen; steht als privates Individuum in Konflikt mit gesellschaftlichen Normen und Werten	leidend dargestellt, innerlich zerrissen; verfügt nicht über benennbare Eigenschaften; fremdbestimmt, einsam, ohne Halt und Orientierung, auf sich selbst fixiert; spricht mit sich selbst (innerer Monolog)	
Darstellungsweise	Klare Trennung der Gattungen Dramatik, Epik und Lyrik; chronologisch aufgebaute, in sich geschlossene Handlung; innere und äußere Handlung in Harmonie zueinander; auktorialer Erzähler; Hochsprache; Rahmentechnik	Vermischung der Gattungen; komplexer Aufbau, Montagetechnik; lückenhaft mit häufigen Leerstellen; Zeitsprünge, direkter Einstieg, Simultantechnik; innere Handlung vorherrschend, steht im Kontrast zur äußeren Handlung; personaler Erzähler, Perspektivwechsel; Dialekt, Jargon, Auflösung der Syntax	
Wirkungsabsicht	will den Leser über das alltägliche Leben erheben und etwas „Höheres" bieten	will den Leser über Provokation und Verunsicherung zum Nachdenken über sich und seine Umwelt anregen	

Kunst = Natur – x

Merkmale des Naturalismus herausarbeiten

Gerhart Hauptmann

Im kaiserlichen Deutschland verunglimpft man Hauptmann (1862–1946) als „Rinnsteinkünstler“, in der Weimarer Republik werden ihm zahlreiche Ehrungen zuteil, er gilt als einer ihrer geistigen Repräsentanten, schon 1912 erhält er den Nobelpreis für Literatur, im Gefolge wird er mehrfacher Ehrendoktor, unter anderen der Universitäten Wien und Prag. „Hut ab, ihr Leute, ein Genie!“, ruft der alte Fontane 1889, als er Hauptmanns Drama *Vor Sonnenaufgang* kennenlernt, das einen Theaterskandal auslöst. Kaiser Wilhelm II. straft Hauptmann mit Verachtung und verhindert persönlich eine geplante Auszeichnung.

Im Mittelpunkt seiner Werke stehen Menschen der unteren sozialen Schicht: Not, Krankheit, psychische Verelendung, Verzweiflung und Perspektivlosigkeit prägen ihren Alltag, gesellschaftliche Aspekte, die der poetische Realismus bewusst ausklammert. 1914 tritt Hauptmann, wie nahezu alle deutschen Schriftsteller, mit nationalistischen Werken hervor. Von 1933 an sieht sich Hauptmann von der nationalsozialistischen „Kulturpolitik“ hofiert, zieht sich aber aus dem öffentlichen Leben zurück und stirbt vereinsamt.

Geboren und aufgewachsen in Schlesien hält er sich oft in Berlin, der Metropole von Künstlern und Schriftstellern auf, unternimmt mehrfache Reisen nach Italien und siedelt sich schließlich 1930 in Hiddensee auf Rügen an, wo er auch begraben ist.

Seine bekanntesten Werke sind: *Bahnwärter Thiel* (1888), *Die Weber* (1892; eine Aufführung wird von den Berliner Ordnungsbehörden verboten), *Der Biberpelz* (1893), *Florian Geyer* (1896) und *Fuhrmann Henschel* (1898).

Gerhart Hauptmann

Bahnwärter Thiel (1887, Auszug)

Allsonntäglich saß der Bahnwärter Thiel in der Kirche zu Neu-Zittau, ausgenommen die Tage, an denen er Dienst hatte oder krank war und zu Bette lag. Im Verlaufe von zehn Jahren war er zweimal krank gewesen; das eine Mal infolge eines vom Tender einer Maschine während des Vorbeifahrens herabgefallenen Stückes Kohle, welches ihn getroffen und mit zerschmettertem Bein in den Bahngraben geschleudert hatte; das andere Mal einer Weinflasche wegen, die aus dem vorüberrasenden Schnellzug mitten auf seine Brust geflogen war. Außer diesen beiden Unglücksfällen hatte nichts vermocht, ihn, sobald er frei war, von der Kirche fern zu halten.

Tender Anhänger der Dampflokomotive

Die ersten fünf Jahre hatte er den Weg von Schön-Schornstein, einer Kolonie an der Spree, herüber nach Neu-Zittau allein machen müssen. Eines schönen Tages war er dann in Begleitung eines schmächtigen und kränklich aussehenden Frauenzimmers erschienen, die, wie die Leute meinten, zu seiner herkulischen Gestalt wenig gepasst hatte. Und wiederum eines schönen Sonntagnachmittags reichte er dieser selben Person am Altare der Kirche feierlich die Hand zum Bunde fürs Leben. Zwei Jahre nun saß das junge, zarte Weib ihm zur Seite in der Kirchenbank; zwei Jahre blickte ihr hohlwangiges, feines Gesicht neben seinem vom Wetter gebräunten in das alte Gesangbuch –; und plötzlich saß der Bahnwärter wieder allein wie zuvor.

An einem der vorangegangenen Wochentage hatte die Sterbeglocke geläutet; das war das Ganze.

An dem Wärter hatte man, wie die Leute versicherten, kaum eine Veränderung wahrgenommen. Die Knöpfe seiner sauberen Sonntagsuniform waren so blank geputzt als je zuvor, seine roten Haare so wohl geölt und militärisch gescheitelt wie immer, nur dass er den breiten behaarten Nacken ein wenig gesenkt trug und noch eifriger der Predigt lauschte oder sang, als er es früher getan hatte. Es war die allgemeine Ansicht, dass ihm der Tod seiner Frau nicht sehr nahe gegangen

sei, und diese Ansicht erhielt eine Bekräftigung, als sich Thiel nach Verlauf eines Jahres zum zweiten Male, und zwar mit einem dicken und starken Frauenzimmer, einer Kuhmagd aus Alte-Grund, verheiratete.

Auch der Pastor gestattete sich, als Thiel die Trauung anmelden kam, einige Bedenken zu äußern: „Ihr wollt also schon wieder heiraten?“ „Mit der Toten kann ich nicht wirtschaften, Herr Prediger!“ „Nun ja wohl. Aber ich meine – Ihr eilt ein wenig.“ „Der Junge geht mir drauf, Herr Prediger.“

Thiels Frau war im Wochenbett gestorben, und der Junge, welchen sie zu Welt gebracht, lebte und hatte den Namen Tobias erhalten.

„Ach so, der Junge“, sagte der Geistliche und machte eine Bewegung, die deutlich zeigte, dass er sich des Kleinen erst jetzt erinnere. „Das ist etwas anderes – wo habt Ihr ihn denn untergebracht, während Ihr im Dienst seid?“

Thiel erzählte nun, wie er Tobias einer alten Frau übergeben, die ihn einmal beinahe habe verbrennen lassen, während er ein anderes Mal von ihrem Schoß auf die Erde gekugelt sei, ohne glücklicherweise mehr als eine große Beule davonzutragen. Das könne so nicht weitergehen, meinte er, zudem da der Junge, schwächlich wie er sei, eine ganz besondere Pflege benötige. Deswegen und ferner, weil er der Verstorbenen in die Hand gelobt, für die Wohlfahrt des Jungen zu jeder Zeit ausgiebig Sorge zu tragen, habe er sich zu dem Schritte entschlossen.

Gegen das neue Paar, welches nun sonntäglich zur Kirche kam, hatten die Leute äußerlich nichts einzuwenden. Die frühere Kuhmagd schien für den Wärter wie geschaffen. Sie war kaum einen halben Kopf kleiner als er und übertraf ihn an Gliederfülle. Auch war ihr Gesicht ganz so grob geschnitten wie das seine, nur dass ihm im Gegensatz zu dem des Wärters die Seele abging.

Wenn Thiel den Wunsch gehegt hatte, in seiner zweiten Frau eine unverwüstliche Arbeiterin, eine musterhafte Wirtschafterin zu haben, so war dieser Wunsch in überraschender Weise in Erfüllung gegangen. Drei Dinge jedoch hatte er, ohne es zu wissen, mit seiner Frau in Kauf genommen: eine harte, herrschsüchtige Gemütsart, Zanksucht und brutale Leidenschaftlichkeit. Nach Verlauf eines halben Jahres war es ortsbekannt, wer in dem Häuschen des Wärters das Regiment führte. Man bedauerte den Wärter.

Es sei ein Glück für „das Mensch“, dass sie so ein gutes Schaf wie den Thiel zum Manne bekommen habe, äußerten die aufgebrachten Ehemänner; es gäbe welche, bei denen sie gräulich anlaufen würde. So ein „Tier“ müsse doch kirre zu machen sein, meinten sie, und wenn es nicht anders ginge denn mit Schlägen. Durchgewalkt müsse sie werden, aber dann gleich so, dass es zöge. Sie durchzuwalken aber war Thiel trotz seiner sehnigen Arme nicht der Mann. Das, worüber sich die Leute ereiferten, schien ihm wenig Kopfzerbrechen zu machen. Die endlosen Predigten seiner Frau ließ er gewöhnlich wortlos über sich ergehen, und wenn er einmal antwortete, so stand das schleppende Zeitmaß sowie der leise, kühle Ton seiner Rede in seltsamstem Gegensatz zu dem kreischenden Gekeif seiner Frau. Die Außenwelt schien ihm wenig anhaben zu können: Es war, als trüge er etwas in sich, wodurch er alles Böse, was sie ihm antat, reichlich mit Gutem aufgewogen erhielt.

1 Verdeutlichen Sie sich, wie die einzelnen Charaktere im Textauszug gestaltet sind. Berücksichtigen Sie dabei die sprachlichen Mittel, mit denen dies geschieht.

2 Erläutern Sie, welcher Ausschnitt gesellschaftlicher Wirklichkeit hier dem Leser vorgestellt wird.

3 Lesen Sie den nachfolgenden Text und arbeiten Sie anschließend heraus, welche Aspekte des Textauszugs aus *Bahnwärter Thiel* kennzeichnend für die Literatur des Naturalismus sind. Erstellen Sie hierzu eine Tabelle nach dem Muster auf S. 175 f. mit den Hauptkategorien „Traditionelles Erzählen" und „Erzählung des Naturalismus".

Peter Noss

Der Naturalismus (1880–1900) – Grenzgänger zwischen Realismus und Moderne (2014)

Diese europäische Tendenz der Literaturproduktion wendet sich nicht etwa, wie die Früh- und Hochromantik, den schönen und inspirierenden Seiten der Natur zu – die Bezeichnung könnte dies irreführenderweise vermuten lassen. Vielmehr geht es um präzise Beschreibung und Gestaltung sinnlich erfahrbarer Erscheinungen in einer besonderen Wahrnehmungsweise:

Die Darstellung wirtschaftlichen, sozialen, psychischen Elends des Individuums wie auch familiärer und milieubedingter Umstände ist genauso Thema wie die Kritik an der Gleichgültigkeit des Bürgertums angesichts sozialer Missstände, an seiner Doppelmoral und an seiner Unfähigkeit, die unübersehbaren Folgeerscheinungen der rapiden Industrialisierung sozial abzufedern.

Verstädterung, Proletarisierung, psychische Ausbeutung und Verelendung ins Bewusstsein zu heben, literarisch zu gestalten und damit zu bekämpfen, ist ihr Anliegen und damit zugleich ihre Kampfansage an die bürgerliche Gesellschaft. Dies wurde von dieser und ihren Repräsentanten prompt auch so empfunden. Zensur und scharfe Polemik begleiteten die Aufführungen und Veröffentlichungen der Naturalisten.

Der Kaiser (Wilhelm II.) fühlte sich bemüßigt, selbst Stellung zu nehmen: „Wenn nun die Kunst, wie es jetzt vielfach geschieht, weiter nichts tut, als das Elend noch scheußlicher hinzustellen, wie es schon ist, dann versündigt sie sich damit am deutschen Volke. Die Pflege der Ideale ist zugleich die größte Kulturarbeit, und wenn wir hierin den anderen Völkern ein Muster sein und bleiben wollen, so muss das ganze Volk daran mitarbeiten, und soll Kultur diese Aufgabe erfüllen ... [kann sie es] nur, wenn die Kunst die Hand dazu bietet, wenn sie erhebt, statt dass sie in den Rinnstein niedersteigt." (Auszug aus der Rede vom 18.12.1901)

Im Naturalismus zeigen sich Parallelen sowohl zum Expressionismus als auch zum Realismus, wenngleich sich die Naturalisten selbst als Realisten verstehen. Evolutionstheorie, Determinismus und Milieutheorie verbinden sich z. B. bei dem französischen Romanschriftsteller Émile Zola (1840–1902) zu einer naturalistischen Ästhetik, die Kunst als literarisches Experiment mit naturwissenschaftlichen Methoden definiert.

Die Formel „Kunst = Natur – x" geht auf Arno Holz (Schriftsteller und Theoretiker des Naturalismus) zurück. Die Größe x, die für den Kunstschaffenden steht, sei möglichst zu minimalisieren, Kunst sei umso gültiger, je mehr sie mit der Natur übereinstimme. Der Naturbegriff ist hier ein sehr spezieller, zurückgreifend auf Darwins Buch *On the origin of Species* (1859) und die daraus abgeleitete, viele

Zeitgenossen provozierende Theorie, dass auch der Mensch ein Ergebnis der Evolution sei. Damit unterliege er auch dem Prinzip des „Kampfes ums Dasein".

Die zweite theoretische Säule wurde dem „Positivismus" entlehnt: Nur Erkenntnisse, die sich auf empirische Erfahrungen gründeten, könnten als relevant angesehen werden. Schriftsteller sollen historische, genetische, soziologische und psychologische Zusammenhänge analysieren und in ihren Werken gestalten.

Demgemäß ist der Protagonist in der Literatur des Naturalismus geprägt, ja determiniert, von seinen Anlagen (Erbe), der Umwelt (Milieu) und seinen Lebensumständen (Biografie und Zeitgeschichte). Der „Bahnwärter Thiel" mag so brav und rechtschaffen sein, wie er will, er wird vom Unglück verfolgt wie der biblische Hiob.

Das Drama des Naturalismus als bevorzugte Gattung handelt von Suchtproblemen (Alkoholismus), Degeneration, Armut, körperlicher und seelischer Krankheit, Industrialisierungsfolgen, die die Menschen quälen. Wenig verwunderlich muss daher die teils aggressive Ablehnung erscheinen, die die Werke der Naturalisten im gehobenen Bürgertum auslösten.

Der deutsche Naturalismus ist deutlich von Zola beeinflusst, seit etwa 1887 auch von den gesellschaftskritischen Dramen des norwegischen Schriftstellers Henrik Ibsen (1828–1906) und der russischen Schriftsteller Leo Tolstoi (1828–1910) und Fjodor Dostojewski (1821–1881). Die Hauptphase des deutschen Naturalismus (1886–1895) ist geprägt durch das dramatische Werk Gerhart Hauptmanns. Der Naturalismus wirkte nachhaltig auf die folgende literarische Produktion, u.a. durch die Fokussierung auf „Randfiguren", auf „Verlierer" der Gesellschaft sowie durch die gezielte Verwendung von Umgangssprache und Dialekt, die sich schon in anderen Epochen (Sturm und Drang, Realismus) angekündigt hatte.

Gezeigt werden soll die materielle Gebundenheit alles Geistigen: Sinne und Triebe beherrschen die Menschen, wodurch das Dogma der Willensfreiheit des Menschen entschieden in Frage gestellt wird. Handlungen und Befindlichkeiten sowie deren Bedingtheit werden bis ins kleinste Detail beleuchtet. Diese gewissermaßen fotografisch exakte Abbildung eines Vorkommnisses oder auch eines Zustandes in zeitlich präzisem Ablauf wurde als „Sekundenstil" charakterisiert, vergleichbar der Zeitlupe im Film.

1 Erstellen Sie eine Mindmap zum Naturalismus, ähnlich wie auf S. 170, in Ihrem Heft.

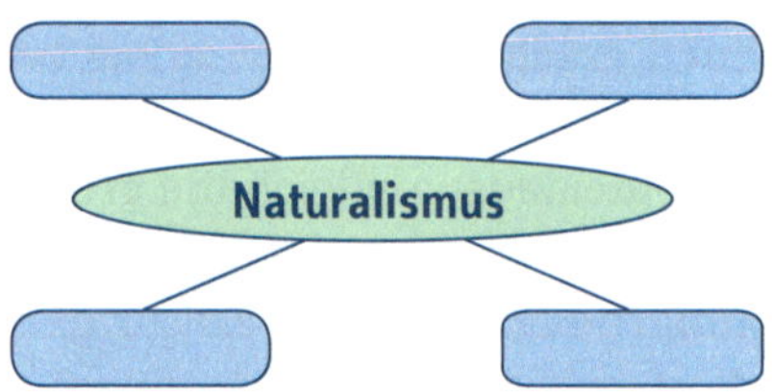

2 Überprüfen Sie, was an den programmatischen Vorstellungen neu ist, und was in bestimmten Epochen schon vorher zum Tragen kam.

3 Diskutieren Sie die Aussagen in dem Zitat von Wilhelm II (Z. 18 ff.).

4 ***Lernarrangement***

a) Recherchieren Sie arbeitsteilig zu den genannten Autoren: Gerhart Hauptmann (*Bahnwärter Thiel*), Émile Zola, Hendrik Ibsen, Leo Tolstoi, Fjodor Dostojewski. Stellen Sie dem Kurs deren jeweils bedeutendsten Werke vor.

b) Legen Sie Kriterien für die Beurteilung eines Vortrags über einen Schriftsteller fest. Erstellen Sie dazu gemeinsam ein Tafelbild. Ermitteln Sie anhand dieser Kriterien den besten Vortrag.

Literarische Strömungen mithilfe einer programmatischen Schrift einordnen und reflektieren

Hermann Bahr

Die Überwindung des Naturalismus (1891)

Die Herrschaft des Naturalismus ist vorüber, seine Rolle ist ausgespielt, sein Zauber ist gebrochen. In den breiten Massen der Unverständigen, welche hinter der Entwickelung einhertrotten und jede Frage überhaupt erst wahrnehmen, wenn sie schon längst wieder erledigt ist, mag noch von ihm die Rede sein. Aber die Vorhut der Bildung, die Wissenden, die Eroberer der neuen Werte wenden sich ab. [...]

Spuren des Neuen sind manche vorhanden. Sie erlauben viele Vermutungen. Eine Weile war es die Psychologie, welche den Naturalismus ablöste. Die Bilder der äußeren Welt zu verlassen, um lieber die Rätsel der einsamen Seele aufzusuchen – dieses wurde die Losung: Man forschte nach den letzten Geheimnissen, welche im Grunde des Menschen schlummern. Aber diese Zustände der Seele zu konstatieren genügte dem unsteten Fieber der Entwickelung bald nicht mehr, sondern sie verlangten lyrischen Ausdruck, durch welchen erst ihr Drang befriedigt werden könnte. [...]

Die Ästhetik drehte sich um. Die Natur des Künstlers sollte nicht länger ein Werkzeug der Wirklichkeit sein, um ihr Ebenbild zu vollbringen; sondern umgekehrt, die Wirklichkeit wurde jetzt wieder der Stoff des Künstlers, um seine Natur zu verkünden, in deutlichen und wirksamen Symbolen.

Auf den ersten Blick scheint das schlechtweg Reaktion: Rückkehr zum Klassizismus, den wir so böse verlästert, und zur Romantik. Die Gegner des Naturalismus behalten Recht. Sein ganzer Aufwand ist nur eine Episode gewesen, eine Episode der Verirrung; und hätte man gleich die ehrlichen Warner gehört, welche nicht müde wurden, ihn zu verdächtigen und zu beklagen, man hätte sich die ganze Beschämung und manchen Katzenjammer erspart. Man wäre bei der alten Kunst geblieben und brauchte sie sich nicht erst jetzt als die allerneueste Kunst zu erwerben. [...]

Freilich ihr Ziel [das Ziel der Kunst] war immer und immer wird es ihr Ziel sein, eine künstlerische Natur auszudrücken und mit solcher Zwingkraft aus sich heraus zur Wirksamkeit über die anderen zu bringen, dass diese unterjocht und zur Gefolgschaft genötigt werden; aber um dieser Wirksamkeit willen gerade, zur Verbindung mit den anderen bedarf sie des wirklichen Stoffes. [...]

Aber es ist doch ein Unterschied zwischen der alten Kunst und der neuen – wie man sie nur ein bisschen eindringlicher prüft. Freilich: die alte Kunst will den Ausdruck des Menschen und die neue Kunst will den Ausdruck des Menschen; darin stimmen sie überein gegen den Naturalismus. Aber wenn der Klassizismus *Mensch* sagt, so meint er Vernunft und Gefühl; und wenn die Romantik *Mensch* sagt, so meint sie Leidenschaft und Sinne; und wenn die Moderne *Mensch* sagt, so meint sie Nerven. Da ist die große Einigkeit schon wieder vorbei.

Ich glaube also, dass der Naturalismus überwunden werden wird durch eine nervöse Romantik; noch lieber möchte ich sagen: durch eine Mystik der Nerven. [...]

Wenn erst das Nervöse völlig entbunden und der Mensch, aber besonders der Künstler ganz an die Nerven hingegeben sein wird, ohne vernünftige und sinnliche Rücksicht, dann kehrt die verlorene Freude in die Kunst zurück. Die Gefangenschaft im Äußeren und die Knechtschaft unter die Wirklichkeit machten den großen Schmerz. Aber jetzt wird eine jubelnde Befreiung und ein zuversichtlicher, schwingenkühner, junger Stolz sein, wenn sich das Nervöse alleinherrisch

Hermann Anastas Bahr (1863–1934) war ein österreichischer Schriftsteller, Dramatiker und Literaturkritiker. Er setzte sich in zahlreichen Schriften mit den literarischen Strömungen seiner Zeit auseinander.

E

und zur tyrannischen Gestaltung seiner eigenen Welt fühlt. Es war ein Wehklagen des Künstlers im Naturalismus, weil er dienen musste; aber jetzt nimmt er die Tafeln aus dem Wirklichen und schreibt darauf seine Gesetze.

Es wird etwas Lachendes, Eilendes, Leichtfüßiges sein. Die logische Last und der schwere Gram der Sinne sind weg; die schauerliche Schadenfreude der Wirklichkeit versinkt. Es ist ein Rosiges, ein Rascheln wie von grünen Trieben, ein Tanzen wie von Frühlingssonne im ersten Morgenwinde – es ist ein geflügeltes, erdenbefreites Steigen und Schweben in azurne Wollust, wenn die entzügelten Nerven träumen.

1 Analysieren Sie den Text und stellen Sie die zentralen Textaussagen des Verfassers über die Entstehung literarischer Epochen dar.

2 Geben Sie wieder, welche Gründe für die „Überwindung des Naturalismus“ genannt werden.

Ein Dinggedicht kennenlernen

Rainer Maria Rilke (1875 bis 1926) ist ein bedeutender Schriftsteller deutscher Sprache. Seine Bedeutung erlangt er vor allem durch sein lyrisches Werk. In seinen sog. „Dinggedichten“ spiegelt sich einerseits die gegenständliche Welt im Außen, darüber hinaus geben sie zugleich dem Wesen, also der dem Ding innewohnenden Eigenart und Gesetzmäßigkeit Raum und Ausdruck.

Rainer Maria Rilke

Jardin du Luxembourg (1906)

Mit einem Dach und seinem Schatten dreht
sich eine kleine Weile der Bestand
von bunten Pferden, alle aus dem Land,
das lange zögert, eh es untergeht.

Zwar manche sind an Wagen angespannt,
doch alle haben Mut in ihren Mienen;
ein böser roter Löwe geht mit ihnen
und dann und wann ein weißer Elefant.

Sogar ein Hirsch ist da, ganz wie im Wald,
nur dass er einen Sattel trägt und drüber
ein kleines blaues Mädchen aufgeschnallt.

Und auf dem Löwen reitet weiß ein Junge
und hält sich mit der kleinen heißen Hand
dieweil der Löwe Zähne zeigt und Zunge.

Und dann und wann ein weißer Elefant.

Und auf den Pferden kommen sie vorüber,
auch Mädchen, helle, diesem Pferdesprunge
fast schon entwachsen; mitten in dem Schwunge
schauen sie auf, irgend wohin, herüber –

Und dann und wann ein weißer Elefant.

Und das geht hin und eilt sich, dass es endet,
und kreist und dreht sich nur und hat kein Ziel.
Ein Rot, ein Grün, ein Grau vorbeigesendet,
ein kleines kaum begonnenes Profil –.
Und manchesmal ein Lächeln, hergewendet,
ein seliges, das blendet und verschwendet
an dieses atemlose blinde Spiel ...

1 Analysieren Sie das Gedicht und gehen Sie dabei darauf ein, wie die Perspektive zwischen Außen und Innen, zwischen den Dingen selbst und ihrem Wesenskern, wechselt.

2 Stellen Sie einen Zusammenhang zwischen Rainer Maria Rilkes Gedicht und Hermann Bahrs Vorstellung einer „nervöse[n] Romantik“ (S. 181, Z. 40) her.

3 Recherchieren Sie zum Symbolismus als Gegenströmung zum Naturalismus und stellen Sie seine Bedeutung für die Literatur der Moderne um die Jahrhundertwende dar.

Literatur und bildende Kunst um 1900

Strömungen des Realismus, Naturalismus, Impressionismus und Expressionismus vergleichen

Aufschlussreiche Veranschaulichungen tun sich dem Betrachter beim Vergleich von Gemälden mit literarischen Strömungen auf. Zu beachten ist, dass die Begriffe **Realismus** und **Naturalismus** in der Literatur- und in der Kunstgeschichte unterschiedliche Bedeutungen haben: Wird in der realistischen Literatur auf die Darstellung von Armut, Elend, Verzweiflung oder Krankheit verzichtet, so bildet realistische Kunst, deren Ziel es ist, bestimmte Inhalte zu implizieren, genau dies ab. In der naturalistischen Malerei geht es hingegen eher um die naturgetreue Darstellung des Motivs. Der **Impressionismus** ist in der Kunst bedeutender als in der Literatur und zu erkennen an der besonderen Maltechnik und einer Tendenz zu romantischer Verklärung. Für den **Expressionismus** gilt – in Literatur und Kunst –, dass er eine aus den Fugen geratene Welt ins Bild setzt, in der das Individuum hoffnungs- und orientierungslos dem konfusen Walten nicht beherrschbarer Mächte ausgesetzt ist und verloren wirkt. Krieg, Großstadt, Verkehr und seelische Zerrissenheit sind hier bevorzugte Motive.

Max Liebermann: Gänserupferinnen (1870/71)

Käthe Kollwitz: Weberzug (1897)

Claude Monet: Gare Saint Lazare (1877)

1 Beschreiben Sie die drei Bilder auf den Seiten 183 und 184 und begründen Sie, welchen Epochen Sie sie zuordnen würden.

Kurt Pinthus

Die Überfülle des Erlebens (1925, Auszug)

Welch ein Trommelfeuer von bisher ungeahnten Ungeheuerlichkeiten prasselt seit einem Jahrzehnt auf unsere Nerven nieder! Trotz sicherlich erhöhter Reizbarkeit sind durch diese täglichen Sensationen unsere Nerven trainiert und abgehärtet wie die Muskulatur eines Boxers gegen die schärfsten Schläge. [...]

Man male sich zum Vergleich nur aus, wie ein Zeitgenosse Goethes oder ein Mensch des Biedermeier seinen Tag in Stille verbrachte, und durch welche Mengen von Lärm, Erregungen, Anregungen heute jeder Durchschnittsmensch täglich sich zu kämpfen hat, mit der Hin- und Rückfahrt zur Arbeitsstätte, mit dem gefährlichen Tumult der von Verkehrsmitteln wimmelnden Straßen, mit Telefon, Lichtreklame, tausendfachen Geräuschen und Aufmerksamkeitsablenkungen. Wer heute dreißig und vierzig Jahre alt ist, hat noch gesehen, wie die ersten elektrischen Bahnen zu fahren begannen, hat die ersten Autos erblickt, hat die jahrtausendelang für unmöglich gehaltene Eroberung der Luft in rascher Folge mitgemacht, hat die sich rapid übersteigenden Schnelligkeitsrekorde all dieser Entfernungsüberwinder, Eisenbahnen, Riesendampfer, Luftschiffe, Aeroplane miterlebt ... Wie ungeheuer hat sich der Bewusstseinskreis jedes Einzelnen erweitert durch die Erschließung der Erdoberfläche und die neuen Mitteilungsmöglichkeiten: Schnellpresse, Kino, Radio, Grammophon, Funktelegrafie. [...]

Ludwig Meidner: Die brennende Stadt (1912)

1 Recherchieren Sie Merkmale der auf S. 183 genannten Kunstepochen und ordnen Sie die einzelnen Gemälde jeweils zu. Vergleichen Sie mit Ihren Ergebnissen von S. 184, Aufg. 1.

2 Erörtern Sie, inwiefern in diesen Gemälden auch die Weltsicht des Künstlers zum Ausdruck gelangt.

3 Ordnen Sie dem Textauszug *Die Überfülle des Erlebens* ein Ihrer Meinung nach passendes Gemälde von den Seiten 183 – 185 zu und begründen Sie Ihre Entscheidung.

4 Verfassen Sie eine Fortsetzung des Textes von Kurt Pinthus, die die Entwicklung bis in die Gegenwart beschreibt und kommentiert.

5 Suchen Sie im Internet weitere Bilder zu den auf S. 183 genannten Strömungen heraus und stellen Sie diese im Kurs vor.

Auguste Renoir: Au Moulin de la Galette (1876)

Krise der Sprache als Spiegel des Lebensgefühls?

Gestaltungs- und Strukturmerkmale der literarischen Moderne erarbeiten

Hugo von Hofmannsthal

(1874–1929) veröffentlicht bereits als Gymnasiast erste Gedichte sowie das Versdrama *Gestern* und steht damit am Beginn seines frühen Ruhms in der Literaturszene im Wien der Jahrhundertwende. Im Kreis der „Jung-Wiener Literaten" pflegt er Kontakt mit Hermann Bahr, Arthur Schnitzler, Karl Kraus und anderen Dichtern. Er studiert Jura und romanische Philologie und lebt danach als freier Schriftsteller, arbeitet für das Theater und gründet mit Max Reinhardt in den Zwanziger Jahren die Salzburger Festspiele. Dafür schreibt er die Dramen *Jedermann* und *Das Salzburger Große Welttheater*. Einen weiteren Höhepunkt seines Frühwerkes bildet der 1901 entstandene Prosatext *Ein Brief* (auch *Chandos-Brief* genannt), in dem seine radikale Sprachskepsis zum Ausdruck gelangt, die das Zeit- und Sprachgefühl des „Wiener Kreises" repräsentiert, zu dessen berühmtestem Vertreter er avanciert ist. Als Lyriker und Dramatiker zählt Hugo von Hofmannsthal zu den bedeutendsten Dichtern des österreichischen Impressionismus und Symbolismus. Seine Werke sind durchstrahlt von Empfindsamkeit, Musikalität und Todesmystik.

Hugo von Hofmannsthal

Ein Brief (1902, Auszug)

Dies ist der Brief, den Philipp Lord Chandos, jüngerer Sohn des Earl of Bath, an Francis Bacon, später Lord Verulam und Viscount St. Albans, schrieb, um sich bei diesem Freunde wegen des gänzlichen Verzichtes auf literarische Betätigung zu entschuldigen.

Francis Bacon (1561–1626), englischer Politiker und Wissenschaftler, der für die Wissenschaften das Grundprinzip der Erfahrung postulierte. Er gilt als einer der Begründer der modernen Naturwissenschaften.

Es ist gütig von Ihnen, mein hochverehrter Freund, mein zweijähriges Stillschweigen zu übersehen und so an mich zu schreiben. Es ist mehr als gütig, Ihrer Besorgnis um mich, Ihrer Befremdung über die geistige Starrnis, in der ich Ihnen zu versinken scheine, den Ausdruck der Leichtigkeit und des Scherzes zu geben, den nur große Menschen, die von der Gefährlichkeit des Lebens durchdrungen und dennoch nicht entmutigt sind, in ihrer Gewalt haben. [...]
Mein Fall ist, in Kürze, dieser: Es ist mir völlig die Fähigkeit abhandengekommen, über irgendetwas zusammenhängend zu denken oder zu sprechen.

Zuerst wurde es mir allmählich unmöglich, ein höheres oder allgemeineres Thema zu besprechen und dabei jene Worte in den Mund zu nehmen, deren sich doch alle Menschen ohne Bedenken geläufig zu bedienen pflegen. Ich empfand ein unerklärliches Unbehagen, die Worte „Geist", „Seele" oder „Körper" nur auszusprechen. Ich fand es innerlich unmöglich, über die Angelegenheiten des Hofes, die Vorkommnisse im Parlament, oder was Sie sonst wollen, ein Urteil herauszubringen. Und dies nicht etwa aus Rücksichten irgendwelcher Art, denn Sie kennen meinen bis zur Leichtfertigkeit gehenden Freimut: sondern die abstrakten Worte, deren sich doch die Zunge naturgemäß bedienen muss, um irgendwelches Urteil an den Tag zu geben, zerfielen mir im Munde wie modrige Pilze. Es begegnete mir, dass ich meiner vierjährigen Tochter Katharina Pompilia eine kindische Lüge, deren sie sich schuldig gemacht hatte, verweisen und sie auf die Notwendigkeit, immer wahr zu sein, hinführen wollte, und dabei die mir im Munde zuströmenden Begriffe plötzlich eine solche schillernde Färbung annahmen und so ineinander überflossen, dass ich den Satz, so gut es ging, zu Ende haspelnd, so wie wenn mir unwohl geworden wäre und auch tatsächlich bleich im Gesicht und mit einem heftigen Druck auf der Stirn, das Kind allein ließ, die Tür hinter mir zuschlug und mich erst zu Pferde, auf der einsamen Hutweide einen guten Galopp nehmend, wieder einigermaßen herstellte.

Allmählich aber breitete sich diese Anfechtung aus wie ein um sich fressender Rost. Es wurden mir auch im familiären und hausbackenen Gespräch alle die Urteile, die leichthin und mit schlafwandelnder Sicherheit abgegeben zu werden pflegen, so bedenklich, dass ich aufhören musste, an solchen Gesprächen irgend teilzunehmen. Mit einem unerklärlichen Zorn, den ich nur mit Mühe notdürftig verbarg, erfüllte es mich, dergleichen zu hören, wie: diese Sache ist für den oder jenen gut oder schlecht ausgegangen; Sheriff N. ist ein böser, Prediger T. ein guter Mensch; Pächter M. ist zu bedauern, seine Söhne sind Verschwender; ein anderer ist zu beneiden, weil seine Töchter haushälterisch sind; eine Familie kommt in die Höhe, eine andere ist im Hinabsinken. Dies alles erschien mir so unbeweisbar, so lügenhaft, so löcherig wie nur möglich. Mein Geist zwang mich, alle Dinge, die in einem solchen Gespräch vorkamen, in einer unheimlichen Nähe zu sehen: so wie ich einmal in einem Vergrößerungsglas ein Stück von der Haut meines kleinen Fingers gesehen hatte, das einem Blachfeld mit Furchen und Höhlen glich, so ging es mir nun mit den Menschen und ihren Handlungen. Es gelang mir nicht mehr, sie mit dem vereinfachenden Blick der Gewohnheit zu erfassen. Es zerfiel mir alles in Teile, die Teile wieder in Teile, und nichts mehr ließ sich mit einem Begriff umspannen. Die einzelnen Worte schwammen um mich; sie gerannen zu Augen, die mich anstarrten und in die ich wieder hineinstarren muss: Wirbel sind sie, in die hinabzusehen mich schwindelt, die sich unaufhaltsam drehen und durch die hindurch man ins Leere kommt. [...]

Seither führe ich ein Dasein, das Sie, fürchte ich, kaum begreifen können, so geistlos, so gedankenlos fließt es dahin; ein Dasein, das sich freilich von dem meiner Nachbarn, meiner Verwandten und der meisten landbesitzenden Edelleute dieses Königreiches kaum unterscheidet und das nicht ganz ohne freudige und belebende Augenblicke ist. Es wird mir nicht leicht, Ihnen anzudeuten, worin diese guten Augenblicke bestehen; die Worte lassen mich wiederum im Stich. Denn es ist ja etwas völlig Unbenanntes und auch wohl kaum Benennbares, das in solchen Augenblicken, irgendeine Erscheinung meiner alltäglichen Umgebung mit einer überschwellenden Flut höheren Lebens wie ein Gefäß erfüllend, mir sich ankündet. Ich kann nicht erwarten, dass Sie mich ohne Beispiel verstehen, und ich muss Sie um Nachsicht für die Albernheit meiner Beispiele bitten. Eine Gießkanne, eine auf dem Felde verlassene Egge, ein Hund in der Sonne, ein ärmlicher Kirchhof, ein Krüppel, ein kleines Bauernhaus, alles dies kann das Gefäß meiner Offenbarung werden. Jeder dieser Gegenstände und die tausend anderen ähnlichen, über die sonst ein Auge mit selbstverständlicher Gleichgültigkeit hinweggleitet, kann für mich plötzlich in irgendeinem Moment, den herbeizuführen auf keine Weise in meiner Gewalt steht, ein erhabenes und rührendes Gepräge annehmen, das auszudrücken mir alle Worte zu arm scheinen. [...]

Ich wollte, es wäre mir gegeben, in die letzten Worte dieses voraussichtlich letzten Briefes, den ich an Francis Bacon schreibe, alle die Liebe und Dankbarkeit, alle die ungemessene Bewunderung zusammenzupressen, die ich für den größten Wohltäter meines Geistes, für den ersten Engländer meiner Zeit im Herzen hege und darin hegen werde, bis der Tod es bersten macht.

A. D. 1603, diesen 22. August. Phi. Chandos

1 Erläutern Sie Chandos' Grundproblem und überlegen Sie, warum er den Brief an Bacon richtet.

2 Prüfen Sie, inwiefern sich die vom Briefautor sogenannten „guten Augenblicke“ von den ihm nicht mehr möglichen Begriffsverwendungen unterscheiden. Zeigen Sie die Unterschiede an den von ihm genannten Beispielen auf. Inwiefern liegt hier ein Widerspruch vor?

3 Diskutieren Sie, inwieweit der Text als repräsentativ für die Sprachkrise der Literatur um 1900 gelten kann.

Rainer Maria Rilke

Ich fürchte mich so vor der Menschen Wort (1899)

Ich fürchte mich so vor der Menschen Wort.
Sie sprechen alles so deutlich aus:
Und dieses heißt Hund und jenes heißt Haus,
und hier ist Beginn, und das Ende ist dort.

Mich bangt auch ihr Sinn, ihr Spiel mit dem Spott,
sie wissen alles, was wird und war;
kein Berg ist ihnen mehr wunderbar;
ihr Garten und Gut grenzt grade an Gott.

Ich will immer warnen und wehren: Bleibt fern.
Die Dinge singen hör ich so gern.
Ihr rührt sie an: sie sind starr und stumm.
Ihr bringt mir alle die Dinge um.

1 Vergleichen Sie die Kernaussage des Textes von Hofmannsthal (S. 186 f.) mit diesem Gedicht.

2 Setzen Sie das Gemälde von Monet in Beziehung zu den Texten von Hofmannsthal und Rilke.

Claude Monet: Abendstimmung in Venedig (1908)

Ein Brief ***Ich fürchte mich so vor der Menschen Wort***

Chronist des Niedergangs des Großbürgertums

Die Erzählweise von Thomas Mann untersuchen

Thomas Mann

Einer der namhaftesten deutschen Schriftsteller, der die erste Hälfte des 20. Jahrhunderts mitprägt, ist zweifellos Thomas Mann (1875–1955). Aus einer Lübecker Patrizierfamilie stammend, gestaltet er in seinem Romandebüt *Buddenbrooks* (1901) Blütezeit und Niedergang einer Lübecker Kaufmannsdynastie mit deutlich biografischen Bezügen. 1929 erhält er dafür den Literaturnobelpreis; es folgen Erzählungen und Novellen und 1924 in der Tradition des europäischen Bildungsromans *Der Zauberberg*. Zur süffisanten Parodie eines Bildungsromans gelingen ihm *Bekenntnisse des Hochstaplers Felix Krull. Der Memoiren erster Teil* (erschienen 1954).

Bis in die 20er-Jahre eher konservativ und „unpolitisch" (*Betrachtungen eines Unpolitischen*, 1918), entwickelt er sich im Laufe der Nazizeit zu deren entschiedenem Gegner, der sich aus dem Ausland (zunächst Schweiz, dann USA) als Stimme des anderen Deutschland regelmäßig zu Wort meldet. Mit seinem älteren Bruder Heinrich Mann (1871–1950), ebenfalls bedeutender Schriftsteller, gibt es zeitweilig Differenzen. Heinrich ist mit seiner schonungslosen Analyse der politischen Verhältnisse in Deutschland (*Der Untertan*, 1914) seinem Bruder zunächst voraus. Die gemeinsame Gegnerschaft gegen den Nationalsozialismus bildete aber letztlich doch ein einigendes Band.

Buddenbrooks – Verfall einer Familie

Thomas Manns berühmtester Roman entstand zwischen 1897 und 1900, erschienen ist er 1901. Das Werk gilt, wie der Autor selbst bemerkt, als repräsentative „Seelengeschichte des deutschen Bürgertums, von der nicht nur dieses selbst, sondern auch das europäische Bürgertum überhaupt sich angesprochen fühlen konnte." Am Beispiel von vier Generationen einer Lübecker Kaufmannsfamilie wird das im Untertitel bezeichnete Thema des Romans entfaltet. Urgroßvater Johann Buddenbrook verkörpert mit Tatkraft und Unternehmergeist das vitale Lebensgefühl eines selbstsicheren, erfolgreichen Bürgertums. Sein Sohn, Konsul Johann Buddenbrook, repräsentiert noch die großbürgerlichen Wertmaßstäbe, tendiert dabei aber merklich zu pietistisch-rigorosem Ethos. In den Charakteren und Lebenswegen seiner vier Kinder, Thomas, Christian, Tony und Clara, treten unterschiedliche Formen des Verfalls in Erscheinung. Im *Kindlers Literaturlexikon* ist darüber zu lesen:

[...] Allein Thomas ist – wenn auch nur mit äußerster Anspannung und Selbstbeherrschung – noch in der Lage, das Erbe zu übernehmen. Er wird Senator, und äußerlich erreicht das Ansehen der Familie erst jetzt seinen Höhepunkt. Seine Frau, eine reiche, musikalisch hochbegabte Holländerin von „nervöser Kälte", bringt ein exotisches Element und künstlerische Begabung in die Familie. Deren Sohn aus dieser Ehe, Hanno, repräsentiert das letzte Stadium eines Prozesses, in dessen Verlauf die Buddenbrooks den Gewinn an Sensibilität und Bewusstsein mit dem Verlust ihrer Vitalität und zuletzt auch ihrer gesellschaftlichen Stellung bezahlen. Die naive Unbekümmertheit der vorangegangenen Generation – „die Situation ohne Schamgefühl auszunutzen, sagte er sich, das ist Lebenstüchtigkeit" – wurde abgelöst durch ein bestimmtes Rollenverhalten, durch eine Charaktermaske: „Thomas Buddenbrooks Dasein", so heißt es im Roman, „war kein anderes mehr als das eines Schauspielers, eines solchen aber, dessen ganzes Leben bis auf die geringste und alltäglichste Kleinigkeit zu einer einzigen Produktion geworden ist, einer Produktion, die mit Ausnahme einiger weniger und kurzer Stunden des Alleinseins und der Abspannung beständig alle Kräfte in Anspruch nimmt und verzehrt". Er stirbt, nach einer Zahnoperation, einen banalen Tod, sein Sohn Hanno – Inbegriff lebensfremder Zartheit und sensiblen Künstlertums, in dessen musikalischen Neigungen der Prozess der Entbürgerlichung sich vollendet – erliegt dem Typhus. [...]

Am Beispiel der Lübecker Familie schildert Thomas Mann ein allgemeines Phänomen; im ersten Teil des Romans geschieht dies mit den Mitteln realistischer

Erzählweise. Die Ereignisse ordnen sich der Chronologie unter, Vergangenes erscheint durch Familienpapiere oder erinnernde Dialoge vergegenwärtigt, die Personen werden mit kunstvoller Indirektheit durch ihre Redeweise charakterisiert. Im zweiten Romanteil jedoch, der mit Hannos Geburt beginnt, bleibt es nicht bei der Erzähltechnik einer Familienchronik. Der fortschreitenden Differenzierung der Hauptfiguren entspricht eine „Komplizierung der Griffe", und die vieldeutigen Vorgänge des Verfalls werden nicht in traditionell realistischer Weise widergespiegelt. Die Forschung problematisierte daher teilweise die Kennzeichnung des Werks als realistischen Roman und hob das fiktionale Gefüge von Strukturen und Motiven hervor, mit deren Hilfe der Autor die historische Wirklichkeit zu einer eigenen Wirklichkeit ordnet. [...]

Thomas Mann

Buddenbrooks (1901, Auszug aus Buch XI, Kapitel 2)

[...] Hanno Buddenbrook erschrak zuinnerst. Wie jeden Morgen zogen sich bei dem jähen Einsetzen dieses zugleich boshaften und treuherzigen Lärmes, auf dem Nachttische, dicht neben seinem Ohre, vor Grimm, Klage und Verzweiflung seine Eingeweide zusammen. Äußerlich aber blieb er ganz ruhig, veränderte seine Lage im Bette nicht und riss nur rasch, aus irgendeinem verwischten Morgentraume gejagt, die Augen auf.

Es war vollkommen finster in der winterkalten Stube; er unterschied keinen Gegenstand und konnte die Zeiger der Uhr nicht sehen. Aber er wusste, dass es sechs Uhr war, denn er hatte gestern Abend den Wecker auf diese Stunde gestellt ... Gestern ... gestern ... Während er mit angespannten Nerven, um den Entschluss kämpfend, Licht zu machen und das Bett zu verlassen, regungslos auf dem Rücken lag, kehrte ihm nach und nach alles ins Bewusstsein zurück, was ihn gestern erfüllt hatte ...

Lohengrin mittelalterliche Sagengestalt, Oper von Richard Wagner

Es war Sonntag gewesen, und nachdem er sich mehrere Tage hintereinander von Herrn Brecht hatte malträtieren lassen müssen, hatte er zur Belohnung seine Mutter ins Stadt-Theater begleiten dürfen, um den „Lohengrin" zu hören. Die Freude auf diesen Abend hatte seit einer Woche sein Leben ausgemacht. Beklagenswert war nur, dass stets vor solcherlei Festen so viel des Widerwärtigen lagerte und bis zum letzten Augenblick die freie und freudige Aussicht darauf verdarb. Aber endlich war doch am Sonnabend die Schulzeit überstanden gewesen, und die Tretmaschine hatte zum letzten Male in seinem Munde mit schmerzhaftem Summen gebohrt ... Nun war alles beiseite geschafft und überwunden gewesen, denn die Schulaufgaben hatte er kurzentschlossen jenseits des Sonntagabends geschoben. Was hatte der Montag bedeutet? War es wahrscheinlich gewesen, dass er jemals anbrechen würde? Man glaubt an keinen Montag, wenn man am Sonntagabend den „Lohengrin" hören soll ... Er hatte am Montag frühzeitig aufstehen wollen und diese albernen Sachen erledigen – damit genug! Nun war er frei umhergegangen, hatte die Freude seines Herzens gepflegt, am Flügel geträumt und alle Widrigkeiten vergessen.

Nachen (der) kleines Boot

Nachbarloge hier: kleiner, abgetrennter Zuschauerraum innerhalb des Theaters

Und dann war das Glück zur Wirklichkeit geworden. Es war über ihn gekommen mit seinen Weihen und Entzückungen, seinem heimlichen Erschauern und Erbeben, seinem plötzlichen und innerlichen Schluchzen, seinem ganzen überschwänglichen und unersättlichen Rausche ... Freilich, die billigen Geigen des Orchesters hatten beim Vorspiel ein wenig versagt, und ein dicker, eingebildeter Mensch mit rotblondem Vollbarte war im Nachen ein wenig ruckweise herangeschwommen. Auch war in der Nachbarloge sein Vormund Herr Stephan Kistenmaker zugegen gewesen und hatte gemurrt, dass man den Jungen auf solche Weise zerstreue und von seinen Pflichten ablenke. Aber darüber hatte ihn die süße und verklärte Herrlichkeit, auf die er lauschte, hinweggehoben ...

Und endlich war doch das Ende gekommen. Das singende, schimmernde Glück war verstummt und erloschen, mit fiebrigem Kopfe hatte er sich daheim in seinem Zimmer wiedergefunden und war gewahr geworden, dass nur ein paar Stunden des Schlafes dort in seinem Bett ihn vom grauen Alltag trennten. Da hatte ihn ein Anfall jener gänzlichen Verzagtheit überwältigt, die er so wohl kannte. Er hatte wieder empfunden, wie wehe die Schönheit tut, wie tief sie in Scham und sehnsüchtige Verzweiflung stürzt und doch auch den Mut und die Tauglichkeit zum gemeinen Leben verzehrt. So fürchterlich hoffnungslos und bergeschwer hatte es ihn niedergedrückt, dass er sich wieder einmal gesagt hatte, es müsse mehr sein, als seine persönlichen Kümmernisse, was auf ihm laste, eine Bürde, die von Anbeginn an seine Seele beschwert habe und sie irgendwann einmal ersticken müsse ...

Dann hatte er den Wecker gerichtet und geschlafen, so tief und tot, wie man schläft, wenn man niemals wieder erwachen möchte. Und nun war der Montag da, und es war sechs Uhr, und er hatte für keine Stunde gearbeitet!

Er richtete sich auf und entzündete die Kerze auf dem Nachttische. Da aber in der eiskalten Luft seine Arme und Schultern sofort heftig zu frieren begannen, ließ er sich rasch wieder zurücksinken und zog die Decke über sich.

Die Zeiger wiesen auf zehn Minuten nach sechs Uhr ... Ach, es war sinnlos nun aufzustehen und zu arbeiten, es war zu viel, es gab beinah für jede Stunde etwas zu lernen, es lohnte sich nicht, damit anzufangen, und der Zeitpunkt, den er sich festgesetzt, war sowieso überschritten ... War es denn so sicher, wie es ihm gestern erschienen war, dass er heute sowohl im Lateinischen wie in der Chemie an die Reihe kommen würde? Es war anzunehmen, ja, nach menschlicher Voraussicht war es wahrscheinlich. Was den Ovid betraf, so waren neulich die Namen aufgerufen worden, die mit den letzten Buchstaben des Alphabets begannen, und mutmaßlich würde es heute mit A und B von vorn anfangen. Aber es war doch nicht unbedingt sicher, nicht ganz und gar zweifellos! Es kamen doch Abweichungen von der Regel vor! Was bewirkte nicht manchmal der Zufall, du lieber Gott! ... Und während er sich mit diesen trügerischen und gewaltsamen Erwägungen beschäftigte, verschwammen seine Gedanken ineinander, und er entschlief aufs Neue.

Das kleine Schülerzimmer, kalt und kahl, mit seiner Sixtinischen Madonna als Kupferstich über dem Bette, seinem Ausziehtisch in der Mitte, seinem unordentlich vollgepfropften Bücherbord, einem steifbeinigen Mahagoni-Pult, dem Harmonium, und dem schmalen Waschtisch, lag stumm in dem wankenden Schein der Kerze. Eisblumen blühten am Fenster, dessen Rouleau nicht hinabgelassen war, damit das Tageslicht früher hereindringe. Und Hanno Buddenbrook schlief, die Wange in das Kissen geschmiegt. Er schlief mit getrennten Lippen und tief und fest gesenkten Wimpern, mit dem Ausdruck einer inbrünstigen und schmerzlichen Hingabe an den Schlaf, und sein weiches, hellbraunes Haar bedeckte gelockt seine Schläfen. Und langsam verlor das Flämmchen auf dem Nachttische seinen rotgelben Schein, da durch die Eiskruste der Fensterscheibe der matte Morgen starr und fahl ins Zimmer blickte.

Ovid berühmter römischer Schriftsteller (43 v. Chr. bis 18 n. Chr.)

Sixtinische Madonna Gemälde von Raffael (1513)

Harmonium kleines Klavier

Rouleau Rollladen

1 Lesen Sie den Auszug aus Thomas Manns Roman *Buddenbrooks* und fassen Sie den Inhalt des Textes schriftlich zusammen.

2 Der vorliegende Textauszug ist gekennzeichnet durch einen regen Wechsel von auktorialer Erzählung zu erlebter Rede. Markieren Sie im Text die Passagen der erlebten Rede.

Vgl. S. 323.

3 Diskutieren Sie die Wirkung, die der Einsatz der erlebten Rede auf den Leser hat.

4 Begründen Sie Ihre Entscheidung, ob es sich bei dem Textauszug Ihrer Meinung nach um ein Beispiel traditionellen oder modernen Erzählens handelt.

Der Meister der knappen Worte

Die Erzählweise von Franz Kafka untersuchen

Franz Kafka

Kaum ein Schriftsteller der erzählenden deutschsprachigen Literatur hat sein Publikum vor solche Rätsel gestellt und es gleichzeitig fasziniert wie Kafka (1883–1924). Kein anderer hat es dazu gebracht, dass aus seinem Nachnamen ein geläufiges Adjektiv, „kafkaesk" entstand. Es bezeichnet eine Situation, die offenbar ausweglos, verwirrend, bedrückend, belastend, labyrinthisch und psychologisch konfus ist.

Kafka wird 1883 in Prag, der böhmischen Metropole der österreichisch-ungarischen Doppelmonarchie, als Sohn eines wohlhabenden jüdischen Kaufmanns geboren. Er besucht das Deutsche Gymnasium, studiert anschließend Germanistik und Jura, promoviert 1906 zum Dr. jur. Einer Praktikantenzeit beim Landgericht und einer Tätigkeit als Versicherungsangestellter folgt eine berufliche Existenz bei der Arbeiter-Unfall-Versicherung. Aspekte dieser ihm verhassten Tätigkeit finden in seinen Werken literarischen Niederschlag. Kafka sieht sich selbst als wachsamen, empfindsamen Einzelgänger. Seine Beziehungen zu Frauen veranlassen ihn zu ausgedehntem Briefwechsel, enden aber mehrfach mit dem Abbruch der Beziehung. Nur mit den Schriftstellerkollegen Max Brod und Franz Werfel verbindet ihn eine lebenslange Freundschaft. Nach längerer Krankheit (seit 1917) stirbt er 1924 in Kierling bei Wien.

In seinen diversen Kurzgeschichten, Parabeln, Erzählungen, Novellen und Romanen ist vielfach die belastete Beziehung zu seinem dominanten Vater gestaltet. Kafka gilt als Meister der knappen Situationsskizze und der psychologischen Hintergründigkeit. Er ist geprägt von Selbstzweifeln und Zögerlichkeit und so verwundert es nicht, dass er gegen Ende seines kurzen Lebens seinen Freund Max Brod anweist, die meisten seiner Werke zu verbrennen, ein Wunsch, den ihm post mortem sein Freund nicht erfüllen will.

Sein *Brief an den Vater*, den dieser niemals zu Gesicht bekommt, ist ein erschütterndes Dokument psychologischer Traumatisierung, wobei für den Leser offen bleibt, ob hier Kafka einen unzuverlässigen Erzähler sprechen und klagen lässt oder ob wirkliche Begebenheiten geschildert werden. Anklage und Selbstanalyse gleichermaßen, gibt er dem Leser Einblick in die sensible Befindlichkeit des Autors. Ausdrucksstark und anschaulich rechnet er mit dem als grausam und übermächtig empfundenen Vater ab: „Manchmal stelle ich mir die Erdkarte ausgespannt und Dich quer über sie hin ausgestreckt vor".

Sein bekanntestes Werk *Die Verwandlung* lässt den Sohn der Familie Samsa, Gregor, eines Morgens realisieren, dass er sich in ein Ungeziefer verwandelt hat. Nun wird also das Leben der Familie aus der Sicht des Tieres geschildert. Die Situation ist – typisch für Kafka – bizarr und rätselhaft.

Franz Kafka

Heimkehr (1920)

1 Ich bin zurückgekehrt, ich habe den Flur durchschritten und blicke mich um. Es ist meines Vaters alter Hof. Die Pfütze in der Mitte. Altes, unbrauchbares Gerät, ineinander verfahren, verstellt den Weg zur Bodentreppe. Die Katze lauert auf dem Geländer. Ein zerrissenes Tuch, einmal im Spiel um eine Stange gewunden, hebt sich im Wind. Ich bin angekommen. Wer wird mich empfangen? Wer wartet hinter der Tür der Küche? Rauch kommt aus dem Schornstein, der Kaffee zum Abendessen wird gekocht. Ist dir heimlich, fühlst du dich zu Hause? Ich weiß es nicht, ich bin sehr unsicher. Meines Vaters Haus ist es, aber kalt steht Stück neben Stück, als wäre jedes mit seinen eigenen Angelegenheiten beschäftigt, die ich teils vergessen habe, teils niemals kannte. Was kann ich ihnen nützen, was bin ich ihnen und sei ich auch des Vaters, des alten Landwirts Sohn. Und ich wage nicht, an der Küchentür zu klopfen, nur von Ferne horche ich stehend, nicht so, dass ich als Horcher überrascht werden könnte. Und weil ich von der Ferne horche, erhorche ich nichts, nur einen leichten Uhrenschlag höre ich oder glaube ihn vielleicht nur zu hören, herüber aus den Kindertagen. Was sonst in der Küche geschieht, ist das Geheimnis der dort Sitzenden, das sie vor mir wahren. Je länger man vor der Tür zögert, desto fremder wird man. Wie wäre es, wenn jetzt jemand die Tür öffnete und mich etwas fragte. Wäre ich dann nicht selbst wie einer, der sein Geheimnis wahren will. [*Von Max Brod 1936 veröffentlicht.*]

1 Verfassen Sie eine kurze Inhaltsangabe (ca. 5 Sätze), aus der hervorgeht, wie sich der Ich-Erzähler verhält. Was wird deutlich?

2 Beschreiben Sie die Stimmung, in der Sie den Ich-Erzähler antreffen, und prüfen Sie, mit welchen sprachlichen Mitteln diese Stimmung erzeugt wird.
a) Markieren Sie hierzu häufig vorkommende bedeutungsgleiche oder bedeutungsähnliche Wörter.
b) Erläutern Sie den Symbolwert einzelner Gegenstände auf dem Hof und ihre Wahrnehmung durch den Ich-Erzähler.
c) Berücksichtigen Sie auch die Wirkung durch die Fragen, die der Erzähler sich selbst stellt.
d) Erläutern Sie die Bedeutung und Wirkung der Zeitform Präsens für den Text.

3 Tauschen Sie Ihre Gedanken darüber aus, warum sich der Ich-Erzähler den Hausbewohnern nicht bemerkbar macht. Beachten Sie dabei auch die letzten zwei Sätze der Parabel.

4 Diskutieren Sie Interpretationsansätze zur Erschließung der Parabel.

5 ***Lernarrangement***
Verfassen Sie eine kurze Fortsetzung der Parabel (ca. 5 Sätze).
a) Tragen Sie sich in Dreier- oder Vierergruppen Ihre Versionen vor.
b) Diskutieren und entscheiden Sie, welche Version die gelungenste ist, nachdem Sie die Beurteilungskriterien festgelegt haben.
c) Tragen Sie im Plenum die ausgewählten Fortsetzungen vor und diskutieren Sie gemeinsam die Versionen und die ihnen zugrundeliegenden Entscheidungskriterien.

Franz Kafka

Brief an den Vater (1924, Auszug)

[...] Ich war ein ängstliches Kind, trotzdem war ich gewiss auch störrisch, wie Kinder sind, gewiss verwöhnte mich die Mutter auch, aber ich kann nicht glauben, dass ich besonders schwer lenkbar war, ich kann nicht glauben, dass ein freundliches Wort, ein stilles Bei-der-Hand-Nehmen, ein guter Blick mir nicht alles hätten abfordern können, was man wollte. Nun bist Du ja im Grunde ein gütiger und weicher Mensch (das Folgende wird dem nicht widersprechen, ich rede ja nur von der Erscheinung, in der Du auf das Kind wirktest), aber nicht jedes Kind hat die Ausdauer und Unerschrockenheit, so lange zu suchen, bis es zu der Güte kommt. Du kannst ein Kind nur so behandeln, wie Du eben selbst geschaffen bist, mit Kraft, Lärm und Jähzorn, und in diesem Fall schien Dir das auch noch überdies deshalb sehr gut geeignet, weil Du einen kräftigen mutigen Jungen in mir aufziehn wolltest. [...]

Die Eltern Julie Kafka, geb. Löwy, und Hermann Kafka

Direkt erinnere ich mich nur an einen Vorfall aus den ersten Jahren, Du erinnerst Dich vielleicht auch daran. Ich winselte einmal in der Nacht immerfort um Wasser, gewiss nicht aus Durst, sondern wahrscheinlich teils um zu ärgern, teils um mich zu unterhalten. Nachdem einige starke Drohungen nicht geholfen hatten, nahmst Du mich aus dem Bett, trugst mich auf die Pawlatsche und ließest mich dort allein vor der geschlossenen Tür ein Weilchen im Hemd stehn. Ich will nicht sagen, dass das unrichtig war, vielleicht war damals die Nachtruhe auf andere Weise wirklich nicht zu verschaffen, ich will aber damit Deine Erziehungsmittel und ihre Wirkung auf mich charakterisieren. Ich war damals nachher wohl schon folgsam, aber ich hat-

Pawlatsche tschech. Balkon

te einen innern Schaden davon. Das für mich Selbstverständliche des sinnlosen Ums-Wasser-Bittens und das außerordentlich Schreckliche des Hinausgetragen-Werdens konnte ich meiner Natur nach niemals in die richtige Verbindung bringen. Noch nach Jahren litt ich unter der quälenden Vorstellung, dass der riesige Mann, mein Vater, die letzte Instanz, fast ohne Grund kommen und mich in der Nacht aus dem Bett auf die Pawlatsche tragen konnte und dass ich also ein solches Nichts für ihn war.

Das war damals ein kleiner Anfang nur, aber dieses mich oft beherrschende Gefühl der Nichtigkeit (ein in anderer Hinsicht allerdings auch edles und fruchtbares Gefühl) stammt vielfach von deinem Einfluss. Ich hätte ein wenig Aufmunterung, ein wenig Freundlichkeit, ein wenig Offenhalten meines Wegs gebraucht, stattdessen verstelltest Du mir ihn, in der guten Absicht freilich, dass ich einen anderen Weg gehen sollte. Aber dazu taugte ich nicht. Du muntertest mich auf, wenn ich gut salutierte und marschierte, aber ich war kein künftiger Soldat, oder Du muntertest mich auf, wenn ich kräftig essen oder sogar Bier dazu trinken konnte, oder wenn ich unverstandene Lieder nachsingen oder Deine Lieblingsredensarten Dir nachplappern konnte, aber nichts davon gehörte zu meiner Zukunft. [...] Damals und damals überall hätte ich die Aufmunterung gebraucht. Ich war ja schon niedergedrückt durch Deine bloße Körperlichkeit. Ich erinnere mich zum Beispiel daran, wie wir uns öfters zusammen in einer Kabine auszogen. Ich mager, schwach, schmal, Du stark, groß, breit. Schon in der Kabine kam ich mir jämmerlich vor, und zwar nicht nur vor Dir, sondern vor der ganzen Welt, denn Du warst für mich das Maß aller Dinge. Traten wir dann aber aus der Kabine vor die Leute hinaus, ich an Deiner Hand, ein kleines Gerippe, unsicher, bloßfüßig auf den Planken, in Angst vor dem Wasser, unfähig Deine Schwimmbewegungen nachzumachen, die Du mir in guter Absicht, aber tatsächlich zu meiner tiefen Beschämung immerfort vormachtest, dann war ich sehr verzweifelt, und alle meine schlimmen Erfahrungen auf allen Gebieten stimmten in solchen Augenblicken großartig zusammen. Am wohlsten war mir noch, wenn Du Dich manchmal zuerst auszogst und ich allein in der Kabine bleiben und die Schande des öffentlichen Auftretens so lange hinauszögern konnte, bis Du endlich nachschauen kamst und mich aus der Kabine triebst. Dankbar war ich Dir dafür, dass Du meine Not nicht zu bemerken schienest, auch war ich stolz auf den Körper meines Vaters. Übrigens besteht zwischen uns dieser Unterschied heute noch ähnlich. [...]

1 Formulieren Sie in eigenen Worten, welches Bild der Autor von seinem Vater zeichnet.

2 Diskutieren Sie, ob hier eher eine Anklage oder eine Rechtfertigung bzw. eine Verständnissuche gegenüber dem Vater formuliert wird. Markieren Sie hierzu die Textpassagen, in denen Verständnis für das Verhalten des Vaters zum Ausdruck gebracht wird.

3 Vergleichen Sie in einer Tabelle die Parabel *Heimkehr* mit dem Auszug aus *Brief an den Vater*.

Heimkehr	*Brief an den Vater*

4 ***Lernarrangement***
Diskutieren Sie in Kleingruppen, warum Kafka wohl den *Brief an den Vater* nie abgeschickt hat. Stellen Sie Ihre Überlegungen im Kurs vor und diskutieren Sie im Plenum.

5 Wählen Sie jeweils eine weitere Parabel Kafkas aus und präsentieren Sie diese dem Kurs. Überlegen Sie gemeinsam Deutungsmöglichkeiten.

Franz Kafka

Der Aufbruch (1921)

Ich befahl mein Pferd aus dem Stall zu holen. Der Diener verstand mich nicht. Ich ging selbst in den Stall, sattelte mein Pferd und bestieg es. In der Ferne hörte ich eine Trompete blasen, ich fragte ihn, was das bedeute. Er wusste nichts und hatte nichts gehört. Beim Tore hielt er mich auf und fragte: „Wohin reitest du Herr?" „Ich weiß es nicht", sagte ich, „nur weg von hier, nur weg von hier. Immerfort weg von hier, nur so kann ich mein Ziel erreichen." „Du kennst also dein Ziel?", fragte er. „Ja", antwortete ich, „ich sagte es doch, ‚Weg-von-hier', das ist mein Ziel". „Du hast keinen Essvorrat mit", sagte er. „Ich brauche keinen", sagte ich, „die Reise ist so lang, dass ich verhungern muss, wenn ich auf dem Weg nichts bekomme. Kein Essvorrat kann mich retten. Es ist ja zum Glück eine wahrhaft ungeheuere Reise."

1 Im Folgenden finden Sie Deutungsansätze zu dieser Parabel. Diskutieren Sie, welcher Ihnen am ehesten plausibel erscheint. Nehmen Sie Bezug auf den Text:

- Die Parabel schildert die Umstände einer Flucht.
- Sie beschreibt die Situation eines Menschen vor einem Neubeginn.
- Sie handelt vom Sterben eines Menschen.
- Sie schildert die Verarbeitung einer Enttäuschung.
- Sie beschreibt gestörte Kommunikation.

2 Untersuchen Sie das Gespräch zwischen Herrn und Diener. Was versteht der Herr unter „Ziel"?

3 Deuten Sie den Schlusssatz der Parabel.

4 Vergleichen Sie die Parabel mit *Heimkehr* (S. 192). Vergleichen Sie auch jeweils Titel und Inhalt.

5 Verfassen Sie nun selbst eine Parabel im Stile Kafkas. Tragen Sie sich gegenseitig Ihre Version vor und entwickeln Sie Beurteilungskriterien.

Der Erste Weltkrieg

Literarische Verarbeitungen der Jahrhundertkatastrophe kennenlernen

Deutsche Soldaten auf dem Weg nach Paris, 1914

Der aus heutiger Sicht als „Urkatastrophe des 20. Jahrhunderts" (George F. Kennon) wahrgenommene Erste Weltkrieg stellt einen Einschnitt in der Geschichte Europas und der Welt dar. Nicht erst mit den Kriegserklärungen vom 01.08.1914 an Russland und vom 03.08.1914 an Frankreich bricht in der deutschen Bevölkerung im Kaiserreich eine Welle der Kriegsbegeisterung aus, die überwiegend von den intellektuellen und bürgerlichen Bevölkerungsschichten getragen wird. Gab es zu Beginn des Jahres 1914 in Deutschland noch Antikriegsdemonstrationen, kippt im August das Stimmungsbild und es entsteht ein Zusammengehörigkeitsgefühl, welches die Nationalisten später als „Augusterlebnis" idealisieren. Die deutsche Kriegspropaganda spricht von der Notwendigkeit eines gerechten Verteidigungskrieges und vermittelt in der Bevölkerung die Überzeugung, der Krieg sei gleich dem preußisch-französischen Krieg von 1870/71 schnell durch einen einfachen Sieg zu beenden. Die Aufschriften auf dem Waggon mit in den Krieg ziehenden Soldaten im propagandistischen Bild oben verdeutlichen diese Erwartung: „Ausflug nach Paris", „Auf Wiedersehen auf dem Boulevard" und „Auf in den Kampf, mir juckt die Säbelspitze".

1 Suchen Sie nach allgemeinen Erklärungen dafür, warum Menschen sich für einen Krieg begeistern können.

2 Vergleichen Sie mit der heutigen Zeit: Gibt es auch heute noch ähnliche kollektive Begeisterungsausbrüche bei bestimmten Ereignissen, die größere Teile der Bevölkerung erfassen?

3 Nehmen Sie an, Sie hätten am 01.08.1914 gelebt und die Kriegserklärung Deutschlands an Russland miterlebt. Gestalten Sie entsprechend einen eigenen Tagebucheintrag.

Das Jahr 1914 bedeutet auch einen grundlegenden Wandel im Geistesleben, denn eine überwältigende Mehrheit der Künstler und Schriftsteller stellt sich zunächst auf die Seite der Kriegsbefürworter. Nur wenige Kulturschaffende können oder wollen sich der ‚poetischen Mobilmachung' entziehen.

Zu diesem Zeitpunkt gehört auch Gerhart Hauptmann zu den Kriegsbefürwortern, der 1912 den Nobelpreis für Literatur erhält. Im August und November 1914 schreibt er die von den Nationalisten und Patrioten begeistert aufgenommenen *Kriegspoeme*. Er gehört auch zu den Unterzeichnern des *Manifest der 93*. In diesem Aufruf an die Kulturwelt unterschreibt er u. a. die folgenden Zeilen:

„Wir können die vergifteten Waffen der Lüge unseren Feinden nicht entwinden. Wir können nur in alle Welt hinausrufen, dass sie falsches Zeugnis ablegen wider uns. Euch, die Ihr uns kennt, die Ihr bisher gemeinsam mit uns den höchsten Besitz der Menschheit gehütet habt, Euch rufen wir zu:

Glaubt uns! Glaubt, dass wir diesen Kampf zu Ende kämpfen werden als ein Kulturvolk, dem das Vermächtnis eines Goethe, eines Beethoven, eines Kant ebenso heilig ist wie sein Herd und seine Scholle."
Als sein Sohn Ivo im Alter von 31 Jahren zum Kriegsdienst eingezogen wird, veröffentlicht er das Gedicht auf Seite 197.

Gerhart Hauptmann

Komm wir wollen sterben gehen (1915)

Gerhart Hauptmann (1862 bis 1946) war ein deutscher Schriftsteller. Er gilt als der bedeutendste deutsche Vertreter des Naturalismus; 1912 erhielt er den Nobelpreis für Literatur.

Komm wir wollen sterben gehn
in das Feld, wo Rosse stampfen,
wo die Donnerbüchsen stehn
und sich tote Fäuste krampfen

Leb wohl mein junges Weib
Und Säugling in der Wiegen.
Denn ich darf mit trägem Leib
Nicht daheim bei euch verliegen.

Diesen Leib, den halt ich hin
Flintenkugeln und Granaten.
Eh' ich nicht durchlöchert bin,
Kann der Feldzug nicht geraten.

Komm mein lieber Kamerad,
Dass wir beide gleich und Gleiche:
Heut' in Reih' und Glied Soldat
Morgen liegen Leich' an Leiche!

1 Gestalten Sie ein fiktives Gespräch zwischen Gerhart Hauptmann und seinem Sohn Ivo. Ein Teil von Ihnen geht davon aus, dass das Gespräch 1915 stattfindet, ein anderer Teil des Kurses verfasst das Gespräch 1918 nach der Rückkehr des Sohnes aus dem Krieg. Tragen Sie die Ergebnisse vor und vergleichen Sie diese.

2 In ihrem Materialheft zur Aufführung von Gerhart Hauptmanns *Biberpelz* schreibt die Landesbühne Niedersachsen, dass sich die kriegsverherrlichende Prosa Hauptmanns aus heutiger Sicht wie eine „unfreiwillige Satire" lese. Überprüfen Sie diese Wertung an seinem lyrischen Text.

Auch viele ältere Schüler und Studenten begrüßen 1914 zunächst den Krieg. Sie haben eine romantisierende Vorstellung von spannenden Kriegsabenteuern und männlichen Bewährungsproben. Bereits seit 1896 gibt es im Kaiserreich sogenannte Jugendwehren als freiwillige Jugendorganisationen zur vormilitärischen Ausbildung, die gerade ab 1914 eine große Beliebtheit unter jungen Menschen bekommen. Hier lernen die Jugendlichen teils spielerisch soldatische Kompetenzen und Gehorsam, indem sie exerzieren, militärischen Drill erfahren und kleine Manöver durchführen. Auch Erich Maria Remarque tritt einer Jugendwehr bei und schildert seine Erlebnisse.

Erich Maria Remarque

Von den Freuden und Mühen der Jugendwehr (1916, Auszug)

Wie könnte man von den Freuden und Mühen der Jugendwehr besser erzählen, als wenn man einen Tag schildert, der alles in sich fasst, was in das Gebiet der Jugendwehr gehört! [...] Da wurde geschwenkt, aufmarschiert, gelaufen, dass es eine Lust war. Wir hatten keinen Schutz gegen die kalten Winde, die uns ordentlich durchfegten; aber allmählich wurde man warm. Es ist ja nicht gerade geistfördernd, das ewige Wenden, Marschieren usw. Manchesmal, wenn früher ein prächtiges Gefecht gewesen war, wollte der Drill gar nicht munden. Doch habe

Erich Maria Remarque (1898–1970), dt. Schriftsteller, berühmt durch seinen Antikriegsroman *Im Westen nichts Neues* (1928).

ich jedesmal erlebt, dass nach kurzer Zeit die verdrossenen Mienen sich aufheiterten, die Augen leuchteten. Es wird das wohl durch das Gefühl der körperlichen Kraft bewirkt, das durch dieses wuchtige Marschieren in der freien Luft zum Bewusstsein kommt. Das war jetzt nicht so. Alles freute sich auf das nachfolgende Gefecht und übte deshalb fleißiger denn je. Ein Punkt hat uns dabei erst viel Missbehagen gemacht: dass man nicht sprechen durfte. Es hat lange gedauert, bis das überwunden war. Aber wenn man so am Gehen und Laufen ist, wenn alle Glieder in Anspruch genommen werden, dann denkt man nicht mehr an Sprechen, man marschiert, dass die Erdschollen fliegen, man läuft, dass die Brust keucht, dass der Atem kurz, stoßweise hervordringt, und ein Gefühl der Kraft, dass der uralte germanische Titanentrotz wieder lebendig wird, der Trotz, der, nur auf sich selbst vertrauend, eine Welt in Trümmer schlägt und eine Welt wieder aufbaut. [...] Wie wohl es tut, sich, nachdem man 5 Stunden die Schulbänke gedrückt hat, einmal ordentlich auszutoben (im guten Sinne), ist gar nicht zu sagen. Es geht weiter und weiter. [...] Schritt für Schritt schleichen wir vorwärts, immer wieder lauschend und stehen bleibend. Endlich schimmert es heller vor uns; der Waldrand ist erreicht. Jetzt aber vorsichtig herangepürscht und geäugt, geäugt. – – Vor uns liegt eine Wiese, die an der ändern Seite wieder an einen Wald stößt. Auf der Wiese ist nichts Verdächtiges. Aber da, am Waldrand. – Herrgott, sehe ich richtig? – – Ich reiße die Augen auf. – – Da wimmelt es ja. – Da eine rote Fahne – eine blaue – Herrjeh – das gibt eine Meldung, eine Meldung. Einer wird zurückgeschickt, wir andern beobachten weiter. Da wird es bei denen drüben munter. Zwei, drei Mann kommen über die Wiese auf unser Versteck zu. Ob sie uns gesehen haben? – Unsinn! – Zurück, Kerle, leise zurück, die drei Jüngelchen können wir noch eben gefangen nehmen. – „Runter den Kopf, Mensch, man sieht dich ja von weitem!" „Dafür ist's zu dunkel hier im Walde." Wie ruhig und freudig wir sind! Ganz anders als vorhin! Da kommen sie. Noch 5 Schritte, noch 3, noch 2, noch – – „Halt!" Aufgesprungen und drauf. Wie sie erschrecken! Das war noch ein guter Fang. Doch jetzt müssen wir zurück. Um 6 Uhr sollten wir wieder bei der Truppe sein. Vorsichtig zurück! Die Gefangenen werden triumphierend mitgenommen. Da beginnt es sich hinten im Walde zu regen, katzenartig leise kommt es heran, näher und näher, es windet sich stille durchs Unterholz. Die Unseren! Wir stoßen zu ihnen. Mit zwei Schritt Zwischenraum geht's in Schützenschwärmen vor bis an den Waldrand. In der einen Hand die Korkpistole, mit der ändern wird das Gesträuch beiseite geschoben. Da sind wir am Rande, dem Feinde gegenüber. Feuer! Das knattert und rollt über die Bäume durchs stille Tal. Weiter! Weiter! Alles brennt vor Ungeduld, nur die eiserne Disziplin vermag uns zurückzuhalten. Endlich! „Gruppe Wiedemann, Sprung auf, marsch, marrrsch!" Da flammt alle Ungeduld und Spannung noch einmal auf und löst sich in ein wahrhaft grausiges Geheul, mit dem wir über die Wiese rasen. Schwaps: da sitze ich mit dem einen Fuß im Sumpf. Das Wasser schießt in die Schuhe. „Nieder!" Schwaps! Da wirft sich einer lang hin in der Aufregung, mitten in eine Wasserlache. Schadet nichts, weiter! Horch, das Signal! Sturm!! Schreiend, schießend, klatschend stürmt alles vorwärts. Ein ohrenbetäubender Lärm entsteht, sodass die alten Waldriesen erschreckt die ehrwürdigen Häupter schütteln. „Sammeln!" Erhitzt und keuchend treten wir auf der Wiese an. Die Kritik lobt ja den guten Willen, tadelt aber das wilde Vorgehen. Ruhe muss der Soldat haben. Dann geht's wieder zur Landstraße. „Sieh mal, mein Anzug", meint einer. „Und meine Schuhe." „Ich habe klatschnasse Füße", sagt der Dritte mit dem Versuch, aus seinen Schuhen einen Springbrunnen zu machen. „Mir tun alle Knochen im Leibe weh." „Mir desgleichen. Aber schön war's doch." „Ja, fein war's, herrlich!" Das meinen alle. „Wir wollen ein Liedchen singen!"

1 Analysieren Sie den Text hinsichtlich inhaltlicher und sprachlicher Aspekte. Zeigen Sie dabei auf, wie Remarque seine Begeisterung für die Jugendwehr literarisch verarbeitet.

1 Für einen Autor, der durch die Schilderung der Grausamkeit des Krieges bekannt geworden ist, überrascht der vorliegende Text. Erklären Sie anhand von Textbelegen und unter Einbezug der Zeitsituation, aus welchen Gründen die Jugendwehr auf den jungen Remarque eine solche Begeisterung ausgeübt haben könnte.

Feldpostbrief eines deutschen Infanteristen (1916, Auszug)

Gefallene Soldaten im Schlamm der Champagne (1915). In der September-Offensive zählen die Franzosen 100.000, die Briten 60.000 und die Deutschen 65.000 Tote und Verwundete. Ende 1915 gleicht das Gelände durch den dauerhaften Artilleriebeschuss einer Mondkraterlandschaft.

„[...] In der Stellung angekommen legten wir uns todmüde in Granatlöcher – von Schützengräben oder gar Unterständen keine Rede; das Gebiet war ja erst vor zwei Tagen erstürmt, dort lagen wir vier Tage lang zuerst ganz nass und ½ Meter tief im Dreck – ein Trommelfeuer ging auf uns los, dass es einem von einem Loch ins andere riss; die Schmerzensrufe und das Gestöhne der Verwundeten die elend zu Grunde gehen müssen; [...] – an ein Zurücktragen ist nicht zu denken. Tag und Nacht Granatfeuer – oft dass es in der Sekunde 10–20 Geschosse heranhagelte, uns verschüttete und wieder aufgrub. Unser Leutnant hat geweint wie ein Kind; ja wie sie da lagen, ein Fuß weg – Arme weg, ganz zerfetzt. Gott, das war furchtbar. [...] Ihr könnt Euch keine Vorstellung von diesem Schrecken machen und niemand, ders nicht mitgemacht. [...]“

2 Äußern Sie Ihre spontanen Eindrücke bei der Betrachtung des Bildes.

3 Nehmen Sie an, die Frau des Soldaten hat den Feldpostbrief soeben erhalten. Gestalten Sie einen Antwortbrief.

Erich Maria Remarque

Im Westen nichts Neues (1928, Auszug)

Genau wie wir zu Tieren werden, wenn wir nach vorn gehen, weil es das einzige ist, was uns durchbringt, so werden wir zu oberflächlichen Witzbolden und Schlafmützen, wenn wir in Ruhe sind. Wir können gar nicht anders, es ist förmlich ein Zwang. Wir wollen leben um jeden Preis; da können wir uns nicht mit Gefühlen belasten, die für den Frieden dekorativ sein mögen, hier aber falsch sind. Kemmerich ist tot, Haie Westhus stirbt, mit dem Körper Hans Kramers werden sie am Jüngsten Tage Last haben, ihn aus einem Volltreffer zusammenzuklauben, Martens hat keine Beine mehr, Meyer ist tot, Marx ist tot, Beyer ist tot, Hämmerling ist tot, hundertzwanzig Mann liegen irgendwo mit Schüssen, es ist eine verdammte Sache, aber was geht es uns noch an, wir leben. Könnten wir sie retten, ja dann sollte man mal sehen, es wäre egal, ob wir selbst drauf gingen, so würden wir loslegen; denn wir haben einen verfluchten Muck, wenn wir wollen; Furcht kennen wir nicht viel – Todesangst wohl, doch das ist etwas anderes, das ist körperlich.

Aber unsere Kameraden sind tot, wir können ihnen nicht helfen, sie haben Ruhe – wer weiß, was uns noch bevorsteht; wir wollen uns hinhauen und schlafen oder fressen, so viel wir in den Magen kriegen, und saufen und rauchen, damit die Stunden nicht öde sind. Das Leben ist kurz.

1 Erläutern Sie, was mit der Aussage gemeint ist: „Furcht kennen wir nicht viel – Todesangst wohl, doch das ist etwas anderes, das ist körperlich." (Z. 13/14)

2 Vergleichen Sie den Inhalt und die Darstellung des Krieges durch Remarque in dieser Textstelle mit der in seinem Text *Von den Freuden und Mühen der Jugendwehr* (S. 197 f.). Erklären Sie die von Ihnen gefundenen Unterschiede.

„Heeresbericht" schildert den wahnwitzigen Weg des Studenten Adolf Reisiger, dessen anfängliche Kriegsbegeisterung im Fronterlebnis der Erkenntnis weichen muss, dass Krieg „befohlener Mord" ist. Erst in der Spätphase der Weimarer Republik veröffentlicht, von den Nazis verboten, viele Jahrzehnte nicht lieferbar, ist „Heeresbericht" als eine der bedeutendsten literarischen Verarbeitungen des Ersten Weltkriegs zu entdecken." *Auszug aus dem Klappentext von: Edlef Köppen, Heeresbericht*

Edlef Köppen

Heeresbericht (1930, Auszug)

10 [...] Neue Fliegerscharen werfen Kettenbomben ab. Bomben, die eine hundertfache Explosion erzeugen, tausendfach töten und zerreißen und töten. Laufen, laufen, laufen.

11 7057000 Mann gegen 2500000 Mann.

12 Die nationale Verteidigung, die Erhebung des Volkes muss eingeleitet, ein Verteidigungsamt errichtet werden. Beides tritt nur dann in Kraft, wenn die Not es fordert, wenn man uns zurückstößt; doch darf kein Tag verloren gehen. Das Amt ist keiner bestehenden Behörde anzugliedern, es besteht aus Bürgern und Soldaten und hat weite Vollmacht. Seine Aufgabe ist dreifach.

Erstens wendet es sich im Aufruf an das Volk, in einer Sprache der Rückhaltlosigkeit und Wahrheit. Wer sich berufen fühlt, mag sich melden, es gibt ältere Männer genug, die gesund und bereit sind, ermüdeten Brüdern an der Front mit Leib und Seele zu helfen.

Zweitens müssen alle die Feldgrauen zur Front zurück, die man heute in Städten, auf Bahnhöfen und in Eisenbahnen sieht, wenn es auch für manchen hart sein mag, den schwerverdienten Urlaub zu unterbrechen.

Drittens müssen in Ost und West, in Etappen und im Hinterland, aus Kanzleien, Wachtstuben und Truppenplätzen die Waffentragenden ausgesiebt werden. Was nützen uns heute noch Besatzungen und Expeditionen in Russland? Schwerlich ist in diesem Augenblick mehr als die Hälfte unserer Truppen an der Westfront.

Einer erneuten Front werden andere Bedingungen geboten als einer ermüdeten. (Walter Rathenau, Vossische Zeitung, Berlin, 7.10.1918)

13 Unter allen Umständen muss der Eindruck vermieden werden, als gehe unser Friedensschritt von militärischer Seite aus. Reichskanzler und Regierung haben es auf sich genommen, den Schritt von sich aus gehen zu lassen. Diesen Eindruck

darf die Presse nicht zerstören. Sie muss immer wieder betonen, dass die Regierung es ist, die getreu ihren wiederholt geäußerten Prinzipien sich zum Friedensschritt entschloss. (Pressekonferenz, 16.10.1918)

14 Gen. Ludendorff bat soeben Frhr. v. Grünau und mich in Gegenwart von Oberst Heye, Ew. Exz. seine dringende Bitte zu übermitteln, dass unser Friedensangebot sofort hinausgeht. Heute halte die Truppe, was morgen geschehe, sei nicht vorauszusehen. (v. Lersner, Vertreter d. Auswärtigen Amtes, 1.10.1918, 1 Uhr mittags)

15 Da Reisiger, wie man ihn findet und zum Generalkommando führt, erklärt, dass er den Krieg für das größte aller Verbrechen hält, verhaftet man ihn und sperrt ihn ins Irrenhaus.

16 Reisiger liegt in einer Isolierzelle. Das ist ein Grab, düster, kalt, mit einer bläulichen Lampe erhellt. Verschlossen die Tür, vergittert das Fenster mit dem zentimeterdicken Glas.

So, nun bin ich begraben. Nun ist es zu Ende. Jetzt wäre es notwendig, meiner Mutter noch zu schreiben, dass ich hier liege. Aber das erlaubt niemand. Ich bin ja verrückt. Ich bin auf allerhöchsten Befehl eines allerhöchsten Kommandierenden Generals verrückt. Muss ja auch so sein. Ein Offizier, der ausrückt, der nicht mehr mitspielt, ist verrückt. Ausrückt verrückt, ausrückt verrückt rückt – es ist zum Lachen, wie ich hier liege. Und dabei habe ich ihm ja gar nicht gesagt, dass ich nicht mehr mitspiele. Herr General, habe ich nur gesagt, erschießen Sie mich bitte, hier, bedienen Sie sich, aber ich gehe nicht einen Schritt mehr nach vorn. Das größte aller Verbrechen mach ich nicht länger ... Wo sind denn auch Sie so lange gewesen? Und warum halten Sie denn die Tanks nicht auf, was? – Und, Herr, mäßigen Sie sich, hat er gesagt. Und gebrüllt habe ich, dass der Husar mit den Lackstiefeln blass geworden ist; ich denke nicht dran, mich zu mäßigen, habe ich gesagt. Ich mäßige mich seit viel zu langer Zeit, und wenn ich mich schon früher nicht gemäßigt hätte, dann lebten sie alle noch, die gefallen sind. Ich behaupte so laut wie Sie es hören wollen, dass wir alle mitschuldig sind an diesem sinnlosen Verbrechen und ich dulde nicht, dass hier jetzt einer lacht, und außerdem, verlassen Sie sich darauf, kommen die Tanks gleich hier ins Dorf. – Und mich gepackt – warum habe ich mich nicht gewehrt – und mich ins Auto gelegt, festgeschnallt auf der Bahre, und unter die Bank geschoben, auf der ein Mensch ohne Beine verblutete, dass ich nass wurde im Gesicht. [...]

Aber wie ich dann weine, lachen Sie noch mitleidiger, sagen: armer, verrückter Leutnant. Und ich bin so klar wie nie vorher in meinem Leben: Es ist Verbrechen, auch nur eine Sekunde weiter teilzuhaben an dem Mord.

17 Festungslazarett Mainz, Nervenstation. Wochenbericht 6.–13.9.18. Krankenwärter: Neuhagen.

Reisiger, Adolf, Ltn. d.R. F.A.R. 253. Befund wie in voriger Woche. Der Kranke schläft nicht, isst nicht, sieht starr vor sich hin. Wenn man mit ihm redet, hat er ständig nur einen Satz zur Antwort: „Es ist ja immer noch Krieg. Leckt mich am Arsch!"

1 Sammeln Sie nach dem ersten Lesen Ihre Assoziationen:

2 Analysieren Sie Inhalt und Form der Darstellung in diesem Textauszug.

3 Nehmen Sie abschließend Stellung zu der Frage, welcher der Texte auf den Seiten 196–201 Sie am meisten bewegt/beschäftigt hat.

Das Montageprinzip

Ein typisches Gestaltungsmerkmal der Moderne erarbeiten

Alfred Döblin

Alfred Döblin (1878–1957), Arzt (Neurologe und Psychiater), bis heute viel beachteter Schriftsteller des Expressionismus und Mitbegründer sowie Mitarbeiter der expressionistischen Zeitschrift *Der Sturm*. 1933 muss er nach Frankreich fliehen, 1940 in die USA, lebt ab 1956 in Sanatorien des Schwarzwaldes. Seine erzählerischen Markenzeichen sind Perspektivenwechsel, Simultantechnik, stream of consciousness, Reportage und Montage. Gegenstand seiner Prosa ist die „entseelte Realität".

In diesem Sinn ist sein Roman *Berlin Alexanderplatz. Die Geschichte von Franz Biberkopf* (1929) ein Psychogramm des Protagonisten in einer als konfus, chaotisch und grausam empfundenen Zeit. Der Roman ist ein gutes Beispiel für die durchaus fließenden Grenzen zwischen Naturalismus und Expressionismus, wird 1931 zum ersten Mal verfilmt und 1980 als Fernsehserie in 14 Folgen von Rainer Werner Fassbinder neu gestaltet. Der vielseitige Schriftsteller schafft neben Entwicklungsromanen und historischen Romanen (z. B. *Wallenstein*) auch literarisch-theoretische Essays, politische Satire, philosophische Aufsätze und Dramen.

Franz Biberkopf ist die Geschichte des ewigen Verlierers und erinnert bei völlig unterschiedlicher Kulisse an *Bahnwärter Thiel*, dem auch das Leben nichts an Schicksalsschlägen erspart.

Alfred Döblin

Berlin Alexanderplatz (1929, Auszug)

Noch immer nicht da

In eine Stube führte er [, ein Jude mit rotem Vollbart,] ihn, wo ein Eisenofen brannte, setzte ihn auf das Sofa: „Nun, da seid Ihr. Setzt Euch nur ruhig hin. Könnt den Hut aufbehalten oder hinlegen, wie Ihr wollt. Ich will nur jemand holen, der Euch gefallen wird. Ich wohne nämlich selbst nicht hier. Bin nur Gast hier wie Ihr. Nun, wie es ist, ein Gast bringt den andern, wenn die Stube nur warm ist."

Der Entlassene saß allein. Es braust ein Ruf wie Donnerhall, wie Schwertgeklirr und Wogenprall. Er fuhr mit der Elektrischen, blickte seitlich hinaus, die roten Mauern waren sichtbar zwischen den Bäumen, es regnete buntes Laub. Die Mauern standen vor seinen Augen, sie betrachtete er auf dem Sofa, betrachtete sie unentwegt. Es ist ein großes Glück, in diesen Mauern zu wohnen, man weiß, wie der Tag anfängt und wie er weiter geht. (Franz, du möchtest dich doch nicht verstecken, du hast dich schon die vier Jahre versteckt, habe Mut, blick dich um, einmal hat das Verstecken doch ein Ende.) Alles Singen, Pfeifen, Lärmen ist verboten. Die Gefangenen müssen sich des Morgens auf das Zeichen zum Aufstehen sofort erheben, das Lager ordnen, sich waschen, kämmen, die Kleider reinigen und sich ankleiden. Seife ist in ausreichender Menge zu verabreichen. Bum, ein Glockenschlag, Aufstehen, bum fünf Uhr dreißig, bum sechs Uhr dreißig, Aufschluss, bum bum, es geht raus, Morgenkostempfang, Arbeitszeit, Freistunde, bum bum bum Mittag, Junge, nicht das Maul schief ziehen, gemästet wirst du hier nicht, die Sänger haben sich zu melden, Antreten der Sänger fünf Uhr vierzig, ich melde mir heiser, sechs Uhr Einschluss, guten Abend, wir habens geschafft. Ein großes Glück, in diesen Mauern zu wohnen, mir haben sie in den Dreck gefahren, ich hab schon fast gemordet, war aber bloß Totschlag, Körperverletzung mit tödlichem Ausgang, war nicht so schlimm, ein großer Schuft war ich geworden, ein Schubiack, fehlt nicht viel zum Penner.

Schubiack Lump, Gauner

Ein großer, alter, langhaariger Jude, schwarzes Käppchen auf dem Hinterkopf, saß ihm schon lange gegenüber. In der Stadt Susan lebte einmal ein Mann namens

Mordechai, er erzog die Esther, die Tochter des Oheims, das Mädchen aber war schön von Gestalt und schön von Ansehn. Der Alte nahm die Augen von dem Mann weg, drehte den Kopf zurück zu dem Roten: „Wo habt Ihr den her?“ „Er ist von Haus zu Haus geloffen. Auf einen Hof hat er sich gestellt und hat gesungen.“ „Gesungen?“ „Kriegslieder.“ „Er wird frieren.“ „Vielleicht.“ Der Alte betrachtete ihn. Mit einem Leichnam sollen sich am ersten Festtag nicht Juden befassen, am zweiten Festtag auch Israeliten, das gilt sogar von beiden Neujahrstagen. Und wer ist der Autor folgender Lehre der Rabbanan: Wenn jemand vom Aas eines reinen Vogels isst, ist er nicht unrein; wenn aber vom Darm oder vom Kropf, so ist er unrein? Mit seiner langen gelben Hand tastete der Alte nach der Hand des Entlassenen, die auf dem Mantel lag: „Ihr, wollt Ihr Euch den Mantel ausziehen? Es ist heiß hier. Wir sind alte Leute, wir frieren im ganzen Jahr, für Euch wird's zu viel sein.“ […]

1 Untersuchen Sie den Auszug aus Alfred Döblins Roman *Berlin Alexanderplatz* nach folgenden Kriterien: Weltbild, Wertvorstellungen, Menschenbild, Thema, Motive, Held, Darstellungsweise und Wirkungsabsicht. Machen Sie sich zu den einzelnen Punkten stichwortartige Notizen. Sie können dazu die Tabelle auf den Seiten 175 f. zu Rate ziehen.

2 Bewerten Sie anschließend die gestaltete Wirklichkeitswahrnehmung und das Bild vom Menschen, welches in dem Textauszug zum Ausdruck kommt. Nehmen Sie dabei Bezug auf die von Döblin genutzte Montagetechnik.

3 Informieren Sie sich in einem Literaturlexikon oder im Internet über das Gesamtwerk *Berlin Alexanderplatz*. Diskutieren Sie aufgrund Ihrer Ergebnisse aus den vorhergehenden Aufgaben dann die folgende These: Der Roman *Berlin Alexanderplatz* von Alfred Döblin steht prototypisch für modernes Erzählen.

4 Interpretieren Sie den vorliegenden Romanauszug schriftlich.

5 Setzen Sie sich mit der Frage auseinander, welche Rückschlüsse die Gestaltungsweise des Romans *Berlin Alexanderplatz* auf das Welt- und Selbstverständnis des Autors zulässt.

Umschlag der Sonderausgabe zum 10. Todestag Döblins, Walter Verlag 1967

Montageprinzip

Montage bezeichnet eine Technik in der Literatur, mit deren Hilfe Texte mit unterschiedlichen Inhalten und Sprachebenen miteinander zu einem Ganzen verbunden werden können. Ein solches Aneinanderfügen verschiedener Inhalte entspricht der Lebenswirklichkeit der Menschen in der Welt der Moderne, da ungeheure Mengen unterschiedlicher Eindrücke und Informationen in der technisierten Welt täglich die Bevölkerung überschwemmen. Der Mensch muss mit der Verarbeitung tausender zeitgleich auf ihn einströmenden Nachrichten zurechtkommen, was mit dem Prinzip der Montage in der Literatur oder dem Film treffend veranschaulicht werden kann.

Den Darstellungsmöglichkeiten im Film vergleichbar, wird in der modernen Literatur verstärkt mit Vor- und Rückblenden sowie einer Aneinanderreihung unterschiedlicher Textteile oder -elemente (z. B. Erzählung, Brief, Zeitungsartikel ...) gearbeitet, die auch in unterschiedlichen Sprachstilen verfasst sein können. Unterschiedliche Inhalte, die auf den ersten Blick nicht zwingend Gemeinsamkeiten aufweisen, werden auf diese Weise zusammengefügt. Nicht immer wird dem Leser dabei explizit vermittelt, wie die Einzelteile miteinander zusammenhängen.

Die Montage ist eine *Simultantechnik*, bei der einzelne Dinge oder Handlungen, die im Ort, der Zeit oder der Kausalität auseinanderdriften, zu einem Ganzen zusammengesetzt werden. Sie ermöglicht es einerseits, zeitlich parallel verlaufende Geschehnisse nebeneinander abzubilden, und andererseits, den Spannungsbogen zu durchbrechen, der die Aufmerksamkeit des Lesers zu sehr auf die dargestellte Handlung lenkt.

Romangestaltung im Wandel

Einen Sekundärtext zur Literaturentwicklung erschließen

Karl Migner

Tendenzen der Romangestaltung im 20. Jahrhundert

(1970, Auszug)

Wesentlich sind zwei Tendenzen, die für die Romangestaltung im 20. Jahrhundert bestimmend werden. Erstens: Die Erringung einer nahezu uneingeschränkten Freiheit für den Erzähler, für die Gestaltung des Helden, des Geschehens, der Komposition des Romans und für die Hereinnahme der unterschiedlichsten Darstellungsmittel, Stilelemente und Sprechformen. Und zweitens: Die in verschiedenen Spielarten erkennbar werdende Absicht, zu einer möglichst unmittelbaren Darstellung der ganzen komplexen Wahrheit über Mensch und Welt zu kommen. Das geschieht notfalls unter Verzicht auf äußere Realitätstreue, im Extrem in allen Einzelaspekten des Romans. [...]

Das bedeutet für Autor und Leser des modernen Romans: Der von souveräner Überlegenheit abgerückte Erzähler benutzt alle denkbaren Spielformen erzählerischer Haltung und erzählerischen Vorgehens mit dem Ziel, möglichst viele Aspekte oder eine möglichst intensive Schau der gewählten Thematik zu erschließen. Das reicht von dem Eingeständnis des Autors, alles erfunden zu haben, bis zu einem völligen Aufgehen in einer Figur, aus deren Perspektive die Welt gesehen wird. Dem Leser wird immer erneut angestrengte Bemühung um ein subtiles Verständnis von Aussage und Kompositionsform zugemutet.

subtil feinsinnig

Das bedeutet für das Helden- und Menschenbild des modernen Romans: Der Einzelne ist weder als individueller Charakter noch als Typus, sondern vielmehr in seiner menschlichen Substanz interessant, die wesentlich mehr von seiner Beziehung zur Gesellschaft und Außenwelt überhaupt abhängig erscheint als von Familie und Tradition. Der einzelne wird stärker von seinem Innenleben, von Bewusstsein und Lebensgefühl her gesehen als von möglichen Aktivitäten. Und er ist eher ein Versager, ein Scheiternder, eine Don-Quijote-Figur als ein großer Held oder Schurke.

Don Quijote Hauptfigur aus dem gleichnamigen Roman des spanischen Autors Miguel de Cervantes (1547 – 1616), die gegen Windmühlen kämpft; Synonym für vergebliches Streben

Und das bedeutet für die Struktur des modernen Romans: Konstruktion und Montageformen beherrschen die Szene. Der Raum und vor allem die Zeit haben häufig genug ihre strukturierende Form verloren, aufgegeben zugunsten einer Wirklichkeit, die die verschiedensten zeitlichen Ebenen mischt. Damit ist auch der Erzählvorgang in Einzelteile zerbrochen, die nur noch beispielsweise durch Personen oder Motive zusammengehalten werden. [...] Das bedeutet für den Weltgehalt des modernen Romans: Zur Wirklichkeit des menschlichen Lebens gehört in hohem Maße der Innenraum des Menschen, vor allem sein Bewusstsein von Zeit, Welt und Ich. Die dichterische Wirklichkeit verzichtet eher auf unwesentliche Details der Realität als auf selbst unrealistisch anmutende Erfahrung von Realität. In dieser zweifachen Hinsicht erscheint die Welt des modernen Romans erweitert; dazu tritt noch die auch im deutschen Raum zunehmend stärkere Einbeziehung der gesellschaftlichen Verhältnisse in den Bereich dichterischer Darstellung. [...]

Die Figur

Historisch gesehen, gehört der Romanheld als vorbildhafte, bestimmten Normvorstellungen verpflichtete Figur vergangenen Epochen an und wirkt bis ins 18. Jahrhundert hinein. Er entspricht einem statischen Bild vom Menschen und von der Welt, das in einer festen Ordnung begründet liegt. Im 18. Jahrhundert setzt sich der unverwechselbare individuelle Mensch als Romanheld durch, der erstmals im Don Quijote in Erscheinung trat. Mit ihm ziehen das psychologische

Interesse in den Roman ein und eine Gestaltungsweise, die nach dem Prinzip von Ursache und Wirkung vorgeht und etwa erkennbar vom Charakter einer Figur auf ihre Handlungen schließt und umgekehrt.

Diese Sicherheit, den Menschen durch Beschreibung und Analyse durchschaubar machen zu können, geht im 20. Jahrhundert endgültig verloren. Auch das Interesse am Einzelschicksal eines Menschen verblasst. Und so dient die Gestaltung der Heldenfigur in zunehmendem Maße der Frage nach den Möglichkeiten und Grenzen des Menschen in der gegenwärtigen Zeitsituation. Demgemäß werden sein Selbstverständnis, sein Lebensgefühl, seine etwa für die Gegenwart charakteristische Bewusstseinslage wichtiger als singuläre Erlebnisse von geringer Repräsentanz. Die Heldenfigur inmitten einer ihr keineswegs mehr selbstverständlich vertrauten Umwelt, die Heldenfigur in unter Umständen keineswegs mehr schlüssig erklärbaren Aktionen, die Heldenfigur in oftmals unvollständiger, beispielsweise auf bestimmte Verhaltensweisen reduzierter Gestaltung tritt immer mehr in den Mittelpunkt des modernen Romans. [...]

Die Struktur

Neben der neuen Position, die Erzähler und Held im modernen Roman einnehmen, ist vor allem die veränderte Rolle zu nennen, die die Geschichte, die Fabel spielt. In dem Maße, in dem der Erzähler nicht mehr primär um der Unterhaltung willen erzählt und in dem der Held nicht mehr als singuläres Individuum interessant ist, kommt es auch nicht mehr darauf an, eine in größerem oder geringerem Umfang abenteuerliche – und vor allem: geschlossene – Geschichte zu erzählen. Zweifellos kann auch das individuelle Schicksal eines Einzelnen genügend allgemeine Repräsentanz gewinnen, aber insgesamt ist die Gefahr, dass eine solche Darstellung stark verengt, sehr groß. Dabei kommt es heute immer mehr darauf an, die Frage nach dem Menschen, nach seiner Stellung in der Welt prinzipiell zu stellen. Dadurch rückt eine Zuständlichkeit eher in den Mittelpunkt als ein chronologischer Ablauf, ein Einzelproblem eher als die Folge von Geschehnissen und prinzipiell die offene Frage, der Zweifel, die Unsicherheit eher als die gläubige Hinnahme der vorgefundenen Gegebenheiten.

Für die Bauform eines Romans hat das eine grundsätzliche Konsequenz: Die strukturierende Funktion von Held und Fabel, die durch ihre Konstitution und durch ihren Fortgang gewissermaßen „organisch" für eine gegliederte Form sorgen, fällt ebenso aus wie ordnende Kategorien Raum, Zeit und Kausalität. Artistische Konstruktion, Montage unterschiedlicher Elemente müssen eine sehr viel kunstvollere Bauform herstellen. [...] Das heißt, dass an die Stelle von Anschaulichkeit und Kontinuität des Erzählens andere Kriterien zur Wertung des Romans treten müssen: die Intensität des Erzählten sowie die Faszination, die von der Formgebung, von der Komposition auszugehen vermag. Und das heißt, dass eine Vielzahl formaler Elemente eine größere oder zumindest doch eine andere Bedeutung für die Romankomposition erhalten.

1 Unterstreichen Sie die Schlüsselbegriffe des Textes und klären Sie ihre Bedeutung.

2 Erarbeiten Sie anhand des Textes die wesentlichen Strukturelemente des modernen und traditionellen Romans und stellen Sie diese in Form einer Tabelle vergleichend gegenüber.

3 Nennen Sie die gesellschaftlichen und weltanschaulichen Gründe, auf welche Migner den Wandel vom traditionellen zum modernen Erzählen zurückführt, und diskutieren Sie diese.

4 ***Lernarrangement***

a) Diskutieren Sie in Partner- oder Gruppenarbeit, welche Vorteile oder Probleme Ihrer Meinung nach traditionelles oder modernes Erzählen für den Leser haben kann.
b) Tragen Sie Ihre Ergebnisse im Plenum vor und erstellen Sie gemeinsam ein Tafelbild.

Der Meister des inneren Monologs

Die Erzählweise von Arthur Schnitzler untersuchen

Arthur Schnitzler

Der österreichische Schriftsteller Arthur Schnitzler (1862–1931) lebt in Wien, einem der vier deutschsprachigen Literaturzentren neben Berlin, München und Prag und ist als Arzt in Gedankenaustausch mit Sigmund Freud (Begründer der Psychoanalyse). Sein Name steht für die sozialkritische Enttarnung der dekadenten Gesellschaft der Jahrhundertwende, des überkommenen Ehrbegriffs und der verlogenen Sexualmoral. Mit gezieltem Einsatz des inneren Monologs gestaltet er psychische Dispositionen und Einstellungen wie Entfremdung, Morbidität, Antisemitismus und psychische Ausnahmesituationen. Neben Dramen und Novellen verfasst er auch Essays, Tagebücher und Briefe. Er gehört wie Stefan Zweig und andere zum Kreis des „Jung-Wien", einer Gruppe von österreichischen Schriftstellern um Hermann Bahr, die um die Jahrhundertwende eine Abkehr vom Naturalismus und eine Öffnung zum Ästhetizismus propagiert und Wien damit zu einem Zentrum des literarischen Fin de Siècle macht. Zu ihnen zählt auch Hugo von Hofmannsthal.

Bekannte Werke Schnitzlers sind u.a. *Der Weg ins Freie* (1907), *Traumnovelle* (1926) und *Therese. Chronik eines Frauenlebens* (1928).

Arthur Schnitzler

Leutnant Gustl (1900/01, Auszug)

Der Protagonist, ein junger Leutnant, hat ein Konzert besucht und sich dabei offensichtlich sehr unwohl und unsicher gefühlt. Endlich ist die Aufführung, zu deren Besuch er sich hat überreden lassen, beendet, sodass er dieser Zwangssituation entfliehen kann ...

So, das tut wohl, aufsteh'n können, sich rühren ... Na, vielleicht! Wie lang' wird der da noch brauchen, um sein Glas ins Futteral zu stecken?

„Pardon, pardon, wollen mich nicht hinauslassen?"

Ist das ein Gedränge! Lassen wir die Leut' lieber vorbeipassieren ... Elegante Person ... ob das echte Brillanten sind? ... Die da ist ... Wie sie mich anschaut!... O ja, mein Fräulein, ich möcht' schon! ... O, die Nase! – Jüdin ... Noch eine ... Es ist doch fabelhaft, da sind auch die Hälfte Juden ... nicht einmal ein Oratorium kann man mehr in Ruhe genießen ... So, jetzt schließen wir uns an ... Warum drängt denn der Idiot hinter mir? Das werd' ich ihm abgewöhnen ... Ah, ein älterer Herr! ... Wer grüßt mich denn dort von drüben? ... Habe die Ehre, habe die Ehre! Keine Ahnung hab' ich, wer das ist ... das Einfachste wär', ich ging gleich zum Leidinger hinüber nachtmahlen ... oder soll ich in die Gartenbaugesellschaft? Am End' ist die Steffi auch dort? Warum hat sie mir eigentlich nicht geschrieben, wohin sie mit ihm geht? Sie wird's selber noch nicht gewusst haben. Eigentlich schrecklich, so eine abhängige Existenz ... Armes Ding! – So, da ist der Ausgang ... Ah, die ist aber bildschön! Ganz allein? Wie sie mich anlacht. Das wär' eine Idee, der geh' ich nach! ... So, jetzt die Treppen hinunter ... Oh, ein Major von Fünfundneunzig ... Sehr liebenswürdig hat er gedankt ... Bin doch nicht der einzige Offizier hier gewesen ... Wo ist denn das hübsche Mädel? Ah, dort ... am Geländer steht sie ... So, jetzt heißt's noch zur Garderobe ... Dass mir die Kleine nicht auskommt ... Hat ihm schon! So ein elender Fratz! Lasst sich da von einem Herrn abholen, und jetzt lacht sie noch auf mich herüber! – Es ist doch keine was wert ... Herrgott, ist das ein Gedränge bei der Garderobe! ... Warten wir lieber noch ein bisserl ... So! Ob der Blödist meine Nummer nehmen möcht'? ...

„Sie, zweihundertvierundzwanzig! Da hängt er! Na, hab'n Sie keine Augen? Da hängt er! Na, Gott sei Dank! ... Also bitte!" ... Der Dicke da verstellt einem schier die ganze Garderobe ... „Bitte sehr!" ...

Oratorium Musikstück geistlichen Inhalts

Leidinger Gastwirtschaft in Wien

„Geduld, Geduld!“

Was sagt der Kerl? „Nur ein bisserl Geduld!“

Dem muss ich doch antworten ... „Machen Sie doch Platz!“

„Na, Sie werden's auch nicht versäumen!“

Was sagt er da? Sagt er das zu mir? Das ist doch stark! Das darf ich mir nicht gefallen lassen! „Ruhig!“

„Was meinen Sie?“

Ah, so ein Ton? Da hört sich doch alles auf!

„Stoßen Sie nicht!“

„Sie, halten Sie das Maul!“ Das hätt' ich nicht sagen sollen, ich war zu grob ... Na, jetzt ist's schon g'scheh'n!

„Wie meinen?“

Jetzt dreht er sich um ... Den kenn' ich ja! – Donnerwetter, das ist ja der Bäckermeister, der immer ins Kaffeehaus kommt ... Was macht denn der da? Hat sicher auch eine Tochter oder so was bei der Singakademie ... Ja, was ist denn das? Ja, was macht er denn? Mir scheint gar ... ja, meiner Seel', er hat den Griff von meinem Säbel in der Hand ... Ja, ist der Kerl verrückt? ... „Sie, Herr ...“

„Sie, Herr Leutnant, sein S' jetzt ganz stad.“

Was sagt er da? Um Gottes willen, es hat's doch keiner gehört? Nein, er red't ganz leise ... Ja, warum lasst er denn meinen Säbel net aus? ... Herrgott noch einmal ... Ah, da heißt's rabiat sein ... ich bring' seine Hand vom Griff nicht weg ... nur keinen Skandal jetzt! ... Ist nicht am End' der Major hinter mir? ... Bemerkt's nur niemand, dass er den Griff von meinem Säbel hält? Er red't ja zu mir! Was red't er denn?

„Herr Leutnant, wenn Sie das geringste Aufsehen machen, so zieh' ich den Säbel aus der Scheide, zerbrech' ihn und schick' die Stück' an Ihr Regimentskommando. Versteh'n Sie mich, Sie dummer Bub?“

Was hat er g'sagt? Mir scheint, ich träum'! Red't er wirklich zu mir? Ich sollt' was antworten ... Aber der Kerl macht ja Ernst – der zieht wirklich den Säbel heraus. Herrgott – er tut's! ... Ich spür's, er reißt schon dran. Was red't er denn? ... Um Gottes willen, nur kein' Skandal – – Was red't er denn noch immer?

„Aber ich will Ihnen die Karriere nicht verderben ... Also, schön brav sein! ... So, hab'n S' keine Angst, s'hat niemand was gehört ... es ist schon alles gut ... so! Und damit keiner glaubt, dass wir uns gestritten haben, werd' ich jetzt sehr freundlich mit Ihnen sein! – Habe die Ehre, Herr Leutnant, hat mich sehr gefreut – habe die Ehre.“

1 Fassen Sie den Textinhalt in eigenen Worten zusammen.

2 Prüfen Sie, welche sprachlichen Mittel bevorzugt eingesetzt werden und welche Wirkung diese bei Ihnen hervorrufen. Notieren Sie hier stichwortartig Ihre Ergebnisse:

3 Diskutieren Sie, ob und gegebenenfalls inwiefern hier ein gesellschaftskritischer Ansatz zum Ausdruck gelangt.

Arthur Schnitzler

Fräulein Else (1924, Auszug)

Die 19-jährige Else hält sich auf Einladung ihrer Tante in einem Luxushotel in den Dolomiten auf. Sie erhält dort einen Brief ihrer Mutter, in welchem sie dringlich aufgefordert wird, von einem Bekannten im selben Hotel, Herrn von Dorsday, einen großen Geldbetrag zur Verhinderung des Konkurses ihres Vaters zu erbitten. Im Folgenden der Anfang der Erzählung:

„Du willst wirklich nicht mehr weiterspielen, Else?" – „Nein, Paul, ich kann nicht mehr. Adieu. – Auf Wiedersehen, gnädige Frau." – *„Aber, Else, sagen Sie mir doch: Frau Cissy. – Oder lieber noch: Cissy, ganz einfach."* – „Auf Wiedersehen, Frau Cissy." – *„Aber warum gehen Sie denn schon, Else? Es sind volle zwei Stunden bis zum Dinner."* „Spielen Sie nur Ihr Single mit Paul, Frau Cissy, mit mir ist's doch heut' wahrhaftig kein Vergnügen." – *„Lassen Sie sie, gnädige Frau, sie hat heut' ihren ungnädigen Tag. – Steht dir übrigens ausgezeichnet zu Gesicht, das Ungnädigsein, Else. – Und der rote Sweater noch besser."* – „Bei Blau wirst du hoffentlich mehr Gnade finden, Paul. Adieu."

Das war ein ganz guter Abgang. Hoffentlich glauben die Zwei nicht, dass ich eifersüchtig bin. – Dass sie was miteinander haben, Cousin Paul und Cissy Mohr, darauf schwör' ich. Nichts auf der Welt ist mir gleichgültiger. – Nun wende ich mich noch einmal um und winke ihnen zu. Winke und lächle. Sehe ich nun gnädig aus? – Ach Gott, sie spielen schon wieder. Eigentlich spiele ich besser als Cissy Mohr; und Paul ist auch nicht gerade ein Matador. Aber gut sieht er aus – mit dem offenen Kragen und dem Bösen-Jungen-Gesicht. Wenn er nur weniger affektiert wäre. Brauchst keine Angst zu haben, Tante Emma ... [...]

[...] Ich bin ja doch ein Snob. Der Papa findet's auch und lacht mich aus. Ach, lieber Papa, du machst mir viel Sorgen. Ob er die Mama einmal betrogen hat? Sicher, öfters. Mama ist ziemlich dumm. Von mir hat sie keine Ahnung. Andere Menschen auch nicht. Fred? – Aber eben nur eine Ahnung. – Himmlischer Abend. Wie festlich das Hotel aussieht. Man spürt: Lauter Leute, denen es gut geht und die keine Sorgen haben. Ich zum Beispiel. Haha! Schad'. Ich wär' zu einem sorgenlosen Leben geboren. Es könnt' so schön sein. Schad'. – Auf dem Cimone liegt ein roter Glanz. Paul würde sagen: Alpenglühen. Das ist noch lang' kein Alpenglühen. Es ist zum Weinen schön. Ach, warum muss man wieder zurück in die Stadt! [...]

Cimone Berggipfel in Südtirol

1 Markieren Sie in Farben die unterschiedlichen Sprecher am Anfang der Novelle *Fräulein Else* von Arthur Schnitzler und lesen Sie anschließend den Text mit verteilten Rollen.

2 Entwerfen Sie ein vorläufiges Charakterbild von Else und tauschen Sie Ihre Ergebnisse aus.

3 ***Lernarrangement***
Prüfen Sie in Vierergruppen, welche Aspekte dieses Erzählanfangs Sie dem typischen Erzählverhalten der Moderne zurechnen können.
a) Erläutern Sie, auf welche Art und Weise der Text Ihnen Informationen über die Figuren vermittelt. Zeigen Sie dabei die wesentlichen Unterschiede zwischen der Darstellung im ersten und zweiten bzw. dritten Absatz auf.
b) Verwenden Sie in Ihrer Erläuterung die Begriffe „Innerer Monolog", „Bewusstseinsstrom" und „Erlebte Rede".
c) Vergleichen Sie Ihre Ergebnisse.

4 Setzen Sie diesen Erzählanfang in Partnerarbeit mit 5 bis 10 Sätzen fort – mit dem Ziel, das Charakterbild Elses noch prägnanter werden zu lassen und einen Anfang der Haupthandlung zu eröffnen. Vergleichen Sie Ihre Texte mit der Fortsetzung der Novelle durch Schnitzler.

Durch einen Expressbrief wird die Scheinidylle von Elses Hotelaufenthalt in Südtirol jäh unterbrochen. Zur Rettung des Vaters vor Konkurs und Gefängnis (wegen Veruntreuung von Mündelgeldern) verlangt die Mutter von ihr, von dem Else verhassten Dorsday 30.000 Gulden zu leihen. Else fällt es schwer, den vermögenden Kunsthändler anzusprechen, ringt sich aber aus Angst um ihren Vater dazu durch. Herr von Dorsday, der Gefallen an der jungen Else findet, stellt für seine finanzielle Hilfe zur Bedingung, dass Else sich vor ihm nackt zeigen müsse.

Hier nun setzt der Prozess der seelischen Paralysierung (Lähmung) Elses ein: Ein fliegender Wechsel von fieberhaftem Durchspielen von Handlungsalternativen, analysierendem Vergegenwärtigen der Charaktere ihrer Umwelt und verzweifeltem Erkennen der Ausweglosigkeit ihrer Lage mündet schließlich in einem Tagtraum:

Aufführung von *Fräulein Else*, Festspiele in Reichenau 2011 (Regie: A. Liedtke)

Wie ungeheuer weit die Wiesen und wie riesig schwarz die Berge. Keine Sterne beinahe. Ja doch, drei, vier, – es werden schon mehr. Und so still der Wald hinter mir. Schön hier auf der Bank am Waldesrand zu sitzen. So fern, so fern das Hotel und so märchenhaft leuchtet es her. Und was für Schufte sitzen drin. Ach nein, Menschen, arme Menschen, sie tun mir alle so leid. Auch die Marchesa tut mir leid, ich weiß nicht warum, und die Frau Winawer und die Bonne von Cissys kleinem Mädel. Sie sitzt nicht an der Table d'hotes, sie hat schon früher mit Fritzi gegessen. Was ist das nur mit Else, fragt Cissy. Wie, auf ihrem Zimmer ist sie auch nicht? Alle haben sie Angst um mich, ganz gewiss. Nur ich habe keine Angst. Ja, da bin ich in Martino di Castrozza, sitze auf einer Bank am Waldesrand und die Luft ist wie Champagner und mir scheint gar, ich weine. Ja, warum weine ich denn? Es ist doch kein Grund zu weinen. Das sind die Nerven. Ich muss mich beherrschen. Ich darf mich nicht so gehen lassen. Aber das Weinen ist gar nicht unangenehm. Das Weinen tut mir immer wohl. Wie ich unsere alte Französin besucht habe im Krankenhaus, die dann gestorben ist, habe ich auch geweint. Und beim Begräbnis von der Großmama, und wie die Bertha nach Nürnberg gereist ist, und wie das Kleine von der Agathe gestorben ist, und im Theater bei der Kameliendame hab' ich auch geweint. Wer wird weinen, wenn ich tot bin? O, wie schön wäre das tot zu sein. Aufgebahrt liege ich im Salon, die Kerzen brennen. Lange Kerzen. Zwölf lange Kerzen. Unten steht schon der Leichenwagen. Vor dem Haustor stehen Leute. Wie alt war sie denn? Erst neunzehn. Wirklich erst neunzehn? – Denken Sie sich, ihr Papa ist im Zuchthaus. Warum hat sie sich denn umgebracht? Aus unglücklicher Liebe zu einem Filou. Aber was fällt Ihnen denn ein? Sie hätte ein Kind kriegen sollen. Nein, sie ist vom Cimone heruntergestürzt. Es ist ein Unglücksfall. Guten Tag, Herr Dorsday, Sie erweisen der kleinen Else auch die letzte Ehre? Kleine Else, sagt das alte Weib. – Warum denn? Natürlich, ich muss ihr die letzte Ehre erweisen. Ich habe ihr ja auch die erste Schande erwiesen. O, es war der Mühe wert, Frau Winawer, ich habe noch nie einen so schönen Körper gesehen. Es hat mich nur dreißig Millionen gekostet. Ein Rubens kostet dreimal so viel. Mit Haschisch hat sie sich vergiftet. Sie wollte nur schöne Visionen haben, aber sie hat zu viel genommen und ist nicht mehr aufgewacht. Warum hat er denn ein rotes Monokel der Herr Dorsday? Wem winkt er denn mit dem Taschentuch? Die Mama kommt die Treppe herunter und küsst ihm die Hand. Pfui, pfui. Jetzt flüstern sie miteinander. Ich kann nichts verstehen, weil ich aufgebahrt bin. Der Veilchenkranz um meine Stirn ist von Paul. Die Schleifen fallen bis auf den Boden. Kein Mensch traut sich ins Zimmer. Ich stehe lieber auf und schaue zum Fenster hinaus. Was für ein großer

Filou leichtfertiger Mann

Rubens Maler des Barock (1577–1640)

Monokel rundes, einzelnes Glas, das anstelle einer Brille getragen wird

blauer See! Hundert Schiffe mit gelben Segeln –. Die Wellen glitzern. So viel Sonne. Regatta. Die Herren haben alle Ruderleibchen. Die Damen sind im Schwimmkostüm. Das ist unanständig. Sie bilden sich ein, ich bin nackt. Wie dumm sie sind. Ich habe ja schwarze Trauerkleider an, weil ich tot bin. Ich werde es euch beweisen. Ich lege mich gleich wieder auf die Bahre hin. Wo ist sie denn? Fort ist sie. Man hat sie davongetragen. Man hat sie unterschlagen. Darum ist der Papa im Zuchthaus. Und sie haben ihn doch freigesprochen auf drei Jahre. Die Geschworenen sind alle bestochen von Fiala. Ich werde jetzt zu Fuß auf den Friedhof gehen, da erspart die Mama das Begräbnis. Wir müssen uns einschränken. Ich gehe so schnell, dass mir keiner nachkommt. Ah, wie schnell ich gehen kann. Da bleiben sie alle auf den Straßen stehen und wundern sich. Wie darf man jemanden so anschaun, der tot ist! Das ist zudringlich. Ich gehe lieber übers Feld, das ist ganz blau von Vergissmeinnicht und Veilchen. Die Marineoffiziere stehen Spalier. Guten Morgen, meine Herren, öffnen Sie das Tor, Herr Matador. Erkennen Sie mich nicht? Ich bin ja die Tote ... Sie müssen mir darum nicht die Hand küssen ... Wo ist denn meine Gruft? Hat man die auch unterschlagen? Gott sei Dank, es ist gar nicht der Friedhof. Das ist ja der Park in Mentone. Der Papa wird sich freuen, dass ich nicht begraben bin. Vor den Schlangen habe ich keine Angst. Wenn mich nur keine in den Fuß beißt. O weh.

Fiala Figur in der Erzählung

Mentone Kurort in Südfrankreich

Was ist denn? Wo bin ich denn? Habe ich geschlafen? Ja. Geschlafen habe ich. Ich muss sogar geträumt haben. Mir ist so kalt in den Füßen. Im rechten Fuß ist mir kalt. Wieso denn? Da ist am Knöchel ein kleiner Riss im Strumpf. Warum sitze ich denn noch im Wald? Es muss ja längst geläutet haben zum Diner. Dinner.

O Gott, wo war ich denn? So weit war ich fort. Was habe ich denn geträumt? Ich glaube ich war schon tot. Und keine Sorgen habe ich gehabt und mir nicht den Kopf zerbrechen müssen. Dreißigtausend, dreißigtausend ... ich habe sie noch nicht. Ich muss sie mir erst verdienen. Und da sitz' ich allein am Waldesrand. Das Hotel leuchtet bis her. Ich muss zurück. Es ist schrecklich, dass ich zurück muss. Aber es ist keine Zeit mehr zu verlieren.

1 Sammeln Sie erste Leseeindrücke, die Sie anschließend diskutieren:

2 Gliedern Sie das Traumgeschehen in Abschnitte (Episoden).

3 Analysieren Sie die Episode nach Elses Erwachen aus dem Traum (Z. 61 – 70) unter inhaltlichen und sprachlichen Gesichtspunkten.

4 ***Lernarrangement***

a) Erörtern Sie in Kleingruppen, auf welche Weise Sie sich eine szenische Umsetzung von Elses Erleben vorstellen könnten.

b) Erarbeiten Sie anschließend eine szenische Darstellung.

c) Beurteilen Sie die Darbietungen nach vorher festgelegten Kriterien.

Klausurtraining

Literarische Erörterung: sich mit einem erzählenden Text erörternd auseinandersetzen

1 Analysieren Sie den Textauszug auf S. 208 – 210 aus der Novelle *Fräulein Else* von Arthur Schnitzler unter dem Aspekt der Sprachgestaltung und deren Wirkung.

2 Erörtern Sie die verschiedenen Funktionen der Traumszene. Wägen Sie hierbei die Frage ab, ob der Tagtraum Elses an dieser Textstelle hauptsächlich als ein Mittel der Spannungssteigerung angesehen werden kann oder ob er noch weitere Funktionen erfüllt.

Zu Aufgabe 1:

Aufgabe 1 nimmt ausdrücklich auf den Aspekt der Sprachgestaltung Bezug. Das bedeutet, dass Sie nach der Formulierung einer angemessenen Einleitung untersuchen müssen, mit welchen sprachlichen Mitteln es dem Autor gelingt, Elses Situation drastisch zu verdeutlichen.

Bei der **Vorbereitung** empfiehlt es sich, nach dem ausführlichen Lesen der Textstelle zunächst einmal eine knappe, aber alles Wesentliche erfassende Inhaltsangabe (Schritt 2) in Stichworten zu verfassen. Denn schon in der Einleitung soll das eigentliche Thema (Worum geht es?) auf den Begriff gebracht werden. Damit beweisen Sie, dass Sie den Text in der Substanz verstanden haben. Dazu müssen Sie aber erst den Inhalt reflektiert haben.

Nehmen Sie beim genauen Lesen des Textauszugs Markierungen zur Orientierung vor, vgl. S. 303.

Schritt 1: Aufgabenbezogene Einleitung
Schritt 2: Knappe Inhaltsangabe in eigenen Worten
Schritt 3: Untersuchung der sprachlichen Auffälligkeiten
Schritt 4: Wirkung der Sprachgestaltung

Schritt 1

Wenn Sie nach Ihren Vorarbeiten Ihre Analyseergebnisse zur ersten Aufgabe verschriftlichen, beginnen Sie, wie gewohnt, mit einer aufgabenbezogenen Einleitung. Diese können Sie nun schon einmal formulieren. Im Folgenden werden Ihnen Formulierungsvorschläge angeboten, die Sie noch vervollständigen müssen:

Der Textauszug aus der Novelle „Fräulein Else“, ... verfasst von ..., enthält einen auf den ersten Blick verwirrenden Tagtraum Elses ...
Im Folgenden werde ich ... (hier auf Aspekt der Sprachgestaltung eingehen)

Schritt 2

Die zuvor schon vorbereitete Inhaltsangabe folgt auf die Einleitung. Folgende Satzanfänge (s. 58) helfen Ihnen bei der inhaltlichen Zusammenfassung des zu analysierenden Textauszugs. Vervollständigen Sie sie zu ganzen Sätzen:

Nachdem Else mit Herrn von Dorsday gesprochen hat, ...
Während sich die Hotelgäste beim Abendessen befinden, ist Else ...
Else spürt, dass sie weint, was ihr aber ...
Schließlich malt sie sich einen Todeswunsch anschaulich aus ...
Im Traum erscheint jetzt Herr von Dorsday, der mit einem Wortspiel zugibt, ...
In einer gespenstisch anschaulichen Szenerie erhebt sie sich und sieht durch das Fenster ...

Schritt 3

Fachbegriffe zur Erzähltechnik können Sie noch einmal auf der Seite 321 ff. nachlesen.

Untersuchen Sie nun die Sprache des Ausschnitts genauer. Das auffälligste sprachliche Gestaltungsmittel in diesem Textauszug ist der innere Monolog, der sich hier deutlich zum Bewusstseinsstrom steigert. Diese Erzähltechnik eignet sich hervorragend zur Darstellung eines Traumgeschehens. Dabei werden die inneren Monologe häufig durch fantasierte Dialoge anderer Akteure unterbrochen:

„Wie alt war sie denn? Erst neunzehn. Wirklich erst neunzehn?" (S. 209, Z. 26/27) – Bewusst bleibt hier offen, um wie viele Sprecherstimmen es sich handelt.

Die rhetorischen Stilmittel finden Sie auf der hinteren Umschlagsinnenseite.

Untersuchen Sie nun weitere rhetorische Mittel und führen Sie in ganzen Sätzen jeweils ein bis zwei Beispiele an: Ausruf, Ellipse, Wiederholung, Parallelismus, Bedeutungsverschiebung ...

Schritt 4

Die sprachlichen Gestaltungsmittel sollen Sie nun abschließend auf ihre Wirkung untersuchen. Hier finden Sie Formulierungsbeispiele:

Alle von Schnitzler verwendeten sprachlichen Mittel dienen erkennbar dem Zweck, Unmittelbarkeit, Intensität und Authentizität der Gefühls- und Gedankenwelt Elses sprachlich zu gestalten und zu steigern.

Sprunghafte Gedankenassoziationen, rasante Themenwechsel bieten in dieser sehr subjektiven Vermittlung ein starkes Identifikationspotential. Das Hin- und Hergerissensein Elses zwischen Verdrängen, Hoffen und Bangen, kühler Überlegung und hitzigen Angstschüben bereitet den Leser eindringlich auf Elses psychischen Zusammenbruch vor ...

Zu Aufgabe 2:

Im zweiten Teil der Klausur sollen Sie erörtern, welche Funktion die Traumszene in der Novelle hat. Die Aufgabenstellung ist nicht vorrangig in den Kategorien von Pro und Kontra zu verstehen, sondern vielmehr im Sinne einer Abwägung, welche Aspekte in diesem Zusammenhang die wesentlichen sind; ob es also außer der Spannungssteigerung noch weitere, vielleicht sogar wichtigere Funktionen gibt.

Dabei wird nicht von Ihnen erwartet, dass Sie an die Aufgabe mit dem professionellen Wissen eines ausgebildeten Psychologen oder Psychoanalytikers herangehen. Wohl aber kann man auch als Laie sinntragende und interessante, auch kreative Überlegungen anstellen, warum in Elses momentaner Situation bestimmte Traumbilder auftauchen, bestimmte Ausformungen annehmen und warum reale und surreale Aspekte ineinanderfließen. Das schließt keineswegs aus, dass auch der Aspekt der Spannungssteigerung bejaht werden kann.

Auf den Seiten 315 f. können Sie nochmals grundlegende Überlegungen zum Aufbau einer Erörterung nachlesen. Von den dort vorgeschlagenen Strukturierungsmethoden liegt hier das „Sanduhrprinzip" nahe, da zunächst die Argumente zur Geltung gebracht werden, die für die Spannungssteigerung sprechen. Anschließend, also im unteren Teil der „Sanduhr", geht es um die Klärung der weiteren Funktion(en) des Traums.

Vorbereitung: Bevor Sie sich an die Ausarbeitung begeben, müssen Sie sich überlegen, welche Funktion(en) die Traumszene statt/neben Spannungssteigerung haben könnte. Lesen Sie sich bitte sorgfältig die Ausführungen von Freud zu „Traumdeutung“ auf den Seiten 218/219 durch und bilden Sie sich ein Urteil, ob diese hilfreich für die Bearbeitung des Themas sein könnten.

Sammeln Sie die Vorüberlegungen zunächst in einem Cluster und strukturieren Sie sie dann sinnvoll in einer Mindmap, vgl. S. 304.

Schritt 1: Aufgabenbezogene Einleitung: Einordnung (Worum geht es? Problemaufwurf)
Schritt 2: Argumentation für die Spannungssteigerung durch die Traumszene
Schritt 3: Argumentation für andere Funktion(en) der Traumszene
Schritt 4: Zusammenfassung/Fazit

Schritt 1

Wenn Sie Ihre Vorarbeiten abgeschlossen haben, formulieren Sie eine Einleitung. In dieser legen Sie dar, worum es in Ihrer Erörterung geht, also um die Funktion der Traumszene. Dieses Thema betten Sie, wie im folgenden Beispiel dargelegt, in einen Kontext ein:

Zwar hat es die Gestaltung von Traumgeschehen in der Literatur schon seit Längerem gegeben, man denke nur an die Literaturepoche der ..., doch erst im frühen 20. Jahrhundert erfährt das Traumgeschehen eine systematische und analytische Beachtung. Dies gilt sowohl für den Bereich der medizinisch-psychologischen Forschung als auch zeitgleich für die erzählende Literatur. Die intensive Kommunikation zwischen den Vertretern der neu entwickelten Psychoanalyse um Sigmund Freud und Schriftstellern, wie z. B. der „Wiener Schule“ lässt sich anhand eines umfangreichen Briefwechsels nachverfolgen. Auch ist es sicher kein Zufall, dass Arthur Schnitzler sowohl ... als auch ... ist.

In diesem Sinne soll hier erörtert werden, ob die Traumszene aus „Fräulein Else“ hauptsächlich oder gar ausschließlich ein literarisches Mittel der Spannungssteigerung darstellt, oder ob sie noch andere wesentliche Funktionen erfüllt ...

Schritt 2

Falls Sie nachweisen wollen, dass die Traumszene nicht nur der Spannungssteigerung dient, legen Sie nach dem „Sanduhrprinzip“ zunächst dar, inwiefern dennoch die Spannung gesteigert wird. Sie beginnen also mit den „Gegenargumenten“.

[Argument 1; am stärksten] Die Traumszene bewirkt eindeutig eine Unterbrechung der Haupthandlung, die dem Leser bis dahin in schnellen Abfolgen Elses seelische Situation zwischen Bangen, Hoffen, Grübeln und sich anbahnender Verzweiflung vor Augen geführt hat. Dramatisch und multidimensional hat sich Elses Lage zugespitzt. Im Wechselspiel innerer und äußerer Faktoren, z. B. ..., hat sich für die Protagonistin eine schier tragisch aussichtslose Konstellation ergeben, und der Leser ist gespannt, ob es doch noch ...

[Argument 2] Nachdem Else kurz zuvor – durch den erpresserischen Brief ihrer Mutter und von Dorsdays Forderung – zwei Überraschungen erlebt hat, steigert ihre Todessehnsucht die Spannung.

Denn ...

Zum Beispiel ...

[Argument 3; am schwächsten] Eine Retardation (Verzögerung) tritt ein. Ganz eindeutig steigert das die Spannung, denn der Leser will ja wissen, ob Else nicht doch noch ... Fast wie im klassischen Drama verbindet sich ja auch hier mit der Retardation eine Spannungssteigerung – zunächst mit der Hoffnung, es möge sich doch noch alles irgendwie ...

Schritt 3

Nachdem Sie für die Spannungssteigerung durch den Traum argumentiert haben, führen Sie nun Argumente für weitere Funktionen der Szene an. Hierzu benötigen Sie zunächst eine Überleitung:

Wenn man sich allerdings die einzelnen Traumbilder ansieht, erkennt man Assoziationen und Konnotationen, die weitere Funktionen erfüllen. Der Tagtraum kann also nicht nur der reinen Spannungssteigerung dienen. Zum Beispiel ...

Argumente für weitere Funktionen der Szene haben Sie durch die Bearbeitung der ersten Aufgabe und durch das Lesen des Textes von Freud gefunden. Nehmen Sie nun Bezug auf Ihre Vorarbeiten im Cluster und in der Mindmap und führen Sie Ihre Argumente von schwach bis stark an.

Ebenso hilfreich ist es, sich die folgenden Abschnitte des Tagtraums noch einmal anzusehen – auch, um Beispiele für Textbelege finden:

- Weite Wiese, schwarze Berge, keine Sterne, stiller Wald (vgl. S. 209, Z. 1-3)
  Beispiele: Friede der Natur, Dunkelheit, ohne Romantik, Ruhe = Sehnsucht nach der Ruhe der Natur als Wunsch nach Seelenfrieden ...
- „So fern, so fern das Hotel und so märchenhaft“ (S. 209, Z. 4/5)
  Beispiele: Wunsch nach Flucht aus dem Hotel, Flucht vor der Ausweglosigkeit, Wunsch nach Happy End wie im Märchen
- „Und was für Schufte [...] Ach nein, Menschen, arme Menschen“ (S. 209, Z. 5/6)
  Beispiele: Bild der inneren Zerrissenheit zwischen Abscheu und Mitleid ...
- „Was ist das nur mit Else, fragt Cissy.“ (S. 209, Z. 10)
  Beispiele: Perspektivwechsel, Fantasien über Äußerungen der sie umgebenden Menschen in Bezug auf sie selbst (Else)
- „Ja, warum weine ich denn? [...] Das Weinen tut mir immer wohl.“ (S. 209, Z. 14-18)
- „Wer wird weinen, wenn ich tot bin?“ (S. 209, Z. 26/27)
- „Warum hat sie sich denn umgebracht?“ (S. 209, Z. 27/28)
- Letzte Ehre – erste Schande (vgl. S. 209, Z. 31ff.)
- „Mit Haschisch hat sie sich vergiftet.“ (S. 209, Z.35)
- „Was für ein großer blauer See! Hundert Schiffe mit gelben Segeln“ (S. 209, Z. 42/43)
- „Wo ist denn meine Gruft? Hat man die auch unterschlagen?“ (S. 210, Z. 57)
- „Vor den Schlangen habe ich keine Angst. [...] O weh.“ (S. 210, Z. 59/60)

Schritt 4

Bei genauem Lesen und Interpretieren stellt sich also heraus, dass die scheinbar völlig konfuse Gedanken- und Bildfolge durchaus einen Einblick in Elses psychischen Zustand gibt. Das Traumgeschehen bündelt und illustriert kaleidoskopartig Elses Empfindungen, Hoffnungen, Befürchtungen – vor allem ihre Angst – und bereitet den Leser vorausdeutend auf die Ausweglosigkeit ihrer Situation und die sich anbahnende Katastrophe vor. Dass dies in grellen, zum Teil makabren Bildern geschieht, ist zum einen für Traumgeschehen gar nicht untypisch (Albträume), zum anderen gibt es dem Leser die Möglichkeit, hinter den nur scheinbar konfusen Traumassoziationen Elses psychisch desolate Situation nachzuempfinden. Die Funktion der Empathieerweckung ist hier ebenfalls deutlich erkennbar. Formulieren Sie abschließend ein Fazit, in dem Sie auf die Fragestellung der Einleitung zurückkommen:

Zwar hat also der Traum durchaus spannungssteigernde Wirkung, wesentlicher sind aber für den aufmerksamen und sicher betroffenen Leser die Verdeutlichungsfunktion von Elses katastrophaler Gesamtsituation sowie die Empathiefunktion, bevor das Geschehen seinem unguten Ende zutreibt ...

Philosophischer Nihilismus und Psychoanalyse

Nietzsches Philosophie erschließen und beispielhaft erläutern

Friedrich Nietzsche

Friedrich Nietzsche (1844–1900) gilt als philosophischer Repräsentant der Moderne. Durch seine provozierende Art, die gängigen Überzeugungen seiner Zeitgenossen radikal in Frage zu stellen, zum Beispiel durch seine Absage an religiöse Heilslehre und den Fortschrittsglauben, vermittelt er vor allem eine pessimistische Deutung menschlicher Existenz, die er mit seinem philosophischen Vorgänger Arthur Schopenhauer (1788–1860) teilt.

Sein sehr umstrittenes Welt- und Menschenbild trägt am Vorabend zweier Weltkriege teilweise prophetischen Charakter. Er wird intensiv – auch und gerade von den zeitgenössischen Schriftstellern – rezipiert als Vordenker des Vitalismus und des Nihilismus.

Allerdings ist er mit seiner sehr assoziativen, aphoristischen, teils auch sprunghaften Gedankenführung kein leicht zu lesender Autor. Einen Eindruck davon gibt der folgende Text. Nietzsche wird nach seinem Tod zu Unrecht vom Nationalsozialismus vereinnahmt. Seine bekanntesten Werke sind u. a.

Also sprach Zarathustra (1883–85), *Jenseits von Gut und Böse* (1886) und *Zur Genealogie der Moral* (1887).

Darstellung von Nietzsche auf einem Gemälde von Edvard Munch (1906)

Friedrich Nietzsche

Hinfall der kosmologischen Werte (1887)

Der *Nihilismus als psychologischer Zustand* wird eintreten müssen, *erstens*, wenn wir einen „Sinn" in allem Geschehen gesucht haben, der nicht darin ist: sodass der Sucher endlich den Mut verliert. Nihilismus ist dann das Bewusstwerden der langen *Vergeudung* von Kraft, die Qual des „Umsonst", die Unsicherheit, der Mangel an Gelegenheit, sich irgendwie zu erholen, irgendworüber noch zu beruhigen – die Scham vor sich selbst, als habe man sich allzu lange *betrogen* ... Jener Sinn könnte gewesen sein: die „Erfüllung" eines sittlich höchsten Kanons in allem Geschehen, die sittliche Weltordnung; oder die Zunahme der Liebe und Harmonie im Verkehr der Wesen; oder die Annäherung an einen allgemeinen Glücks-Zustand; oder selbst das Losgehen auf einen allgemeinen Nichts-Zustand – ein Ziel ist immer noch ein Sinn. Das Gemeinsame aller dieser Vorstellungsarten ist, dass ein Etwas durch den Prozess selbst *erreicht* werden soll: – und nun begreift man, dass mit dem Werden *nichts* erzielt, *nichts* erreicht wird ... Also die Enttäuschung über einen angeblichen *Zweck des Werdens* als Ursache des Nihilismus: sei es in Hinsicht auf einen ganz bestimmten Zweck, sei es, verallgemeinert, die Einsicht in das Unzureichende aller bisherigen Zweck-Hypothesen, die die ganze „Entwicklung" betreffen (– der Mensch *nicht mehr* Mitarbeiter, geschweige denn Mittelpunkt des Werdens).

Der Nihilismus als psychologischer Zustand tritt *zweitens* ein, wenn man eine *Ganzheit*, eine *Systematisierung*, selbst eine *Organisierung* in allem Geschehen und unter allem Geschehen angesetzt hat: sodass in der Gesamtvorstellung einer höchsten Herrschafts- und Verwaltungsform die nach Bewunderung und Verehrung durstige Seele schwelgt (– ist es die Seele eines Logikers, so genügt schon die absolute Folgerichtigkeit und Realdialektik, um mit allem zu versöhnen ...). Eine Art Einheit, irgendeine Form des „Monismus": und infolge dieses Glaubens der Mensch in tiefem Zusammenhangs- und Abhängigkeitsgefühl von einem ihm unendlich überlegenen Ganzen, ein *modus* der Gottheit ... „Das Wohl des Allgemeinen fordert die Hingabe des Einzelnen" ... aber siehe da, es *gibt* kein solches Allgemeines! Im Grunde hat der Mensch den Glauben an seinen Wert verloren, wenn

George Grosz: Metropolis (1916/17)

durch ihn nicht ein unendlich wertvolles Ganzes wirkt: d.h. er hat ein solches Ganzes konzipiert, *um an seinen Wert glauben zu können.*

Der Nihilismus als psychologischer Zustand hat noch eine dritte und letzte Form. Diese zwei Einsichten gegeben, dass mit dem Werden nichts erzielt werden soll und dass unter allem Werden keine große Einheit waltet, in der der Einzelne völlig untertauchen darf wie in einem Element höchsten Wertes: so bleibt als *Ausflucht* übrig, diese ganze Welt des Werdens als Täuschung zu verurteilen und eine Welt zu erfinden, welche jenseits derselben liegt, als *wahre* Welt. Sobald aber der Mensch dahinter kommt, wie nur aus psychologischen Bedürfnissen diese Welt gezimmert ist und wie er dazu ganz und gar kein Recht hat, so entsteht die letzte Form des Nihilismus, welche den *Unglauben an eine metaphysische Welt* in sich schließt, – welche sich dem Glauben an eine *wahre* Welt verbietet. Auf diesem Standpunkt gibt man die Realität des Werdens als *einzige* Realität zu, verbietet sich jede Art Schleichweg zu Hinterwelten und falschen Göttlichkeiten – aber *erträgt diese Welt nicht, die man schon nicht leugnen will ...*

– Was ist im Grunde geschehen? Das Gefühl der *Wertlosigkeit* wurde erzielt, als man begriff, dass weder mit dem Begriff „Zweck" noch mit dem Begriff „Einheit", noch mit dem Begriff „Wahrheit", der Gesamtcharakter des Daseins interpretiert werden darf. Es wird nichts damit erzielt und erreicht; es fehlt die übergreifende Einheit in der Vielheit des Geschehens: der Charakter des Daseins ist nicht „wahr", ist *falsch* ..., man hat schlechterdings keinen Grund mehr, eine *wahre* Welt sich einzureden ... Kurz: die Kategorien „Zweck", „Einheit", „Sein", mit denen wir der Welt einen Wert eingelegt haben, werden wieder von uns *herausgezogen* – und nun sieht die Welt *wertlos* aus ...

1 Geben Sie Nietzsches Thesen in eigenen Worten schriftlich wieder.

2 Überprüfen Sie, inwiefern diese Thesen um 1900 schockierend gewesen sein mögen.

3 Erörtern Sie, inwiefern sich Nietzsches Denken auf Literatur und Kunst seiner Zeit ausgewirkt haben könnte. Beziehen Sie in Ihre Überlegungen das Gemälde von George Grosz ein.

Friedrich Nietzsche

Die fröhliche Wissenschaft (1882)

125. *Der tolle Mensch.* –

Habt ihr nicht von jenem tollen Menschen gehört, der am hellen Vormittage eine Laterne anzündete, auf den Markt lief und unaufhörlich schrie: „Ich suche Gott! Ich suche Gott!" – Da dort gerade Viele von Denen zusammen standen, welche nicht an Gott glaubten, so erregte er ein großes Gelächter. Ist er denn verloren gegangen? sagte der Eine. Hat er sich verlaufen wie ein Kind? sagte der Andere.

Oder hält er sich versteckt? Fürchtet er sich vor uns? Ist er zu Schiff gegangen? ausgewandert? – so schrien und lachten sie durcheinander. Der tolle Mensch sprang mitten unter sie und durchbohrte sie mit seinen Blicken. „Wohin ist Gott?" rief er, ich will es euch sagen! Wir haben ihn getötet, – ihr und ich! Wir Alle sind seine Mörder! Aber wie haben wir dies gemacht? Wie vermochten wir das Meer auszutrinken? Wer gab uns den Schwamm, um den ganzen Horizont wegzuwischen? Was taten wir, als wir diese Erde von ihrer Sonne losketteten? Wohin bewegt sie sich nun? Wohin bewegen wir uns? Fort von allen Sonnen? Stürzen wir nicht fortwährend? Und rückwärts, seitwärts, vorwärts, nach allen Seiten? Gibt es noch ein Oben und ein Unten? Irren wir nicht wie durch ein unendliches Nichts? Haucht uns nicht der leere Raum an? Ist es nicht kälter geworden? Kommt nicht immerfort die Nacht und mehr Nacht? Müssen nicht Laternen am Vormittage angezündet werden? Hören wir noch Nichts von dem Lärm der Totengräber, welche Gott begraben? Riechen wir noch Nichts von der göttlichen Verwesung? – auch Götter verwesen! Gott ist tot! Gott bleibt tot! Und wir haben ihn getötet! Wie trösten wir uns, die Mörder aller Mörder? Das Heiligste und Mächtigste, was die Welt bisher besaß, es ist unter unseren Messern verblutet, – wer wischt dies Blut von uns ab? Mit welchem Wasser könnten wir uns reinigen? Welche Sühnfeiern, welche heiligen Spiele werden wir erfinden müssen? Ist nicht die Größe dieser Tat zu groß für uns? Müssen wir nicht selber zu Göttern werden, um nur ihrer würdig zu erscheinen? Es gab nie eine größere Tat, – und wer nur immer nach uns geboren wird, gehört um dieser Tat willen in eine höhere Geschichte, als alle Geschichte bisher war!" – Hier schwieg der tolle Mensch und sah wieder seine Zuhörer an: auch sie schwiegen und blickten befremdet auf ihn. Endlich warf er seine Laterne auf den Boden, dass sie in Stücke sprang und erlosch. „Ich komme zu früh, sagte er dann, ich bin noch nicht an der Zeit. Dies ungeheure Ereignis ist noch unterwegs und wandert, – es ist noch nicht bis zu den Ohren der Menschen gedrungen. Blitz und Donner brauchen Zeit, das Licht der Gestirne braucht Zeit, Taten brauchen Zeit, auch nachdem sie getan sind, um gesehen und gehört zu werden. Diese Tat ist ihnen immer noch ferner, als die fernsten Gestirne, – und doch haben sie dieselbe getan!" – Man erzählt noch, dass der tolle Mensch des selbigen Tages in verschiedene Kirchen eingedrungen sei und darin sein Requiem aeternam deo angestimmt habe. Hinausgeführt und zur Rede gesetzt, habe er immer nur dies entgegnet: „Was sind denn diese Kirchen noch, wenn sie nicht die Grüfte und Grabmäler Gottes sind?"–

1 Erklären Sie den Titel „Der tolle Mensch".

2 „Gott ist tot! Gott bleibt tot! Und wir haben ihn getötet!" (Z. 21) Diskutieren Sie diese Aussage des „tollen Menschen" und erläutern Sie den Begriff *Nihilismus* an diesem Beispiel.

3 Erörtern Sie die Aussage „ Ich komme zu früh [...], ich bin noch nicht an der Zeit." (Z. 31/32).

4 Erläutern Sie die Funktion der sprachlichen Gestaltung an geeigneten Beispielen.

5 ***Lernarrangement***

a) Der „tolle Mensch" stellt viele Fragen. Wählen Sie in Gruppen zu 3–4 Teilnehmern jeweils eine dieser Fragen aus und diskutieren Sie sie.

a) Überlegen Sie ebenfalls in Ihrer Gruppe, welchen Einfluss Nietzsches Philosophie auf die Literatur der Moderne gehabt haben könnte.

b) Stellen Sie Ihre Ergebnisse anhand von OHP-Folien im Kurs vor.

Den Einfluss der Psychoanalyse auf die Literatur untersuchen

Sigmund Freud

Sigmund Freud (1856–1939) absolviert sein Medizinstudium in Wien, betreibt neuropathologische Studien mit dem Schwerpunkt im Bereich seelischer Erkrankungen ohne pathologischen Befund („Hysterien"). Bevorzugte Behandlungsmethoden sind zu seiner Zeit *Suggestion* und *Hypnose*. Freud verzichtet auf beides und führt stattdessen das *psychoanalytische Therapiegespräch* ein. Als Hauptfaktor bei der Herausbildung seelischer Erkrankungen diagnostiziert Freud die Verdrängung traumatisierender Erlebnisse, die nach seiner Überzeugung fast immer aus der frühen Kindheit stammen. Solche Verletzungen aufzuklären, auch gegen den unbewussten Widerstand des Patienten, ist für Freud der wesentliche Prozess der *Psychoanalyse*.

Als hauptsächliche Grundlage aller seelischen Vorgänge und unbewussten Triebkräfte glaubt er, die Libido, die sexuelle Grundenergie, ausgemacht zu haben.

So gliedert er den psychischen Funktionsmechanismus des Menschen in drei Instanzen: das „Es" als Repräsentanz der unbewussten oder bewussten Triebkräfte, das „Über-Ich" als Instanz der (mehr oder weniger) verinnerlichten Werte, Normen, Gebote und Verbote der Gesellschaft und das „Ich", welches zwischen diesen beiden im Normalfall eine Balance herzustellen weiß und den bewussten Sinn prägt.

Sowohl mit der Betonung der Wirkungsmacht der Triebe als auch der Dimension des Unbewussten stellt Freud also das Bild vom Menschen als vernunftgeleitetes, selbstbestimmtes Wesen in Frage. Seine Theorien werden in der Folgezeit sowohl als bahnbrechend gepriesen wie auch heftig kritisiert, aber auch differenziert und weiterentwickelt (Alfred Adler, C. G. Jung u. a.). Eines seiner Hauptwerke widmet sich auf über 500 Seiten der *Traumdeutung*.

Sigmund Freud

Traumdeutung (1899, Auszug)

Die Traumarbeit

Alle anderen bisherigen Versuche, die Traumprobleme zu erledigen, knüpfen direkt an den in der Erinnerung gegebenen manifesten Trauminhalt an und bemühten sich, aus diesem die Traumdeutung zu gewinnen oder, wenn sie auf eine Deutung verzichteten, ihr Urteil über den Traum durch den Hinweis auf den Trauminhalt zu begründen. Nur wir allein stehen einem anderen Sachverhalt gegenüber; für uns schiebt sich zwischen den Trauminhalt und die Resultate unserer Betrachtung ein neues psychisches Material ein: der durch unser Verfahren gewonnene l a t e n t e Trauminhalt oder die Traumgedanken. Aus diesem letzteren, nicht aus dem manifesten Trauminhalt entwickelten wir die Lösung des Traumes. An uns tritt darum auch als neu eine Aufgabe heran, die es vordem nicht gegeben hat, die Aufgabe, die Beziehungen des manifesten Trauminhalts zu den latenten Traumgedanken zu untersuchen und nachzuspüren, durch welche Vorgänge aus den letzteren der erstere geworden ist.

latent nicht umittelbar sichtbar oder zu erfassen

Traumgedanken und Trauminhalt liegen vor uns wie zwei Darstellungen desselben Inhaltes in zwei verschiedenen Sprachen, oder besser gesagt, der Trauminhalt erscheint uns als eine Übertragung der Traumgedanken in eine andere Ausdrucksweise, deren Zeichen und Fügungsgesetze wir durch die Vergleichung von Original und Übersetzung kennenlernen sollen. Die Traumgedanken sind uns ohne weiteres verständlich, sobald wir sie erfahren haben. Der Trauminhalt ist gleichsam in einer Bilderschrift gegeben, deren Zeichen einzeln in die Sprache der Traumgedanken zu übertragen sind. Man würde offenbar in die Irre geführt, wenn man diese Zeichen nach ihrem Bilderwert anstatt nach ihrer Zeichenbeziehung lesen wollte. Ich habe etwa ein Bilderrätsel (Rebus) vor mir: ein Haus, auf dessen Dach ein Boot zu sehen ist, dann ein einzelner Buchstabe, dann eine laufende Figur, deren Kopf wegapostrophiert ist u. dgl. Ich könnte nun in die Kritik verfallen, diese Zusammenstellung und deren Bestandteile für unsinnig zu erklären. Ein Boot gehört nicht auf das Dach eines Hauses, und eine Person ohne Kopf kann nicht laufen; auch ist die Person größer als das Haus, und wenn das Ganze eine Landschaft darstellen soll, so fügen sich die einzelnen Buchstaben nicht ein, die ja in freier Natur nicht vorkommen. Die richtige Beurteilung des Rebus ergibt sich offenbar erst dann, wenn ich gegen das Ganze und die Einzelheiten desselben keine solchen Einsprüche erhebe, sondern mich bemühe, jedes Bild durch eine Silbe oder ein Wort zu ersetzen, das nach irgendwelcher Beziehung durch das Bild darstellbar ist. Die Worte, die sich so zusammenfinden, sind nicht mehr sinnlos, sondern können den schönsten und sinnreichsten Dichterspruch ergeben. Ein solches Bilderrätsel ist nun der Traum, und unsere Vorgänger auf dem Gebiete der Traumdeutung haben den Fehler begangen, den Rebus als zeichnerische Komposition zu beurteilen. Als solche erschien er ihnen unsinnig und wertlos.

Die Verdichtungsarbeit

Das erste, was dem Untersucher bei der Vergleichung von Trauminhalt und Traumgedanken klar wird, ist, dass hier eine großartige V e r d i c h t u n g s a r b e i t geleistet wurde. Der Traum ist knapp, armselig, lakonisch im Vergleich zu dem Umfang und zur Reichhaltigkeit der Traumgedanken. Der Traum füllt niedergeschrieben eine halbe Seite; die Analyse, in der die Traumgedanken enthalten sind, bedarf das Sechs-, Acht-, Zwölffache an Schriftraum. Die Relation ist für verschiedene Träume wechselnd; sie ändert, soweit ich es kontrollieren konnte, niemals ihren Sinn. In der Regel unterschätzt man das Maß der statthabenden Kompression, indem man die ans Licht gebrachten Traumgedanken für das vollständige Material hält, während weitere Deutungsarbeit neue, hinter dem Traum versteckte Gedanken enthüllen kann. Wir haben bereits anführen müssen, dass man eigentlich niemals sicher ist, einen Traum vollständig gedeutet zu haben; selbst wenn die Auflösung befriedigend und lückenlos erscheint, bleibt es doch immer möglich, dass sich noch ein anderer Sinn durch denselben Traum kundgibt. Die V e r d i c h t u n g s q u o t e ist also – strenggenommen – unbestimmbar. Man könnte gegen die Behauptung, dass aus dem Missverhältnis zwischen Trauminhalt und Traumgedanken der Schluss zu ziehen sei, es finde eine ausgiebige Verdichtung des psychischen Materials bei der Traumbildung statt, einen Einwand geltend machen, der für den ersten Eindruck recht bestechend scheint. Wir haben ja so oft die Empfindung, dass wir sehr viel die ganze Nacht hindurch geträumt und dann das meiste wieder vergessen haben. Der Traum, den wir beim Erwachen erinnern, wäre dann bloß ein Rest der gesamten Traumarbeit, welche wohl den Traumgedanken an Umfang gleichkäme, wenn wir sie eben vollständig erinnern könnten. Daran ist ein Stück sicherlich richtig; man kann sich nicht mit der Beobachtung täuschen, dass ein Traum am getreuesten reproduziert wird, wenn man ihn bald nach dem Erwachen zu erinnern versucht, und dass seine Erinnerung gegen den Abend hin immer mehr und mehr lückenhaft wird. [...]

1 Erläutern Sie in eigenen Worten den Unterschied zwischen *Trauminhalt* und *Traumgedanken* sowie die Begriffe *Verdichtungsarbeit* und *Verdichtungsquote*.

2 Diskutieren Sie, inwiefern sich durch die Erkenntnisse zur Traumdeutung neue Perspektiven für die Literatur der Moderne ergeben haben könnten. Gehen Sie dabei zum Beispiel auf Schnitzlers Novelle *Fräulein Else* (S. 208 ff.) ein.

3 ***Lernarrangement***

a) Verfassen Sie eine Kurzgeschichte, in der ein Traum eine sinntragende Rolle spielt.
b) Tragen Sie in Kleingruppen Ihre Kurzgeschichten vor.
c) Wählen Sie die Ihrer Meinung nach gelungenste Kurzgeschichte aus und präsentieren Sie diese dem Plenum.
b) Diskutieren Sie die Frage, welche Rolle der Traum in der Kurzgeschichte spielt.

Wahlpflichtmodul 5:

Frauenbilder von Effi bis Else

Stellung und Rollenverständnis der Frauen um 1900

Bürgerliche Familie, 1900

Bäckersfamilie Kaiser mit ihrem Dienstmädchen auf dem Hof ihres Hauses, 1899. Die Personen vlnr.: Dienstmädchen Louise Gatzwiller, Magdalena Kaiser, Bäckermeister Franz Kaiser und seine Mutter mit den Kindern Alexander, Charlotte und Willi.

Wohn- und Schlafraum, 1910. Die Kinder unterstützen ihre Mutter bei der Anfertigung von Knallbonbons.

1 ***Lernarrangement***

a) Beschreiben Sie in Kleingruppen die Bilder und erläutern Sie, inwiefern diese das Rollenbild der Frauen um 1900 verdeutlichen.

b) Recherchieren Sie unter Berücksichtigung Ihrer ersten Eindrücke die Lebens- und Arbeitsbedingungen einer Familie aus dem Großbürgertum, dem Mittelstand und der Arbeiterklasse um 1900. Lesen Sie dazu auch den Einführungstext auf Seite 221 oben.

c) Präsentieren Sie Ihren Mitschülerinnen und Mitschülern Ihre Arbeitsergebnisse materialgestützt in angemessener Form.

Frauen in einem deutschen Rüstungsbetrieb, 1917

Als Folge der Industrialisierung und Technisierung entwickelt sich das Deutsche Kaiserreich in der zweiten Hälfte des 19. Jahrhunderts zu einer modernen Industriegesellschaft, sodass sich gesellschaftliches Handeln und Denken in allen privaten und öffentlichen Lebensbereichen erheblich verändern. Vor allem das wirtschaftlich erfolgreiche Großbürgertum fordert politische Macht und rüttelt damit an den Grundfesten der Ständegesellschaft. Der Besitz von Kapital (Geld, Maschinen, Produktionsstätten) bestimmt mehr und mehr gesellschaftliches Ansehen, sodass sich eine neue Elite bildet: die der sogenannten „Industriebarone". Hierzu zählen u. a. die Unternehmer und Bankiers Borsig, Krupp, Thyssen, Siemens, Rothschild und Oppenheim. In ihrem Bedürfnis nach sozialem Aufstieg residieren vermögende Bürgerliche entsprechend ihrer Verhältnisse zunehmend im luxuriösen Stil des Adels und wetteifern um Einflussmöglichkeiten jeglicher Art. Über arrangierte Ehen ihrer Kinder mit Adligen sehen sie ihre Chance, selbst Zugang zu diesen Kreisen zu erhalten. So bildet sich allmählich aus familiären Verbindungen zwischen Adel und Großbürgertum eine neue gesellschaftliche Oberschicht, die Führungsansprüche geltend macht. Als Folge zunehmender Urbanisierung und zahlreicher Gründungen industrieller Zentren entstehen nicht nur neue Arbeitsplätze in Produktion und Handel, sondern es entwickelt sich außerdem ein breiter Mittelstand aus Angestellten, Kaufleuten und kleinen Beamten. Entsprechend ihrem Milieu leben diese unterschiedlichen sozialen Schichten jedoch streng voneinander getrennt. Besonders zwischen dem Bürgertum und der Arbeiterschaft herrscht wegen ihrer sehr verschiedenen Lebens- und Arbeitsbedingungen ein unüberwindliches Misstrauen.

Von allen gesellschaftlichen Veränderungen sind insbesondere die Familien betroffen. Mit der Zunahme der weiblichen Erwerbstätigkeit um 1900, vor allem in Bereichen des Handels und der Industrie, ändert sich zwangsweise das bürgerliche Verständnis von getrennten Berufs- und Geschlechterrollen. Obwohl sich das Bürgertum immer intensiver darum bemüht, auch ihren Töchtern eine Ausbildung zu ermöglichen, bleibt die Berufstätigkeit der jungen Frauen in der Regel nur eine kurze Phase bis zu ihrer Eheschließung. Als primäre Pflichten einer Ehefrau betrachtet man nach wie vor die Versorgung ihrer Familie und die Organisation und Pflege des Hausstandes. Deshalb darf eine verheiratete Frau nur mit Einwilligung ihres Ehemannes arbeiten. Nach dem Gesetz ist sie „berechtigt und verpflichtet [...], das gemeinschaftliche Hauswesen zu leiten" (BGB von 1900). Sie muss ihrem Mann gehorchen, ihre Pflichten erfüllen, Kinder gebären und aufziehen. Männern gegenüber hat sie nur zu sprechen, wenn sie gefragt wird, und sie darf öffentlich keine eigene Meinung vertreten, vor allem keine politische. Doch dieses tradierte Rollenverständnis wird von Frauen aller sozialen Schichten – so unterschiedlich ihre Lebensweisen auch sind – immer häufiger infrage gestellt. Besonders Frauen des Bildungsbürgertums fordern Gleichberechtigung in allen Lebensbereichen, vor allem gleiche Bildungschancen.

Erlass zur Neuordnung des höheren Mädchenschulwesens in Preußen (1908, Auszug)

Die Bestimmungen vom 31. Mai 1894 hatten eine Schulzeit von 9 Jahren für die Höhere Mädchenschule als Regel vorgesehen und eine zehnjährige Dauer als Ausnahme hingestellt. Demgegenüber drängte die Entwicklung immer stärker auf die feste Einfügung einer 10. Klasse in den Lehrplan der Höheren Mädchenschule. [...] Durch diese tatsächliche Entwicklung ist klargestellt, dass der zehnjährige Besuch der Höheren Mädchenschule in den weitesten Kreisen als Bedürfnis empfunden wird. Die zehnklassige Schule wird daher nicht mehr als Ausnahme zugelassen, wie in den Bestimmungen von 1894, sondern als Normalfall der Höheren Mädchenschule durchgeführt. – Aber die Hinzufügung nur eines Jahres genügt nicht dem wirklichen Bedürfnis nach Weiterführung der Bildung. Was zu erstreben bleibt, sind nicht zehnjährige, sondern elf- und zwölfjährige Lehrgänge für die Ausbildung der jungen Mädchen der höheren Stände. Bei dem Versuch, diesen Gedanken durchzuführen und die Bevölkerung an eine solche verlängerte Ausbildungszeit zu gewöhnen, muss man damit rechnen, dass 16- bis 17-jährige junge Mädchen im Allgemeinen geistig mehr entwickelt sind als gleichaltrige junge Männer. Soweit es sich um die wissenschaftliche Weiterbildung handelt, wird daher eine etwas freiere Lehr- und Lernweise Platz greifen können. Sodann erscheint es notwendig, nicht nur auf die Erweiterung des sprachlichen, literarischen oder ästhetischen Interessenkreises der jungen Mädchen Bedacht zu nehmen. Wichtiger erscheint vielmehr eine Ergänzung ihrer Bildung in der Richtung der künftigen Lebensaufgaben einer deutschen Frau, ihre Einführung in den Pflichtkreis des häuslichen wie des weiteren Gemeinschaftslebens, in die Elemente der Kindererziehung und Kinderpflege, in Hauswirtschaft, Gesundheitslehre, Wohlfahrtskunde sowie in die Gebiete der Barmherzigkeit und Nächstenliebe. Um diesen Aufgaben gerecht zu werden, ist der Aufbau eines zweijährigen – oder doch zumindest einjährigen – Lyzeums auf die Höhere Mädchenschule in Aussicht genommen. [...]

Verbindlich soll unter einer bestimmten Zahl wöchentlicher Stunden jedenfalls die Teilnahme an der Pädagogik und an der Beschäftigung in dem jedem Lyzeum anzufügenden Kindergarten sein. Dringend erwünscht scheint es, dass sich die Lyzeen darauf einrichten, den jungen Mädchen die Möglichkeit der Ausbildung als Sprachlehrerin, Hauswirtschafts-, Handarbeits-, Turnlehrerin und dgl. – gegebenenfalls in Anlehnung an andere bereits bestehende Veranstaltungen – zu bieten, um auf diese Weise auch denjenigen jungen Mädchen, welche nicht die Berechtigung als wissenschaftliche Lehrerin erwerben wollen, Ziele zu stecken, Streben und Kraftübungen bei ihnen anzuspornen. [...]

Marie-Elisabeth Lüders (1878–1966) war eine engagierte Frauenrechtlerin. Sie studierte als eine der ersten Frauen von 1909 bis 1912 in Berlin Staatswissenschaften und schloss ihr Studium mit einer Promotion ab. Lüders war Gründungsmitglied der DDP, einer linksliberalen Partei der Weimarer Republik, 1948 trat sie der FDP bei.

Marie-Elisabeth Lüders

Über die Jugendzeit in den 1890er-Jahren (1963, Auszug)

Mathematik, Geometrie, Physik und Chemie wurden nicht unterrichtet, da Mädchen das angeblich doch nicht verstehen würden. Alte Sprachen waren „für Mädchen auch zu schwer". Das gab es nur für Knaben, selbst wenn sie noch so dumm waren. Diese Zweiteilung hielt sich noch jahrzehntelang und erschwerte uns später den Zugang zur Universität wesentlich. [...] In der Zeit vor diesen Schulwechsel fiel mein erster naiver Versuch, mir einen Weg zum Studium zu bahnen. Der Spiritus rector war unser ältester Bruder Peter, der überhaupt äußerst unternehmend war. Wir bastelten alles Mögliche zusammen und unsere Experimente waren nicht immer ungefährlich. Er meinte, ich hätte viel praktischen Sinn und wäre genau wie er selbst für ein technisches Studium geeignet. Es wurde beschlossen, dass ich zum Rektor der nahe der elterlichen Wohnung gelegenen Technischen Hochschule gehen und ihn fragen sollte, auf welchem Wege wohl am sichersten und schnellsten später der Zugang zum Studium an der Technischen Hochschule möglich sei. [...] Der Rektor meinte: „Das ist nichts für Mädchen, sie würden es doch nicht verstehen, was hier gelehrt wird."

1 ***Lernarrangement***

a) Erarbeiten Sie die beiden Quellen auf den Seiten 221 und 222 in Partnerarbeit und stellen Sie die Bildungsmöglichkeiten für Mädchen im Deutschen Kaiserreich dar.

b) Tragen Sie Ihre Ergebnisse im Plenum vor und erstellen Sie anschließend ein gemeinsames Tafelbild mit den wesentlichen Erkenntnissen.

c) Diskutieren Sie, ob die Forderungen der Frauenrechtlerinnen hinsichtlich einer „Gleichstellung der Geschlechter" im 21. Jahrhundert erfüllt sind.

Arthur Schopenhauer

Über die Weiber (1851)

A. G. A. Kiekebusch: Weihnachtsbäckerei, 1890

Mit den Mädchen hat es die Natur auf Das, was man im dramaturgischen Sinne einen Knalleffekt nennt, abgesehen, indem sie dieselben, auf wenige Jahre, mit überreichlicher Schönheit, Reiz und Fülle ausstattet, auf Kosten ihrer ganzen übrigen Lebenszeit, damit sie nämlich, während jener Jahre, der Fantasie eines Mannes sich in dem Maße bemächtigen könnten, dass er hingerissen wird, die Sorge für sie auf Zeit Lebens, in irgendeiner Form, ehrlich zu übernehmen; [...]

Je edler und vollkommener eine Sache ist, desto später und langsamer gelangt sie zur Reife. Der Mann erlangt die Reife seiner Vernunft und Geisteskräfte kaum vor dem achtundzwanzigsten Jahre, das Weib mit dem achtzehnten. Aber es ist auch eine Vernunft danach: eine gar knapp gemessene. Daher bleiben die Weiber ihr Leben lang Kinder, sehn immer nur das Nächste, kleben an der Gegenwart, nehmen den Schein der Dinge für die Sache und ziehn Kleinigkeiten den wichtigen Angelegenheiten vor. Die Vernunft nämlich ist es, vermöge derer der Mensch nicht, wie das Tier, bloß in der Gegenwart lebt, sondern Vergangenheit und Zukunft übersieht und bedenkt; woraus dann seine Vorsicht, seine Sorge und häufige Beklommenheit entspringt. Der Vorteile, wie der Nachteile, die Dies bringt, ist das Weib, in Folge seiner schwächern Vernunft, weniger teilhaft: vielmehr ist derselbe ein geistiger Myops, indem sein intuitiver Verstand in der Nähe scharf sieht, hingegen einen engen Gesichtskreis hat, in welchen das Entfernte nicht fällt; daher eben alles Abwesende, Vergangene, Künftige viel schwächer auf die Weiber wirkt als auf uns, woraus denn auch der bei ihnen viel häufigere und bisweilen an Verrücktheit grenzende Hang zur Verschwendung entspringt. Die Weiber denken in ihrem Herzen, die Bestimmung der Männer sei, Geld zu verdienen, die ihre hingegen, es durchzubringen; womöglich schon bei Lebzeiten des Mannes, wenigstens aber nach seinem Tode. Schon dass der Mann das Erworbene ihnen zur Haushaltung übergibt, bestärkt sie in dem Glauben. – So viele Nachteile Dies alles zwar mit sich führt, so hat es doch das Gute, dass das Weib mehr in der Gegenwart aufgeht als wir und daher diese, wenn sie nur erträglich ist, besser genießt, woraus die dem Weibe eigentümliche Heiterkeit hervorgeht, welche sie zur Erholung, erforderlichen Falles zum Troste des sorgenbelasteten Mannes eignet. [...]

Arthur Schopenhauer (1788–1860), einer der einflussreichsten deutschen Philosophen

Der Begriff „Weib" wird im 19. Jahrhundert für eine verheiratete Frau verwendet.

Myopie
Kurzsichtigkeit

1 Fassen Sie thesenartig zusammen, welches Frauenbild Arthur Schopenhauer in seinem Text vermittelt, und gehen Sie auch auf das Bild ein.

2 Analysieren Sie den Textauszug und stellen Sie dar, wie der Verfasser seine Position argumentativ entwickelt.

3 Versetzen Sie sich in die Situation einer Frauenrechtlerin um 1900 und gestalten Sie eine Rede für eine öffentliche Kundgebung, in der Sie die Aussagen Schopenhauers kritisch widerlegen. Begründen Sie anschließend Ihre inhaltliche und rhetorische Textgestaltung.

TIPP
Nehmen Sie Markierungen im Text vor, vgl. Tipps auf S. 303.

Effi – „immer Tochter der Luft“

Die gesellschaftliche Bedingtheit einer weiblichen Figur erfassen

Theodor Fontane (1819–1898) vgl. S. 166, 341

Auch in der Literatur spiegelt sich der Wandel im gesellschaftlichen Denken und Handeln wider. Gesellschaftsromane erweisen sich hier als geeignetes Genre, aktuelle gesellschaftspolitische Themen wie auch die „Frauenfrage“ aufzugreifen. Der Roman *Effi Briest* von Theodor Fontane gilt als repräsentatives Werk dieser Zeit des Umbruchs im ausgehenden 19. Jahrhundert und wird als Höhepunkt des poetischen Realismus gewertet. Er erscheint zunächst in den Jahren 1894–1895 als Fortsetzungsroman in der Wissenschafts- und Literaturzeitschrift *Deutsche Rundschau*, bevor er 1896 als Buchausgabe veröffentlicht wird. Als Vorlage für diesen Gesellschafts- und Eheroman dient Theodor Fontane der Skandal um den Ehebruch der Adligen Elisabeth von Ardenne, geb. von Plotho.

Elisabeth von Ardenne, geb. von Plotho (1853–1952)

Inhalt: Die 17-jährige Effi Briest wird mit dem deutlich älteren Baron von Instetten, einem Jugendfreund ihrer Mutter, standesgemäß verheiratet. Wegen des Altersunterschieds und des Mangels an Gemeinsamkeiten ist Effi von der Ehe enttäuscht, sodass sie sich auf eine kurze Liebesbeziehung mit einem Offizier, Major Crampas, einlässt. Als ihr Mann sechs Jahre später Liebesbriefe des Majors liest, fordert er Crampas zum Duell und tötet ihn. Instetten lässt sich von Effi scheiden, erhält das Sorgerecht für die gemeinsame Tochter und bewirkt Effis gesellschaftliche Ächtung. Erst kurz vor ihrem Tod nehmen die Eltern ihre Tochter wieder auf.

Effi auf der Schaukel; Thalia Theater Hamburg (2005)

Theodor Fontane

Effi Briest (1895, Auszug)

Canna indica das Indische Blumenrohr, blüht von Juli bis Oktober

Erstes Kapitel. In Front des schon seit Kurfürst Georg Wilhelm von der Familie von Briest bewohnten Herrenhauses zu Hohen-Cremmen fiel heller Sonnenschein auf die mittagsstille Dorfstraße, während nach der Park- und Gartenseite hin ein rechtwinklig angebauter Seitenflügel einen breiten Schatten erst auf einen weiß und grün quadrierten Fliesengang und dann über diesen hinaus auf ein großes, in seiner Mitte mit einer Sonnenuhr und an seinem Rande mit *Canna indica* und Rhabarberstauden besetzten Rondell warf. Einige zwanzig Schritte weiter, in Richtung und Lage genau dem Seitenflügel entsprechend, lief eine ganz in kleinblättrigem Efeu stehende, nur an einer Stelle von einer kleinen weißgestrichenen Eisentür unterbrochene Kirchhofsmauer, hinter der der Hohen-Cremmener Schindelturm mit seinem blitzenden, weil neuerdings erst wieder vergoldeten Wetterhahn aufragte. Fronthaus, Seitenflügel und Kirchhofsmauer bildeten ein einen kleinen Ziergarten umschließendes Hufeisen, an dessen offener Seite man eines Teiches mit Wassersteg und angekettetem Boot und dicht daneben einer Schaukel gewahr wurde, deren horizontal gelegtes Brett zu Häupten und Füßen an je zwei Stricken hing – die Pfosten der Balkenlage schon etwas schief stehend. Zwischen Teich und Rondell aber und die Schaukel halb versteckend standen ein paar mächtige alte Platanen. Auch die Front des Herrenhauses – eine mit Aloekübeln und ein paar Gartenstühlen besetzte Rampe – gewährte bei bewölktem Himmel einen angenehmen und zugleich allerlei Zerstreuung bietenden Aufenthalt; an Tagen aber, wo die Sonne niederbrannte, wurde die Gartenseite ganz entschieden bevorzugt, besonders von Frau und Tochter des Hauses, die denn auch heute wieder auf dem im vollen Schatten liegenden Fliesengange saßen, in ihrem Rücken ein paar offene, von wildem Wein umrankte Fenster, neben sich eine vorspringende kleine Treppe, deren vier Steinstufen vom Garten aus in das Hochparterre des Seitenflügels hinaufführten. Beide, Mutter und Tochter, waren fleißig bei der Arbeit, die der Herstellung eines aus Einzelquadraten zusammenzusetzenden Altarteppichs galt; ungezählte Wollsträhnen und Seidendocken lagen auf einem großen, runden Tisch bunt durcheinander, dazwischen, noch vom Lunch her, ein paar Dessertteller und eine mit großen schönen Stachelbeeren gefüllte Majolikaschale. Rasch und sicher ging die Wollnadel der Damen hin und her, aber während die Mutter kein Auge von der Arbeit ließ, legte die Tochter, die den Rufnamen Effi führte, von Zeit zu Zeit die Nadel nieder und erhob sich, um unter allerlei kunstgerechten Beugungen und Streckungen den ganzen Kursus der Heil- und Zimmergymnastik durchzumachen. Es war ersichtlich, dass sie sich diesen absichtlich ein wenig ins Komische gezogenen Übungen mit ganz besonderer Liebe hingab, und wenn sie dann so dastand und, langsam die Arme hebend, die Handflächen hoch über dem Kopf zusammenlegte, so sah auch wohl die Mama von ihrer Handarbeit auf, aber immer nur flüchtig und verstohlen, weil sie nicht zeigen wollte, wie entzückend sie ihr eigenes Kind finde, zu welcher Regung mütterlichen Stolzes sie voll berechtigt war. Effi trug ein blau und weiß gestreiftes, halb kittelartiges Leinwandkleid, dem erst ein fest zusammengezogener, bronzefarbener Ledergürtel die Taille gab; der Hals war frei, und über Schulter und Nacken fiel ein breiter Matrosenkragen. In allem, was sie tat, paarten sich Übermut und Grazie, während ihre lachenden braunen Augen eine große, natürliche Klugheit und viel Lebenslust und Herzensgüte verrieten. Man nannte sie die „Kleine", was sie sich nur gefallen lassen musste, weil die schöne, schlanke Mama noch um eine Handbreit höher war.

Majolika
farbig bemalte oder glasierte Tonware (Fayence)

Eben hatte sich Effi wieder erhoben, um abwechselnd nach links und rechts ihre turnerischen Drehungen zu machen, als die von ihrer Stickerei gerade wieder aufblickende Mama ihr zurief: „Effi, eigentlich hättest du doch wohl Kunstreiterin werden müssen. Immer am Trapez, immer Tochter der Luft. Ich glaube beinah, dass du so was möchtest."

„Vielleicht, Mama. Aber wenn es so wäre, wer wäre schuld? Von wem hab ich es? Doch nur von dir. Oder meinst du, von Papa? Da musst du nun selber lachen. Und dann, warum steckst du mich in diesen Hänger, in diesen Jungenskittel? Mitunter denk ich, ich komme noch wieder in kurze Kleider. Und wenn ich die erst wieder habe, dann knicks ich auch wieder wie ein Backfisch, und wenn dann die Rathenower herüberkommen, setze ich mich auf Oberst Goetzes Schoß und reite hopp, hopp. Warum auch nicht? Drei Viertel ist er Onkel und nur ein Viertel Courmacher. Du bist schuld. Warum kriege ich keine Staatskleider? Warum machst du keine Dame aus mir?"

Rathenower
im preußischen Rathenow stationiertes Husarenregiment

Courmacher
jemand, der einer Dame den Hof macht

„Möchtest du's ?"

„Nein." Und dabei lief sie auf die Mama zu und umarmte sie stürmisch und küsste sie. „Nicht so wild, Effi, nicht so leidenschaftlich. Ich beunruhige mich immer, wenn ich dich so sehe." Und die Mama schien ernstlich willens, in Äußerung ihrer Sorgen und Ängste fortzufahren. Aber sie kam nicht weit damit, weil in eben diesem Augenblick drei junge Mädchen aus der kleinen, in der Kirchhofsmauer angebrachten Eisentür in den Garten eintraten und einen Kiesweg entlang auf das Rondell und die Sonnenuhr zuschritten. [...]

„Aber deine Mama haben wir vertrieben", sagte Hulda. „Nicht doch. Wie sie euch schon sagte, sie wäre doch gegangen; sie erwartet nämlich Besuch, einen alten Freund aus ihren Mädchentagen her, von dem ich euch nachher erzählen muss, eine Liebesgeschichte mit Held und Heldin und zuletzt mit Entsagung. Ihr werdet Augen machen und euch wundern. Übrigens habe ich Mamas alten Freund schon drüben in Schwantikow gesehen; er ist Landrat, gute Figur und sehr männlich."

„Das ist die Hauptsache", sagte Hertha.

„Freilich ist das die Hauptsache, ‚Weiber weiblich, Männer männlich' – das ist, wie ihr wisst, einer von Papas Lieblingssätzen." [...]

1 Stellen Sie unter Berücksichtigung der Erzähltechnik und der Erzählperspektive dar, wie die Protagonistin im ersten Kapitel des Romans vorgestellt und welche Erwartungshaltung beim Rezipienten geweckt wird.

2 Klären Sie die Äußerung Theodor Fontanes, dass Effi Briest ein „typisches Abbild ihrer Zeit" sei, und stellen Sie mithilfe der Romanauszüge dar, inwiefern diese Aussage zutrifft.

Die Protagonistin spricht im Folgenden mit ihrer Mutter und mit ihren Freundinnen Berta, Hertha und Hulda über Baron von Instetten und über die Ehe:

Drittes Kapitel. […] „Gewiss ist es der Richtige. Das verstehst du nicht, Hertha. Jeder ist der Richtige. Natürlich muss er von Adel sein und eine Stellung haben und gut aussehen." […]

Viertes Kapitel. […] „Ja, das glaube ich auch, Mama. Aber kannst du dir vorstellen, und ich schäme mich fast, es zu sagen, ich bin nicht so sehr für das, was man eine Musterehe nennt."

„Das sieht dir ähnlich. Und nun sage mir, wofür bist du denn eigentlich?"

„Ich bin … nun, ich bin für gleich und gleich und natürlich auch für Zärtlichkeit und Liebe. Und wenn es Zärtlichkeit und Liebe nicht sein können, weil Liebe, wie Papa sagt, doch nur ein Papperlapapp ist (was ich aber nicht glaube), nun, dann bin ich für Reichtum und ein vornehmes Haus, ein ganz vornehmes, wo Prinz Friedrich Karl zur Jagd kommt, auf Elchwild oder Auerhahn, oder wo der alte Kaiser vorfährt und für jede Dame, auch für die jungen, ein gnädiges Wort hat. Und wenn wir dann in Berlin sind, dann bin ich für Hofball und Galaoper, immer dicht neben der großen Mittelloge."

„Sagst du das so bloß aus Übermut und Laune?"

„Nein, Mama, das ist mein völliger Ernst. Liebe kommt zuerst, aber gleich hinterher kommt Glanz und Ehre, und dann kommt Zerstreuung – ja, Zerstreuung, immer was Neues, immer was, dass ich lachen oder weinen muss. Was ich nicht aushalten kann, ist Langeweile." […]

TIPP
Nehmen Sie Markierungen im Text vor, vgl. Tipps auf S. 303.

3 Charakterisieren Sie Effi Briest mithilfe der Textauszüge aus dem ersten bis vierten Kapitel und erläutern Sie in diesem Zusammenhang auch ihre Vorstellungen von Liebe und Ehe.

4 Beurteilen Sie den Standpunkt der Protagonistin. Berücksichtigen Sie hier auch ihre gesellschaftliche Position, die einer Frau aus einer großbürgerlichen Familie des 19. Jahrhunderts entspricht.

Baron von Instetten hat während Effis Kuraufenthalts die an seine Frau adressierten Liebesbriefe von Major Crampas gefunden. Obwohl der Ehebruch sechs Jahre zurückliegt, tötet er den ehemaligen Liebhaber seiner Frau im Duell, um seine Ehre wiederherzustellen. Er informiert seine Schwiegereltern über den Ehebruch seiner Frau und teilt ihnen seine Entscheidungen, die Familie und die Zukunft betreffend, mit. Frau Briest schreibt ihrer Tochter daraufhin einen Brief.

Einunddreißigstes Kapitel. […] „… Und nun Deine Zukunft, meine liebe Effi. Du wirst Dich auf Dich selbst stellen müssen und darfst dabei, soweit äußere Mittel mitsprechen, unserer Unterstützung sicher sein. Du wirst am besten in Berlin leben (in einer großen Stadt vertut sich dergleichen am besten) und wirst da zu den vielen gehören, die sich um freie Luft und lichte Sonne gebracht haben. Du wirst einsam leben, und wenn Du das nicht willst, wahrscheinlich aus Deiner Sphäre herabsteigen müssen. Die Welt, in der Du gelebt hast, wird Dir verschlossen sein. Und was das Traurigste für uns und für Dich ist (auch für Dich, wie wir Dich zu kennen vermeinen) – auch das elterliche Haus wird Dir verschlossen sein;

wir können Dir keinen stillen Platz in Hohen-Cremmen anbieten, keine Zuflucht in unserem Hause, denn es hieße das, dies Haus von aller Welt abschließen, und das zu tun, sind wir entschieden nicht geneigt. Nicht weil wir zu sehr an der Welt hingen und ein Abschiednehmen von dem, was sich ‚Gesellschaft' nennt, uns als etwas unbedingt Unerträgliches erschiene; nein, nicht deshalb, sondern einfach, weil wir Farbe bekennen und vor aller Welt, ich kann Dir das Wort nicht ersparen, unsere Verurteilung Deines Tuns, des Tuns unseres einzigen und von uns so sehr geliebten Kindes, aussprechen wollen ..." [...]

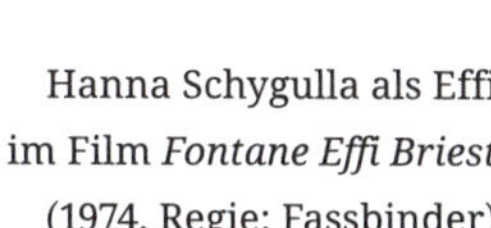

Hanna Schygulla als Effi im Film *Fontane Effi Briest* (1974, Regie: Fassbinder)

1 Analysieren und interpretieren Sie den Textauszug in formaler und inhaltlicher Gestaltung.

2 Beurteilen Sie Effis Möglichkeiten, als „gefallene Frau" ihre Zukunft selbst zu gestalten.

Effi Briest ist geschieden, wird gesellschaftlich geächtet, und ihr Mann hat das Sorgerecht für die gemeinsame Tochter. Als sie schwer erkrankt, wird sie von ihren Eltern wieder aufgenommen. Sie spricht mit ihrer Mutter über die Vergangenheit und über Baron von Instetten.

Fünfunddreißigstes Kapitel. [...] „Ich sterbe mit Gott und Menschen versöhnt, auch versöhnt mit *ihm.*"

„Warst du denn in deiner Seele in so großer Bitterkeit mit ihm? Eigentlich, verzeihe mir, meine liebe Effi, dass ich das jetzt noch sage, eigentlich hast du doch euer Leid heraufbeschworen."

Effi nickte. „Ja, Mama. Und traurig, dass es so ist. Aber als dann all das Schreckliche kam, und zuletzt das mit Annie, du weißt schon, da hab ich doch, wenn ich das lächerliche Wort gebrauchen darf, den Spieß umgekehrt und habe mich ganz ernsthaft in den Gedanken hineingelebt, er sei schuld, weil er nüchtern und berechnend gewesen sei und zuletzt auch noch grausam. Und da sind Verwünschungen gegen ihn über meine Lippen gekommen."

„Und das bedrückt dich jetzt?"

„Ja. Und es liegt mir daran, dass er erfährt, wie mir hier in meinen Krankheitstagen, die doch fast meine schönsten gewesen sind, wie mir hier klargeworden, dass er in allem recht gehandelt. In der Geschichte mit dem armen Crampas – ja, was sollt er am Ende anders tun? Und dann, womit er mich am tiefsten verletzte, dass er mein eigen Kind in einer Art Abwehr gegen mich erzogen hat, so hart es mir ankommt und so weh es mir tut, er hat auch darin recht gehabt. Lass ihn das wissen, dass ich in dieser Überzeugung gestorben bin. Es wird ihn trösten, aufrichten, vielleicht versöhnen. Denn er hatte viel Gutes in seiner Natur und war so edel, wie jemand sein kann, der ohne rechte Liebe ist." [...]

3 Analysieren und interpretieren Sie das Gespräch, das Effi Briest mit ihrer Mutter führt.

4 Beurteilen Sie unter Berücksichtigung der historischen Kontextbedingungen die Ausführungen der Protagonistin und ihre Haltung ihrem Mann gegenüber.

5 Erörtern Sie, inwiefern Theodor Fontane die „Schuldfrage" aufgreift und welche Intention er damit verfolgt.

„Und wenn auch nur einmal, ein einzig Mal“

Einen Gegenentwurf zu *Effi Briest* kennenlernen

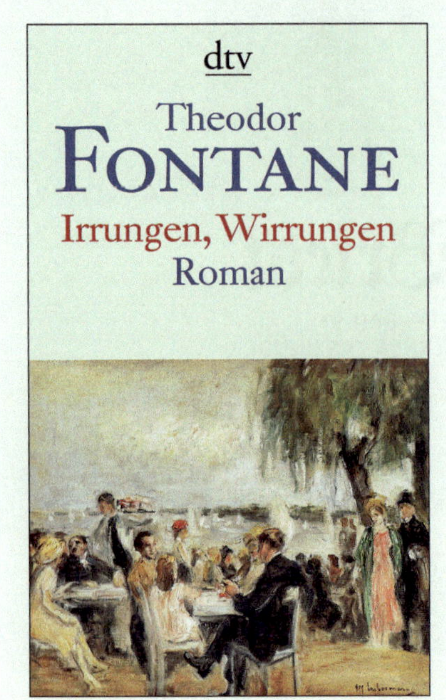

Theodor Fontanes Roman *Irrungen, Wirrungen*, dessen Beginn Sie auf den Seiten 163 f. lesen können, ist 1887 in der *Vossischen Zeitung* erschienen und erntete heftige Kritik. Man sah in der Liebesbeziehung zwischen Lene und Botho eine provokante Verletzung der Standesschranken und der gesellschaftlichen Normen und Werte, zumal die Protagonistin aus kleinbürgerlichen Verhältnissen ihrem adligen Verehrer moralisch überlegen ist und am Scheitern ihrer Liebe nicht zerbricht.

Inhalt: Der Roman thematisiert die Liebe zwischen Baron Botho von Rienäcker und der Schneidergesellin Magdalene Nimptsch (Lene), die wegen des Standesunterschiedes der beiden nicht in Erfüllung gehen kann. Im zwölften und dreizehnten Kapitel des Romans wird erzählt, wie Lene und Botho ein gemeinsames Wochenende auf dem Land verbringen. Dies ist ihre letzte Gemeinsamkeit, bevor sich Baron von Rienäcker den Wünschen seiner Familie beugt und in eine arrangierte standesgemäße Konventionsehe einwilligt.

Theodor Fontane

Irrungen, Wirrungen (1888, Auszug)

Zwölftes Kapitel. [...] Lene fühlte sich angeheimelt von allem, was sie sah, und begann zunächst die rechts und links in breiter Umrahmung über den Bettständen hängenden Bilder zu betrachten. Es waren Stiche, die sie, dem Gegenstande nach, lebhaft interessierten, und so wollte sie gerne wissen, was es mit den Unterschriften auf sich habe. „Washington crossing the Delaware“ stand unter dem einen, „The last hour at Trafalgar“ unter dem andern. Aber sie kam über ein bloßes Silbenentziffern nicht hinaus, und das gab ihr, so klein die Sache war, einen Stich ins Herz, weil sie sich der Kluft dabei bewusst wurde, die sie von Botho trennte. Der spöttelte freilich über Wissen und Bildung, aber sie war klug genug, um zu fühlen, was von diesem Spotte zu halten war.

Dicht neben der Eingangstür, über einem Rokokotisch, auf dem rote Gläser und eine Wasserkaraffe standen, hing noch eine buntfarbige, mit einer dreisprachigen Unterschrift versehene Lithografie: „Si jeunesse savait“ – ein Bild, das sie sich entsann in der Dörrschen Wohnung gesehen zu haben. Dörr liebte dergleichen. Als sie's hier wieder sah, fuhr sie verstimmt zusammen. Ihre feine Sinnlichkeit fühlte sich von dem Lüsternen in dem Bilde wie von einer Verzerrung ihres eignen Gefühls beleidigt, und so ging sie denn, den Eindruck wieder loszuwerden, bis an das Giebelfenster und öffnete beide Flügel, um die Nachtluft einzulassen. Ach, wie sie das erquickte! [...]

„Wie schön“, sagte Lene hochaufatmend. „Und ich bin doch glücklich“, setzte sie hinzu. Sie mochte sich nicht trennen von dem Bilde. Zuletzt aber erhob sie sich, schob einen Stuhl vor den Spiegel und begann, ihr schönes Haar zu lösen und wieder einzuflechten. Als sie noch damit beschäftigt war, kam Botho.

„Lene, noch auf! Ich dachte, dass ich dich mit einem Kusse wecken müsste.“

„Dazu kommst du zu früh, so spät du kommst.“

Und sie stand auf und ging ihm entgegen. „Mein einziger Botho. Wie lange du bleibst ...“

„Und das Fieber? Und der Anfall?“

„Ist vorüber, und ich bin wieder munter, seit einer halben Stunde schon. Und ebenso lange hab' ich dich erwartet.“ Und sie zog ihn mit sich fort an das noch offenstehende Fenster: „Sieh nur. Ein armes Menschenherz, soll ihm keine Sehnsucht kommen bei solchem Anblick?“

Und sie schmiegte sich an ihn und blickte, während sie die Augen schloss, mit einem Ausdruck höchsten Glückes zu ihm auf.

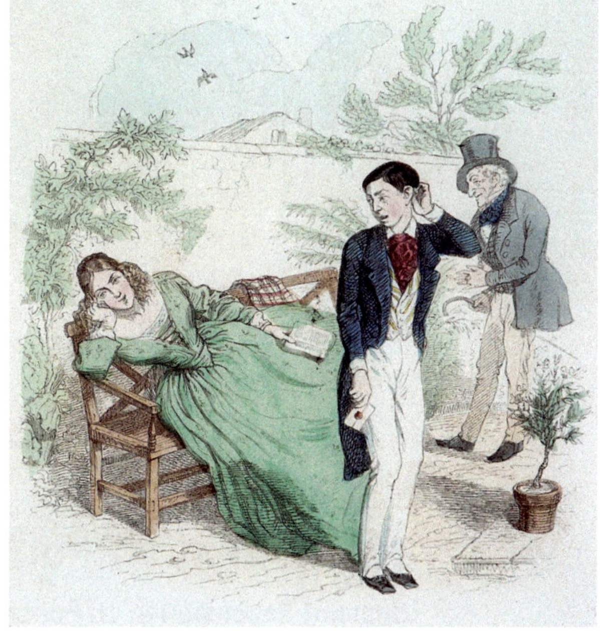

J. J. Grandville: Si jeunesse savait, si vieillesse pouvait (Wenn Jugend wüsste, wenn Alter könnte, 1845)

Dreizehntes Kapitel. Beide waren früh auf, und die Sonne kämpfte noch mit dem Morgennebel, als sie schon die Stiege herabkamen, um unten ihr Frühstück zu nehmen. Ein leiser Wind ging, eine Frühbrise, die die Schiffer nicht gern ungenutzt lassen, und so glitt denn auch, als unser junges Paar eben ins Freie trat, eine ganze Flottille von Spreekähnen an ihnen vorüber.

Lene war noch in ihrem Morgenanzuge. Sie nahm Bothos Arm und schlenderte mit ihm am Ufer entlang an einer Stelle hin, die hoch in Schilf und Binsen stand. Er sah sie zärtlich an. „Lene, du siehst ja aus, wie ich dich noch gar nicht gesehen habe. Ja, wie sag' ich nur? Ich finde kein anderes Wort, du siehst so glücklich aus.“

Und so war es. Ja, sie war glücklich, ganz glücklich und sah die Welt in einem rosigen Lichte. Sie hatte den besten, den liebsten Mann am Arm und genoss eine kostbare Stunde. War das nicht genug? Und wenn diese Stunde die letzte war, nun, so war sie die letzte. War es nicht schon ein Vorzug, einen solchen Tag durchleben zu können? Und wenn auch nur einmal, ein einzig Mal.

So schwanden ihr alle Betrachtungen von Leid und Sorge, die sonst wohl, ihr selbst zum Trotz, ihre Seele bedrückten, und alles, was sie fühlte, war Stolz, Freude, Dank. [...]

1 Erläutern Sie die Situation, in der sich die Protagonistin befindet, und beschreiben Sie die Eindrücke, die auf sie einwirken. Beachten Sie ihre Reaktion auf die Bilder im Zimmer des Gasthofs.

2 *Lernarrangement*
Vergleichen Sie mithilfe der Romanauszüge die Protagonistinnen Lene Nimptsch und Effi Briest.
a) Notieren Sie hierfür zunächst Ihre eigenen Eindrücke in der Mindmap und informieren Sie sich danach ggf. in anderen Quellen gezielter über die beiden Figuren.
b) Stellen Sie die Ergebnisse Ihres Vergleichs vor und deuten Sie die Gemeinsamkeiten sowie die Unterschiede in der Figurengestaltung.

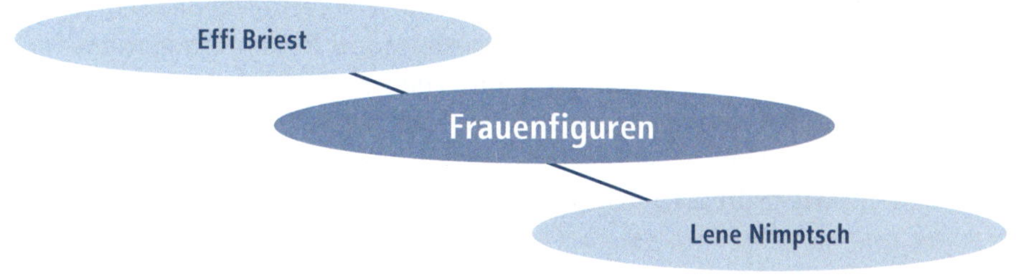

„Effi Briest“. Illustration von Rainer Ehrt

„Effi Briest ist Fontanes liebenswürdigste Gestalt“

Sich mit Rezensionen zu Fontanes *Effi Briest* auseinandersetzen

Georg Lukács

Der alte Fontane (1950, Auszug)

Effi Briest ist Fontanes liebenswürdigste Gestalt. Sie bleibt nicht nur geistig, auch moralisch im Grunde innerhalb des anständigen Durchschnitts eines Mädchens und einer jungen Frau aus dem Adel. Was sie zu einer unvergesslichen Figur macht, ist die schlichte Vitalität, mit welcher sie in jeder Lage, sei diese idyllisch, gefährdet oder tragisch, die ihrem Charakter, ihren Fähigkeiten angemessenen menschlichen Äußerungsmöglichkeiten sucht und findet. Trotz gesellschaftlicher Ambitionen sind ihre Ansprüche mehr als bescheiden. Sie müssen aber in dieser Gesellschaft noch zerstampft werden. Und dass diese Vitalität sich dennoch immer wieder, wenn auch immer schwächer aufflackernd, aufrichtet, dass Effi nur zu Boden geworfen, aber nicht menschlich entstellt werden kann, erhebt gerade in dieser Lautlosigkeit und Anspruchslosigkeit eine harte Anklage gegen die Gesellschaft, in der nicht einmal ein solcher bescheidene Spielraum der Menschlichkeit möglich ist. Zugleich zeigt jedoch Effis innere Unverzerrbarkeit jenes menschliche Kräftereservoir auf, das von der Gesellschaft unnütz verbraucht und verdorben wird, das in einer anderen, in einer die Humanität pflegenden Gesellschaft spontan die Möglichkeit eines schlichten und schönen Lebens entfalten könnte.

Wie jeder echte Menschengestalter von dichterischem Rang in der bürgerlichen Literatur ist Fontane hier – ohne es bewusst zu wollen, ja zu wissen – ein Ankläger. [...] Er zeigt, dass jeder Mensch, in dem sich nur das geringste Bedürfnis nach einem menschenähnlichen Leben regt, mit dieser Moral in Konflikt geraten muss. [...] Der Konflikt wird [...] ausgetragen: äußerlich durch Einhaltung aller Formforderungen der Konvention; innerlich so, dass jeder Beteiligte ein mehr oder weniger gebrochener Mensch wird, der nur unter Inanspruchnahme von „Hilfskonstruktionen“, wie es in „Effi Briest“ heißt, weiter existieren kann.

Carin Liesenhoff

Epische Rollendistanz als literarische Angriffswaffe (1976, Auszug)

„Effi Briest“ ist zu einer Zeit entstanden, wo Fontanes radikal-kritische Haltung gegenüber der preußischen aristokratischen Gesellschaft ihre extremste Zuspitzung erfahren hat, wo er, wie er sich ausdrückte, „mit dem Adel, hohen und niedrigen, fertig“ war. Sätze über den Adel als „traurige Figuren“, die nur noch ein Recht haben, als „privateste Privatleute“ zu existieren, waren bereits gefallen. Dennoch liegt auch im Roman „Effi Briest“ keine literarische „Abrechnung“ mit dem Adel etwa in Form einer Satire oder eines dezidiert sozialkritischen Werkes vor. Vielmehr macht Fontane eine bis dahin noch nicht erreichte epische Rollendistanz zu seiner literarischen Angriffswaffe, indem er in der Flauberschen Erzählhaltung der „impassibilité“ den Automatismus der gesellschaftlich verbindlichen Wert- und Normsysteme der aristokratischen Gesellschaft in logischer Gesetzmäßigkeit bis zur unvermeidlichen Katastrophe ablaufen lässt.

impassibilité (frz.) Gefasstheit, Fassung, Unerschütterlichkeit, hier: Neutralität, Teilnahmslosigkeit

Aber der Roman „Effi Briest“ ist nicht nur ein „Roman der feinen Gesellschaft“, sondern zugleich ein klassischer Eheroman der zweiten Hälfte des 19. Jahrhunderts, dessen Besonderheit darin liegt, dass ihm die das Bürgertum vorrangig interessierenden Eheprobleme und Konflikte zugrunde liegen, deren detaillierte epische Ausgestaltung sich aber angesichts der bürgerlichen Leseerwartungen über den „sittlichen“ Gehalt von Literatur und über eine „moralisch einwandfreie“ und „intakte“ Ehe verbot. Mit der Wahl des Genres des Gesellschaftsromans und dessen spezifischem Formprinzip der verhaltenen und aussparenden Darstellung von Liebes- und Ehekonflikten gelingt es Fontane, sowohl den bürgerlichen Leseerwartungen zu entsprechen als auch die Möglichkeit des Gesellschaftsromans bis zum virtuosen Spiel mit ihm zu nutzen, indem er aus den gesellschaftlichen Handlungsselbstverständlichkeiten der aristokratischen Gesellschaft folgerichtig das tödliche Ende erwachsen lässt.

1 Analysieren Sie die Rezensionen unter Berücksichtigung der argumentativen Gedankenführung und stellen Sie die Positionen der Rezensenten dar.

2 Erörtern Sie von Ihren Ergebnissen ausgehend, inwiefern Literatur gesellschaftliches Denken beeinflussen kann. Sammeln Sie hierzu zunächst Ideen im folgenden Schaubild:

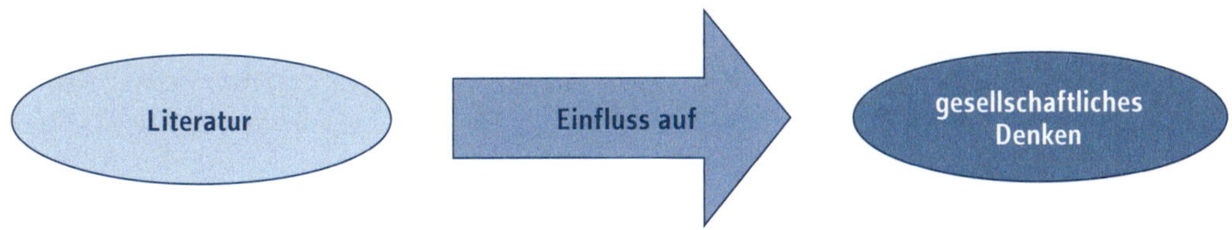

Fräulein Else – „Ich bin feig, ich bin zerbrochen“

Einen Repräsentanten der Wiener Moderne kennenlernen

Arthur Schnitzler 1910 mit seiner Familie

Arthur Schnitzler

Arthur Schnitzler (1862–1931) wächst als Sohn eines jüdischen Arztes in Wien auf. Nach seinem Medizinabschluss arbeitet er in verschiedenen Krankenhäusern und eröffnet 1893 eine eigene Praxis. Neben seiner Tätigkeit als Arzt publiziert er Fachaufsätze und Rezensionen zu medizinischen Themen, widmet sich aber zunehmend dem literarischen Schreiben und verfasst Gedichte, Erzählungen, Dramen und Novellen. Neben Hugo von Hofmannsthal gehört er ab 1890 dem Kreis der „Wiener Moderne“ an und zählt zu den bedeutendsten Erzählern und Dramatikern, aber auch zu den schärfsten Kritikern seiner Zeit. Bis zum Ausbruch des Ersten Weltkriegs 1914 sind seine Werke sehr populär, was sich jedoch schnell wegen seiner Antikriegshaltung ändert.

Arthur Schnitzlers Anliegen besteht vor allem darin, die psychischen Vorgänge seiner Figuren zu verdeutlichen, um dem Rezipienten Einblicke in ihr Innenleben zu vermitteln. Gleichzeitig zeichnet er durch dieses Vorgehen ein Bild der Gesellschaft, die das Seelenleben und daraus resultierende Verhaltensweisen seiner Protagonisten prägt. Die Handlungen seiner Werke sind überwiegend in Wien um 1900 angesiedelt und stellen besonders Liebes- und Existenzprobleme der höheren bürgerlichen Gesellschaft dar, die verdeutlichen, wie inhaltslose gesellschaftliche Normen und Werte zu Selbstbetrug und Lebenslügen führen. In diesem Zusammenhang spricht er auch Tabuthemen an, zum Beispiel die Sexualität, den Ehebruch und den Tod.

1924 erscheint die Monolog-Novelle *Fräulein Else* in der *Neuen Rundschau*. Um die innerpsychischen Vorgänge und die Konfliktsituation der neunzehnjährigen Protagonistin Else zu verdeutlichen, verwendet Schnitzler hier die Darstellungsform des inneren Monologs. Das Buch wird mehrfach im Film und auf der Bühne inszeniert. Im Erscheinungsjahr werden bereits 25 000 Exemplare verkauft.

Weitere Informationen zu Schnitzler: vgl. Seite 206.

Arthur Schnitzler

Fräulein Else (1924)

Figurenkonstellation erarbeiten und darstellen

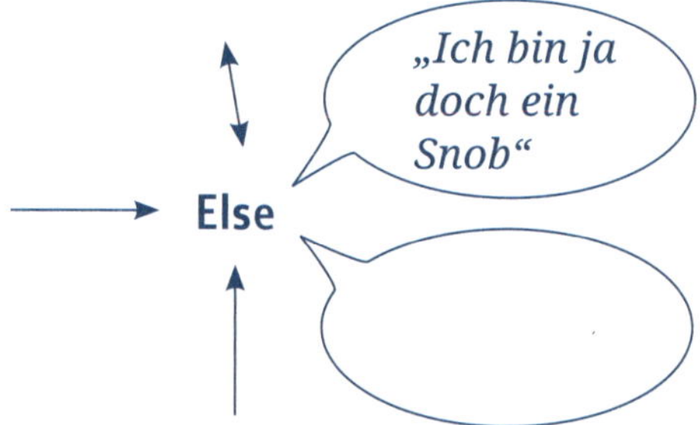

1 ***Lernarrangement***

Arbeiten Sie in Kleingruppen.

a) Nähern Sie sich der Novelle *Fräulein Else* und analysieren Sie in Ihrer Gruppe den Anfang (siehe S. 208). Stellen Sie dar, wie die Protagonistin Else eingeführt wird und welche Erwartungshaltung Sie entwickeln.

b) Fertigen Sie eine Skizze an, in der Sie die Beziehungen der Figuren zueinander durch Pfeile u. Ä. visualisieren (s. o.). Verdeutlichen Sie hier auch die Abhängigkeiten der Protagonistin.

c) Charakterisieren Sie Else und vermitteln Sie ihre Wünsche, Sehnsüchte und Ängste.

d) Gestalten Sie aus der Sicht der Protagonistin eine Rollenbiografie. Reflektieren und begründen Sie Ihre inhaltlichen und sprachlichen Gestaltungsentscheidungen.

e) Stellen Sie begründet dar, inwiefern Else typische Rollenmerkmale ihrer Zeit aufweist.

f) Präsentieren Sie Ihren Mitschülerinnen und Mitschülern anschaulich Ihre Ergebnisse.

1 Else erhält einen Brief ihrer Mutter (vgl. Szenenbild). Analysieren und interpretieren Sie die Textstelle, indem Sie die Situation der Protagonistin darstellen und ihre Kommentare zum Inhalt des Briefs deuten.

2 Gestalten Sie aus der Sicht der Protagonistin einen Brief an ihre Eltern, in dem sie eine spontane Antwort formuliert. Begründen Sie anschließend Ihre inhaltliche und sprachliche Textgestaltung.

Paul Czinner (1890–1972) inszenierte den Stummfilm *Fräulein Else* mit der Schauspielerin Elisabeth Bergner (s. Foto), der am 7. März 1929 im Berliner Capitol Theater uraufgeführt wurde.

Aufbau und Erzähltechnik einer Novelle analysieren

3 Lesen Sie die Ganzschrift zu Ende und erarbeiten Sie die äußere und innere Handlung der Novelle. Führen Sie während des Lesens ein Lesetagebuch, in dem Sie entscheidende Aspekte in einer Tabelle nach folgendem Schema festhalten.
Präsentieren Sie anschließend Ihre Ergebnisse und Deutungen.

Seite(n)	Geschehen (äußere Handlung)	Gedanken/ Träume (innere Handlung)	Sprache/ Leitmotive	Deutung/ Fragen

4 Diskutieren Sie – ausgehend von Ihren Ergebnissen – darüber, welche Haltung die Protagonistin ihrem Umfeld, ihrer Zukunft und den Männern gegenüber einnimmt und inwiefern dies jeweils durch Leitmotive deutlich wird.

5 ***Lernarrangement***
a) Die Novelle wird als „kleine Schwester des Dramas" bezeichnet. Untersuchen Sie, inwiefern diese Aussage formal und inhaltlich auch auf *Fräulein Else* zutrifft.
b) Visualisieren Sie den Novellenaufbau in der Grafik und verdeutlichen Sie die Dramatik der inneren und äußeren Handlung.

Die Konfliktsituation der Protagonistin erarbeiten

	Inhalt	Sprache/Leitmotive	Syntax	Deutung
[…] Also, ich soll Herrn Dorsday anpumpen … Irrsinnig. Wie stellt sich Mama das vor? Warum hat sich Papa nicht einfach auf die Bahn gesetzt und ist hergefahren? – Wär' grad' so geschwind gegangen wie der Expressbrief. Aber vielleicht hätten sie ihn auf dem Bahnhof wegen Fluchtverdacht – – Furchtbar, furchtbar! Auch mit den dreißigtausend wird uns ja nicht geholfen sein. Immer diese Geschichten! Seit sieben Jahren! Nein – länger. Wer möcht' mir das ansehen? Niemand sieht mir was an, auch dem Papa nicht. Und doch wissen es alle Leute. Rätselhaft, dass wir uns immer noch halten. Wie man alles gewöhnt! Dabei leben wir eigentlich ganz gut. Mama ist wirklich eine Künstlerin. Das Souper am letzten Neujahrstag für vierzehn Personen – unbegreiflich. Aber dafür meine zwei Paar Ballhandschuhe, die waren eine Affäre. Und wie der Rudi neulich dreihundert Gulden gebraucht hat, da hat die Mama beinah' geweint. Und der Papa ist dabei immer gut aufgelegt. Immer? Nein. O nein. In der Oper neulich bei Figaro sein Blick, – plötzlich ganz leer – ich bin erschrocken. Da war er wie ein ganz anderer Mensch. Aber dann haben wir im Grand Hotel soupiert und er war so glänzend aufgelegt wie nur je.	Aufforderung, Herrn v. D. um Geld zu bitten Vorstellungen der Protagonistin (unvollständiger Gedanke)	Umgangssprache Konjunktiv II Konjunktiv II	Leerstelle Fragesätze Ellipse Leerstelle Wiederholung Ausrufungssatz	Unsicherheit Emotionalität Protagonistin ist völlig durcheinander, kann keinen klaren Gedanken fassen

Und da halte ich den Brief in der Hand. Der Brief ist ja irrsinnig. Ich soll mit Dorsday sprechen? Zu Tod' würde ich mich schämen. – – Schämen, ich mich? Warum? Ich bin ja nicht schuld. – Wenn ich doch mit Tante Emma spräche? Unsinn. Sie hat wahrscheinlich gar nicht so viel Geld zur Verfügung. Der Onkel ist ja ein Geizkragen. Ach Gott, warum habe ich kein Geld? Warum hab' ich mir noch nichts verdient? Warum habe ich nichts gelernt? O, ich habe was gelernt! Wer darf sagen, dass ich nichts gelernt habe? Ich spiele Klavier, ich kann Französisch, Englisch, auch ein bissl Italienisch, habe kunstgeschichtliche Vorlesungen besucht – Haha! Und wenn ich schon was Gescheiteres gelernt hätte, was hülfe es mir? Dreißigtausend Gulden hätte ich mir keineswegs erspart. – – Aus ist es mit dem Alpenglühen. Der Abend ist nicht mehr wunderbar. Traurig ist die Gegend. Nein, nicht die Gegend, aber das Leben ist traurig. Und ich sitz' da ruhig auf dem Fensterbrett. Und der Papa soll eingesperrt werden. Nein. Nie und nimmer. Es darf nicht sein. Ich werde ihn retten. Ja, Papa, ich werde dich retten. […]				

1 ***Lernarrangement***

Arbeiten Sie mit einem Partner zusammen.

a) Markieren Sie zur Vorbereitung Ihrer Analyse und Interpretation zentrale Inhaltsaspekte und stilprägende sprachliche Gestaltungsmittel.

b) Interpretieren Sie die Textstelle. Deuten Sie die Reaktion der Protagonistin.

c) Begründen Sie, warum die Protagonistin sich entschließt, ihrer Familie zu helfen.

d) Diskutieren Sie, welche Möglichkeiten Else möglicherweise hat, ihren Konflikt zu lösen.

Filmszene aus *Fräulein Else* (AUT 2002),
Bei einem Spaziergang bittet Else (Julie Delarme) den Kunsthändler von Dorsday (Wolfgang Hübsch) um Geld.

Die Protagonistin spricht mit Herrn von Dorsday über ihren Vater und trägt ihr Anliegen vor (vgl. Szenenbild).

[...] „Denken Sie, Herr von Dorsday, gerade heute habe ich einen Brief von zu Hause bekommen." Das war nicht sehr geschickt. Er macht ein etwas verblüfftes Gesicht. Nur weiter, nicht schlucken. Er ist ein guter alter Freund von Papa. Vorwärts. Vorwärts. [...]

Er weiß nicht, ob ich kommen werde oder nicht. Ich weiß es auch nicht. Ich weiß nur, dass alles aus ist. Ich bin halbtot. [...]

Erlebte Rede, innerer Monolog, Bewusstseinsstrom
vgl. S. 323.

1 ***Lernarrangement***

a) Verdeutlichen Sie die Konfliktsituation der Protagonistin unter Berücksichtigung der erzähltechnischen Gestaltung. Klären Sie zuvor, was in der Literaturwissenschaft als „erlebte Rede", als „innerer Monolog" und als „Bewusstseinsstrom" bezeichnet wird. Legen Sie eine Tabelle an.

b) Präsentieren Sie Ihre Ergebnisse mithilfe des Textauszugs und weiterer Textbeispiele aus der Novelle.

c) Erläutern Sie die Vorzüge des inneren Monologs gegenüber anderen traditionellen Erzählweisen.

Erzähltechnik	Textbeispiele	Funktion/Deutung
Erlebte Rede		
Innerer Monolog		
Bewusstseinsstrom		
Dialog		

Else erfüllt die Forderung des Herrn von Dorsday auf ihre Weise. Sie lässt im Musikzimmer ihren Mantel zu Boden gleiten und zeigt sich allen anwesenden Hotelgästen unbekleidet.

2 Ersetzen Sie diesen Erzählabschnitt, und stellen Sie das Geschehen aus der Perspektive eines auktorialen Erzählers dar. Begründen Sie Ihre inhaltlichen und sprachlichen Gestaltungsentscheidungen.

3 Vergleichen Sie Ihre Textproduktion mit dem Original und reflektieren Sie die veränderte Wirksamkeit des Erzählabschnitts.

4 Bearbeiten Sie den Text *Traumdeutung* von Sigmund Freud (S. 218 f.) und überprüfen Sie, inwiefern dieses Zeitphänomen in der Erzähltechnik Schnitzlers ihren Ausdruck findet.

„Atemlos fieberhaft saust das Tempo ...“

Das Ende der Novelle analysieren

1 Analysieren und deuten Sie den Schluss der Novelle unter Berücksichtigung sprachlicher und erzähltechnischer Gestaltungsmittel.

2 Gestalten Sie einen aus Ihrer Sicht möglichen alternativen Novellenschluss. Reflektieren Sie, welche Unterschiede sich aus dieser Veränderung für die Rezeption ergeben.

3 Begründen Sie, woran die Protagonistin zerbricht und inwiefern die gesellschaftlichen Verhältnisse für ihr Scheitern verantwortlich sind. Beziehen Sie Elses Aussage ein: „Und wozu bin ich denn überhaupt auf der Welt? Und es geschähe ihnen ganz recht, ihnen allen, sie haben mich ja doch nur daraufhin erzogen, dass ich mich verkaufe, so oder so.“

Buchcover: Manuela Fior: Fräulein Else. Comic nach dem gleichnamigen Roman von Arthur Schnitzler

Eigene Leseeindrücke mit Rezensionen zu *Fräulein Else* vergleichen

Barbara Neymeyr

Identitätssuche im Spannungsfeld von Konvention und Rebellion (2007, Auszug)

[...] Auf diese Weise wird der innere Monolog zum idealen Medium für die literarische Gestaltung eines Seelendramas. Zugleich trägt er einem Epochenphänomen Rechnung: dem sogenannten impressionistischen Menschentyp, der ganz in seinen momentanen Eindrücken aufgeht. Den durch Inkohärenz und Diskontinuität bestimmten Bewusstseinsinhalt der Figur arrangiert Schnitzler durch eine kunstvolle Verknüpfung von Assoziationen und Gedankensprüngen allerdings so, dass die psychologisch differenziert dargestellte Krisensituation des Individuums auch auf den sozialhistorischen Kontext hin transparent wird. [...] Geprägt von gesellschaftlichen Konventionen und zugleich von einem Anspruch auf autonome Lebensgestaltung getrieben, erprobt Else in ihrer Phantasie unterschiedliche Identitätsentwürfe. Während Gustl in seiner Rolle als Repräsentant der Armee aufgeht, tritt Else als Persönlichkeit mit individuelleren Zügen in Erscheinung: als eine sensible, leicht irritierbare junge Frau. Die Heterogenität ihrer psychischen Impulse, Selbstbilder und Zukunftsperspektiven hängt damit zusammen, dass sie im Spannungsfeld von Konvention und Rebellion ihre eigene Identität erst noch finden muss. Obwohl sie gegen herkömmliche Weiblichkeitskonzepte rebelliert und die Normen ihres gesellschaftlichen Umfeldes kritisiert, verraten ihre Assoziationen und Wunschphantasien immer wieder, wie sehr sie dennoch durch traditionelle Verhaltensmuster und Rollenentwürfe geprägt ist.

Da ihr konkrete Perspektiven für eine autonome Lebensgestaltung fehlen, gerät Else zusehends in ein seelisches Vakuum, das eine passiv-resignative Haltung hervorruft. [...]

Inkohärenz Denkstörung

Diskontinuität Nicht-Fortsetzung

Gustl ist der Protagonist aus der Novelle *Leutnant Gustl* von Arthur Schnitzler, die 1900 in der *Wiener Neuen Freien Presse* veröffentlicht wurde, vgl. S. 206 f.

Felix Salten

Fräulein Else (23. November 1924)

Atemlos fieberhaft saust das Tempo der neuen Novelle von Schnitzler. Während man liest, wird man gleich zu Anfang in fieberhafte Spannung entzündet, wird bis ans Ende in atemloser Teilnahme mitgerissen.

Die ganze Begebenheit, die sich wenige Stunden abspielt, wird nicht erzählt. Kein Vortrag, keine Ausschmückung des Dichters; keine Malerei seiner farbigen, plastischen Sprache. Was hier geschieht, wird erlebt. Else denkt, fühlt und spricht; genau so, wie einst der Leutnant Gustl selbst gedacht, gefühlt und gesprochen hat. Immer ist nur Elses Stimme zu hören, nur ihre unhörbare, lautlose Gedankenstimme. Hie und da ein paar Reden oder Redensarten der anderen; ein paar Worte, die Else zu den anderen sagt. Trotzdem ..., nein: gerade deshalb wird alles so unmittelbar lebendig in dem Buch. Die ganze Existenz des jungen Mädchens nimmt man viel intensiver in sich auf, weil, scheinbar, niemand zwischen ihr und uns steht. Was für ein glänzendes, was für ein jammervolles Dasein führt Else. Die Tochter eines Vaters, der mit den glänzendsten Gaben sich und den Seinen nur ein jammervolles Leben bereitet hat. Man kennt ja eine ganze Menge solcher Menschen, auch Advokaten, die zwischen Erfolg und Absturz gefährlich balancieren. Da sind dann die Krisen, die Tage, in denen es, um Haaresbreite am Strafgericht vorbei, halbwegs wieder weiter geht. Diese Tage aber, mit ihrer Angst, mit ihren Erniedrigungen, korrumpieren. Von ihnen, von der ganzen beständig schwankenden Situation, von dem schlechten Gewissen, das nach und nach alle Mitglieder der Familie bekommen, wird die aufrechte Freiheit gebeugt, die Unbefangenheit vergiftet und zerstört.

Trotz der besonderen Umstände, die ihre Katastrophe herbeiführen, ist ja Else nur ein Beispiel, nur ein Typus, und an ihrem Fall, an ihrer Wehrlosigkeit wird der wehrlose, preisgegebene, der unglückliche Zustand aller ihrer Schicksalsgefährtinnen erschreckend klar.

Selten ist eine Frauenseele in ihren geheimsten Regungen so durchleuchtet worden und so rein gewesen wie diese: so ganz noch Kind, so sehr noch Jungfrau, so ahnungsvoll schon Weib, so erfüllt von Güte, so durchblitzt von Messerschärfe des Verstandes, so gelind an Zärtlichkeit und so sanft in der Verzweiflung.

1 Notieren Sie spontan Ihre Gedanken zu den beiden Rezensionen auf den Seiten 237 und 238.

Salten 1924

Neymeyr 2007

2 ***Lernarrangement***

a) Analysieren Sie arbeitsteilig die beiden Rezensionen und stellen Sie die Standpunkte Neymeyrs und Saltens dar.

b) Verfassen Sie eine Stellungnahme, die sich auf eine der beiden Rezensionen bezieht.

c) Stellen Sie sich gegenseitig Ihre Analysen und Stellungnahmen vor.

3 Diskutieren Sie im Plenum, inwiefern sich die Protagonistin Else von den Frauenfiguren Fontanes unterscheidet.

„Ich werde ein Glanz"

Facetten des Frauenbildes in der Literatur der Neuen Sachlichkeit untersuchen

Im Mittelpunkt der Handlung des Romans *Das kunstseidene Mädchen* von Irmgard Keun steht ein junges Mädchen namens Doris. Als Sekretärin eines Anwalts in einer Kleistadt träumt sie vom gesellschaftlichen Aufstieg. Sie schreibt über ihre Wünsche, ihre Ziele und über die Realität, mit der sie sich auseinandersetzen muss. Dabei schildert sie ihre Mittellosigkeit und wie sie zuerst in ihrer Heimatstadt und dann in Berlin lebt. Die erhoffte Karriere gelingt ihr nicht.

Irmgard Keun (1905–1982) Deutsche Schriftstellerin, die mit ihren Romanen *Gilgi, eine von uns* (1931) und *Das kunstseidene Mädchen* (1932) den Nerv ihrer Zeit traf. Ihre Bücher wurden 1933 von den Nationalsozialisten verboten und sie war gezwungen, ins Exil zu gehen.

Irmgard Keun

Das kunstseidene Mädchen (1932)

[...] Und ich denke, dass es gut ist, wenn ich alles beschreibe, weil ich ein ungewöhnlicher Mensch bin. Ich denke nicht an Tagebuch – das ist lächerlich für ein Mädchen von achtzehn und auch sonst auf der Höhe. Aber ich will schreiben wie Film, denn so ist mein Leben und wird noch mehr so sein. Und ich sehe aus wie Colleen Moore, wenn sie Dauerwellen hätte und die Nase mehr schick ein bisschen nach oben. Und wenn ich später lese, ist alles wie Kino – ich sehe mich in Bildern. Und jetzt sitze ich in meinem Zimmer im Nachthemd, das mir über meine anerkannte Schulter gerutscht ist, und alles ist erstklassig an mir – nur mein linkes Bein ist dicker als mein rechtes. Aber kaum. Es ist sehr kalt, aber im Nachthemd ist schöner – sonst würde ich den Mantel anziehen.

Und es wird mir eine Wohltat sein, mal für mich ohne Kommas zu schreiben und richtiges Deutsch – nicht alles so unnatürlich wie im Büro. Und für jedes Komma, was fehlt, muss ich der Hopfenstange von Rechtsanwalt – Pickel hat er auch und Haut wie meine alte gelbe Ledertasche ohne Reißverschluss – ich schäme mich, sie noch in anständiger Gesellschaft zu tragen – solche Haut hat er im Gesicht. Und überhaupt halt ich von Rechtsanwälten nichts – immer happig aufs Geld und reden wie'n Entenpopo und nichts dahinter. Ich lass mir nichts anmerken, denn mein Vater ist sowieso arbeitslos, und meine Mutter ist am Theater, was auch unsicher ist durch die Zeit. Aber ich war bei der Hopfenstange von Rechtsanwalt. Also – ich lege ihm die Briefe vor, und bei jedem Komma, was fehlt, schmeiß ich ihm einen sinnlichen Blick. Und den Krach seh ich kommen, denn ich hab keine Lust zu mehr. Aber vier Wochen kann ich sicher noch hinziehn, ich sag einfach immer, mein Vater wäre so streng, und ich müsste abends gleich nach Haus. Aber wenn ein Mann wild wird, dann gibt es auch keine Entschuldigung – man kennt das. Und er wird wild mit der Zeit wegen meinen sinnlichen Blicken bei fehlenden Kommas. Dabei hat richtige Bildung mit Kommas gar nichts zu tun. Aber fällt mir nicht ein mit ihm und so weiter. Denn ich sagte auch gestern zu Therese, die auch auf dem Büro und meine Freundin ist: „Etwas Liebe muss dabei sein, wo bleiben sonst die Ideale?" [...]."

Colleen Moore (1902–1988) Amerikanische Schauspielerin in zahlreichen Stummfilmen der 20er-Jahre. Sie war vor allem wegen ihrer Frisur ein Idol dieser Zeit.

1 Stellen Sie dar, welchen Eindruck Sie von der Ich-Erzählerin gewinnen.

2 Vergleichen Sie die Figurendarstellungen der Protagonistinnen Else und Doris. Reflektieren Sie Ihre Ergebnisse unter Berücksichtigung des literaturhistorischen Kontextes.

3 Diskutieren Sie, welches Frauenbild die Gegenwartsliteratur dominiert und welche literarische Frauenfigur möglicherweise als Repräsentantin des 21. Jahrhunderts gelten könnte.

Rahmenthema

Vielfalt lyrischen Sprechens

4

Pflichtmodul:

Was ist der Mensch? – Lebensfragen und Sinnentwürfe 241

Im Pflichtmodul beschäftigen Sie sich mit dem Wandel des Menschenbildes in der Lyrik vom Barock bis in die heutige Zeit. Sie lernen zahlreiche Gedichte kennen, die sich mit den Bedingungen menschlicher Existenz und dem Sinn des Lebens auseinandersetzen. Dabei wird das Menschenbild häufig von verschiedenen Lebenskrisen wie Kriegen und gesellschaftlichen Umbrüchen geprägt. Die Gedichte sollen nicht nur analytisch, sondern auch gestaltend erschlossen werden.

Wahlpflichtmodul 2:

Unterschiedliche Wahrnehmungen und Sichtweisen von Natur 282

Um Naturlyrik geht es in diesem Modul. Hier vergleichen Sie u. a. Gedichte zum Thema Nacht und reflektieren über die Vereinbarkeit von Naturlyrik und Krieg. Zudem lernen Sie Lyrik zu verschiedenen Jahreszeiten kennen.

Kompetenzen

In diesem Rahmenthema setzen Sie sich mit dem Wandel der Lyrik in den vergangenen Jahrhunderten auseinander. Sie erschließen die Gedichte, die sich insbesondere mit dem Menschenbild und mit der Natur befassen, sowohl inhaltlich als auch formal.
Kreative und gestaltende Verfahren werden stets berücksichtigt.

Im Rahmen Ihrer Erarbeitungen werden Sie folgende Kompetenzen erwerben:

- Sie vergleichen und bewerten unterschiedliche Auffassungen zur Existenz des Menschen und zum Sinn des Lebens.
- Sie analysieren und interpretieren Gedichte im Hinblick auf formale, sprachliche und inhaltliche Elemente und Strukturen und verwenden dabei die entsprechenden Fachbegriffe.
- Sie wenden Kontextwissen (biografischer, epochenstilistischer, historischer Art) bei der Analyse und Interpretation von Gedichten an.
- Sie erkennen und reflektieren den geschichts- und gesellschaftsbedingten Wandel der Intentionen und Ausdrucksformen lyrischen Sprechens.
- Sie interpretieren Gedichte gestaltend.

Als Schülerinnen und Schüler des erhöhten Anforderungsniveaus erlangen Sie zusätzlich folgende Kompetenz:

- Sie setzen sich mit dem Menschenbild der Weimarer Klassik auseinander.

Pflichtmodul:

Was ist der Mensch? – Lebensfragen und Sinnentwürfe

Hans Baldung, genannt Grien: Die drei Lebensalter des Weibes und der Tod (um 1510)

Georg Melchior Kraus: Johann Wolfgang von Goethe im Alter von 26 (1777)

Käthe Kollwitz: Sturm (1897) (5. Bild aus dem Zyklus *Ein Weberaufstand*)

1 Beschreiben Sie die Bilder und ziehen Sie auf dieser Grundlage Rückschlüsse auf das Menschenbild der verschiedenen Epochen.

2 Die Sicht auf den Menschen hat sich im Laufe der Zeit verändert. Mutmaßen Sie, welche gesellschaftlichen Veränderungen dazu beigetragen haben könnten.

3 Erläutern Sie, welche Auswirkungen das Menschenbild einer Epoche möglicherweise auf die Literatur derselben haben könnte.

Im Folgenden werden Sie Gedichte aus unterschiedlichen Epochen kennenlernen, die verschiedene Menschenbilder darstellen.

Über das Zerpflücken von Gedichten

Sich der Gattung Lyrik annähern

1 In den vergangenen Jahren haben Sie sich in der Schule bereits mit Gedichten auseinandergesetzt. Nehmen Sie sich einen Augenblick Zeit und denken Sie an Ihren bisherigen Lyrikunterricht zurück. An welche Gedichte erinnern Sie sich noch? Was hat Ihnen besonders gut gefallen? Was fanden Sie langweilig? Notieren Sie Ihre Gedanken stichwortartig:

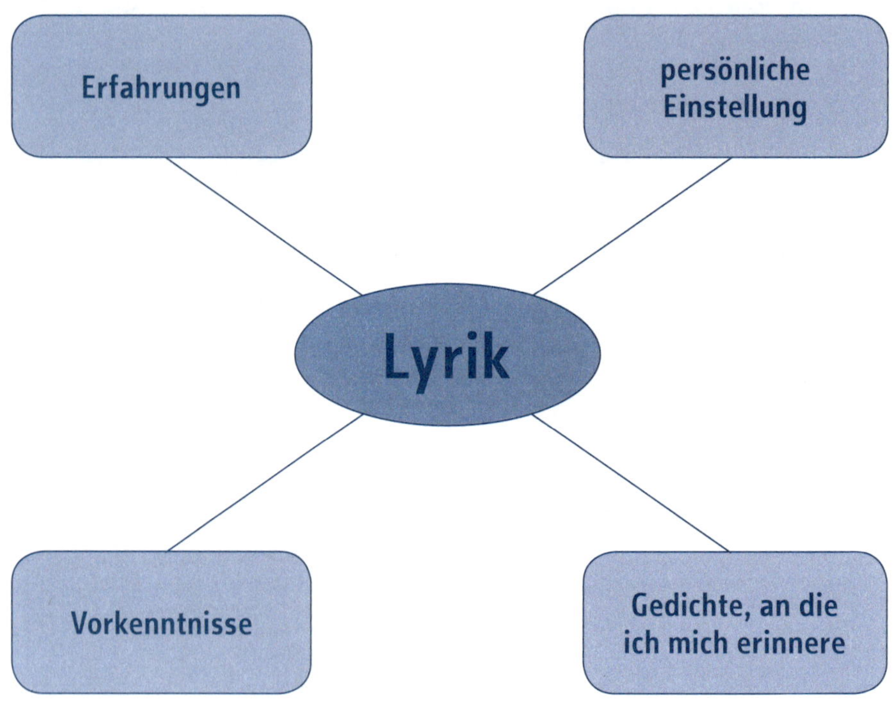

2 Tragen Sie auf der Grundlage der Mindmap im Kurs Ihre „Vorkenntnisse" zu Lyrik zusammen. Berücksichtigen Sie dabei formale und inhaltliche Aspekte, z. B. Reimschemata, Stilmittel, immer wiederkehrende Motive …

3 Recherchieren Sie, was man unter Lyrik versteht, und formulieren Sie eine kurze Definition:

Bertolt Brecht

Über das Zerpflücken von Gedichten (1939)

Der Laie hat für gewöhnlich, sofern er ein Liebhaber von Gedichten ist, einen lebhaften Widerwillen gegen das, was man das Zerpflücken von Gedichten nennt, ein Heranführen kalter Logik, Herausreißen von Wörtern und Bildern aus diesen zarten blütenhaften Gebilden. Demgegenüber muss gesagt werden, daß nicht einmal Blumen verwelken, wenn man in sie hineinsticht. Gedichte sind, wenn sie überhaupt lebensfähig sind, ganz besonders lebensfähig und können die eingreifendsten Operationen überstehen. [...]

Der Laie vergißt, wenn er Gedichte für unnahbar hält, daß der Lyriker zwar mit ihm jene leichten Stimmungen, die er haben kann, teilen mag, daß aber ihre Formulierung in einem Gedicht ein Arbeitsvorgang ist und das Gedicht eben etwas zum Verweilen gebrachtes Flüchtiges ist, also etwas verhältnismäßig Massives, Materielles. Wer das Gedicht für unnahbar hält, kommt ihm wirklich nicht nahe. In der Anwendung von Kriterien liegt ein Hauptteil des Genusses. Zerpflücke eine Rose und jedes Blatt ist schön. *Originale R.*

Bertolt Brecht, eigentlich Eugen Berthold Friedrich Brecht (1898–1956), deutscher Dramatiker und Lyriker, Begründer des epischen Theaters.

1 Fassen Sie Brechts Argumentation in *Über das Zerpflücken von Gedichten* zusammen. Stellen Sie dabei alle „Kriterien“ dar, die nach Brecht bei einer Gedichtinterpretation berücksichtigt werden müssen. Ergänzen Sie Kriterien, die Ihrer Meinung nach nicht fehlen dürfen.

2 Was halten Sie persönlich vom „Zerpflücken von Gedichten“? Nehmen Sie begründet Stellung.

Kurt Tucholsky

Das Lächeln der Mona Lisa (1928)

Ich kann den Blick nicht von dir wenden.
Denn über deinem Mann vom Dienst
hängst du mit sanft verschränkten Händen
und grienst.

Du bist berühmt wie jener Turm von Pisa,
dein Lächeln gilt für Ironie.
Ja ... warum lacht die Mona Lisa?
Lacht sie über uns, wegen uns, trotz uns, mit uns,
gegen uns – oder wie –?

Du lehrst uns still, was zu geschehen hat.
Weil uns dein Bildnis, Lieschen, zeigt:
Wer viel von dieser Welt gesehn hat –
der lächelt,
legt die Hände auf den Bauch
und schweigt.

Mona Lisa ist der häufig genutzte Titel des weltbekannten Ölgemäldes (um 1503) von Leondardo da Vinci, das im Pariser Louvre ausgestellt ist.

3 Benennen Sie das Thema des Gedichts von Tucholsky.

4 Beschreiben Sie, welche Aussage dem Gedicht vor dem Hintergrund zugesprochen werden kann, dass Tucholsky ein Gesellschaftskritiker war.

5 *Das Lächeln der Mona Lisa* bezieht sich auch auf ein Kunstwerk (s. o.). Erörtern Sie vor diesem Hintergrund, inwiefern ein Kunstwerk eindeutig interpretiert werden kann. Berücksichtigen Sie dabei auch die Aussage in Vers 8 f. und die Kriterien Brechts zum Umgang mit Gedichten.

Kurt Tucholsky (1890–1935), deutscher Journalist und Autor, veröffentlichte unter zahlreichen Pseudonymen.

Vanitas (lat.) Nichtigkeit

Vanitas! Vanitatis! Vanitatum!

Kontextwissen beim „Rückblick in eine andere Welt“ anwenden

Pieter Claesz: Vanitas – Stillleben 1630

Andreas Gryphius (1616–1664), prägender, deutscher Dichter und Dramatiker des Barock

Andreas Gryphius

Menschliches Elende (1663)

Was sind wir Menschen doch! ein Wohnhaus grimmer Schmerzen?
Ein Ball des falschen Glücks, ein Irrlicht dieser Zeit,
Ein Schauplatz herber Angst, besetzt mit scharfem Leid,
Ein bald verschmelzter Schnee und abgebrannte Kerzen.

In einigen Fassungen heißt es Baal = Dämon

Dies Leben fleucht davon wie ein Geschwätz und Scherzen.
Die vor uns abgelegt des schwachen Leibes Kleid
Und in das Totenbuch der großen Sterblichkeit
Längst eingeschrieben sind; sind uns aus Sinn und Herzen.

Acht Aufmerksamkeit

Gleich wie ein eitel Traum leicht aus der Acht hinfällt
Und wie ein Strom verscheußt, den keine Macht aufhält;
So muss auch unser Nam, Lob, Ehr und Ruhm verschwinden.

itzund jetzt (noch)

Was itzund Atem holt; muss mit der Luft entfliehn,
Was nach uns kommen wird, wird uns ins Grab nachziehn.
Was sag ich? Wir vergehn wie Rauch von starken Winden.

1 Betrachten Sie das Bild und notieren Sie Ihre ersten Assoziationen daneben.

Vgl. S. 319 f.: Alexandriner und Sonett

2 Lesen Sie das Gedicht und markieren Sie alle Wörter, die Sie mit „Tod“ und „Vergänglichkeit“ in Verbindung bringen. Vergleichen Sie dann, wie der Tod in beiden Werken dargestellt wird.

Vgl. S. 334: Barock

3 Erläutern Sie vor diesem Hintergrund des Vergleichs das Menschenbild des Barock. Beziehen Sie sich bei Ihren Ausführungen insbesondere auf das letzte Terzett von *Menschliches Elende*.

4 Nehmen Sie Stellung zur möglichen Wirkungsabsicht des Gedichts. Wie wirken die Symbole der Vergänglichkeit heute auf Sie?

Ein Gedicht des Barock interpretieren

Martin Opitz

Ach Liebste lass uns eilen (1624)

Ach Liebste lass uns eilen
Wir haben Zeit
Es schadet das Verweilen
Uns beiderseit.

Der Edlen Schönheit Gaben
Fliehen Fuß für Fuß:
Dass alles was wir haben
Verschwinden muss.

Der Wangen Zier verbleichet
Das Haar wird greiß
Der Augen Feuer weichet
Die Brunst wird Eis.

Das Mündlein von Korallen
Wird umgestalt
Die Händ' als Schnee verfallen
Und du wirst alt.

Drum lass uns jetzt genießen
Der Jugend Frucht
Eh' wir folgen müssen
Der Jahre Flucht.

Wo du dich selber liebest
So liebe mich
Gib mir das wann du giebest
Verlier auch ich.

Martin Opitz (1597–1639), bekannter Dichter des Barock. In seinem *Buch von der deutschen Poeterey* legt er Konventionen für den Umgang mit Lyrik fest. Jambus und Trochäus sind dabei seine präferierten Metren. Außerdem ordnet er einzelnen Thematiken der Lyrik bestimmte Formen zu.

1 Tragen Sie das Gedicht im Plenum vor und tauschen Sie sich über Ihre ersten Wahrnehmungen aus: Welche Stimmung vermittelt der Text? Wie stellen Sie sich das lyrische Ich vor?

2 ***Lernarrangement***
Bearbeiten Sie das Gedicht *Ach Liebste lass uns eilen* von Martin Opitz und das Gedicht *Menschliches Elende* (S. 244) von Andreas Gryphius arbeitsteilig, indem Sie wie folgt vorgehen:
a) Lesen Sie das Gedicht und formulieren Sie einen Einleitungssatz, in dem Sie Textart, Titel, Autor, Erscheinungsjahr und Thema benennen.
b) Beschreiben Sie die Form des Gedichts. Bestimmen Sie dazu die Anzahl der Strophen mit der jeweiligen Verszahl, das Reimschema, das Metrum, die Kadenzen sowie mögliche weitere Auffälligkeiten der Form (z. B. Liedhaftigkeit). Welche Wirkung hat die Form des Gedichts auf Sie?
c) Setzen Sie sich mit dem Inhalt des Gedichts auseinander, indem Sie die Strophen textchronologisch zusammenfassen.
d) Erläutern Sie die Verwendung von rhetorischen Mitteln im Gedicht. Markieren Sie dazu die auffälligsten und heben Sie deren Bedeutung für die Wirkung des Textes hervor.
e) Deuten Sie das Gedicht abschließend vor dem Hintergrund der möglichen Aussageabsicht.
f) Stellen Sie sich gegenseitig im Plenum Ihre Ergebnisse vor und vergleichen Sie sie.

Siehe S. 319 f.: Reimschema, Metrum, Kadenzen

TIPP
Verwenden Sie Textbelege.

Vive la révolution! – Vernunft versus Herz

Menschenbilder in Aphorismen und Gedichten untersuchen

Johann Wolfgang von Goethe (1749–1832), deutscher Dichter, Naturforscher, Dramenautor

Johann Georg Hamann (1730–1788), Philosoph und Schriftsteller

René Descartes (1596–1650), Philosoph und Naturwissenschaftler

„Glücklich allein ist die Seele, die liebt." (Johann Wolfgang von Goethe)

„Das schönste Glück des denkenden Menschen ist es, das Erforschliche erforscht zu haben und das Unerforschliche zu verehren." (Johann Wolfgang von Goethe)

„Denken Sie weniger und leben Sie mehr." (Johann Georg Hamann)

„Ich denke, also bin ich." (René Descartes)

1 Geben Sie die in den Aphorismen jeweils vermittelte Sicht auf den Menschen wieder.

Autor	Sicht auf den Menschen
Goethe	
Hamann	
Descartes	

2 Setzen Sie mithilfe des Informationstextes die Aphorismen zu den Merkmalen der Aufklärung und des Sturm und Drang in Beziehung.

Vgl. S. 336 f.

Aufklärung (ca. 1720–1790) und Sturm und Drang (ca. 1767–1790)

Ein bekannter Vertreter der Aufklärung ist Immanuel Kant, der mit seinem Spruch „Habe Mut, dich deines eigenen Verstandes zu bedienen!" das Motto der Epoche gestellt hat. Ziel der Aufklärer ist es, den Einzelnen in seinem selbstständigen Tun zu bestärken und gegen die Bevormundung der Menschen durch Kirche und Staat zu protestieren. Diese Bewegung wird durch fortschreitende naturwissenschaftliche Erkenntnisse unterstützt und vollzieht sich vor allem im wirtschaftlich erstarkenden Bürgertum.

Aus dieser ausschließlichen Betonung der Vernunft des Menschen heraus entwickelt sich der Sturm und Drang. Nun wird nicht mehr nur das Handeln aufgrund der Vernunft propagiert, sondern es werden das Gefühl des Individuums sowie dessen Kreativität und Spontaneität betont. Damit richtet sich der Sturm und Drang nicht nur gegen die das Leben bestimmende Normativität, wie beispielsweise gesellschaftliche und religiöse Konventionen, sondern bricht auch mit der Regelpoetik der Aufklärung. Anstatt konventionellen Regeln zu folgen, zeichnet sich die Lyrik des Sturm und Drang durch eine breite Formenvielfalt aus. Dabei werden thematisch Liebes- und Naturgedichte bevorzugt, in denen besonders gut die Gefühle des Individuums dargestellt werden können.

Gottfried August Bürger

Der Bauer an seinen durchlauchtigen Tyrannen (1775)

Gottfried August Bürger (1747–1794), deutscher Lyriker, bekannt für die *Abenteuer des Freiherrn von Münchhausen.*

1 Wer bist du, Fürst, dass ohne Scheu
Zerrollen mich dein Wagenrad,
Zerschlagen darf dein Ross?

Wer bist du, Fürst, dass in mein Fleisch
Dein Freund, dein Jagdhund, ungebleut
Darf Klau und Rachen haun?

Wer bist du, dass durch Saat und Forst
Das Hurra deiner Jagd mich treibt,
Entatmet wie das Wild? –

Die Saat, so deine Jagd zertritt,
Was Ross und Hund und du verschlingst,
Das Brot, du Fürst, ist mein.

Du Fürst hast nicht bei Egg und Pflug,
Hast nicht den Erntetag durchschwitzt.
Mein, mein ist Fleiß und Brot! –

Ha! du wärst Obrigkeit von Gott?
Gott spendet Segen aus; du raubst!
Du nicht von Gott, Tyrann!

König Georg III. (1738-1820); Gemälde von Allan Ramsay

1 ***Lernarrangement***
Üben Sie in Kleingruppen einen betonten Vortrag des Gedichts.
a) Fassen Sie zunächst einmal gemeinsam den Inhalt des Textes zusammen.
b) Klären Sie, wer (lyrisches Ich) sich hier mit welcher Intention an wen (Adressat) wenden könnte.
c) Berücksichtigen Sie auch die Wortwahl und die Stropheneinteilung.
d) Tragen Sie im Plenum mehrere Gruppenpräsentationen vor.

2 Erläutern Sie anschließend gemeinsam, wie der Fürst und der Untertan in Bürgers Gedicht dargestellt werden und mit welcher Intention der Autor das Gedicht verfasst haben könnte. Bedenken Sie dabei auch Epochenbezüge (vgl. Informationskasten auf Seite 246).

3 Übertragen Sie Bürgers Kritik auf eine aktuelle Situation in Ihrem Umfeld. Schreiben Sie z. B. einen Brief an Ihren Schuldirektor/Ihre Schuldirektorin, in dem Sie mögliche Missstände an Ihrer Schule in ähnlicher Weise kritisieren.

E

„Edel sei der Mensch, hilfreich und gut“

Kontextwissen zur Weimarer Klassik aktivieren und sich mit dem Menschenbild der Epoche auseinandersetzen

„Das ist ganz klassisch.“

1 Beschreiben Sie, welche Bedeutungsvarianten die Bezeichnung „klassisch“ für Sie enthält. In welchen Kontexten nutzen Sie das Wort?

2 Vergleichen Sie Ihre Ergebnisse mit den Bildern. Welche Gemeinsamkeiten stellen Sie fest?

3 Stellen Sie Vermutungen dazu auf, was eine Epoche ausmacht, die sich „Klassik“ nennt.

Das vorliegende Gedicht von Goethe gilt als dasjenige, das am beispielhaftesten das Menschenbild der Weimarer Klassik abbildet. Untersuchen Sie das Gedicht nun auf diesen Aspekt.

Johann Wolfgang von Goethe

Das Göttliche (1783)

Johann Wolfgang von Goethe
vgl. S. 55 f., 246, 250, 336 ff.

Edel sei der Mensch,
Hilfreich und gut!
Denn das allein
Unterscheidet ihn
Von allen Wesen,
Die wir kennen.

Heil den unbekannten
Höhern Wesen,
Die wir ahnen!
Ihnen gleiche der Mensch!
Sein Beispiel lehr uns
Jene glauben.

Denn unfühlend
Ist die Natur:
Es leuchtet die Sonne
Über Bös und Gute,
Und dem Verbrecher
Glänzen wie dem Besten
Der Mond und die Sterne.

Wind und Ströme,
Donner und Hagel
Rauschen ihren Weg
Und ergreifen
Vorüber eilend
Einen um den andern.

Auch so das Glück
Tappt unter die Menge,
Fasst bald des Knaben
Lockige Unschuld,
Bald auch den kahlen
Schuldigen Scheitel.

Nach ewigen, ehrnen,
Großen Gesetzen
Müssen wir alle
Unsreres Daseins
Kreise vollenden.

Nur allein der Mensch
Vermag das Unmögliche:
Er unterscheidet,
Wählet und richtet;
Er kann dem Augenblick
Dauer verleihen.

Er allein darf
Den Guten lohnen,
Den Bösen strafen,
Heilen und retten,
Alles Irrende, Schweifende
Nützlich verbinden.

Und wir verehren
Die Unsterblichen,
Als wären sie Menschen,
Täten im großen,
Was der Beste im kleinen
Tut oder möchte.

Der edle Mensch
Sei hilfreich und gut!
Unermüdet schaff er
Das Nützliche, Rechte,
Sei uns ein Vorbild
Jener geahneten Wesen!

1 Fassen Sie den Inhalt des Gedichts strophenweise zusammen.

2 Im Verlauf des Gedichts bezieht sich das lyrische Ich auf die Götterwelt der römisch-griechischen Antike. Setzen Sie sich besonders mit der zweiten Strophe unter Rückbezug auf den Informationskasten auseinander.

3 Erörtern Sie das in diesem Gedicht dargestellte Menschenbild. Berücksichtigen Sie dabei insbesondere das Verhältnis von zweiter und vorletzter sowie erster und letzter Strophe.

Die Götterwelt der römisch-griechischen Antike

In der antiken Götterwelt existieren mehrere Götter nebeneinander. Jede Gottheit hat eigene Aufgaben, über die sie bestimmt. So ist beispielsweise Aphrodite als Liebesgöttin bekannt. Die Götter ähneln dabei nicht nur äußerlich den Menschen, sondern haben neben den positiven auch negative Eigenschaften, die sich in griechisch-römischen Mythen in zahlreichen Auseinandersetzungen wiederfinden. Folge ist meist eine Strafe für die Götter, sodass die Gerechtigkeit siegt. Aphrodite beispielsweise soll im Streit um den Titel der schönsten Göttin mit Hera und Athene den trojanischen Krieg ausgelöst haben, indem sie den Königssohn Paris bestach. Sie versprach ihm die schönste Frau und löste so durch den Raub der schönen Helena den Krieg aus.

E

Das Ende der Weimarer Klassik wird in der Literatur unterschiedlich datiert. 1805 endet dabei das gemeinsame Wirken von Goethe und Schiller. Goethe stirbt jedoch erst 1832.

Mäzen
Person, die jemanden finanziell ohne direkte Gegenleistung unterstützt

Die Weimarer Klassik (ca. 1786–1805/1832)

Klassische Epochen werden als vorbildhaft angesehen und tragen mit den in ihnen entstandenen Werken wesentlich zur Erschaffung einer Nationalliteratur bei. Die Weimarer Klassik beginnt mit Goethes Italienreise (1786–1788) und Schillers Umzug nach Weimar, wo sich zwischen den beiden Dichtern eine enge Freundschaft entwickelt, und endet mit Schillers Tod 1805. Der Weimarer Hof um Herzogin Anna Amalia, nach der auch die berühmte Weimarer Bibliothek benannt ist, zeichnet sich in der noch herrschenden Ständeordnung durch ein zugewandtes Verhältnis von Adel und Bürgertum aus. So bieten sich für die Schriftsteller zwar gute Arbeitsbedingungen, sie sind aber immer noch auf einen Mäzen angewiesen.

Sah man in der Aufklärung noch den Verstand als oberste Handlungsmaxime an und wollte man im Sturm und Drang vor allem das Gefühlsleben des Individuums hervorheben, so setzen sich die Autoren der Weimarer Klassik das Ziel, einen harmonischen Ausgleich zwischen diesen Gegensätzen zu erreichen. Vorbildhaft ist dabei nicht nur für Goethe und Schiller, sondern auch für Wieland und Herder, die ebenfalls in Weimar tätig sind, das Ideal der griechisch-römischen Antike. Beispielsweise wird das polytheistische Götterbild, in dem die Vereinigung der menschlichen Eigenschaften und der Zusammenhalt mit der Natur verkörpert werden, von ihnen zum angestrebten Idealzustand erhoben. Goethe setzt diese humanistischen Grundsätze von Wahrheit, Schönheit, Selbstbestimmung und Sittlichkeit beispielsweise in seinem Drama *Iphigenie auf Tauris* um. Ziel ist dabei ein Gemeinwesen, in dem das Individuum frei und gewaltlos unter Beachtung der Menschenrechte existieren kann. Mit diesen Idealen geht auch eine starke Formgebundenheit in der Weimarer Klassik einher, deren Ergebnis beispielsweise Hymnen, Oden, Balladen, aber auch Sonette sind.

Johann Gottfried Herder

Briefe zur Beförderung der Humanität (1793, Auszug)

Johann Gottfried Herder (1744–1803), Dichter, Übersetzer, Theologe, Autor von Schriften über die deutsche Sprache.

Mit Freude und Zustimmung, m. Fr., ist Ihr Vorschlag zu einem Briefwechsel über *die Fort- oder Rückschritte der Humanität in älteren und neueren, am meisten aber in denen uns nächsten Zeiten* von unsern sämtlichen Freunden aufgenommen und bewillkommet worden. *„Ich bin ein Mensch,"* sagte D., *„und nichts, was die Menschheit betrifft, ist mir fremde.* […] Unglücklich ist, wer lauter falsche Federn und falsche Edelsteine an sich trug; glücklich und dreimal glücklich, wem nur die Wahrheit Schmuck ist und der Quell einer teilnehmenden Empfindung im Herzen quillet."

„Sein Dasein größer und freier," fiel L. ein, „denn indem er sich über den schleichenden, alltäglichen Gang der Dinge erhoben fühlet, atmet er ein reineres Element; er vergisst den niedrigen Kummer, der ihm da und dort das Herz drückte, wenn er den Strom der Zeit stockend und sich in einem stehenden Sumpf gesenkt glaubte. Der Strom der Zeit steht nie still; jetzt rieselt er sanft, jetzt rauscht er gewaltig; allenthalben aber wehet auf ihm Odem des Lebens."

„[…] Kein Parteigeist soll unser Auge benebeln, keine Schmeichelei unser Angesicht schänden. Unter uns ist, wie jener Apostel sagte, *kein Jude noch Grieche, kein Knecht noch Freier, kein Mann noch Weib; wir sind eins und einer.* Indem wir an uns und nicht an die Welt schreiben, gehen wir aller eitlen Rücksichten müßig; warum sollten wir heucheln? Das lohnte der Mühe nicht, die Feder einzutunken; wir dürften sodann nur lesen."

„Lesen!" sagte das ganze Chor und ging in ein Detail über das, was jener hier, dieser dort gelesen hatte; alle waren darüber einig, dass es der Seele eine Arznei sei, wenn sie vom zerteilten, vielfachen Lesen in sich zurückgezogen werde und wie durch ein Gelübde, oder vor einem heiligen Gericht, über das, was sie gehört, gelesen, gesehen hat, sich selbst redliche Rechenschaft gebe.

„Diese Rechenschaft wollen wir uns einander geben", fügte ich hinzu; und so ward ein Bund der Humanität geschlossen […].

Marginalien
Randbemerkungen, die der Orientierung im Text dienen, z. B. als Überschrift eines Abschnitts

1 Setzen Sie Marginalien am Textrand, in denen Sie einzelne Abschnitte zusammenfassen.

2 Erläutern Sie, was für Herder Humanität bedeutet und was Sie persönlich mit dem Begriff verbinden.

Typisch Klassik?

Hintergrundwissen bei der Analyse und Interpretation von Gedichten anwenden

Friedrich Schiller

Die Worte des Glaubens (1779)

Drei Worte nenn' ich euch, inhaltschwer,
Sie gehen von Munde zu Munde,
Doch stammen sie nicht von außen her;
Das Herz nur gibt davon Kunde.
Dem Menschen ist aller Wert geraubt,
Wenn er nicht mehr an die drei Worte glaubt.

Der Mensch ist frei geschaffen, ist frei,
Und würd' er in Ketten geboren,
Lasst euch nicht irren des Pöbels Geschrei,
Nicht den Missbrauch rasender Toren!
Vor dem Sklaven, wenn er die Kette bricht,
Vor dem freien Menschen erzittert nicht!

Und die Tugend, sie ist kein leerer Schall,
Der Mensch kann sie üben im Leben,
Und sollt' er auch straucheln überall,
Er kann nach der göttlichen streben,
Und was kein Verstand der Verständigen sieht,
Das übet in Einfalt ein kindlich Gemüt.

Und ein Gott ist, ein heiliger Wille lebt,
Wie auch der menschliche wanke;
Hoch über der Zeit und dem Raume webt
Lebendig der höchste Gedanke,
Und ob Alles in ewigem Wechsel kreist,
Es beharret im Wechsel ein ruhiger Geist.

Die drei Worte bewahret euch, inhaltschwer,
Sie pflanzet von Munde zu Munde,
Und stammen sie gleich nicht von außen her,
Euer Innres gibt davon Kunde.
Dem Menschen ist nimmer sein Wert geraubt,
So lang er noch an die drei Worte glaubt.

Johann Christoph Friedrich (von) Schiller (1759–1805), deutscher Dichter, Philosoph und Historiker

1 ***Lernarrangement***
Lesen Sie den Titel des Gedichts und die erste Strophe.
a) Notieren Sie die „drei Worte des Glaubens", die Ihrer Ansicht nach gemeint sein könnten:

1.

2.

3.

b) Diskutieren Sie im Plenum über Ihre Vermutungen.
c) Einigen Sie sich im Kurs auf maximal fünf Wörter.

2 Schiller beschreibt, welche Eigenschaften einen Menschen und dessen Leben ausmachen. Analysieren und interpretieren Sie nun das Gedicht, indem Sie
- eine aufgabenbezogene Einleitung verfassen,
- die Form des Gedichts bestimmen,
- den Inhalt strophenweise zusammenfassen,
- die Bedeutung der einzelnen Strophen im Gedicht untersuchen,
- auf sprachliche Besonderheiten eingehen,
- ein Fazit ziehen und die Zugehörigkeit des Gedichts zur Epoche der Klassik begründen.

3 Stellen Sie am Ende den Bezug zu Ihren anfänglichen Vermutungen her und nehmen Sie dazu Stellung.

Abhängig von der Abgrenzung der Epoche der Klassik werden auch Hölderlins Werke in diese Epoche eingeordnet. Der Autor stellt dabei in seiner Lyrik nicht nur in dem folgenden Werk immer wieder Bezüge zwischen dem Menschen und der Natur her.

1 ***Lernarrangement***
Arbeiten Sie in Vierergruppen und erstellen Sie ein Placemat.
a) Stellen Sie dar, welche Abschnitte ein Leben für Sie hat.
b) Vergleichen Sie in der Gruppe Ihre Vorstellungen und formulieren Sie in der Mitte ein Gruppenergebnis.
c) Diskutieren Sie Ihre Resultate im Plenum.

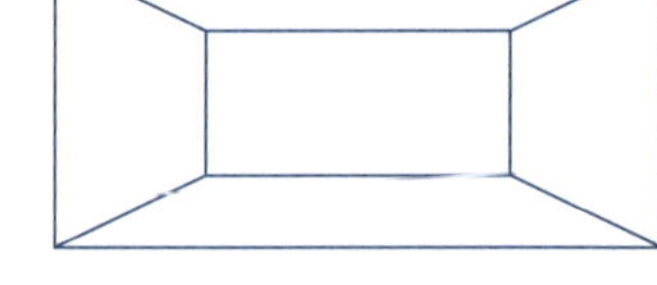

2 Lesen Sie das Gedicht *Hälfte des Lebens*. Welche Lebensabschnitte werden hier dargestellt? Stellen Sie den Bezug zu Ihren eigenen Vorstellungen her.

Friedrich Hölderlin

Hälfte des Lebens (1803)

Johann Christian Friedrich Hölderlin (1770–1843), deutscher Lyriker

Mit gelben Birnen hänget
Und voll mit wilden Rosen
Das Land in den See,
Ihr holden Schwäne,
Und trunken von Küssen
Tunkt ihr das Haupt
Ins heilignüchterne Wasser.

Weh mir, wo nehm ich, wenn
Es Winter ist, die Blumen, und wo
Den Sonnenschein,
Und Schatten der Erde?
Die Mauern stehn
Sprachlos und kalt, im Winde
Klirren die Fahnen

3 Analysieren Sie Inhalt, Wortwahl und Stilmittel der Strophen. Übernehmen Sie dazu die Tabelle nach dem vorgegebenen Schema in Ihr Heft. Gehen Sie dabei auch auf die Funktion der verwendeten Stilmittel ein.

	Erste Strophe	Zweite Strophe
Inhalt		
Wortwahl		
Stilmittel und deren Funktion		

4 In *Hälfte des Lebens* bezieht sich Hölderlin immer wieder auf die Natur. Erläutern Sie die Bedeutung der Natur im Gedicht.

5 Als typische Klassiker gelten Goethe und Schiller. Auch Hölderlin wird immer wieder als klassischer Autor genannt. Erörtern Sie, inwieweit das vorliegende Gedicht typische klassische Merkmale aufweist.

Die Nacht, die Ironie, die Revolution

Sich rekapitulierend mit der Epoche der Romantik auseinandersetzen

Caspar David Friedrich: Klosterruine Eldena bei Greifswald (1824/25)

„Leben ist der Anfang des Todes. Das Leben ist um des Todes willen. Der Tod ist Endigung und Anfang zugleich, Scheidung und nähere Selbstverbindung zugleich." (Novalis)

„Goethe hat sich einmal die Frage vorgelegt, was die Gefahr sei, die über allen Romantikern schwebe: das Romantiker-Verhängnis. Seine Antwort ist: am Wiederkäuen sittlicher und religiöser Absurditäten zu ersticken.'" (Nietzsche)

„Nichts ist romantischer, als was wir gewöhnlich Welt und Schicksal nennen. Wir leben in einem kolossalen Roman." (Novalis)

Novalis (1722–1801), eigentlich Georg Philipp Friedrich Leopold Freiherr von Hardenberg, deutscher Lyriker

Friedrich Nietzsche (1844–1900), deutscher Philosoph, Essayist, Lyriker und Schriftsteller, vgl. S. 215.

1 Erschließen Sie aus dem Bild und den Aussagen Novalis' sowie Nietzsches rekapitulierend die zentralen Motive, Themen und Aspekte der literarischen Epoche der Romantik.

2 Was macht die Romantik zu einer bedeutenden literarischen Epoche? Was ist typisch Romantik? Konzentrieren Sie sich dabei auf den Aspekt, der für Sie selbst die größte Bedeutung hat.

Romantik

Clemens Brentano

So weit als die Welt (1801)

So weit als die Welt,
So mächtig der Sinn,
So viel Fremde er umfangen hält,
So viel Heimat ist ihm Gewinn.

3 Beschreiben Sie, welche typischen Motive der Romantik bzw. welche Merkmale des Menschen in der Romantik sich in dem vorliegenden Gedicht widerspiegeln.

TIPP Textverweise nicht vergessen!

Merkmale des Volkslieds und die ironische Brechung bei Heine aufgrund einer vergleichenden Analyse erschließen

Joseph von Eichendorff (1788–1857) ist einer der bedeutendsten Lyriker und Epiker (*Aus dem Leben eines Taugenichts*) der deutschen Romantik.

Heinrich Heine (1797–1856) gilt gleichzeitig als letzter Dichter der Romantik und deren Überwinder, die spätere Lyrik ist dem Jungen Deutschland/Vormärz zuzuordnen und repolitisiert die Lyrik des 19. Jahrhunderts.

Joseph von Eichendorff

Das zerbrochene Ringlein

(1832)

In einem kühlen Grunde
Da geht ein Mühlenrad,
Meine Liebste ist verschwunden,
Die dort gewohnet hat.

Sie hat mir Treu versprochen,
Gab mir ein'n Ring dabei,
Sie hat die Treu gebrochen,
Mein Ringlein sprang entzwei.

Ich möcht als Spielmann reisen
Weit in die Welt hinaus,
Und singen meine Weisen,
Und gehn von Haus zu Haus.

Ich möcht als Reiter fliegen
Wohl in die blut'ge Schlacht,
Um stille Feuer liegen
Im Feld bei dunkler Nacht.

Hör ich das Mühlrad gehen:
Ich weiß nicht, was ich will –
Ich möcht am liebsten sterben,
Da wär's auf einmal still!

Heinrich Heine

Lyrisches Intermezzo XXXII

(1822/23)

Mein Lieb, wenn du im Grabe,
Im dunkeln Grab wirst liegen,
Dann will ich steigen zu dir hinab,
Und will mich an dich schmiegen.

Ich küsse, umschlinge und presse dich wild,
Du Stille, du Kalte, du Bleiche!
Ich jauchze, ich zittre, ich weine mild,
Ich werde selber zur Leiche.

Die Toten stehn auf, die Mitternacht ruft,
Sie tanzen im luftigen Schwarme;
Wir beide bleiben in der Gruft,
Ich liege in deinem Arme.

Die Toten stehn auf, der Tag des Gerichts
Ruft sie zu Qual und Vergnügen;
Wir beide bekümmern uns um nichts,
Und bleiben umschlungen liegen.

Zur genauen Betrachtung von Metren, Reimschemata und Gedichtformen s. S. 320.

Das Volkslied/die Volksliedstrophe

Das Volkslied ist eine häufige Gedichtform der Romantik, die von formaler Schlichtheit geprägt ist. Durch feste formale Strukturen sind Volkslieder sehr einprägsam. So werden häufig drei- oder vierhebige Verse, vierversige Strophen und alternierende Kadenzen sowie ein alternierendes Reimschema (wie beispielsweise der Kreuzreim) verwendet.

Entscheidend ist, dass in jedem Gedicht, das aus Volksliedstrophen besteht, eine Variante dieser Strophenform für das ganze Gedicht verbindlich ist. Die einfache und sich wiederholende Gestaltung erhöht die Einprägsamkeit und macht seine Liedhaftigkeit aus.

Die Romantiker kehren vor allem deshalb zur Volksliedstrophe zurück, da sie sich auf traditionelle Werte und Normen rückbesinnen. Aus dem gleichen Grund halten auch Märchen vermehrt Einzug in die romantische Literatur.

TIPP

Auch die Betrachtung des Spiels mit der Form (s. Infokasten) könnte lohnenswerte Vergleichsaspekte im Zusammenhang mit der romantischen Motivik liefern.

1 Analysieren und interpretieren Sie das Gedicht von Joseph von Eichendorff unter besonderer Berücksichtigung der romantischen Motivik. Achten Sie auch auf formale Auffälligkeiten in Bezug auf Metrum, Kadenzen und Reimschema.

2 Vergleichen Sie Eichendorffs Gedicht mit dem *Lyrischen Intermezzo XXXII* von Heinrich Heine. Achten Sie dabei insbesondere auf den jeweiligen Umgang mit der romantischen Motivik.

Gedichte synchron vergleichen

Sind die Romantiker vor allem daran interessiert, die Welt zu poetisieren und sich in die Literatur zu flüchten, so (re)politisiert sich die Lyrik aufgrund der unveränderten gesellschaftlichen Situation nach den Befreiungskriegen wieder. Diese Bewegung wird Vormärz genannt.

Heinrich Heine

Die Heimkehr XXXIX (1832)

Das Herz ist mir bedrückt, und sehnlich
Gedenke ich der alten Zeit;
Die Welt war damals noch so wöhnlich,
Und ruhig lebten hin die Leut'.

Doch jetzt ist alles wie verschoben,
Das ist ein Drängen! eine Not!
Gestorben ist der Herrgott oben,
Und unten ist der Teufel tot.

Und alles schaut so grämlich trübe,
So krausverwirrt und morsch und kalt,
Und wäre nicht das bisschen Liebe,
So gäb es nirgends einen Halt.

Heinrich Heine (1797–1859) war ein deutscher Dichter, der die Hälfte seines Lebens im Exil in Paris lebte.

Georg Herwegh

Das Lied vom Hasse (1841)

Wohlauf, wohlauf, über Berg und Fluss
Dem Morgenrot entgegen,
Dem treuen Weib den letzten Kuss,
Und dann zum treuen Degen!
Bis unsre Hand in Asche stiebt,
Soll sie vom Schwert nicht lassen;
Wir haben lang genug geliebt,
Und wollen endlich hassen!

Die Liebe kann uns helfen nicht,
Die Liebe nicht erretten;
Halt Du, o Hass, Dein jüngst Gericht,
Brich Du, o Hass, die Ketten!
Und wo es noch Tyrannen gibt,
Die lasst uns keck erfassen;
Wir haben lang genug geliebt,
Und wollen endlich hassen!

Wer noch ein Herz besitzt, dem soll's
Im Hasse nur sich rühren;
Allüberall ist dürres Holz,
Um unsre Glut zu schüren.
Die ihr der Freiheit noch verbliebt,
Singt durch die deutschen Strassen:
„Ihr habet lang genug geliebt,
O lernet endlich hassen!"

Bekämpfet sie ohn' Unterlass,
Die Tyrannei auf Erden,
Und heiliger wird unser Hass,
Als unsre Liebe, werden.
Bis unsre Hand in Asche stiebt,
Soll sie vom Schwert nicht lassen;
Wir haben lang genug geliebt,
Und wollen endlich hassen!

Georg Herwegh (1817–1875), sozialistisch-revolutionärer Dichter des deutschen Vormärz, oftmals bezeichnet als Sprecher des Proletariats im 19. Jahrhundert, der die meisten seiner Gedichte aus dem sicheren Exil verfasste.

Das Menschenbild der Romantik, des Jungen Deutschland und des Vormärz

Vgl. S. 339 f.

Vertrat die Aufklärung ein Menschenbild der Freiheit und Selbstbestimmung, die insbesondere durch den Gebrauch der Vernunft zu erreichen seien, so wandelt sich der Blick auf den Menschen und die Welt in der Romantik. Die Welt, der aus Sicht der romantischen Dichter durch die Aufklärung das Geheimnisvolle genommen wurde, die ernüchtert wurde, soll wieder romantisiert werden. Bestimmend ist dabei das Bewusstsein der Unvereinbarkeit von Ideal und Wirklichkeit. Anliegen ist es aber nicht, die Wirklichkeit der Zeit – die fortschreitende Industrialisierung und die damit verbundenen Sorgen – zu beschreiben, es findet sich in der Romantik vielmehr eine Konzentration auf das Individuum und die Spezifik der seelischen und nicht rein vernunftbetonten Situation.

Mit dem Jungen Deutschland und dem Vormärz kommt dann die Politik zurück in die Literatur. Die Autoren beziehen sich auf die aktuelle gesellschaftliche Realität, und der Mensch wird in Situationen der Fremdbestimmung durch einzelne oder durch gesellschaftliche Zwänge gezeigt. Es entsteht ein Bewusstsein für triebhafte Anlagen des Menschen. Das Thema der ungleichen Verteilung von Lebensbedingungen nimmt einen großen Raum in der Dichtung ein, und insbesondere die Lyrik wird damit zum agitativen Element und hat oftmals Appellcharakter. Anliegen der Autoren ist oftmals eine Umwälzung der bestehenden Gesellschaftsordnung in direkter Anlehnung an die Ideen der Französischen Revolution: „Liberté, Egalité, Fraternité!" („Freiheit, Gleichheit, Brüderlichkeit!").

1 Vergleichen Sie die beiden Gedichte von Heinrich Heine und Georg Herwegh (S. 255) im Hinblick auf die Bedeutung von Liebe im gesellschaftlichen Kontext und auf das jeweils vertretene Menschenbild (s. Informationskasten, S. 255). Tragen Sie Ihre Ergebnisse in die Tabelle ein.

Heine: *Die Heimkehr XXXIX*	Herwegh: *Das Lied vom Hasse*
Inhalt:	Inhalt:
Bedeutung von Liebe:	Bedeutung von Liebe:
Menschenbild:	Menschenbild:
Gemeinsamkeiten:	
Unterschiede:	

2 Nehmen Sie kritisch Stellung zu den vertretenen Menschenbildern und der jeweiligen Intention der beiden Gedichte. Differenzieren Sie dabei jeweils zwischen Entstehungszeit und Ihrer gegenwärtigen Perspektive.

Alles hat ein Ende? – Das Fin de Siècle

Sich mit literarischen Strömungen vergleichend auseinandersetzen

Gerade in dieser Zeit nähern sich Sprachlichkeit und bildende Kunst einander an. Deshalb können Sie hier von der bildlichen Darstellung auf die Entwicklung der Literatur Rückschlüsse ziehen.

Naturalismus

Kunst = Natur –X

Impression
(lat. impressio)
Eindruck

Décadence
Verfall (hier: bürgerlicher Verfall)

Expression
(lat. expressio)
Ausdruck

Die genannten Epochen kennen Sie schon aus Rahmenthema 3. Zur Vertiefung lesen Sie noch einmal in der Literaturgeschichte ab S. 342 nach.

Paul Cézanne: Harlequin (1888–1890)

Max Beckmann: Die Nacht (1918–1919)

Jean François Millet: Die Ährenleserinnen (1865)

1 Die drei vorliegenden Bilder sind zeitlich ungefähr in den Epochen des Naturalismus, des Impressionismus/der Décadence und des Expressionismus entstanden.
a) Ordnen Sie den Bildern einen der Epochenbegriffe zu und begründen Sie Ihre Entscheidung.
b) Bilden Sie Hypothesen: Wenn sich die Kunst auf diese Weise entwickelte, wie könnte sich Ihrer Meinung nach die Lyrik im selben Zeitraum verändert haben?

Die literarischen Epochen bzw. Strömungen des Naturalismus, der Décadence und des Expressionismus entwickeln sich zeitgleich mit den auf Seite 342 genannten Epochen der bildenden Kunst und verlaufen – ebenso wie die Epochen der bildenden Kunst – in Teilen parallel.

1 ***Lernarrangement:***
Bearbeiten Sie in Kleingruppen je eins der folgenden drei Gedichte.
a) Tragen Sie sich das Gedicht gegenseitig betont vor.
b) Fassen Sie gemeinsam den Inhalt zusammen.
c) Ordnen Sie den Text begründet einer der drei Epochen zu.
d) Stellen Sie Ihre Ergebnisse im Plenum vor und überprüfen Sie im Anschluss gemeinsam Ihre auf Seite 257 aufgestellten Thesen.

Friedrich Nietzsche vgl. S. 215

Arno Holz (1863–1929), deutscher Dichter und Dramatiker

Friedrich Nietzsche

Vereinsamt (1884)

Die Krähen schrei'n
und ziehen schwirren Flugs zur Stadt:
bald wird es schnei'n, –
wohl dem, der jetzt noch – Heimat hat!

Nun stehst du starr,
schaust rückwärts, ach! wie lange schon!
Was bist du, Narr,
vor Winters in die Welt entflohn?

Die Welt – ein Tor
zu tausend Wüsten stumm und kalt!
Wer Das verlor,
was du verlorst, macht nirgends Halt.

Nun stehst du bleich,
zur Winter-Wanderschaft verflucht,
dem Rauche gleich,
der stets nach kältern Himmeln sucht.

Flieg', Vogel, schnarr'
dein Lied im Wüstenvogel-Ton! –
Versteck', du Narr,
dein blutend Herz in Eis und Hohn!

Die Krähen schrei'n
Und ziehen schwirren Flugs zur Stadt:
Bald wird es schnei'n, –
Weh dem, der keine Heimat hat!

Arno Holz

Phantasus 1 (1886)

Ihr Dach stieß fast bis an die Sterne,
vom Hof her stampfte die Fabrik,
es war die richtge Mietskaserne
mit Flur- und Leiermannsmusik!
Im Keller nistete die Ratte,
parterre gabs Branntwein, Grog und Bier,
und bis ins fünfte Stockwerk hatte
das Vorstadtelend sein Quartier.

Dort saß er nachts vor seinem Lichte
– duck nieder, nieder, wilder Hohn! –
und fieberte und schrieb Gedichte,
ein Träumer, ein verlorner Sohn!
Sein Stübchen konnte grade fassen
ein Tischchen und ein schmales Bett;
er war so arm und so verlassen,
wie jener Gott aus Nazareth!

Doch pfiff auch dreist die feile Dirne,
die Welt, ihn aus: Er ist verrückt!
Ihm hatte leuchtend auf die Stirne
der Genius seinen Kuss gedrückt.
Und wenn vom holden Wahnsinn trunken
er zitternd Vers an Vers gereiht,
dann schien auf ewig ihm versunken
die Welt und ihre Nüchternheit.

In Fetzen hing ihm seine Bluse,
sein Nachbar lieh ihm trocknes Brot,
er aber stammelte: O Muse!
und wusste nichts von seiner Not.
Er saß nur still vor seinem Lichte,
allnächtlich, wenn der Tag entflohn,
und fieberte und schrieb Gedichte,
ein Träumer, ein verlorner Sohn!

August Stramm

Blüte (1914)

Diamanten wandern übers Wasser!
Ausgereckte Arme
Spannt der falbe Staub zur Sonne!
Blüten wiegen im Haar!
Geperlt
Verästelt
Spinnen Schleier!
Duften
Weiße matte bleiche
Schleier!
Rosa, scheu gedämpft, verschimmert
Zittern Flecken
Lippen, Lippen
Durstig, krause, heiße Lippen!
Blüten! Blüten!
Küsse! Wein!
Roter
Goldner
Rauscher
Wein!
Du und Ich!
Ich und Du!
Du?!

Gustav Klimt: Der Kuss (1908/09)

August Stramm (1874–1915), Dichter und Dramatiker

1 ***Lernarrangement***

Entscheiden Sie sich für eins der drei Gedichte auf den Seiten 258 und 259. Welches spricht Sie am meisten an?

a) Formulieren Sie eine Begründung für Ihre Wahl. Sie können dabei unterschiedliche Formen der Begründung wählen:
- einen Brief an den Dichter, in dem Sie ihm erklären, warum sein Gedicht Sie angesprochen hat.
- eine Überzeugungsrede für den Kurs, in der Sie begründet erklären, warum sich jeder Schüler mit dem von Ihnen gewählten Gedicht auseinandersetzen sollte.
- einen Tagebucheintrag, in dem Sie von dem Moment Ihrer ersten Auseinandersetzung berichten.
- oder: Haben Sie noch bessere Ideen?

b) Setzen Sie sich mit mindestens zwei weiteren Personen aus Ihrem Kurs zusammen, die dasselbe Gedicht gewählt haben. Entscheiden Sie sich in Ihrer Gruppe für die Ihrer Meinung nach überzeugendste Begründung der Wahl und notieren Sie stichpunktartig die Argumente für Ihre Entscheidung. Überarbeiten Sie ggf. die von Ihnen ausgewählte Begründung.

c) Stellen Sie sich im Plenum gegenseitig Ihre in den Gruppen ausgewählten Begründungen vor und diskutieren Sie abschließend, welche Argumente für die jeweilige Wahl am häufigsten vorkamen oder am überzeugendsten waren und inwieweit diese Auseinandersetzung hilfreich sein könnte für das Verfassen von Analysen.

d) Analysieren Sie abschließend das von Ihnen ausgewählte Gedicht unter besonderer Berücksichtigung der epochalen Zuordnung.

TIPP
Recherchieren Sie die Merkmale der jeweiligen literarischen Epoche im Internet oder lesen Sie in der Literaturgeschichte ab S. 332 nach.

Rebellion vs. Eskapismus – Menschenbilder des Sturm und Drang und der literarischen Moderne diachron vergleichen

Hermann Hesse

Im Nebel (1905)

Seltsam, im Nebel zu wandern!
Einsam ist jeder Busch und Stein,
Kein Baum sieht den andern,
Jeder ist allein.

Voll von Freunden war mir die Welt
Als noch mein Leben licht war;
Nun, da der Nebel fällt,
Ist keiner mehr sichtbar.

Wahrlich, keiner ist weise,
Der nicht das Dunkel kennt,
Das unentrinnbar und leise
Von allen ihn trennt.

Seltsam, im Nebel zu wandern!
Leben ist Einsamsein.
Kein Mensch kennt den andern,
Jeder ist allein.

1 Recherchieren Sie den Begriff des Eskapismus und erläutern Sie, inwieweit sich diese Auffassung in Hesses Gedicht widerspiegelt.

TIPP
Recherchieren Sie noch einmal die Begriffe des Sturm und Drang und der Décadence-Dichtung.

2 Vergleichen Sie Hesses Gedicht *Im Nebel* mit dem Gedicht *Der Bauer an seinen durchlauchtigen Tyrannen* von G. A. Bürger (s. S. 247) im Hinblick auf das jeweils vertretene Menschenbild. Berücksichtigen Sie bei Ihren Ausführungen auch die Merkmale und historischen Kontexte der jeweiligen literarischen Epoche.

3 Diskutieren Sie, worin sich Ihrer Meinung nach dieser Wechsel der Weltsicht und des Menschenbildes begründen könnte, womit dieser einhergeht und welches Gedicht besser auf die heutige gesellschaftliche Situation zu übertragen wäre.

Hermann Hesse

Hermann Hesse (1877–1962) gilt als einer der meistgelesenen Schriftsteller des 20. Jahrhunderts, war jedoch auch Maler. Er wurde 1877 im Schwarzwald geboren und veröffentlichte seine ersten Werke nach dem Erlernen des Buchhändlerberufs: so z. B. 1904 *Peter Camenzind*. Das Werk wurde sein erster großer Erfolg.

Hesses Leben war geprägt von Krisen, die sich nicht nur im Miterleben der beiden Weltkriege, sondern auch in familiären Umbrüchen darstellten. Hesse war mehrfach verheiratet.

Im Zweiten Weltkrieg wurde der Nachdruck der Werke des Autors untersagt. Die Lektüre war unerwünscht. Nicht zuletzt, um Hesse für die Nachwelt zu rehabilitieren, erhielt er 1946 den Literaturnobelpreis für sein Gesamtwerk. Besonders zu erwähnen sind seine Werke *Der Steppenwolf* (1927) und *Das Glasperlenspiel* (1943). Hesse erschien allerdings aus gesundheitlichen Gründen nicht zur Verleihung des Nobelpreises.

Hervorstechend in seinen Werken sind die Auseinandersetzung mit der Religion, die Psychologisierung (der sogenannte Weg nach Innen) und die Mystifizierung der Handlung. Dieses Merkmal findet sich auch in Hesses Lyrik wieder.

Nach dem Krieg ist vor dem Krieg

Sich mit einer literarischen Strömung auseinandersetzen

Vgl. Rahmenthema 3 „Literatur und Sprache um 1900"

„Nichts mehr von Krieg und Revolution und Welterlösung! Lasst uns bescheiden sein und uns anderen, kleineren Dingen zuwenden: einen Menschen betrachten, einen Narren, lasst uns ein wenig spielen, ein wenig schauen, und wenn wir können ein wenig lachen oder lächeln."
(Paul Kornfeld)

„Was auch immer geschieht, niemals darfst du so tief sinken, von dem Kakao, durch den man dich zieht, auch noch zu trinken!" (Erich Kästner)

„Der Stil dieser Bücher, tastend versucht oder natürlich gekonnt, ist unpathetisch, unsentimental, schmucklos und knapp […]. Eher lässt sich diese Sprache: ohne lyrisches Fett, ohne gedankliche Schwerblütigkeit, hart, zäh, trainiert, dem Körper des Boxers vergleichen" (Kurt Pinthus)

1 Setzen Sie die Merkmale der Strömung der *Neuen Sachlichkeit*, wie sie im Informationstext dargestellt werden, in Bezug zu den angeführten Aphorismen und Zitaten. Welches Merkmal spiegelt sich in welchem „Spruch" auf welche Art und Weise wider? Tragen Sie die Ergebnisse in einer Tabelle nach folgendem Beispiel in Ihrem Heft ein.

Inhalt des Aphorismus/Zitats	Merkmal der Neuen Sachlichkeit
Kornfeld: …	…

2 Diskutieren Sie im Plenum die Frage: Warum kommt ausgerechnet nach dem Ersten Weltkrieg, nach den Zeiten des Expressionismus, eine literarische Strömung auf, die heute mit dem Schlagwort der *Neuen Sachlichkeit* betitelt wird?

Die Neue Sachlichkeit

Die literarische Epoche der *Neuen Sachlichkeit* ist in ihrem Ansatz eine Gegenentwicklung zum Expressionismus. Im Zentrum steht eine nüchterne, nicht von Illusionen geprägte Darstellung des Zeitgeistes, das Alltägliche und Überschaubare tritt in den Fokus des literarischen Schaffens. In Teilen sind Analogien zum Naturalismus zu erkennen, insbesondere durch die präzise Erfassung der sozialen Merkmale der Figuren und der Gesellschaft. Thematisch sind Aspekte der Wirtschaftskrise und der damit verbundenen sozialen Not, der Angestellten und der neuaufkommenden Angestelltenkultur zentral. Ergänzt wird dies durch Großstadtbeschreibungen (v. a. Berlin) sowie durch die Motivbereiche *Film* und *neue Frauenrolle*.

Die Banalität des Alltags findet hier wieder ihre Betrachtung, vermittelt in ungeschönter und schnörkelloser Form. „Die Kunst sollte in der Wirklichkeit angesiedelt sein und sie sollte die Wirklichkeit nüchtern und distanziert – eben sachlich – darstellen." In dieser Phase der literarischen Produktion entwickelt sich stilistisch der Reportagestil, der Bericht erfährt eine Aufwertung, und in der Epik erfährt der neutrale Erzähler, der bis dahin eher selten in Erscheinung trat, eine deutliche Aufwertung.

Gestaltende Verfahren am Beispiel zweier Gedichte eines Autors anwenden

Der Autor Erich Kästner hat zwei Gedichte verfasst, die sich beide mit dem Blick auf die Gesellschaft nach dem Zweiten Weltkrieg befassen, allerdings aus unterschiedlichen Perspektiven im Sinne der Stationen eines Lebenslaufs. Einmal spricht ein jugendliches lyrisches Ich, beim anderen Gedicht geht ein „alter Herr" vorüber und äußert sich zur Welt.

Erich Kästner

Die Jugend hat das Wort (1946)

Erich Kästner (1899-1974), deutscher Schriftsteller, bekannt durch seine Kinderliteratur (*Das fliegende Klassenzimmer*) und humoristische und zeitkritische Gedichte, weiterhin durch den Roman *Fabian. Geschichte eines Moralisten*. Kästners Werke wurden bei der Bücherverbrennung der Nazis vernichtet, Kästner selbst war dabei anwesend.

1.

Ihr seid die Ält'ren. Wir sind jünger.
Ihr steht am Weg mit gutem Rat.
Mit scharfgespitztem Zeigefinger
weist ihr uns auf den neuen Pfad.

Ihr habt das wundervoll erledigt.
Vor einem Jahr schriet ihr noch „Heil!"
Man staunt, wenn ihr jetzt „Freiheit" predigt
wie kurz vorher das Gegenteil.

Wir sind die Jüng'ren. Ihr seid älter.
Doch das sieht auch das kleinste Kind:
Ihr sprecht von Zukunft, meint Gehälter
und hängt die Bärte nach dem Wind!

Nun kommt ihr gar, euch zu beschweren,
dass ihr bei uns nichts Recht's erreicht?
O, schweigt mit euren guten Lehren!
Es heißt: Das Alter soll man ehren ...
Das ist mitunter, das ist mitunter,
das ist mitunter gar nicht leicht.

2.

Wir wuchsen auf in eurem Zwinger.
Wir wurden groß mit eurem Kult.
Ihr seid die Ält'ren. Wir sind jünger.
Wer älter ist, hat länger schuld.

Wir hatten falsche Ideale?
Das mag schon stimmen, bitte sehr.
Doch was ist nun? Mit einem Male
besitzen wir selbst *die* nicht mehr!

Um unser Herz wird's kalt und kälter.
Wir sind so müd und ohn Entschluss.
Wir sind die Jüng'ren. Ihr seid älter.
Ob man euch wirklich – lieben muss?

Ihr wollt erklären und bekehren.
Wir aber denken ungefähr:
„Wenn wir doch nie geboren wären!"
Es heißt: Das Alter soll man ehren...
Das ist mitunter, das ist mitunter,
das ist mitunter furchtbar schwer.

Ein **Antwortgedicht** setzt sich mit dem Aufgreifen der Idee eines Gedichts auseinander, meist in Bezug auf die Sprechsituation, und transformiert diese dann in die andere Perspektive. Der Adressat wird zum Sprecher und erhält die Möglichkeit zur Stellungnahme.

1 ***Lernarrangement***

a) Analysieren und interpretieren Sie stichwortartig entweder das Gedicht *Die Jugend hat das Wort* oder *Ein alter Herr geht vorüber*, indem Sie ...
- die Sprechsituation des lyrischen Ichs und das Verhältnis zum Adressaten klären,
- die Strophen inhaltlich zusammenfassen und dabei formale Auffälligkeiten benennen,
- sprachliche Besonderheiten herausarbeiten,
- deuten, welche Gesamtaussage vor dem Hintergrund des historischen Kontextes mit dem Gedicht verfolgt wird (Was ist die Intention des lyrischen Ichs? Was soll vermittelt werden?).

b) Tauschen Sie sich in einer Gruppe über Ihre Analyseergebnisse aus und verfassen Sie gemeinsam auf Grundlage Ihrer Ergebnisse ein Antwortgedicht an das lyrische Ich.

2 Stellen Sie im Kurs alle Antwortgedichte in einer „Galerie" aus und wählen Sie gemeinsam pro Lebensstation ein Gedicht, das Sie am gelungensten empfinden.

3 Diskutieren Sie, welche Gemeinsamkeiten alle Gedichte – die zwei Originale Kästners sowie die ausgewählten Gedichte – haben und worin sich das begründet.

Erich Kästner als Kind und als Erwachsener

Erich Kästner

Ein alter Herr geht vorüber (1933/1946)

Ich war einmal ein Kind. Genau wie ihr.
Ich war ein Mann. Und jetzt bin ich ein Greis.
Die Zeit verging. Ich bin noch immer hier
und möchte gern vergessen, was ich weiß.
Ich war ein Kind. Ein Mann. Nun bin ich mürbe.
Wer lange lebt, hat eines Tags genug.
Ich hätte nichts dagegen, wenn ich stürbe.
Ich bin so müde. Andre nennen's klug.

Ach, ich sah manches Stück im Welttheater.
Ich war einmal ein Kind, wie ihr es seid.
Ich war einmal ein Mann. Ein Freund. Ein Vater.
Und meistens war es schade um die Zeit ...

Ich könnte euch verschiedenes erzählen,
was nicht in euren Lesebüchern steht.
Geschichten, welche im Geschichtsbuch fehlen,
sind immer die, um die sich alles dreht.
Wir hatten Krieg. Wir sahen, wie er war.
Wir litten Not und sah'n, wie sie entstand.
Die großen Lügen wurden offenbar.
Ich hab' ein paar der Lügner gut gekannt.

Ja, ich sah manches Stück im Welttheater.
Ums Eintrittsgeld tut's mir noch heute leid.
Ich war ein Kind. Ein Mann. Ein Freund. Ein Vater.
Und meistens war es schade um die Zeit ...

Wir hofften. Doch die Hoffnung war vermessen.
Und die Vernunft blieb wie ein Stern entfernt.
Die nach uns kamen, hatten schnell vergessen.
Die nach uns kamen, hatten nichts gelernt.
Sie hatten Krieg. Sie sahen, wie er war.
Sie litten Not und sah'n, wie sie entstand.
Die großen Lügen wurden offenbar.
Die großen Lügen werden nie erkannt.

Und nun kommt ihr. Ich kann euch nichts vererben:
Macht, was ihr wollt. Doch merkt euch dieses Wort:
Vernunft muss sich ein jeder selbst erwerben,
und nur die Dummheit pflanzt sich gratis fort.
Die Welt besteht aus Neid. Und Streit. Und Leid.
Und meistens ist es schade um die Zeit.

Was bleibt noch vom Menschen übrig?

Ästhetische Gestaltung am Beispiel der Lyrik vor und nach Auschwitz beurteilen

Defätismus Neigung zum Aufgeben durch das Gefühl, keine Aussicht auf Erfolg zu haben

Während Erich Kästner nach dem Zweiten Weltkrieg und den Gräueltaten der NS-Zeit weitgehend seinem literarischen Stil treu bleibt und ernüchternd die Gesellschaft beschreibt, eine quasi defätistische Einstellung einnimmt, sieht sich im Allgemeinen die Lyrik der Zeit der Frage ausgesetzt, inwieweit es nach Auschwitz überhaupt noch Lyrik geben könne. Schon 1939 befürchtete Brecht schlechte Zeiten für die Lyrik.

Bertolt Brecht

Schlechte Zeit für Lyrik (1939)

Ich weiß doch: nur der Glückliche
Ist beliebt. Seine Stimme
Hört man gern. Sein Gesicht ist schön.

Der verkrüppelte Baum im Hof
Zeigt auf den schlechten Boden, aber
Die Vorübergehenden schimpfen ihn einen Krüppel
Doch mit Recht.

Die grünen Boote und die lustigen Segel des Sundes
Sehe ich nicht. Von allem
Sehe ich nur der Fischer rissiges Garnnetz.
Warum rede ich nur davon
Daß die vierzigjährige Häuslerin gekrümmt geht?
Die Brüste der Mädchen
Sind warm wie ehedem.

In meinem Lied ein Reim
Käme mir fast vor wie Übermut.

In mir streiten sich
Die Begeisterung über den blühenden Apfelbaum
Und das Entsetzen über die Reden des Anstreichers.
Aber nur das zweite
Drängt mich zum Schreibtisch.

Originale Rechtschreibung

1 Fassen Sie den Inhalt von Brechts *Schlechte Zeit für Lyrik* knapp zusammen. Wie begründet das lyrische Ich seine Sichtweise?

2 Klären Sie die Bedeutung der Verse 13 f. und der letzten Strophe. Inwiefern stützen sie die Intention des Gedichts?

3 Form und Inhalt von Gedichten gehen immer Hand in Hand miteinander. Beschreiben Sie, inwiefern sich der Inhalt in der Form des Gedichts widerspiegelt.

Schrieb Brecht sein Gedicht schon vor Ausbruch des Zweiten Weltkriegs, so rechnet man Nelly Sachs' Gedicht *Chor der Geretteten* der Nachkriegslyrik zu. Beide Autoren befassen sich jedoch mit der Möglichkeit, nach solch erschütternden Geschehnissen noch literarisch tätig sein zu können.

Nelly Sachs

Chor der Geretteten (1947)

Nelly Sachs (1891-1970), eine jüdische deutsch-schwedische Schriftstellerin, erhielt den Nobelpreis für Literatur 1966.

Wir Geretteten,
Aus deren hohlem Gebein der Tod schon seine Flöten schnitt,
An deren Sehnen der Tod schon seinen Bogen strich –
Unsere Leiber klagen noch nach
Mit ihrer verstümmelten Musik.
Wir Geretteten,
Immer noch hängen die Schlingen für unsere Hälse gedreht
Vor uns in der blauen Luft –
Immer noch füllen sich die Stundenuhren mit unserem tropfenden Blut.
Wir Geretteten,
Immer noch essen an uns die Würmer der Angst.
Unser Gestirn ist vergraben im Staub.
Wir Geretteten
Bitten euch:
Zeigt uns langsam eure Sonne.
Führt uns von Stern zu Stern im Schritt.
Lasst uns das Leben leise wieder lernen.
Es könnte sonst eines Vogels Lied,
Das Füllen des Eimers am Brunnen
Unseren schlecht versiegelten Schmerz aufbrechen lassen
Und uns wegschäumen –
Wir bitten euch:
Zeigt uns noch nicht einen beißenden Hund –
Es könnte sein, es könnte sein
Dass wir zu Staub zerfallen –
Vor euren Augen zerfallen in Staub.
Was hält denn unsere Webe zusammen?
Wir odemlos gewordene,
Deren Seele zu Ihm floh aus der Mitternacht
Lange bevor man unseren Leib rettete
In die Arche des Augenblicks.
Wir Geretteten,
Wir drücken eure Hand,
Wir erkennen euer Auge –
Aber zusammen hält uns nur noch der Abschied,
Der Abschied im Staub
Hält uns mit euch zusammen.

1 Fassen Sie den Inhalt des Gedichts von Nelly Sachs in Stichpunkten zusammen.

2 Erläutern Sie das Verhältnis von Sprecher (lyrischem Ich) und Adressat und klären Sie die Sprechsituation. Gehen Sie dabei insbesondere auf die Verse 32 bis 37 ein.

3 Erschließen Sie die zentralen sprachlichen Bilder in ihrem Zusammenhang, indem Sie klären, was diese inhaltlich aussagen, auf welchen Kontext sie anspielen und welche Funktion sie für das Gedicht erfüllen.

4 Adorno sagte sinngemäß, dass die ästhetisierende Darstellung der Schicksale der NS-Zeit das Leid der Opfer nicht schmälern dürfe. Nehmen Sie Stellung, inwieweit Nelly Sachs Ihrer Meinung nach dieser Forderung gerecht wird.

1 Vergleichen Sie den Inhalt von Brechts *Schlechte Zeit für Lyrik* (S. 264) mit Sachs' *Chor der Geretteten* (S. 265). Inwiefern finden Sie Gemeinsamkeiten?

Schlechte Zeit für Lyrik	*Chor der Geretteten*

2 Ziehen Sie ein Fazit, welchen Einfluss die historischen und gesellschaftlichen Umstände der Zeit auf die Lyrik vor und nach Auschwitz haben. Nutzen Sie dazu neben Ihrem Vorwissen auch den Informationskasten.

Lyrik nach Auschwitz

In seinem dramatischen Werk *Morts sans sépulture* (*Tote ohne Begräbnis*, 1946) lässt Jean-Paul Sartre eine seiner Figuren einen prägenden Satz für die Zeit nach dem Zweiten Weltkrieg sprechen: „Hat es einen Sinn zu leben, wenn es Menschen gibt, die schlagen, bis die Knochen im Leib zerbrechen?". Dieser Satz spiegelt die emotionale Situation vieler Menschen nach den Gräueltaten der NS-Zeit wider. In einem ganz ähnlichen Kontext äußert sich der Philosoph und Soziologe Theodor W. Adorno über die Möglichkeiten einer Literatur und spezifisch einer Lyrik nach Auschwitz. Er bezeichnet es als „barbarisch", nach Auschwitz ein Gedicht zu schreiben, und erteilt so der Möglichkeit der literarischen Darstellung der Welt eine Absage.

„Je totaler die Gesellschaft, umso verdinglichter auch der Geist und umso paradoxer sein Beginnen, der Verdinglichung aus eigenem sich zu entwinden. Noch das äußerste Bewußtsein vom Verhängnis droht zum Geschwätz zu entarten. Kulturkritik findet sich der letzten Stufe der Dialektik von Kultur und Barbarei gegenüber: nach Auschwitz ein Gedicht zu schreiben, ist barbarisch, und das frißt die Erkenntnis an, die ausspricht, warum es unmöglich ward, heute Gedichte zu schreiben."

Diese Aussage löste einen großen Diskurs über die Möglichkeiten, die Funktion und die Aufgabe von Literatur aus, die im Sinne Adornos das Leid der Opfer durch ästhetisierende Darstellung nicht schmälern durfte, sollte oder konnte. Offen blieb die Frage des Umgangs der Lyrik mit dem Unaussprechlichen, oder wie Wolfgang Borchert (1921-1947) es sagte: „Wer weiß einen Reim auf das Röcheln einer zerschossenen Lunge, einen Reim auf einen Hinrichtungsschrei, wer kennt das Versmaß, das rhythmische, für eine Vergewaltigung, wer weiß das Versmaß für das Gebell der Maschinengewehre?"

3 Wie stehen Sie persönlich zu Adornos Aussage, dass das Verfassen von Gedichten nach Auschwitz barbarisch sei? Nehmen Sie begründet Stellung.

Der Versuch der Rückkehr zur Vernunft

Politische Lyrik bis 1970 gestaltend erschließen

In den 60er- und 70er-Jahren des 20. Jahrhunderts wird die Lyrik wieder politischer. In den Fokus treten z. B. auch Aspekte der medialen Beeinflussung von Menschen.

Hans Magnus Enzensberger

Bildzeitung (1957)

Du wirst reich sein
Markenstecher Uhrenkleber:
wenn der Mittelstürmer will
wird um eine Mark geköpft
ein ganzes Heer beschmutzter Prinzen
Turandots Mitgift unfehlbarer Tip
Tischlein deck dich:
Du wirst reich sein.

Manitypistin Stenoküre
du wirst schön sein:
wenn der Produzent will
wird die Druckerschwärze salben
zwischen Schenkeln grober Raster
missgewählter Wechselbalg
Eselin streck dich:
du wirst schön sein.

Sozialvieh Stimmenpartner
du wirst stark sein:
wenn der Präsident will
Boxhandschuh am Innenlenker
Blitzlicht auf das Henkerlächeln
gib doch Zunder gib doch Gas
Knüppel aus dem Sack:
du wirst stark sein.
Auch du auch du auch du
wirst langsam eingehn
an Lohnstreifen und Lügen
reich, stark erniedrigt
durch Musterungen und Malz-
kaffee, schön besudelt mit Straf-
zetteln, Schweiss,
atomarem Dreck:
deine Lungen ein gelbes Riff
aus Nikotin und Verleumdung
möge die Erde dir leicht sein
wie das Leichentuch
aus Rotation und Betrug
das du dir täglich kaufst
in das du dich täglich wickelst.

Günter Grass

Kinderlied (1971)

Wer lacht hier, hat gelacht?
Hier hat sich's ausgelacht.
Wer hier lacht, macht Verdacht,
daß er aus Gründen lacht.

Wer weint hier, hat geweint?
Hier wird nicht mehr geweint.
Wer hier weint, der auch meint,
daß er aus Gründen weint.

Wer spricht hier, spricht und schweigt?
Wer schweigt, wird angezeigt.
Wer hier spricht, hat verschwiegen,
wo seine Gründe liegen.

Wer spielt hier, spielt im Sand?
Wer spielt, muß an die Wand,
hat sich beim Spiel die Hand
gründlich verspielt, verbrannt.

Wer stirbt hier, ist gestorben?
Wer stirbt, ist abgeworben.
Wer hier stirbt, unverdorben,
ist ohne Grund verstorben.

Originale Rechtschreibung

Hans Magnus Enzensberger (*1929), deutschsprachiger Schriftsteller, Herausgeber, Übersetzer und Redakteur. Nach einer langen Phase der kritischen Rezeption gilt er heute als ein Autor der frühen Postmoderne.

Günter Grass (1927-2015), deutscher Schriftsteller, gilt als einer der bedeutendsten deutschsprachigen Autoren der Gegenwart. Er erhielt den Nobelpreis für Literatur 1999.

1 Klären Sie Inhalt und Aussageabsicht der Gedichte und entscheiden Sie sich dann für eines.
a) Gestalten Sie es so um: **1.** Zu *Bildzeitung*: Aktualisieren Sie das Gedicht, indem Sie Situationen, Begriffe und Probleme an heutige gesellschaftliche Kontexte anpassen. Erstellen Sie eine passende Bildcollage. **2.** Zu *Kinderlied*: Gestalten Sie den Text in einen epischen um, der sich an den Inhalten, Situationen und der Aussageabsicht des Gedichts von Grass orientiert. Denken Sie an Erzählerrede, Figurenrede, erlebte Rede, inneren Monolog usw.
b) Präsentieren Sie im Kurs Ihre Ergebnisse und diskutieren Sie abschließend, inwieweit die Möglichkeit der Aktualisierung ein Beurteilungskriterium für Lyrik sein kann.

Wiederentdeckung des Ichs vs. Selbstverlust?

Zeittypische Identitätsproblematiken gestaltend erschließen

Nicolas Born

Selbstbildnis (1967)

Nicolas Born (1937-1979), deutschsprachiger Schriftsteller: „Literatur hat die Realität mit Hilfe von Gegenbildern, von Utopien erst einmal als die gräßliche Bescherung sichtbar zu machen, die sie tatsächlich ist."

Oft für kompakt gehalten
für eine runde Sache
die geläufig zu leben versteht –
doch einsam frühstücke ich
nach Träumen
in denen nichts geschieht.
Ich mein Ärgernis
mit Haarausfall und wunden Füßen
einssechsundachtzig und Beamtensohn
bin mir unabkömmlich
unveräußerlich kenne ich
meinen Wert eine Spur zu genau
und mach Liebe wie Gedichte nebenbei.
Mein Gesicht verkommen
vorteilhaft im Schummerlicht
und bei ernsten Gesprächen.
Ich Zigarettenraucher halb schon Asche
Kaffeetrinker mit den älteren Damen
die mir halfen
wegen meiner sympathischen Fresse und
die Rücksichtslosigkeit mit der
ich höflich bin.

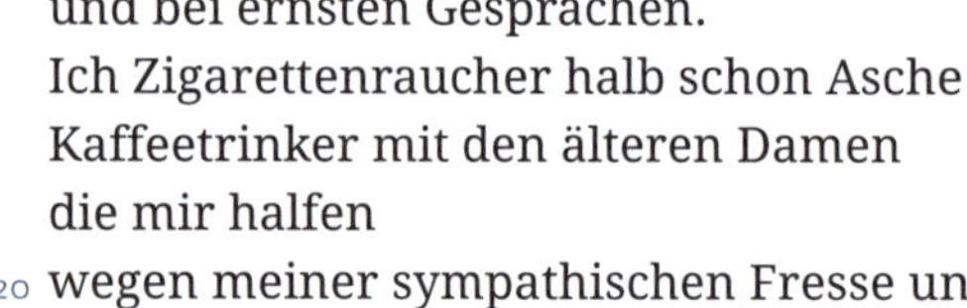

1 Sammeln Sie im Cluster erste Assoziationen zum Titel des Gedichts.

2 Beschreiben Sie die Wirkung des Gedichts. Fühlen Sie sich angesprochen oder nicht? Begründen Sie Ihre jeweilige Wahrnehmung.

3 ***Lernarrangement***

a) Entwerfen Sie auf Grundlage des Gedichts ein Drehbuch, das einen Tag des lyrischen Ichs vom Morgen bis zum Abend beschreibt.

b) Setzen Sie das Gedicht entweder in filmischer oder theatraler Form um, indem Sie auf der Basis Ihres Drehbuchs die Abläufe und Ihren Text einproben und ggf. filmisch festhalten.

c) Präsentieren Sie sich im Kurs gegenseitig die Ergebnisse Ihrer szenischen Umsetzung und diskutieren Sie, inwiefern die Inszenierungen unterschiedliche Interpretationen des Gedichts widerspiegeln.

Die Lyrik der (postmodernen) Gegenwart und das Spiel mit der Form untersuchen

Reinhold Grimm

Zum Verständnis moderner Lyrik (1967, Auszug)

Wir wollen den gewandelten Wirkungsprozess des modernen Gedichts noch näher betrachten. Halten wir darum fest: Ein solches Gedicht gibt keine Wirklichkeit wieder, es konstituiert eine neue. […] Wer folglich das moderne Gedicht so zu verstehen versucht, als ob es eine Wirklichkeit wiedergäbe, muss notwendig zu völlig falschen Ergebnissen gelangen.

Pablo Picasso: Guernica (1937)

Die Sprache Benns, Trakls, Celans, Krolows und der Bachmann ruht nicht, wie dies Goethe von der seinen behaupten durfte, auf den Grundfesten der Erkenntnis. Ein zusammenhängendes anschauliches Bild von der Realität ist nicht mehr vorhanden oder jedenfalls weitgehend reduziert. Stattdessen erscheinen Willkürlichkeiten, dunkle Anspielungen und verwirrende Kombinationen. Das Gedicht wird zum Kaleidoskop hieroglyphischer Chiffren. Die geheimen Zeichen sind aber, wenn überhaupt, bloß scheinbar auflösbar; in Wahrheit können sie nur durch einen schöpferischen Nachvollzug verstanden werden. […] Lösen wir uns von der bildlichen Umschreibung, so wird deutlich, dass die zerstreuten, für sich genommen unverständlichen suggestiven Zeichen sich erst im aufnehmenden Leser zur Einheit zusammenschließen. Die Aneignung moderner Lyrik ist ein kreativer Akt.

Jackson Pollock: Number 32 (1950)

1 Erläutern Sie die in dem Textauszug dargestellte Sicht auf das Verhältnis von Lyrik und Wirklichkeit.

2 Erklären Sie, auf welches Weltbild sich der Textauszug bezieht und inwieweit dieses veränderte Weltbild (insbesondere in Abgrenzung zur Romantik) eine sich verändernde Lyrik bedingt.

3 Diskutieren Sie, inwiefern sich die Thesen des Textes in den Bildern von Picasso und Pollock widerspiegeln.

Die Neue Subjektivität und die Postmoderne

Mit den 70er-Jahren des 20. Jahrhunderts findet eine literarische Entwicklung statt, die im Kern die schon bei Born zu beobachtenden Merkmale enthält. Die Literatur wird vermehrt wieder entpolitisiert und verabschiedet sich von „der euphorischen Theoriefreudigkeit der 60er-Jahre und dem damit zusammenhängenden, vom Optimismus getragenen Glauben an die Verwirklichung als progressiv empfundener Ideen." Dies begründet sich vor allem in der ernüchternden Erkenntnis des Scheiterns der Studentenbewegung Ende der 60er-Jahre, die zumindest nicht alle ihre Ziele erreichte. Damit tritt die private Welt wieder in den Vordergrund, subjektive Erfahrungen und persönliche Probleme werden literarisch thematisiert, die dann aber oft im Sinne der Exemplarität Sinnbilder der gesellschaftlichen Probleme sind. Abgelöst wird diese Entwicklung durch eine zunehmende Rückbesinnung auf Merkmale vormoderner Epochen (Mittelalter, Barock, Romantik), eine Entwicklung, die vergleichbar mit den Rückbesinnungstendenzen der Klassik und der Romantik ist. Dieser Bezug, insbesondere auf typische vormoderne Formen, „entsprang zu einem großen Teil einer Skepsis gegenüber zwei Grundgedanken der Moderne, der Forderung nach permanenter Innovation und dem Glauben an den irreversiblen Fortschritt".

In diesem Kontext entsteht der Begriff der Postmoderne. Damit ist zunächst einmal die Zeit nach der literarischen Moderne – also nach der Literatur der Jahrhundertwende, dem Expressionismus und der Neuen Sachlichkeit – gemeint. Kernelement ist dabei die Aufhebung traditioneller Bedeutungszusammenhänge, die mit einer Tendenz zur Fragmentierung, Diskontinuität und Intertextualität (zwischentextliche Bezüge) einhergeht. Die postmoderne Literatur spiegelt eine Welt wider, „in der die Grenzen zwischen der wirklichen Wirklichkeit und den von Menschen geschaffenen Medienwelten und künstlichen Welten aufgehoben sind".

Ulla Hahn

Anständiges Sonett (1981)

Ulla Hahn (*1946), deutsche Schriftstellerin, bekannt für ihre Lyrik, ebenfalls episch tätig. Kritiker sagen, ihr Werk zeichne sich durch zwei Merkmale aus: die Verwendung tradierter Formen und die Doppeldeutigkeit der Titel.

Komm beiß dich fest ich halte nichts
Vom Nippen. Dreimal am Anfang küss
Mich wo's gut tut. Miss
Mich von Mund zu Mund. Mal angesichts

Der Augen mir Ringe um
Und lass mich springen unter
Der Hand in deine. Zeig mir wie's drunter
Geht und drüber. Ich schreie ich bin stumm.

Bleib bei mir. Warte. Ich komm wieder
Zu mir zu dir dann auch
„ganz wie ein Kehrreim schöner alter Lieder".

Verreib die Sonnenkringel auf dem Bauch
Mir ein und allemal. Die Lider
Halt mir offen. Die Lippen auch.

Ulla Hahn, 2017

1 Erläutern Sie, inwieweit sich die zuvor erarbeiteten Thesen des literaturwissenschaftlichen Textes (S. 269) in den zwei Gedichten der Gegenwartslyrik *Anständiges Sonett* und *Das Unglück* (S. 271) widerspiegeln. Belegen Sie Ihre Ausführungen mit konkreten Textverweisen.

2 Beide Gedichte beziehen sich auf eine typische Gedichtform, die Sie bereits kennen.
a) Setzen Sie sich vor dem Hintergrund Ihrer bisherigen Ergebnisse mit der Frage auseinander, welche literarische Funktion dieser Rückbesinnung auf klassische Formen innerhalb der modernen Lyrik zugesprochen werden kann.
b) Erörtern Sie abschließend, inwiefern dieses Vorgehen ein Widerspruch zu Grimms Darstellungen sein könnte.

Matthias Politycki

Das Unglück (2008)

Wenn es dann schließlich eintritt, ist ja alles
schon tausendmal durchdacht und längst besprochen,
hast du dich schon so oft mit deiner Angst verkrochen
und alles durchgerechnet für den Fall des Falles,

dass nun, wo's wirklich ernst wird, nicht einmal ein Pochen
im Hals dir zeigt, wie es mit Urgewalt
dich überkommt. Mit einem Herz aus Glas, ganz kalt,
tust du und lässt, was du dereinst versprochen,

und lebst ansonsten einfach weiter. Erst nach Wochen
fällt dir ein Wimmern auf, wie es ununterbrochen
ans Ohr dir dringt. Doch nebenan der Raum ist leer,

und wie du schließlich merkst, du selber bist es, der
ganz leis' zu hören ist, da wird dir jählings schwer
ums Herz, und erst in diesem Augenblick ist es gebrochen.

Matthias Politycki (*1955), deutscher Schriftsteller, publiziert Romane, Erzählungen, Gedichte, Essays sowie Hörbücher und gilt als Weltreisender unter den deutschen Autoren.

1 Wählen Sie eines der beiden Gedichte aus. Analysieren und interpretieren Sie es unter besonderer Berücksichtigung des Zusammenhangs von inhaltlicher Darstellung und formaler Gestaltung. Gehen Sie dabei der Frage nach, welche Vorstellung von Liebe in dem jeweiligen Gedicht vermittelt wird.

Vielfalt des lyrischen Sprechens – Übersicht

Abschließend über die Themenkomplexe *Menschenbilder im Wandel* sowie *Lebenskrisen und Identitätsprobleme* reflektieren

Sascha Spolders

Menschenbilder im Wandel (2014)

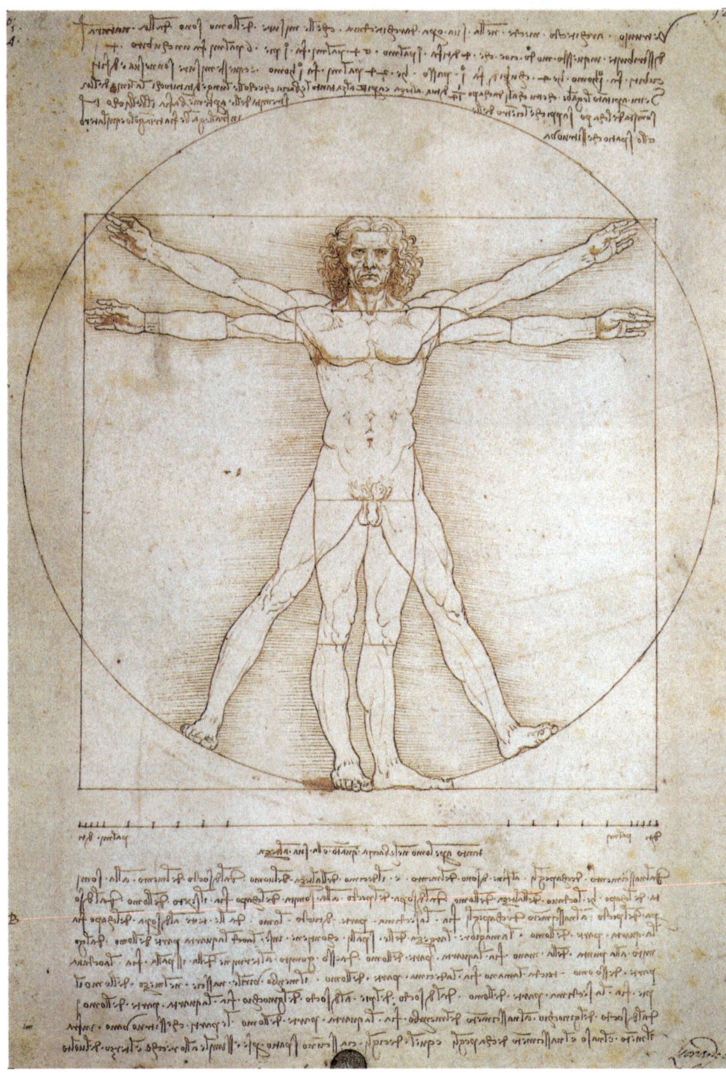

Leonardo da Vinci: Der Vitruvianische Mensch, um 1490

Die Vorstellung dessen, was der Mensch ist, sein kann, sein soll oder niemals sein wird, hat sich im Verlauf der Geschichte und damit auch im Verlauf des literarischen Schaffens mehrfach geändert. Ein Menschenbild ist dabei, äquivalent dem eng verwandten Weltbild, immer ein Abbild seiner Zeit und nicht losgelöst von historischen Kontexten zu betrachten. Ebenso verhält es sich mit der Literatur, hier spezifisch der Lyrik.

Das Zeitalter des Barock zeigt sich geprägt von Kriegserlebnissen, großer Armut und Not, verbunden mit einer noch sehr stark ausgeprägten Religiosität und dem Glauben an ein Leben im Jenseits. Die Antwort der Lyriker dieser Zeit findet sich in den drei großen Motiviken der Vergänglichkeit, des *memento mori* und des *carpe diem*. Das Leben des Menschen ist geprägt vom Bewusstsein der Vergänglichkeit aller Dinge, ob Liebe, Schönheit oder beispielsweise Jugend; daraus resultieren die mahnende Erinnerung an die eigene Sterblichkeit sowie die Erinnerung an die Bewahrung der Seele für das jenseitige Leben. Aber auch im Diesseits muss für die barocken Lyriker ein Sinn bestehen, der Tag soll genutzt, vielleicht in Teilen auch genossen werden. Es ist ein direkter Aufruf zum Tätigwerden im Hier und Jetzt, der Mensch entdeckt sich selbst in seiner Verantwortung vor Gott und strebt im Diesseits zur Sicherung des jenseitigen Lebens.

Mit der Aufklärung entwickelt sich dann die Wissenschaft, und diese löst das Christentum langsam, aber sicher als neue „Glaubensrichtung" ab. Es ist der rationale, vernünftige, emanzipierte Mensch, der in den Fokus der Betrachtung tritt (s. z. B. Lessings *Der Tanzbär*), der Mensch, der sich aus seiner selbstverschuldeten Unmündigkeit befreit. Der Leitspruch lautet nunmehr: „Sapere aude! Habe Mut dich deines eigenen Verstandes zu bedienen!" Zu dieser Zeit entwickelt der Philosoph Immanuel Kant auch die vier philosophischen Grundfragen: Was kann

vgl. S. 18

ich wissen? Was soll ich tun? Was darf ich hoffen? Was ist der Mensch? Und genau diese Fragen sind es, die die einzelnen Menschenbilder zu jeder Zeit zu beantworten suchen. Für die Aufklärung ist der Mensch damit vor allem ein Fragender im rationalistischen Sinne. Der Sturm und Drang wendet sich in diesem Kontext einer Betonung der Individualität und der Emotionalität zu, der Glaube an den Menschen als selbstständig Schaffender entsteht (vgl. Goethe: *Prometheus*), und in diesem Sinne wird der Geist der Zeit revolutionärer: Der schaffende Mensch ist der rebellierende Mensch, und Missstände werden klar angeprangert, die Gesellschaft, die den Einzelnen zu unterdrücken versucht, wird angegriffen (s. Bürgers *Der Bauer an seinen durchlauchtigen Tyrannen*) und die Lyrik damit politisiert. Diese Perspektive wird in der Lyrik des Jungen Deutschland und des Vormärz wieder aufgegriffen, nachdem die Klassik wiederum weniger kämpferisch erscheint, aber vielleicht die letzte Epoche ist, der noch ein Glauben an das Gute im Menschen zugeschrieben werden kann. Die Lyriker der Klassik, insbesondere Goethe und Schiller, vertreten die Auffassung, den Menschen durch ästhetisierende Vorgänge eben das Gute, Wahre, Schöne vermitteln zu können, sodass sich die Menschen an diesen Beispielen zu orientieren vermögen. Die Romantik schon verliert in Teilen diesen Glauben und besinnt sich auf eine sehr introvertierte Perspektive, sie entpolitisiert die Lyrik zusehends und stellt sich zum Teil als Gegenbewegung zur rationalistischen Orientierung der Aufklärung dar. *Sehnsucht, Wanderschaft, Liebe* sind die großen Motive der Lyrik, und es finden sich starke Anklänge an die Ideen des *memento mori* und der Vergänglichkeit, die ihre erste Ausprägung im Barock gefunden hatten. Im Jungen Deutschland und im Vormärz wird die Lyrik dann wieder extrovertierter, Heine und Herwegh formulieren einen direkten Appell zur politischen Handlung, erneut soll sich der Mensch aus seinen gesellschaftlichen Zwängen befreien.

Der Bauer an seinen durchlauchtigen Tyrannen, vgl. S. 247

Ab hier tritt eine Phase der Ernüchterung, fast schon der Resignation ein, auch die Lyrik wendet sich immer mehr dem scheiternden, verfallenden Menschen zu. Der Naturalismus beschreibt die Umstände der Zeit, die sozialen Milieus in aller Genauigkeit, die Lyrik hat hier nicht die größte Bedeutung, aber mit Hoffmannsthal und Nietzsche und der Décadence-Dichtung werden die Konsequenzen dieser beschriebenen Welt gezeigt. Der Mensch ist isoliert und geht an der Welt langsam, aber sicher zu Grunde (vgl. Hofmannsthal: *Ballade des äußeren Lebens,* Nietzsche: *Vereinsamt* oder auch Hesse: *Im Nebel*). Der Aufschrei des Expressionismus löst sich nicht von dieser resignativen Sicht, allein zeigt er den Kampf des Einzelnen in diesem Gefangensein in vielleicht der höchsten Form der Emotionalität (vgl. Stramm: *Patrouille*). Auf diese Gefühlsbetonung wiederum folgt eine Phase der Ernüchterung, die Sachlichkeit erhält wieder Einzug in die Literatur und damit auch in das Bild des Menschen.

Vereinsamt, vgl. S. 258

Im Nebel, vgl. S. 260

Ernüchtert bleibt der Blick auch im weiteren Verlauf der lyrischen Entwicklung, wo soll die positive Sicht auf den Menschen herkommen, wenn der Mensch zu den Gräueltaten der NS-Zeit in der Lage ist? Während die Zeit der 50er- und 60er-Jahre des 20. Jahrhunderts noch eine starke Politisierung erhält, der Gesellschaft ihre Schwächen vorgehalten werden, wendet sich die Postmoderne zusehends der Individualperspektive zu und ist in diesem Sinne, wenn ihre Theoretiker dies auch nicht gerne hören mögen, der literarischen Moderne und damit dem Fin de Siècle thematisch durchaus verwandt. Es ist das Individuum in seiner Psychologie, das in den Fokus gerät, fast noch deutlicher als in der Lyrik wird dies in der Epik durch die überproportionale Zunahme der Ich-Erzähler manifestiert. Damit wird der Alltag eines Menschen zum entscheidenden Thema der Literatur, insbesondere auch der Lyrik: Beziehungen scheitern, Liebe vergeht, Leben enden. Selbstzweifel bestimmen das Bild des Menschen. Der Mensch ist an der Welt gescheitert, die Lyrik scheint nicht in der Lage zu sein, dies zu ändern, aber sie hält die Varianten des Scheiterns in mannigfaltigen Formen fest.

Sascha Spolders

Lebenskrisen und Identitätsprobleme (2014)

Menschliches Elende, vgl. S. 244
Im Nebel, vgl. S. 260
Vereinsamt, vgl. S. 258

Lebenskrisen und Identitätsprobleme scheinen die großen Themen der Lyrik – und vielleicht der Literatur im Allgemeinen – über alle Epochen hinweg zu sein. Schon Gryphius fragt im Gedicht *Menschliches Elende*, ob das Leben nur aus Schmerz bestehe. Bei einem ersten Blick auf die Lyrik scheint die Antwort *Ja* zu sein, spiegelt sich doch eine ähnliche Perspektive in Hesses *Im Nebel* oder in Nietzsches *Vereinsamt* wider. Diese beiden betonen dabei vor allem die Einsamkeit der Menschen, das Verlassensein. Besonders häufig findet sich diese Perspektive in Gedichten wieder, die im weitesten Sinne dem Überpunkt *Stationen des Lebenslaufs* zuzuordnen wären. Der Blick zurück, welchen lyrischen Ichs auch immer, scheint geprägt von Defätismus, Ernüchterung, wenn nicht gar Enttäuschung.

Defätismus Neigung zum Aufgeben durch das Gefühl, keine Aussicht auf Erfolg zu haben

Doch zum Glück gibt es die Kinder und Jugendlichen! Die Gedichte, die sich einem Blick auf die Jugend zuwenden, sind meist hoffnungsfroher oder zumindest handelt es sich manchmal um schöne Erinnerungen, die aus einer kritischen Perspektive beschrieben werden.

Aber warum wendet sich ausgerechnet die Lyrik der Thematisierung von Lebenskrisen und Identitätsproblemen zu? Dies scheint sich in der originären Form der Lyrik zu begründen, ist sie doch die individuellste und direkteste Form der literarischen Ausdrucksweise. Ein Sprecher, ein lyrisches Ich, wendet sich an einen Adressaten, ob textimmanent oder textextern, und teilt diesem Emotionen, Empfindungen auf direkte Art und Weise mit. Auf der anderen Seite scheinen gerade Gedichte dazu in der Lage zu sein, situative Emotionalität auszudrücken, vielleicht auch, ohne einen Adressaten vor Augen zu haben.

Die thematisierten Lebenskrisen vom Barock bis zur Gegenwart unterscheiden sich dabei gar nicht so sehr, oftmals stehen die individuellen Krisen in direktem Bezug zu gesellschaftlichen Krisen, z. B. Kriegen (vgl. Barock und Nachkriegslyrik), gesellschaftlichen Umwälzungsprozessen (vgl. Aufklärung, Romantik und das Fin de Siècle) oder Unterdrückung (Sturm und Drang, Junges Deutschland, Vormärz). Die Frage der Identität und der Selbstdarstellung respektive Selbstwahrnehmung, also etwas vereinfacht gesagt die Frage: *Wer oder was bin ich eigentlich?*, wird dabei im Verlauf der Literaturgeschichte zusehends häufiger gestellt. Der Verlust der Stabilität der Identität ist soziologisch betrachtet anzuknüpfen an eine zunehmende Entstrukturierung bzw. zunehmende Komplexität der Welt, die ihre Anfänge in den politischen Prozessen der Französischen Revolution findet. Sie entwickelt sich über die Industrielle Revolution hin zu einer Phase monumentaler technischer Fortentwicklung weiter und mündet nunmehr vorläufig in das, was man als „globalisierte Welt" bezeichnen würde. Einfach gesagt verliert der Mensch im Lauf der Zeit an Struktur und Überblick, da sich der Mikrokosmos der individuellen Wahrnehmung zusehends vergrößert und die Zunahme an individuellen Lebensoptionen auch immer mit einer Zunahme von Entscheidungszwängen verbunden ist. Gleichzeitig geht der Glaube an das Gute im Menschen verloren, eine Vorstellung, die die Klassik noch vertrat, und in diesem Sinne auch ein Verständnis von Finalität. Der Mensch verliert immer mehr die Sicherheit, sich selbst klar beschreiben und positionieren zu können, die Beantwortung der vier Kant'schen Fragen wird fast unmöglich, weil im Verlauf der Zeit immer unklarer wird, wohin ein Leben führen mag. Diese Entwicklung spiegelt sich in den Gedichten der jeweiligen Zeiten wider.

1 Fassen Sie die Aussagen der beiden Texte auf den Seiten 272–274 in Stichpunkten zusammen.

Menschenbilder im Wandel	Lebenskrisen und Identitätsprobleme

2 Erläutern Sie die im Text dargelegten Zusammenhänge anhand von Gedichten, die Sie im Verlauf dieser Unterrichtsreihe kennengelernt haben.

3 Diskutieren Sie, welche Verbindung Ihrer Meinung nach zwischen der Abkehr vom Glauben an das Gute im Menschen und der Zunahme von Lebenskrisen und Identitätsproblemen bestehen könnte.

4 Zu Beginn Ihrer Erarbeitungen zur Lyrik haben Sie einen theoretischen Text von Bertolt Brecht zum Umgang mit Lyrik gelesen (s. S. 243). Darin vertritt Brecht die These, dass die Schönheit der Lyrik nicht zuletzt in ihrer Analyse liege, die wahre Schönheit also erst zu erkennen sei, wenn das Gedicht „zerpflückt“ werde. Nehmen Sie abschließend Stellung zu dieser Aussage sowie zu Ihren Vorerfahrungen zu Lyrik.

Klausurtraining

Textinterpretation: ein Gedicht analysieren und interpretieren

Karoline von Günderrode

Die eine Klage (1805)

Karoline von Günderrode (1780-1806), deutsche Dichterin der Romantik. Tochter aus adeligem Hause; früher Tod des Vaters

Wer die tiefste aller Wunden
Hat in Geist und Sinn empfunden,
Bittrer Trennung Schmerz;
Wer geliebt, was er verloren,
Lassen muss, was er erkoren.
Das geliebte Herz,

Der versteht in Lust die Tränen
Und der Liebe ewig Sehnen,
Eins in zwei zu sein,
Eins im andern sich zu finden,
Dass der Zweiheit Grenzen schwinden
Und des Daseins Pein.

Wer so ganz in Herz und Sinnen
Konnt' ein Wesen liebgewinnen,
Oh! den tröstet's nicht,
Dass für Freuden, die verloren,
Neue werden neu geboren:
Jene sind's doch nicht.

Das geliebte süße Leben,
Dieses Nehmen und dies Geben,
Wort und Sinn und Blick,
Dieses Suchen und dies Finden,
Dieses Denken und Empfinden
Gibt kein Gott zurück.

Valentin Schertle: Porträt der Karoline von Günderrode

1 Analysieren und interpretieren Sie das Gedicht unter besonderer Berücksichtigung seiner Epochenzugehörigkeit.

Vorarbeit

- Lesen Sie das Gedicht aufmerksam.
- Notieren Sie sich am Rand Textstellen, die Ihnen besonders ins Auge fallen oder Fragen aufwerfen.
- Markieren Sie ggf. solche Auffälligkeiten.
- Fassen Sie den Inhalt jeder Strophe knapp neben dem Text zusammen.
- Erstellen Sie eine Gliederung für Ihre weitere Arbeit.

Einleitung

Denken Sie an die Nennung von Titel, Autor, Erscheinungsjahr und Thema des Gedichts. Achten Sie darauf, das Thema des Gedichts knapp, aber präzise zu benennen. Dabei sind Verschachtelungen (z. B. Das Gedicht handelt von einem lyrischen Ich, das von Liebe redet. Es hat Liebeskummer, weil ...) nicht erwünscht. Die Einleitung soll nur einen Überblick geben und ersetzt nicht die Inhaltsangabe.

Suchen Sie sich im Folgenden einen Formulierungsvorschlag, der Ihnen gelungen scheint, aus. Nutzen Sie ihn für Ihre Interpretation oder verfassen Sie selbst eine geeignete Variante.

Im Gedicht „Die eine Klage“, das Karoline von Günderrode 1805 geschrieben hat, geht es um den Liebeskummer des lyrischen Ichs.

Das Gedicht „Die eine Klage“, geschrieben 1805 von Karoline von Günderrode, handelt von dem Schmerz des lyrischen Ichs, das seinen geliebten Partner vermisst.

Im 1805 von Karoline von Günderrode verfassten Gedicht „Die eine Klage“ hat das lyrische Ich Liebeskummer, der nicht endet.

Hauptteil

Schritt 1: Zusammenfassung der einzelnen Strophen und Formulierung einer Deutungshypothese
Schritt 2: Bestimmung der Form:
- Anzahl und Aufbau von Strophen und Versen (Besonderheiten?)
- Reimschema
- Metrum
- Kadenzen
- durch die Form vermittelte Stimmung (Mit Rückbezug auf den Inhalt!)

Schritt 3: Analyse der verwendeten rhetorischen Mittel (Mit Rückbezug auf den Inhalt!)
Schritt 4: Besonderheiten (Mit Rückbezug auf den Inhalt!)
Schritt 5: Gefühlslage und Situation des lyrischen Ichs

Schritt 1

Die Inhaltsangabe informiert einen Leser, dem das Gedicht unbekannt ist, über dessen Inhalt. Sie gibt einen Überblick, aber auch relevante Details werden erwähnt.
Fassen Sie dazu den Inhalt der einzelnen Strophen zusammen und paraphrasieren Sie diesen. Beachten Sie das Tempus und schreiben Sie mit eigenen Worten. Eine Inhaltsangabe wird im Präsens verfasst, vorzeitiges Geschehen im Perfekt dargestellt. Auf Zitate wird verzichtet. Die handelnde Person benennen Sie als lyrisches Ich, sie ist vom Autor/von der Autorin zu trennen. Beispiel:

Das lyrische Ich leidet durch den Verlust seines Partners an Liebeskummer. Es ...

Die **Deutungshypothese** gibt an, welche tiefere Bedeutung der Inhalt des Gedichts hat. Wählen Sie aus folgenden Varianten (S. 278) die Ihrer Meinung nach zutreffende aus:

TIPP
Welche Sicht auf Liebe wird in dem vorliegenden Gedicht vermittelt?

- Nichts anderes als die Liebe macht das Leben lebenswert.
- Liebe ist das höchste Glück der Erde und gibt dem Dasein einen Sinn.
- Liebe wird durch die Verschmelzung zweier Partner definiert.
- Der Verlust des Partners ist auch durch Gottesglaube nicht zu ersetzen.

Fassen Sie den Inhalt strophenweise zusammen und bestimmen Sie die Intention des Gedichts bzw. formulieren Sie eine Deutungshypothese.

Strophe 1

Strophe 2

Strophe 3

Strophe 4

Intention/Deutungshypothese

Schritt 2

Bestimmen Sie die folgenden Parameter:

1. Anzahl der Strophen, Anzahl der Verse pro Strophe, ggf. besondere Form
   (Beispiel: 2 Strophen mit 4 Versen und 2 Strophen mit 3 Versen = Sonett)

2. Reimschema/Reimform, unreiner Reim?
   (Beispiel: Kreuzreim, Paarreim, Schweifreim, umarmender Reim)

3. Metrum
   (Beispiel: Jambus, Trochäus, Daktylus, Anapäst)

4. Kadenzen
   (männlich, weiblich)

5. Welche Stimmung/welchen Eindruck vermittelt die Form des Gedichts?
   (Beispiel: melancholische Stimmung, liedhafter Charakter, Fröhlichkeit)

Verfassen Sie die Formanalyse im Fließtext. Mögliche Formulierungen könnten sein:

- Die vier sechsversigen Strophen sind durch das Reimschema des ... und das Metrum eines ... -und ... -hebigen ... gekennzeichnet.
- Die Kadenzen wechseln und korrelieren mit dem Reimschema.
- Durch die regelmäßige Form der Volksliedstrophe wirkt das Gedicht ...

Schritt 3

Untersuchen Sie den Text auf **rhetorische Mittel** (vgl. hintere Umschlagsseite). Sie müssen dabei nicht alle Figuren in der Analyse aufzählen. Achten Sie darauf, dass die rhetorischen Mittel eine Bedeutung für Stimmung und Intention des Gedichts haben, und verweisen Sie auch in Ihrer Analyse und Interpretation darauf.
Nutzen Sie dabei konkrete Textbelege. Beispiel:

Die Metapher „die tiefste aller Wunden“ (V. 1) verweist auf den starken Liebeskummer, den das lyrische Ich erlebt. Dabei gibt es keinen größeren Schmerz für das lyrische Ich als den Verlust seines Partners bzw. seiner Partnerin.

TIPP
Treten rhetorische Mittel, z. B. Metaphern, Parallelismen, gehäuft auf, fassen Sie diese zusammen und wählen Sie beispielhaft Textbelege aus, an denen Sie deren Funktion begründen.

Schritt 4

Notieren Sie Auffälligkeiten, die sich beispielsweise in der Wortwahl, einem Tempuswechsel im Gedicht, einer Veränderung von Reimschema oder Metrum oder in der Häufigkeit von rhetorischen Mitteln bemerkbar machen können.

Schritt 5

Ziehen Sie anschließend Rückschlüsse auf die Gefühlslage und Situation des lyrischen Ichs und auf Veränderungen in der Handlung des Gedichts. Beispiel:

Die zahlreichen Metaphern und Personifikationen verweisen auf die emotionale Betroffenheit des lyrischen Ich. Diese steigert sich ...
Der Aufbau der Strophen zeigt, dass ...

Schluss

1. Fassen Sie Ihre Analyseergebnisse zusammen. Sie sollten hier keine neuen Fakten aufführen. Beispiel:

   Wie in der Analyse dargestellt ...
   Es wurde gezeigt, dass ...
   Die bedrückte Stimmung des lyrischen Ich und der liedhafte Charakter des Gedichts beruhen auf/werden verstärkt durch ...

2. Ordnen Sie das Gedicht einer Epoche zu. Orientieren Sie sich dabei nicht nur am Autor und dem Erscheinungsjahr des Gedichts, sondern finden Sie Epochenmerkmale, die Sie kennengelernt haben. Begründen Sie Ihre Zuordnung nahe am Text, indem Sie Motive der Epoche am Gedicht nachweisen. Beispiel:

   Das Gedicht ist der Epoche ... zuzuordnen, denn ...
   Die Motive ... zeigen sich in/anhand von ...

3. Schreiben Sie Ihre Interpretation nun in ausführlicher Form und verwenden Sie Zitate als Belege Ihrer Interpretation. Hier sind verschiedene Möglichkeiten denkbar:

   Variante 1: Sie integrieren Zitate in den Satz, z. B.:

   Die Metapher „die tiefste aller Wunden“ (V. 1) verweist auf ...

   Variante 2: Sie fügen Beispiele in Klammern ein, z. B.:

   Viele Metaphern (z.B. „die tiefste aller Wunden“, V. 1) zeigen/verweisen auf ...

4. Überprüfen Sie Ihre Interpretation schließlich inhaltlich und sprachlich: Achten Sie nach der inhaltlichen Korrektur auf Fehler in Grammatik, Zeichensetzung und Rechtschreibung. Korrigieren Sie anschließend bei erneutem Lesen Ihren Ausdruck, beispielsweise auf unglückliche Formulierungen, Wiederholungen und Zitierfehler.

Gedichtvergleich

Ein Gedicht vergleichend analysieren und interpretieren

Ernst Stadler

In diesen Nächten (1914)

In diesen Nächten friert mein Blut nach deinem Leib, Geliebte.
O, meine Sehnsucht ist wie dunkles Wasser aufgestaut vor Schleusentoren,
In Mittagsstille hingelagert, reglos lauernd,
Begierig, auszubrechen. Sommersturm,
Der schwer im Hinterhalt geladner Wolken hält. Wann kommst du, Blitz,
Der ihn entfacht, mit Lust befrachtet, Fähre,
Die weit der Wehre starre Schenkel von sich sperrt? Ich will
Dich zu mir in die Kissen tragen so wie Garben jungen Klees
In aufgelockert Land. Ich bin der Gärtner,
Der weich dich niederbettet – Wolke, die
Dich übersprengt, und Luft, die dich umschließt.
In deine Erde will ich meine irre Glut vergraben und
Sehnsüchtig blühend über deinem Leibe auferstehn.

1 Interpretieren Sie das Gedicht vergleichend mit *Die eine Klage*. Achten Sie dabei besonders auf die Situation des lyrischen Ichs und die Epochenzugehörigkeit. Sammeln Sie dazu zunächst Stichworte in der Tabelle.

TIPP
Vermeiden Sie nach der Analyse von Günderrodes Gedicht eine vollständige Analyse von *In diesen Nächten*. Legen Sie stattdessen nach der Interpretation von *Die eine Klage* vor allem Wert auf den Vergleich beider Gedichte.

	Die eine Klage	*In diesen Nächten*
Inhalt		
Form		

Wahlpflichtmodul 2:

Unterschiedliche Wahrnehmungen und Sichtweisen von Natur

Assoziationen zu Naturlyrik äußern

Caspar David Friedrich: Mann und Frau, den Mond betrachtend (um 1824)

1 Sammeln Sie in der Mindmap, was Sie unter Naturlyrik verstehen und welche Motive Sie in Gedichten über Natur erwarten.

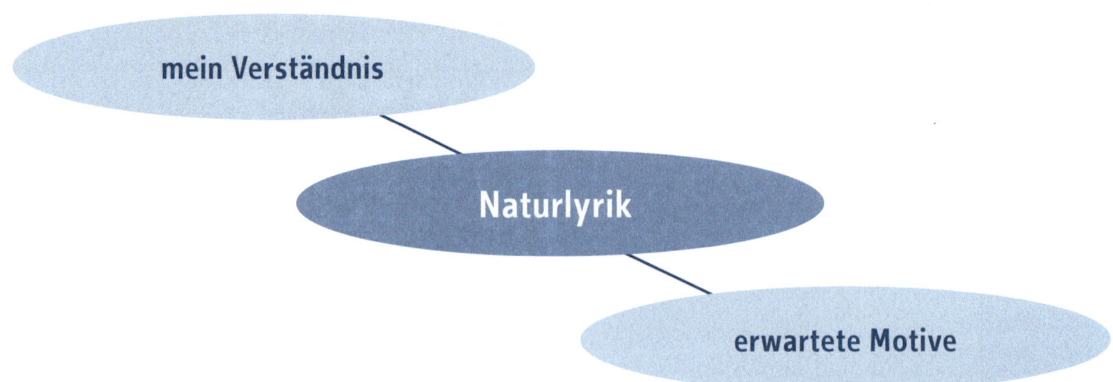

1 Auch die Kunst beschäftigt sich mit der Darstellung von Natur. Beschreiben Sie die Wirkung, die das Gemälde von Caspar David Friedrich auf Sie hat.

2 Vergleichen Sie Ihre Vorstellung von Naturlyrik mit den Eigenschaften des Gemäldes. Welche Gemeinsamkeiten finden Sie? Erläutern Sie dabei auch, welche Unterschiede der Naturdarstellung durch die Form als Gedicht bzw. als Gemälde entstehen.

Joseph von Eichendorff

Mondnacht (1837)

Es war, als hätt der Himmel
Die Erde still geküsst,
Dass sie im Blütenschimmer
Von ihm nun träumen müsst.

Die Luft ging durch die Felder,
Die Ähren wogten sacht,
Es rauschten leis die Wälder,
So sternklar war die Nacht.

Und meine Seele spannte
Weit ihre Flügel aus,
Flog durch die stillen Lande,
Als flöge sie nach Haus.

Günter Kunert

Mondnacht (1983)

Lebloser Klotz
Mond eisiger Nächte
Der an bittere Märchen erinnert
An fremdes Gelebtwordensein
Fern
Wo Menschen heulten
Anstelle der Wölfe
Über blassem Schnee
Bis zum Verstummen darunter

Geborstenes Geröll
Auf dem unsere Schatten
Gelandet sind
Und sich taumelnd bewegen
Viel zu leicht
Für die Last unserer Herkunft

Auch dort sind wir hingelangt
Wie immer dorthin
Wo leben unmöglich ist;

In Gleichnisse ohne Erbarmen.

Joseph von Eichendorff vgl. S. 50, 254

Günter Kunert (*1929), deutscher Schriftsteller

3 ***Lernarrangement***

a) Erläutern Sie, welche Stimmung Sie von einem Gedicht mit dem Titel *Mondnacht* erwarten.

b) Entscheiden Sie sich anschließend für eines der beiden Gedichte und arbeiten Sie in Kleingruppen zusammen:

- Beschreiben Sie die Gefühle, die bei Ihnen durch das Gedicht hervorgerufen werden.
- Markieren Sie Wörter, die (unter anderem) für diese Stimmung verantwortlich sind. Was sorgt außerdem für diese Stimmung?
- Ordnen Sie das Gedicht anhand Ihrer Vorkenntnisse aus dem Pflichtmodul begründet einer Epoche zu. Finden Sie dabei weitere Gründe für die Stimmung des Gedichts.

c) Stellen Sie sich Ihre Arbeitsergebnisse im Plenum vor und vergleichen Sie beide Gedichte hinsichtlich ihrer Wirkung. Welche Unterschiede fallen dabei auf und wie lassen sich diese begründen?

4 Vergleichen Sie die Gedichte und das Gemälde mit Ihrer Sicht auf Naturlyrik. Welche Merkmale werden bestätigt? Welche müssen Sie ergänzen? Welche Ihrer Merkmale finden Sie in den drei Werken nicht wieder?

Es wird Nacht ...

Motivgleiche Gedichte unterschiedlicher Epochen vergleichen

Nachdem Sie Merkmale von Naturlyrik aufgestellt haben, wird es nun vorrangig um den Vergleich von Gedichten verschiedener Epochen gehen. Die Gedichte sind dabei motivgleich. Lyriker haben Naturmotive nicht nur zur reinen Naturbeschreibung genutzt, sondern z. B. auch zur Verarbeitung von Liebeserfahrungen oder Gesellschaftskritik.

1 Sammeln Sie stichwortartig verschiedene Motive, die Sie mit der Nacht in Verbindung bringen:

Barthold Heinrich Brockes

Kirschblüte bei der Nacht (1727)

Barthold Heinrich Brockes (1680–1747), deutscher Schriftsteller

Ich sah mit betrachtendem Gemüte
Jüngst einen Kirschbaum, welcher blühte,
In kühler Nacht beim Mondenschein;
Ich glaubt', es könne nichts von größrer Weiße sein.
Es schien, ob wär ein Schnee gefallen.
Ein jeder, auch der kleinste Ast
Trug gleichsam eine rechte Last
Von zierlich-weißen runden Ballen.
Es ist kein Schwan so weiß, da nämlich jedes Blatt,
Indem daselbst des Mondes sanftes Licht
Selbst durch die zarten Blätter bricht,
Sogar den Schatten weiß und sonder Schwärze hat.
Unmöglich, dacht ich, kann auf Erden
Was weißers angetroffen werden.

Indem ich nun bald hin, bald her
Im Schatten dieses Baumes gehe,
Sah ich von ungefähr
Durch alle Blumen in die Höhe
Und ward noch einen weißern Schein,
Der tausendmal so weiß, der tausendmal so klar,
Fast halb darob erstaunt, gewahr.
Der Blüte Schnee schien schwarz zu sein
Bei diesem weißen Glanz. Es fiel mir ins Gesicht
Von einem hellen Stern ein weißes Licht,
Das mir recht in die Seele strahlte.

Wie sehr ich mich am Irdischen ergetze,
Dacht ich, hat Er dennoch weit größre Schätze.
Die größte Schönheit dieser Erden
Kann mit der himmlischen doch nicht verglichen werden.

Johann Wolfgang von Goethe

An den Mond (1789)

Füllest wieder Busch und Tal
Still mit Nebelglanz,
Lösest endlich auch einmal
Meine Seele ganz;

Breitest über mein Gefild
Lindernd deinen Blick,
Wie des Freundes Auge mild
Über mein Geschick.

Jeden Nachklang fühlt mein Herz
Froh- und trüber Zeit,
Wandle zwischen Freud und Schmerz
In der Einsamkeit.

Fließe, fließe, lieber Fluss!
Nimmer werd ich froh,
So verrauschte Scherz und Kuss,
Und die Treue so.

Ich besaß es doch einmal,
Was so köstlich ist!
Dass man doch zu seiner Qual
Nimmer es vergisst.

Rausche, Fluss, das Tal entlang,
Ohne Rast und Ruh,
Rausche, flüstre meinem Sang
Melodien zu.

Wenn du in der Winternacht
Wütend überschwillst
Oder um die Frühlingspracht
Junger Knospen quillst.

Selig, wer sich vor der Welt
Ohne Hass verschließt,
Einen Freund am Busen hält
Und mit dem genießt,

Was, von Menschen nicht gewusst
Oder nicht bedacht,
Durch das Labyrinth der Brust
Wandelt in der Nacht.

Gottfried Keller

Sommernacht (1844)

Gottfried Keller (1819–1890), Schweizer Schriftsteller. Bekannte Werke sind z. B. die Novellen *Romeo und Julia auf dem Dorfe* und *Kleider machen Leute*.

Es wallt das Korn weit in die Runde
Und wie ein Meer dehnt es sich aus;
Doch liegt auf seinem stillen Grunde
Nicht Seegewürm noch andrer Graus;
Da träumen Blumen nur von Kränzen
Und trinken der Gestirne Schein.
O goldnes Meer, dein friedlich Glänzen
Saugt meine Seele gierig ein!

In meiner Heimat grünen Talen,
Da herrscht ein alter schöner Brauch:
Wann hell die Sommersterne strahlen,
Der Glühwurm schimmert durch den Strauch,
Dann geht ein Flüstern und ein Winken,
Das sich dem Ährenfelde naht,
Da geht ein nächtlich Silberblinken
Von Sicheln durch die goldne Saat.

Das sind die Bursche jung und wacker,
Die sammeln sich im Feld zuhauf
Und suchen den gereiften Acker
Der Witwe oder Waise auf,
Die keines Vaters, keiner Brüder
Und keines Knechtes Hilfe weiß –
Ihr schneiden sie den Segen nieder,
Die reinste Lust ziert ihren Fleiß.

Schon sind die Garben fest gebunden
Und rasch in einen Ring gebracht;
Wie lieblich flohn die kurzen Stunden,
Es war ein Spiel in kühler Nacht!
Nun wird geschwärmt und hell gesungen
Im Garbenkreis, bis Morgenluft
Die nimmermüden braunen Jungen
Zur eignen schweren Arbeit ruft.

1 ***Lernarrangement***

a) Finden Sie sich in Dreiergruppen zusammen und bearbeiten Sie jeweils einzeln eines der drei Gedichte auf den Seiten 284–286.

- Bestimmen Sie das in Ihrem Gedicht behandelte Motiv.
- Fassen Sie den Inhalt des Gedichts zusammen.
- Beschreiben Sie formale Auffälligkeiten und stellen Sie deren Funktion begründend dar. Berücksichtigen Sie dabei auch die rhetorischen Mittel.
- Analysieren Sie den gewählten Text und erläutern Sie dabei die Bedeutung des Motivs für das Gedicht.
- Ordnen Sie das Gedicht begründet einer Epoche zu. Berücksichtigen Sie dabei ebenfalls die Darstellung der Natur.

b) Bilden Sie neue Gruppen mit denjenigen Kursteilnehmern, die das gleiche Gedicht wie Sie bearbeitet haben. Tauschen Sie Ihre Ergebnisse aus und tragen Sie sie in die Tabelle auf der rechten Seite ein.

c) Treffen Sie sich wieder in Ihrer Ausgangsgruppe und stellen Sie Ihre Analyseergebnisse mithilfe der Tabellen vor. Jeder soll am Ende eine komplett ausgefüllte Tabelle vorliegen haben.

d) Nehmen Sie abschließend in der Ausgangsgruppe Stellung zu der Aussage „Die Natur verändert sich nicht und infolgedessen auch nicht die Naturlyrik“.

	Kirschblüte bei der Nacht (Brockes)	***An den Mond*** (Goethe)	***Sommernacht*** (Keller)
Inhalt			
Form und deren Funktion			
auffällige rhetorische Mittel und deren Funktion			
Epochenzuordnung unter Berücksichtigung der Naturdarstellung			

Naturlyrik in der Nachkriegszeit?

Kontextwissen zur Nachkriegszeit auf eine Gedichtinterpretation anwenden

Sie haben nun Gedichte aus unterschiedlichen Epochen untersucht und konnten Rückschlüsse vom historischen Kontext auf die Darstellung des Nachtmotivs ziehen. Was jedoch erwarten Sie von der Naturlyrik der Nachkriegszeit? Denken Sie dabei auch an Weyrauchs Ausspruch „Die Schönheit ist ein gutes Ding. Aber Schönheit ohne Wahrheit ist böse. Wahrheit ohne Schönheit ist besser". Wurde vielleicht die Natur und somit auch die Naturlyrik verschont? Oder sind gerade sie besonders betroffen?

1 Benennen Sie Ihre Erwartungen an die Naturlyrik der Nachkriegszeit.

Rose Ausländer

Nachtzauber (1956)

Der Mond errötet
Kühle durchweht die Nacht

Am Himmel
Zauberstrahlen aus Kristall

Ein Poem
Besucht den Dichter
Ein stiller Gott
Schenkt Schlaf
Eine verirrte Lerche
Singt im Traum
Auch Fische singen mit
Denn es ist Brauch
In solcher Nacht
Unmögliches zu tun

2 Beschreiben Sie Ihren ersten Eindruck nach dem Lesen des Gedichts. Inwiefern entspricht dieser Eindruck Ihren Erwartungen vor dem Lesen?

3 Fassen Sie den Inhalt des Gedichts strophenweise zusammen.

4 Beschreiben Sie formale Auffälligkeiten und setzen Sie diese in Beziehung zum Inhalt. Achten Sie dabei vor allem auf die Gestaltung der Strophen.

5 Interpretieren Sie das Gedicht *Nachtzauber* vor dem Hintergrund der Nachkriegszeit. Berücksichtigen Sie dabei auch rhetorische Mittel und bestimmen Sie deren Funktion für die Deutung.

Rose Ausländer

Rose Ausländer (1901–1988) wird als Rosalie Beatrice Scherzer 1901 in Czernowitz (Ukraine) geboren. Muss sie aufgrund des Ersten Weltkriegs für einige Jahre nach Wien fliehen, kehrt sie jedoch später nach Czernowitz zurück, um 1921 in die USA auszuwandern, wo auch ihre ersten Gedichte erscheinen. Dort heiratet sie ihren Mann Ignaz Ausländer, mit dem sie 1923 nach Czernowitz zurückkehrt und dort auch nach ihrer Trennung lebt. Nach weiteren USA-Aufenthalten wird sie 1940 in Czernowitz der Spionage für die USA bezichtigt und verhaftet. Bei der Besetzung von Czernowitz 1941 wird Rose Ausländer in ein Ghetto der Stadt gebracht, wo sie zur Zwangsarbeit verpflichtet wird und nur durch ein Kellerversteck überlebt. Nach der Befreiung durch sowjetische Truppen 1944 reist sie erst nach Rumänien, später in die USA aus. Dort erscheinen wieder Gedichte von ihr. 1965 siedelt sie nach Deutschland über, wo sie bis zu ihrem Tod 1988 literarisch tätig ist.

Rose Ausländer

Blinder Sommer (1965)

Die Rosen schmecken ranzig-rot
Es ist ein saurer Sommer in der Welt

Die Beeren füllen sich mit Tinte
Und auf der Lammhaut rauht das Pergament

Das Himbeerfeuer ist erloschen
Es ist ein Aschensommer in der Welt

Die Menschen gehen mit gesenkten Lidern
Am rostigen Rosenufer auf und ab

Sie warten auf die Post der weißen Taube
Aus einem fremden Sommer in der Welt

Die Brücke aus pedantischen Metallen
Darf nur betreten wer den Marsch-Schritt hat

Die Schwalbe findet nicht nach Süden
Es ist ein blinder Sommer in der Welt

1 Sie haben nun einen ersten Eindruck vom Gedicht gewonnen. Benennen Sie dessen Thema.

2 Markieren Sie alle Metaphern und notieren Sie neben dem Gedicht eine mögliche Bedeutung. Welche Funktion haben diese Metaphern? Fassen Sie anschließend den Inhalt des Gedichts knapp zusammen.

3 Beschreiben Sie die formale Struktur des Gedichts. Welchen Eindruck hinterlässt sie?

4 Analysieren Sie das Gedicht aufgrund Ihrer bisherigen Arbeitsergebnisse. Beziehen Sie dabei auch die biografischen Informationen zur Autorin (vgl. S. 288) sowie den Titel des Werks mit ein.

5 Vergleichen Sie die Gedichte *Nachtzauber* (vgl. S. 288) und *Blinder Sommer* von Rose Ausländer miteinander. Setzen Sie sich dabei beispielsweise mit der Stimmung, dem Thema und der formalen Gestaltung auseinander. Nutzen Sie dazu eine Tabelle folgenden Schemas:

	Nachtzauber	***Blinder Sommer***
Stimmung		
Thema		
Formale Gestaltung		

6 Nehmen Sie anhand der beiden Gedichte Rose Ausländers begründet Stellung zu Adornos Ausspruch „Nach Auschwitz ein Gedicht zu schreiben, ist barbarisch, und das frisst auch die Erkenntnis an, die ausspricht, warum es unmöglich ward, heute Gedichte zu schreiben“.

Klaus Laermann

Die Stimme bleibt (1992)

„Nach Auschwitz ein Gedicht zu schreiben, ist barbarisch, und das frisst auch die Erkenntnis an, die ausspricht, warum es unmöglich ward, heute Gedichte zu schreiben."

Dieser Satz, den Theodor W. Adorno 1949 unmittelbar nach seiner Rückkehr aus dem Exil geschrieben und 1951 veröffentlicht hat, liegt seit vierzig Jahren lähmend auf dem Bewusstsein jener Intellektuellen in Westdeutschland, die angesichts des industrialisierten Völkermords an den europäischen Juden nicht von der Gnade einer späten Geburt zu faseln bereit sind. Er war und ist eine der Formeln ihrer ebenso entsetzten wie ohnmächtigen Betroffenheit angesichts des unfassbaren Leidens.

Sie verstanden diesen Satz als ein Darstellungsverbot. Und viele von ihnen schienen bereit, einem solchen Verbot zu folgen. Was denn konnten und sollten Gedichte noch sein oder gelten nach dem Holocaust, was war von einer Kultur denn noch zu erwarten, die es zugelassen hatte, dass Menschen sich dazu bereit fanden, in den Lagern millionenfach zu töten? Tiefste Kulturskepsis war die Wirkung dieses Satzes. Denn er erschien den wenigen Deutschen, die ihn in den ersten Jahren nach seiner Veröffentlichung zur Kenntnis nehmen konnten und wollten, so offenkundig richtig, dass sie ihre Abneigung gegen die tradierten Formen der Kultur bis zu einer generellen Kultur- und vor allem Kunstfeindschaft steigerten. War nicht äußerste Skepsis gegenüber gerade der deutschen Kultur der ersten Nachkriegszeit (vor allem auch gegenüber ihrer kanonisierten Lyrik) mehr als angebracht. [...]

1 Welche Gedanken haben Sie nach dem ersten Lesen? Notieren Sie sie:

2 Fassen Sie den Text zusammen.

Kommt der Sommer?

Sommergedichte diachron vergleichen

Wurde bisher die Nacht als Tageszeitenmotiv untersucht, so widmen Sie sich jetzt der Darstellung verschiedener Jahreszeiten. Die Gedichte werden dabei nicht chronologisch, sondern sortiert nach Motiven untersucht. Ein Gedicht mit einem sommerlichen Titel haben Sie schon von Rose Ausländer kennengelernt.

1 Sammeln Sie mithilfe des Ideensterns, was für Sie Sommer bedeutet.

Friedrich Hebbel

Sommerbild (1848)

Ich sah des Sommers letzte Rose stehn,
Sie war, als ob sie bluten könne, rot;
Da sprach ich schauernd im Vorübergehn:
„So weit im Leben, ist zu nah am Tod!“

Es regte sich kein Hauch am heißen Tag,
Nur leise strich ein weißer Schmetterling;
Doch, ob auch kaum die Luft sein Flügelschlag
Bewegte, sie empfand es und verging.

Friedrich Hebbel (1813–1863), deutscher Lyriker und Dramatiker

2 Fassen Sie zusammen, welche Eindrücke vom Sommer Hebbels *Sommerbild* vermittelt.

3 Vergleichen Sie Ihre Sommer-Assoziationen mit denen des Gedichts.

4 Weisen Sie anhand der Wortwahl Hebbels und der verwendeten rhetorischen Mittel nach, dass es sich um ein Sommergedicht handelt. Beachten Sie dabei auch entstehende Gegensätze – beispielsweise in Form und Wortwahl – und begründen Sie diese.

5 Setzen Sie die unterschiedlichen Betrachtungsweisen von Sommer bei Rose Ausländer (S. 289) und Friedrich Hebbel in Beziehung zueinander. Welche Ursachen könnte es für die verschiedenen Sichtweisen geben?

6 Nehmen Sie Stellung zu der Aussage, dass es sich bei Hebbels Gedicht um ein realistisches Werk handelt.

Herbstliche Lyrik

Die Entwicklung des Herbstmotivs beschreiben

Catharina Regina von Greiffenberg

Auf die fruchtbringende Herbstzeit (1662)

Catharina Regina von Greiffenberg (1633–1694), Lyrikerin

1 Freuderfüller, Früchtebringer vielbeglückter Jahreskoch,
Grünungs-, Blüh- und Zeitungsziel, werkbeseeltes Lustverlangen!
Lange Hoffnung ist in dir in die Taterweisung gangen.
Ohne dich wird nur beschauet, aber nichts genossen noch.

Du Vollkommenheit der Zeiten, mache bald vollkommen doch,
Was von Blüh- und Wachstumskraft halbes Leben schon empfangen!
Deine Wirkung kann allein mit der Werkvollziehung prangen.
Werter Zeitenschatz, ach, bringe jenes Blühen auch so hoch,

Schütt aus deinem reichen Horn hochverhoffte Freudenfrüchte!
Lieblich süßer Mundergetzer, lab auch unsern Geist zugleich!
So erhebt mit jenen er deiner Früchte Ruhmgerüchte.

Zeitig' die verlangten Zeiten in dem Oberherrschungsreich,
Lass die Anlasskerne schwarz, Schickungsäpfel saftig werden,
Dass man Gottes Gnadenfrücht froh genießt und isst auf Erden.

Giuseppe Arcimboldo: Der Herbst (16. Jh.)

Ursula Krechel

In diesem Herbst (1985)

Wer will schon lernen, wie man lernt
Man lernt nicht, ist die Nacht besternt
Wer will schon lernen, daß der Stich der Zecken
Zu welchem Zweck Geröll rollt von den Bergen
Die Jäger lauern träumerisch in Hecken
Und schießen, was sich bewegt, bewegt sich
Dann nicht mehr. Die feuerroten Blätter wirbeln
Die Feuer auf den Hängen ruhen Wolken dicht an dicht
Darunter lebt das Dorf und feuert, Rauch
Kräuselt sich, jetzt gärt der Most, leckt
Wer will schon lernen, was er nie gelernt
Wie Rauch schmeckt, Feuer in der Nacht
Es knackt. Vom Feuer lernen.

Originale Rechtschreibung

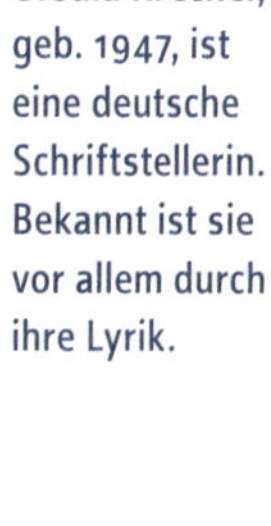

Ursula Krechel, geb. 1947, ist eine deutsche Schriftstellerin. Bekannt ist sie vor allem durch ihre Lyrik.

1 ***Lernarrangement***

a) Entscheiden Sie sich für eines der beiden Gedichte.
b) Fassen Sie den Inhalt kurz zusammen und setzen Sie diesen auch in Beziehung zum Titel.
c) Beschreiben Sie die formale Gestaltung des Gedichts. Inwiefern kann diese als typisch für ihre Epoche bezeichnet werden?
d) Analysieren Sie Wortwahl und rhetorische Mittel. Welche Deutung ergibt sich daraus?
e) Tragen Sie in Partnerarbeit Ihre Arbeitsergebnisse zu beiden Gedichten zusammen.
f) Erläutern Sie gemeinsam, inwiefern beide Gedichte als typisch für ihre Epoche gelten können. Berücksichtigen Sie dabei auch die Umsetzung des Herbstmotivs.

Im Winter

Themengleiche Gedichte vergleichen und gestaltend interpretieren

Hendrick Avercamp: Szene auf dem Eis (1620)

1 Beschreiben Sie, welche Sicht auf den Winter das Bild vermittelt.

Adelbert von Chamisso

Winter (1811)

Adelbert von Chamisso (1781–1838), deutscher Dichter und Naturforscher mit französischen Wurzeln

In den jungen Tagen
Hatt' ich frischen Mut,
In der Sonne Strahlen
War ich stark und gut.

Liebe, Lebenswogen,
Sterne, Blumenlust!
Wie so stark die Sehnen!
Wie so voll die Brust!

Und es ist zerronnen,
was ein Traum nur war;
Winter ist gekommen,
bleichend mir das Haar.

Bin so alt geworden,
alt und schwach und blind,
Ach! Verweht das Leben,
Wie ein Nebelwind.

2 Setzen Sie Ihre ersten Eindrücke nach dem Lesen des Gedichts mit dem Bild in Beziehung.

3 Analysieren und interpretieren Sie das Gedicht *Winter* von Adelbert von Chamisso. Achten Sie dabei auf
- einen Einleitungssatz,
- eine Inhaltszusammenfassung,
- eine formale Analyse,
- die Berücksichtigung der rhetorischen Mittel sowie auf
- die Zuordnung zu einer Epoche.

Heinrich Heine

Winter (1824–1856)

Die Kälte kann wahrlich brennen
Wie Feuer. Die Menschenkinder
Im Schneegestöber rennen
Und laufen immer geschwinder.

Oh bittre Winterhärte!
Die Nasen sind erfroren,
Und die Klavierkonzerte
Zerreißen uns die Ohren!

Weit besser ist es im Summer,
Da kann ich im Walde spazieren,
Allein mit meinem Kummer,
Und Liebeslieder skandieren.

Georg Trakl

Im Winter (1910)

Der Acker leuchtet weiß und kalt.
Der Himmel ist einsam und ungeheuer.
Dohlen kreisen über dem Weiher
Und Jäger steigen nieder vom Wald.

Ein Schweigen in schwarzen Wipfeln wohnt.
Ein Feuerschein huscht aus den Hütten.
Bisweilen schellt sehr fern ein Schlitten
Und langsam steigt der graue Mond.

Ein Wild verblutet sanft am Rain
Und Raben plätschern in blutigen Gossen.
Das Rohr bebt gelb und aufgeschossen.
Frost, Rauch, ein Schritt im leeren Hain.

Heinrich Heine, vgl. S. 255

Georg Trakl (1887–1914), österreichischer Dichter

1 Entscheiden Sie, ob Sie Chamissos *Winter* mit Heines *Winter* oder mit Trakls *Im Winter* vergleichen.
- Analysieren und interpretieren Sie das gewählte Gedicht ebenso wie Chamissos *Winter*.
- Vergleichen Sie beide Gedichte hinsichtlich
  - ihrer Motive,
  - ihrer Form,
  - der Wortwahl/der Verwendung rhetorischer Mittel,
  - einer möglichen Deutungshypothese.
- Begründen Sie Gemeinsamkeiten und Unterschiede anhand Ihres Vorwissens über die Epochen.

2 Ergänzen Sie zu einem der beiden bearbeiteten Gedichte eine Strophe. Achten Sie darauf, der Form treu zu bleiben und die inhaltliche Aussage nicht zu verändern.

TIPP
Sie müssen nicht die letzte Strophe ergänzen, sondern können auch eine Strophe in die Gedichtmitte einfügen.

Strophe ____ des Gedichts ______________________ von ______________

Das Frühlingsmotiv im Wandel der Zeit

Frühlingsgedichte miteinander vergleichen und ein Parallelgedicht schreiben

Frühlingsgedichte wurden in allen Epochen geschrieben. Die folgenden Gedichte sind also wie immer nur ein kleiner Einblick in die Welt der Literatur. An ihnen lässt sich besonders gut erkennen, wie verschiedene Autoren das Motiv des Frühlings für ihre eigene Aussage instrumentalisiert haben. Anhand der ausgewählten Gedichte können Sie noch einmal die Epochenmerkmale wiederholen und die historische Entwicklung in der Literatur nachvollziehen.

Ludwig Uhland (1787–1862), deutscher Dichter

Eduard Mörike (1804–1875), deutscher Lyriker

Ludwig Uhland

Frühlingsglaube (1813)

Die linden Lüfte sind erwacht,
Sie säuseln und weben Tag und Nacht,
Sie schaffen an allen Enden.
O frischer Duft, o neuer Klang!
Nun, armes Herze, sei nicht bang!
Nun muss sich alles, alles wenden!

Die Welt wird schöner mit jedem Tag,
Man weiß nicht, was noch werden mag,
Das Blühen will nicht enden.
Es blüht das fernste, tiefste Tal:
Nun, armes Herz, vergiss der Qual!
Nun muss sich alles, alles wenden.

Eduard Mörike

Er ist's (1820)

Frühling lässt sein blaues Band
Wieder flattern durch die Lüfte;
Süße, wohlbekannte Düfte
Streifen ahnungsvoll das Land.
Veilchen träumen schon,
wollen balde kommen.
– Horch, von fern ein leiser Harfenton!
Frühling, ja du bists!
Dich hab ich vernommen!

Detlev von Liliencron (1844–1909), deutscher Schriftsteller

Detlev von Liliencron

Märztag (1903)

Wolkenschatten fliehen über Felder,
Blau umdunstet stehen ferne Wälder.

Kraniche, die hoch die Luft durchpflügen,
Kommen schreiend an in Wanderzügen.

Lerchen steigen schon in lauten Schwärmen,
Überall ein erstes Frühlingslärmen.

Lustig flattern, Mädchen, deine Bänder,
kurzes Glück träumt durch die weiten Länder.

Kurzes Glück schwamm mit den Wolkenmassen,
Wollt' es halten, musst' es schwimmen lassen.

Claude Monet: Felder im Frühling (1887)

Bertolt Brecht

Über das Frühjahr (1928)

Lange, bevor
Wir uns stürzten auf Erdöl, Eisen und Ammoniak
Gab es in jedem Jahr
Die Zeit der unaufhaltsam und heftig grünenden Bäume.
Wir alle erinnern uns
Verlängerter Tage
Helleren Himmels
Änderung der Luft
Des gewiß kommenden Frühjahrs.
Noch lesen wir in Büchern
Von dieser gefeierten Jahreszeit
Und doch sind schon lange
Nicht mehr gesichtet worden über unseren Städten
Die berühmten Schwärme der Vögel.
Am ehesten noch sitzend in Eisenbahnen
Fällt dem Volk das Frühjahr auf.
Die Ebenen zeigen es
In alter Deutlichkeit.
In großer Höhe freilich
Scheinen Stürme zu gehen:
Sie berühren nur mehr
Unsere Antennen.

Originale Rechtschreibung

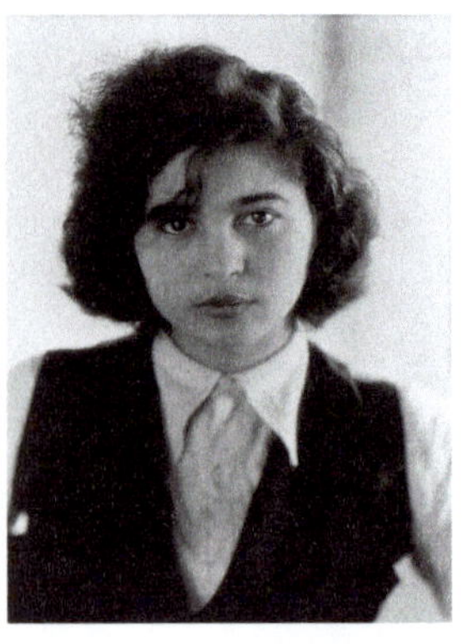

Mascha Kaléko (1907–1975) war eine deutschsprachige Dichterin der Neuen Sachlichkeit.

Mascha Kaléko

Nennen wir es „Frühlingslied“ (1957)

In das Dunkel dieser alten, kalten
Tage fällt das erste Sonnenlicht.
Und mein dummes Herz blüht auf, als wüßt es nicht:
Auch der schönste Frühling kann nicht halten,
Was der werdende April verspricht.

Da, die Amseln üben schon im Chor,
Aus der Nacht erwacht die Welt zum Leben,
Pan vergessenen Flötenton im Ohr ...
Veilchen tun, als hätt' es nie zuvor
Laue Luft und blauen Duft gegeben.

Die Kastanien zünden feierlich
Ihre weißen Kerzen an. Der Flieder
Bringt die totgesagten Jahre wieder,
Und es ist, als reimten alle Lieder
Sich wie damals auf „Ich liebe dich“.

– Sag mir nicht, das sei nur Schall und Rauch!
Denn wer glaubt, der forscht nicht nach Beweisen.
Willig füg ich mich dem alten Brauch,
Ist der Zug der Zeit auch am Entgleisen –
Und wie einst, in diesem Frühjahr auch
Geht mein wintermüdes Herz auf Reisen.

Originale Rechtschreibung

1 ***Lernarrangement***

a) Wählen Sie in einer Kleingruppe aus den Frühlingsgedichten auf den Seiten 296–298 wie folgt drei aus:
1. Mörike oder Uhland + 2. Liliencron + 3. Brecht oder Kaléko.

b) Setzen Sie die ausgewählten Gedichte in Beziehung zum Bild auf Seite 297.

c) Gestalten Sie einen Zeitstrahl auf Plakat, indem Sie für alle drei ausgewählten Werke
- Erscheinungsjahr und Epoche notieren,
- das Thema des Gedichts benennen,
- die Form des Gedichts knapp beschreiben,
- die wichtigsten rhetorischen Mittel und deren Funktion benennen,
- eine Intention des Gedichts benennen und begründen,
- Epochenmerkmale hervorheben.

d) Stellen Sie Ihre Plakate vor und ergänzen Sie sie mithilfe Ihrer Mitschüler um die von Ihrer Gruppe nicht bearbeiteten Gedichte.

2 Schreiben Sie selbst ein Gedicht über den Frühling oder zeichnen/malen Sie ein Bild, welches Ihre Vorstellung von Frühling heute ausdrückt. Legen Sie anschließend Ihre Arbeitsergebnisse im Raum aus und starten Sie einen Museumsrundgang. Wählen Sie die aus Ihrer Sicht gelungensten drei Ergebnisse aus und vergleichen Sie diese im Plenum mit den Gedichten Ihres Zeitstrahls.

Was ist denn nun Naturdichtung?

Sich kritisch mit dem geschichts- und gesellschaftsbedingten Wandel der Intention und der Ausdrucksform von Naturlyrik auseinandersetzen

Sie haben nun Naturdichtung in unterschiedlichen Epochen kennengelernt und dabei festgestellt, dass die Motive abhängig von den historischen und zum Teil auch biografischen Hintergründen unterschiedlich realisiert werden. Erich Fried, ein sehr bekannter und auch gesellschaftskritischer Autor des 20. Jahrhunderts, versucht, sich generell zu der „aktuellen" Naturdichtung zu äußern.

Erich Fried

Neue Naturdichtung (1972)

1 Er weiß dass es eintönig wäre
nur immer Gedichte zu machen
über die Widersprüche dieser Gesellschaft
und dass er lieber über die Tannen am Morgen
schreiben sollte
Daher fällt ihm bald ein Gedicht ein
über den nötigen Themenwechsel und über
seinen Vorsatz
von den Tannen am Morgen zu schreiben.

Aber sogar wenn er wirklich früh genug aufsteht
und sich hinausfahren lässt zu den Tannen am Morgen
fällt ihm dann etwas ein zu ihrem Anblick und Duft?
Oder ertappt er sich auf der Fahrt bei dem Einfall:
Wenn wir hinauskommen
Sind sie vielleicht schon gefällt
Und liegen astlos auf dem zerklüfteten Sandgrund
Zwischen Sägemehl Spänen und abgefallenen Nadeln
Weil irgendein Spekulant den Boden gekauft hat.

Das wäre zwar traurig
Doch der Harzgeruch wäre dann stärker
Und das Morgenlicht auf den gelben gesägten Stümpfen
Wäre dann heller weil keine Baumkrone mehr
Der Sonne im Wege stünde. Das
Wäre ein neuer Eindruck
Selbsterlebt und sicher mehr als genug
Für ein Gedicht
Das diese Gesellschaft anklagt.

Erich Fried (1921–1988), österreichischer Lyriker

1 Fassen Sie den Inhalt des Gedichts zusammen. Welcher Gegensatz wird eröffnet?

2 Beschreiben Sie die im Gedicht vorgebrachte Einstellung zur Naturdichtung.

3 Analysieren und interpretieren Sie das Gedicht.

4 Erläutern Sie, was für Sie Naturlyrik ist, und vergleichen Sie Ihre Ergebnisse mit Ihren Assoziationen am Anfang des Kapitels (vgl. S. 170). Welche Konstanten und welche Veränderungen ergeben sich? Wo liegen mögliche Ursachen?

TIPP
Schauen Sie auf die Wortwahl und markieren Sie mit unterschiedlichen Farben.

Karl Otto Conrady

Ein Gedicht über Dichtung

Neuartig ist die Idee dieses Gedichtes nicht: Gedanken über Dichten und Dichtung haben Poeten seit alters her auch in Gedichten selbst vorgetragen. Poetologische Verse also. Sie eröffnen die Folge von zehn Gedichten, die Erich Fried in seinem Band „Die Freiheit den Mund aufzumachen“ (1972) unter der Überschrift „p2“ zusammengestellt hat. [...]

Haben nicht die meisten von uns an Naturgedichten zum ersten Mal erfahren, was das sei: „lyrische“ Dichtung? „Füllest wieder Busch und Tal...“, „Es schienen so golden die Sterne...“, „O flaumenleichte Zeit der dunkeln Frühe...“ So sicher haben freilich schon die sogenannten Naturlyriker unseres Jahrhunderts nicht mehr zu schreiben vermocht, kein Oskar Loerke und kein Wilhelm Lehrmann, zu schweigen von den Jüngeren nach 1945, Karl Krolow etwa oder Heinz Piontek, und sie haben bereits ihre frühere naturlyrische Phase hinter sich gelassen. Natur kann nicht (mehr) als etwas Zeitloses, Unveränderliches aufgefasst und solcherart empfindsam verinnerlicht werden. Wer so zu ihr flieht, läuft Gefahr, die Wirklichkeit zu verlieren und an ihr vorbeizuschreiben.

Über Naturdichtung heute nachzudenken und ihre Möglichkeiten zu erproben, bleibt ein aktuelles Thema, auch wenn Brechts bekanntes Wort inzwischen „ein abgeschabtes Versatzstück in Salonreden“ (Werner Weber) geworden ist: „Was sind das für Zeiten, wo/ Ein Gespräch über Bäume fast ein Verbrechen ist“.

Frieds Strophen spielen die Überlegungen eines Lyrikers („Er") durch und halten vom „wäre" des Anfangs bis zum „wäre" des Resultats die hypothetische Perspektive durch, bedenkenvoll und vielfach gebrochen Naturdichtung selbst versuchend. Nichts von idyllischer Beschaulichkeit, sondern distanziertes Abwägen möglicher Dichtung angesichts „dieser Gesellschaft". „Er" fingiert den Versuch, sich von gesellschaftskritischen Gedichten abzuwenden. Wer will eigentlich, dass er „lieber über die Tannen am Morgen schreiben sollte"? Welch ironisches Ungefähr! Und die „Tannen am Morgen" (dreimal im Gedicht berufen) sind Zitat: Zeichen für Aufnahme und Weitergabe der dichterischen Theorie und Praxis. Brecht schrieb, sich seinerseits an den „armen B. B." erinnernd, die Verse: „In der Frühe/ Sind die Tannen kupfern./ So sah ich sie/ Vor einem halben Jahrhundert/ Vor zwei Weltkriegen/ Mit jungen Augen." Aber so sind sie nicht mehr zu sehen; Geschichte und Wirklichkeit haben den Blick verändert. Unserm Lyriker fällt allerlei ein; doch schon das „aber" der zweiten Strophe lenkt zu prekären Einfällen über, und was am Ende ihrer Musterung bleibt, ist nichts als ein Scheitern der erwogenen Abkehr. Denn was er zum Sujet seines Gedichts nehmen möchte, ist vielleicht schon zerstört, und geblieben sind die astlosen Stämme, an denen ein spekulierender Grundbesitzer vom Schlage eines Puntila in Tavastland und nicht nur dort seine klingende Freude haben könnte.

Ohne Klage und Anklage wäre neue Naturdichtung blind, substanzlos, abgestandene gefühlige Spielerei. Dieses reflektierende Gedicht zitiert zwar auch gewohnte Wörter aus dem Arsenal der Naturlyrik, aber in der dritten Strophe sind sie in provozierend fremde Zusammenhänge eingelassen, in genauer Entsprechung zur fremd gemachten, zum Profitobjekt verkommenen Natur. Ich weiß, manche werden diese reimlose Lyrik in unregelmäßigen Rhythmen nicht als „echtes" Gedicht akzeptieren. Doch es ist kunstvoll gebaut: mit der Wiederkehr und ironischen Verschränkung von Motiven, mit den kalkulierenden Versgrenzen, mit dem dialektischen Fortschreiten von Strophe zu Strophe. Und auch jener auffällige Rhythmus der Leitmotive „diese Gesellschaft" und „Tannen am Morgen" ist kaum zu überhören, der weit mehr als die Hälfte der Versschlüsse markiert. Der Philologe merkt, dass es eine der Schlussfiguren der öffentlichen Rede ist, der cursus planus, und gemäß der Lehre der alten Rhetorik wird sie gern zum Zwecke größeren Nachdrucks bemüht.

Das Gedicht trägt, wie alle Dichtung, die Spuren seiner Zeit. Erich Fried, 1921 in Wien geboren, entkam 1938 nach England, und seine Gedichtbände seit „und Vietnam und" (1966) dokumentieren, wie sich sein antifaschistisches Engagement im scharfen Blick auf die beim Namen zu nennenden Inhumanitäten „dieser Gesellschaft" zeitbezogen konkretisierte. Da ist für die bemüht-besorgte, aber verschleiernde Rede vom „Bleibenden" kein Ort. Ich kenne keine provokantere und nachdenklichere Zurückweisung als jene Parodie eines Hölderlin-Wortes, mit der das nächste Gedicht („Lyrischer Winter") schließt „Was bleibt geht stiften".

1 Fassen Sie Conradys Text in Abschnitten zusammen und geben Sie diesen Überschriften.

2 Erörtern Sie seinen Standpunkt zur Naturdichtung. Markieren Sie auch die Argumente für seine These.

3 Nehmen Sie kritisch Stellung zu Conradys These.

Auf einen Blick

Was finden Sie hier?

Im Folgenden erhalten Sie – kurz und knapp und *auf einen Blick* – die wichtigsten Informationen, die Sie im Deutschunterricht der Sekundarstufe II benötigen: vor allem hilfreiche Tipps für Ihre Klausuren sowie Fachwissen, das Sie schnell im Unterricht oder zu Hause nachschlagen können.

Bei den **Arbeitstechniken** können Sie z. B. nachlesen, wie Sie sinnvoll Markierungen vornehmen, wie Sie richtig zitieren oder wie Sie Ihre Texte überarbeiten.

Im **Klausurwissen** erfahren Sie, was bei den verschiedenen Aufgabenarten von Ihnen erwartet wird, u. a. bei einer Textanalyse, einer literarischen Erörterung oder beim adressatenbezogenen Schreiben. Auf diesen Seiten können Sie nachschlagen, wenn Sie nicht mehr ganz sicher sind, welche Bestandteile z. B. eine Einleitung enthalten sollte. Das Klausurwissen umfasst somit all das im Überblick, was Sie in den unterschiedlichen Klausurtrainings bereits praktisch erproben konnten.

Im Deutschunterricht begegnen Ihnen immer wieder **Fachbegriffe** aus zahlreichen Bereichen. Wenn Sie zum Beispiel Ihr Wissen über den Anapäst, den *stream of conciousness*, Erzählperspektiven, Kamerabewegungen oder Morphologie auffrischen wollen, finden Sie hier die entsprechenden Definitionen.

Und zum Schluss die **Literaturgeschichte**. Die wichtigsten Epochen werden Ihnen kurz und bündig vorgestellt. Dabei helfen Ihnen auch prägnante Begriffe, die jeder Epochenzusammenfassung vorangestellt sind.

Methoden und Arbeitstechniken

M

Texte lesen und verstehen: Die 5-Schritt-Lesemethode (SQR3-Methode)

1. Sich Übersicht verschaffen (Survey)

Antizipieren bedeutet *vorwegnehmen/vorgreifen*. Vor dem eigentlichen Lesen entwickeln Sie also eine erste Erwartung an den Text, indem Sie sich den Titel, eventuell auch den Untertitel und die Zwischenüberschriften ansehen.

2. Fragen stellen (Question)

Einen Überblick über den Inhalt, die Absicht und die Art des Textes erhalten Sie, wenn Sie anschließend den Text überfliegen. Achten Sie dabei auf den Autor, die Textsorte, das Erscheinungsjahr, eventuell den Erscheinungsort und die sprachliche Gestaltung.

3. Lesen (Read)

Erst im dritten Schritt klären Sie Details, indem Sie bestimmte Textstellen und Schlüsselbegriffe markieren, Unklarheiten (inhaltliche und sprachliche) beseitigen und unklare Begriffe nachschlagen. Die Handlung oder den argumentativen Gedankengang des Textes erschließen Sie an dieser Stelle.

4. Wiedergeben (Recite)

Sie gliedern den Text und fassen ihn mithilfe von Überschriften, die den Inhalt treffend wiedergeben, zusammen.

5. Rekapitulation (Review)

Formulieren Sie mit eigenen Worten die Kernaussagen (Thesen) des Textes und beantworten Sie die Fragen. Prüfen Sie, ob Ihr Textverständnis stimmig ist.

Texte bearbeiten

Markierungen

Egal, ob es sich um Sach- oder literarische Texte handelt: Wenn Sie einen Text bearbeiten, versehen Sie diesen immer mit Markierungen. So behalten Sie besonders bei längeren Texten den Überblick und verlieren nicht zu viel Zeit durch umständliches Suchen nach bestimmten Textstellen. Dies sollten Sie beim Markieren beachten:

Weniger ist mehr! Markieren Sie vor allem einzelne Begriffe oder Satzteile, möglichst aber keine ganzen Sätze. Wenn zu viel gekennzeichnet ist, leidet die Übersichtlichkeit.

Farben erwünscht! Nutzen Sie für verschiedene Aspekte Textmarker verschiedener Farben.

Ergänzen Sie Textmarker durch Fineliner. Aber auch hier gilt: Weniger ist mehr! Bei zehn verschiedenen Stiften blicken Sie kaum noch durch!

Kreativität gefragt! Markieren heißt nicht nur, Textstellen mit Textmarkern hervorzuheben. Seien Sie kreativ und entwickeln Sie Ihr individuelles System: Umkreisen Sie z. B. Schlüsselbegriffe. Nutzen Sie doppelte Unterstreichungen und Wellenlinien.

Skizzieren, schreiben oder zeichnen Sie Symbole an den Rand wie Frage- und Ausrufezeichen, Blitze oder Glühlampen.

Zwischenüberschriften

Zwischenüberschriften dienen der Orientierung im Text, indem sie einen Abschnitt schlagwortartig zusammenfassen. Wenn Sie einen längeren Text bearbeiten, der über keine Zwischenüberschriften verfügt, formulieren Sie sie selbst und schreiben Sie sie an den Rand. Nicht jeder einzelne Absatz benötigt eine eigene Überschrift, doch eine pro Sinnabschnitt ist empfehlenswert.

M

Texte planen und verfassen

Nachdem Sie nun Tipps zum Lesen und Bearbeiten von Texten erhalten haben, soll Ihnen die folgende Übersicht beim Schreiben von eigenen (Klausur-) Texten behilflich sein. Sie finden Ratschläge für Ihre Arbeit *vor* dem Verfassen von Texten, *während* des Schreibens und *nach* dem Schreiben.

Vor dem Schreiben: Text planen

Bevor Sie in die konkrete Textplanung einsteigen, müssen Sie sich als Erstes die Frage stellen: Was wird von mir erwartet? Um dies herauszufinden, ist ein genauer Blick auf die Aufgabenstellung erforderlich. Einen ersten Hinweis gibt der Operator (s. Operatorenliste auf der Umschlaginnenseite), der die Textart und die inhaltlichen sowie formalen Anforderungen an Ihren Text definiert. Zudem finden Sie meist in der Aufgabenstellung schon besondere inhaltliche Schwerpunkte, die Sie setzen sollen (z. B. Hinweise auf die Gestaltung Ihrer Deutungshypothese bei dem Operator „analysieren“ oder „interpretieren“).

Wenn Sie sich mit der Aufgabenstellung auseinandergesetzt haben, folgt als nächster Arbeitsschritt das genaue Lesen des Textes, den Sie bearbeiten sollen.

Hypothese aufstellen bzw. Kernaussage des Autors formulieren

Analyse und Interpretation **literarischer Texte** bauen auf einer sogenannten **Arbeits-, Deutungs-** oder **Interpretationshypothese** auf.

Hypothese bedeutet Annahme, Behauptung. Wenn Sie beispielsweise ein Gedicht interpretieren sollen, müssen Sie eine Kernaussage des Gedichts entwerfen. So möchten Sie z. B. nachweisen, dass das Gedicht nur auf den ersten Blick heiter wirkt, bei genauerer Betrachtung jedoch eine herbe Gesellschaftskritik aufweist. Diese **These** *(Behauptung)* stellen Sie also zu Beginn Ihrer Interpretation auf, bevor Sie im weiteren Verlauf diese konkret anhand des Textes nachweisen. Ihr gesamter zu verfassender Text basiert nun auf dieser Annahme, die Sie durch Ihre Analyse zu bestätigen versuchen. Da Sie die Hypothese noch vor Ihrer Analyse – auf Ihrem *ersten Lesen* basierend – aufgestellt haben, ist es auch möglich, dass Sie sie am Ende eventuell modifizieren müssen. Dies müssen Sie dann *begründen*.

Bei dem Wiedergeben, Zusammenfassen und Analysieren von **pragmatischen Texten** wird **keine** Deutungshypothese aufgestellt. Stattdessen müssen Sie die **Kernaussage** des Textes bzw. die übergeordnete Position des Autors herausstellen. Anschließend gilt es, beispielsweise bei Sachtextanalysen, die Argumentationsstruktur und -strategie, in der der Autor bzw. die Autorin diese Position entfaltet, offenzulegen.

Ideen sammeln und ordnen

Je nachdem, um welche Art von Text es sich handelt, kann Ihre Vorbereitung auf den Schreibprozess variieren. Das Sammeln und Ordnen von Ideen ist in allen Fällen eine notwendige Voraussetzung für den Schreibprozess. Für die Vorbereitung des Schreibprozesses sollte unbedingt ausreichend Zeit verwendet werden! Markierungen und Randnotizen, die Bezüge zur Deutungshypothese bzw. Kernaussage des Textes aufweisen, sind unumgänglich und sollten bereits beim zweiten Lesen vorgenommen werden. Anschließend können Sie Ihre Ideen ordnen (achten Sie dabei darauf, dass Sie stets Textverweise sofort notieren, damit sie später im Fließtext als Beleg angeführt werden können) und dabei zum Beispiel wie folgt vorgehen:

Cluster

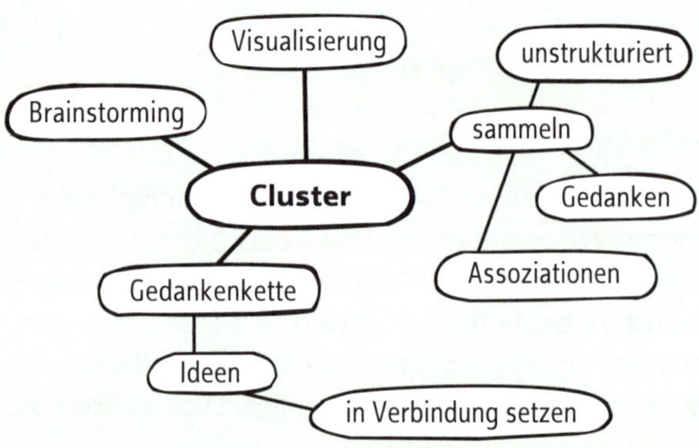

Zum unstrukturierten Sammeln von Ideen, z. B. in einem Brainstorming, bietet sich ein Cluster an. In einen Kreis in der Mitte schreiben Sie Ihr Thema. Alle Ideen und Assoziationen notieren Sie in Kreisen rund um Ihr Thema herum. Mehrere Ideen zu einem Gedanken ergeben eine Gedankenkette. Zur Übersichtlichkeit können Sie Stichwörter wieder streichen, die Sie doch nicht in Ihren Text integrieren wollen.

Mindmap

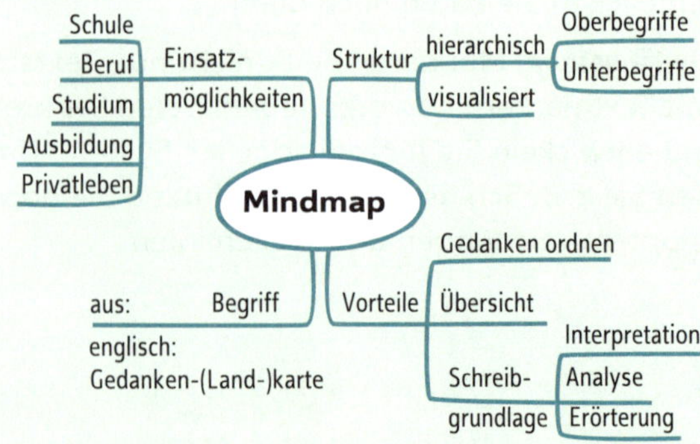

Eine Mindmap sieht auf den ersten Blick ähnlich wie ein Cluster aus. Auf den zweiten Blick stellen Sie aber fest, dass die um das Thema gruppierten Stichwörter bereits logisch angeordnet sind. Dabei helfen Oberbegriffe auf den Hauptästen. An die Äste zeichnen Sie Zweige, die die jeweiligen Unterbegriffe zum Ast aufweisen. So können Sie einen Fremdtext oder Ihre eigenen Ideen anschaulich und hierarchisch darstellen.

Flussdiagramm

In einem Flussdiagramm können Sie durch Pfeile Abläufe sowie Gedankengänge darstellen, zum Beispiel:

Text lesen → Brainstorming → Cluster erstellen → Stichwörter in Mindmap ordnen

Strukturdiagramm

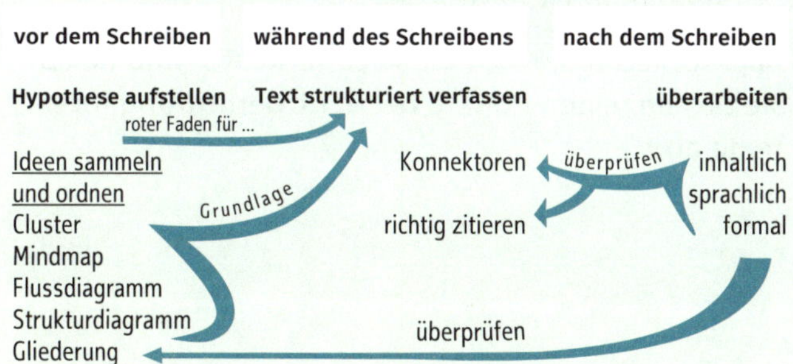

Eine andere Möglichkeit, Ideen anschaulich darzustellen, ist das Strukturdiagramm. Hier können Sie das Verhältnis einzelner Begriffe zueinander durch beschriftete Pfeile, Klammern und Symbole verdeutlichen. Es bietet sich zum Beispiel für die Darstellung eines Beziehungsgeflechts zwischen literarischen Figuren oder eine Übersicht über komplexe Handlungen an.

Gliederung erstellen

Möglicherweise hilft Ihnen aber bei Ihrer Vorbereitung auch eine lineare Gliederung nach *Einleitung, Hauptteil* und *Schluss*. In dieser ordnen Sie Ihre Gliederungspunkte listenartig und nummeriert an, z. B.

1. Einleitung
1.1 Einleitungssatz mit Autor, Titel etc.
1.2 kurze Zusammenfassung des Textes
1.3 evtl. Deutungshypothese

2. Hauptteil
2.1 formale Analyse
2.2 inhaltliche Analyse

3. Schlussteil

Beim Schreiben können Sie dann die bereits ausformulierten Gliederungspunkte abhaken.

Während des Schreibens:

Text verfassen

Die Vorarbeiten sind abgeschlossen, Sie können mit Ihrem Text beginnen. Nutzen Sie nun Ihre Übersichten, deren Struktur Sie auch daran erinnert, *Absätze* zu machen. Denken Sie beim Verfassen eigener Texte – auch bei Inhaltsangaben! – immer daran, eigene Formulierungen zu finden und keine Wörter oder ganze Sätze aus dem Bezugstext zu übernehmen. Während in Inhaltsangaben keine Zitate erlaubt sind, können Sie im Analyseteil auf wortwörtliche Übernahmen zurückgreifen. Diese müssen Sie kenntlich machen („s. S. xy").

Konnektoren

Durch Konnektoren können Sie Sätze oder Satzteile verknüpfen und Ihren Text so sprachlich interessanter gestalten. Eine Auswahl finden Sie hier:

Sie möchten ...	Beispiele für Konnektoren
... etwas hinzufügen (additiv)	und, außerdem, ferner, sowie
... etwas erklären (explikativ)	und zwar, das heißt, nämlich
... einen Grund anführen (kausal)	weil, denn, da, nämlich
... eine Bedingung angeben (konditional)	wenn, falls, vorausgesetzt (dass)
... ein Mittel nennen (instrumental)	dadurch, hierdurch, anhand dessen
... etwas zeitlich einordnen (temporal)	als, während, bevor, nachdem, zugleich
... einen Gegensatz darstellen (adversativ)	aber, allerdings, wohingegen
... etwas einräumen (konzessiv)	obwohl, trotzdem, ungeachtet dessen
... etwas vergleichen (komparativ)	als ob, als wenn, dementsprechend, so
... eine Aussage einschränken (restriktiv)	insofern, jedenfalls, zwar, nur (dass)
... etwas ersetzen (substitutiv)	(an)statt, eher, sondern, anstelle dessen
... eine Folge verdeutlichen (konsekutiv)	daher, damit, deshalb, infolgedessen

Nach dem Schreiben: Text überarbeiten

Nach dem Verfassen des Schlussteils sollten Sie noch ausreichend Zeit für Ihre Überarbeitung zur Verfügung haben. Planen Sie diese Zeit bereits vor dem Schreiben mit ein! Die Überprüfung und ggf. Überarbeitung erfolgt auf drei Ebenen: inhaltlich, formal und sprachlich.

Inhaltlich:

- Sind Sie präzise auf den in der Aufgabenstellung geforderten Aufgabenaspekt eingegangen?
- Haben Sie die durch die Operatoren geforderte Textsorte berücksichtigt (z. B. Interpretation)?
- Sind Ihre Ausführungen mithilfe des Quelltextes fundiert begründet, sodass auch eine Person, die den Ausgangstext nicht kennt, Ihre Gedankengänge nachvollziehen kann?
- Sind Ihre Ergebnisse fachlich und inhaltlich korrekt?
- Folgen Sie einem „roten Faden“, statt inhaltlich hin- und herzuspringen?

Formal:

- Haben Sie alle Aspekte, die zur Einleitung, zum Hauptteil und zum Schluss gehören, beachtet?
- Ist der Text in sinnvolle Abschnitte gegliedert?
- Sind alle Zitate richtig mit Anführungszeichen und Textquellen versehen?

Sprachlich:

- Sind Satzteile/Sätze/Gedankengänge/Absätze durch Konnektoren sprachlich verbunden?
- Enthält Ihr Text ggf. den nötigen Fachwortschatz?
- Müssen umgangssprachliche Ausdrücke entfernt werden?
- Finden Sie noch Fehler in den Bereichen Rechtschreibung, Zeichensetzung, Grammatik, Tempus, Satzbau und Modus?

Tipp: Kopieren Sie sich diese „Checkliste“ und haken Sie die einzelnen Punkte bei der Überprüfung Ihrer Texte ab.

Zitieren

Wenn Sie auf der Grundlage eines Textes schreiben und diesen zum Beispiel analysieren, sollten Sie „nah am Text“ arbeiten. Ihre Deutungen müssen Sie anhand von Textstellen belegen. Das bedeutet aber nicht, dass Sie einzelne Sätze oder Wörter ungekennzeichnet in Ihre Arbeit übernehmen dürfen. Sobald Sie wörtlich aus dem Fremdtext zitieren, machen Sie dies durch Anführungsstriche und Seiten-, Zeilen- bzw. Versangaben kenntlich. Bei Kürzungen, gleich welcher Länge, verwenden Sie eckige Klammern [...] im Zitat, bei Ergänzungen ebenfalls eckige Klammern. Achtung: Ein **direktes Zitat** bedeutet eine *im Wortlaut* identische Übernahme aus dem Quelltext und kann gegebenenfalls auch die dortige Schreibung, also womöglich auch die alte Rechtschreibung, aufweisen. Wenn in Ihrem Zitat schon Anführungszeichen stehen, ersetzen Sie diese durch einfache Anführungszeichen. Integrieren Sie Zitate in Ihre eigenen Sätze und lassen Sie sie inhaltlich niemals unangebunden stehen.

Der Nachweis, woraus Sie Ihr Zitat entnehmen, wird immer direkt hinter dem Zitat vermerkt. Sollte das Zitat länger als eine Zeile oder ein Vers sein, wird dies durch die Abkürzung f. (für *folgend*) kenntlich gemacht; erstreckt sich das Zitat über mehrere Zeilen oder Verse, ergänzt man die Angabe um „ff.“ (für *folgende*).

Beispiel

Quelltext:

Effi konnte nicht weiterlesen; ihre Augen füllten sich mit Tränen, und nachdem sie vergeblich dagegen angekämpft hatte, brach sie zuletzt in ein heftiges Schluchzen und Weinen aus, darin sich ihr Herz erleichterte.

Aus: Theodor Fontane: Effi Briest (1895). Stuttgart: Reclam 2002, S. 287

Direktes Zitat:

So berichtet der Erzähler, dass „Effi [...] nicht weiterlesen [konnte]“ (Z. 1 f.), sondern stattdessen in „ein heftiges Schluchzen und Weinen aus[brach]“ (Z. 4 f.) und so ihre Enttäuschung offenlegt.

Wenn Sie nicht direkt zitieren, sondern die Aussage, den Gedanken, die Behauptung eines anderen indirekt wiedergeben, brauchen Sie keine Anführungszeichen. Vielmehr kennzeichnen Sie das sinngemäße Zitat, indem Sie den Konjunktiv I verwenden (falls der Konjunktiv I allerdings mit dem Indikativ identisch ist, wechseln Sie in den Konjunktiv II). Eindeutig heben Sie die Meinung anderer hervor, wenn Sie einleitend auf sie verweisen:

Er betont, ...
Sie behauptet, ...
Sie legen nahe, ...

Auch bei indirekten Zitaten müssen die Quellen nachgewiesen werden.

Indirektes Zitat:

So berichtet der Erzähler von einem Gefühlsausbruch Effis, der seines Erachtens eine befreiende Wirkung auf sie gehabt habe (vgl. Z. 1ff.).

Referate halten

In einem Referat sollen die Zuhörer über einen Sachverhalt informiert werden, der ihnen bislang unbekannt ist. Das bedeutet, dass Sie der Experte sind und sich genau überlegen müssen, wie Sie das Thema adressatengerecht vermitteln und dabei zugleich der Thematik gerecht werden.

Bei einer ersten Recherche sollten Sie sich einen groben Überblick über Ihr Thema verschaffen (z. B. Lesen des Romans, Internet-Recherche zum Thema, Bibliotheksbesuch). Skizzieren Sie anschließend in Form einer Mindmap Aspekte, die Sie für die Thematik für sinnvoll halten.

Wie eine Mindmap aussieht, sehen Sie auf Seite 304.

Um Ihr Referat differenziert darzubieten, ist es sinnvoll, eine Leitfrage zu formulieren, die ein Problem bzw. einen Konflikt ins Zentrum Ihres Referats stellt. Ein allgemein gehaltener Titel für einen Vortrag „Die junge Dame Effi Briest – ein Roman von Theodor Fontane" klingt sicherlich beliebiger und weniger motivierend als ein konfliktorientierter Zugriff unter der Überschrift „Effi Briest – zwischen Anpassung und Aufbegehren".

Erstellen Sie auch eine erste Gliederung Ihres Referats. Bevorzugt wird meist ein Aufbau, der vom Allgemeinen zum Speziellen führt. Im Beispiel „Effi Briest" würde man also zunächst die Rolle der Frau im 19. Jahrhundert ganz allgemein mit verschiedenen Unterpunkten darlegen, bevor der Roman „Effi Briest" und ihre titelgebende Hauptfigur in diesen historischen Kontext eingeordnet werden. Abschließend sollten beide Stränge kritisch zusammengeführt werden.

Vertiefen Sie Ihr Wissen zum Thema, indem Sie verschiedene Informationsquellen heranziehen. Recherchieren Sie zum Beispiel in Bibliotheken oder ziehen Sie Lexikonartikel sowie ggf. geeignete Onlinequellen hinzu. Achten Sie dabei unbedingt auf die Qualität Ihrer Quellen (so ist beispielsweise ein Artikel eines anerkannten Wissenschaftlers wahrscheinlich glaubwürdiger als der Onlineblog eines selbsternannten Literaturliebhabers). Auf der Basis Ihrer vertieften Kenntnisse sollten Sie Ihre Leitfrage sowie Ihre Gliederung nochmals konkretisieren und ggf. revidieren.

Füllen Sie Ihre einzelnen Gliederungspunkte mit Inhalten und notieren Sie wichtige Aspekte oder Zusammenhänge auf Karteikarten, die Sie beim Vortragen unterstützen. Wählen Sie anschließend eine inhaltlich geeignete visuelle Präsentationsform. Hierbei sollten Sie den Adressaten nicht außer Acht lassen. Mögliche Präsentationsmedien können sein: PowerPoint-Präsentation, Plakat, OHP-Folie, szenische Darbietung, selbsterstellter Videoclip, musikalische Elemente. Wichtig ist allerdings, dass nicht das Präsentationsmedium im Vordergrund steht, sondern dass das Medium Ihre inhaltliche Darbietung unterstützt. Vermeiden Sie daher feuerwerksartige mediale Überfrachtungen oder ein „Erschlagen" der Zuhörer durch zu viele Textinformationen.

Tipp: Manchmal bietet es sich an, die Zuhörer durch einzelne Fragen, die Analyse einer Karikatur oder eines Aphorismus mit in das Referat einzubeziehen.

Bei vielen Referaten ist auch ein Handout gefordert, auf dem Sie die wichtigsten Ergebnisse Ihres Vortrags zusammenfassen und im Anschluss an die Präsentation an die Zuhörer verteilen.

Üben Sie Ihren Vortrag. Beachten Sie dabei auch Ihre Körperhaltung sowie Ihr Sprachverhalten.

Beenden Sie Ihren Vortrag mit einem Dank an die Zuhörer. Besonders sinnvoll ist es, wenn Sie sich im Vorfeld der Präsentation ein bis zwei Diskussionsfragen überlegen, um das Plenum zu einer vertiefenden Auseinandersetzung mit der Thematik anzuregen.

Beachten Sie hierzu auch das Kapitel „Präsentieren" auf Seite 308.

M

Präsentieren

Bei einer Präsentation vor Gruppen wird die Wirkung wesentlich durch die Körpersprache bestimmt, d.h. durch Körperhaltung, Gestik und Augenkontakt. Einen starken Effekt erreicht man durch die Stimmlage. Ein nur geringer Teil der Wirkung eines Vortrags wird durch den Inhalt erzielt. Es stellt sich also die Frage, wie man die Ergebnisse so präsentieren kann, dass diese bei den Zuhörern im Gedächtnis bleiben.

Aspekte der gelungenen Präsentation

Körperhaltung und Auftreten

- Positionieren Sie sich den Zuhörern zugewandt im Raum, seien Sie offen und freundlich.
- Strahlen Sie Selbstsicherheit aus, beispielsweise durch einen festen, schulterbreiten Stand.
- Nutzen Sie inhaltlich unterstützende Gestiken.
- Nutzen Sie ggf. einen Stift oder Karteikarten, um Ihre Hände zu „beschäftigen".
- Kleiden Sie sich dem Rahmen angemessen (zum Beispiel Jacke ausziehen, kein Kaugummi, keine „Käppi"), aber verkleiden Sie sich nicht.
- Achten Sie beim Zeigen auf Plakate und Schaubilder darauf, den Augenkontakt zum Publikum zu halten. Zeigen Sie also gewissermaßen hinter oder neben sich.

Stimmlage und Sprachverhalten

- Setzen Sie bewusst inhaltliche Akzente durch eine gezielte Betonung oder Pausen.
- Sprechen Sie möglichst frei und lesen Sie nur in Notfällen ab. Vermeiden Sie vorgefertigte Formulierungen in vollständigen Sätzen, nutzen Sie stattdessen Stichpunkte. Üben Sie die Präsentation vorher.
- Vermeiden Sie das Zugeben von vermeintlichen Schwächen (Nervosität, Unwissen), blenden Sie diese aus. Wenn Sie nicht direkt auf diese aufmerksam machen, bemerkt Ihr Publikum diese oftmals auch nicht.

Inhalt

- Vermeiden Sie schwierige und unverständliche Fremdwörter; erklären Sie stattdessen in eigenen Worten die Sachverhalte unter Berücksichtigung der Fachbegriffe so, dass sie von Ihren Zuhörern verstanden werden (Adressatenbezug).
- Gliedern Sie Ihre Gedanken im Vorfeld der Präsentation, sodass Ihre Aussagen und Überlegungen für die Zuhörer logisch nachvollziehbar sind.
- Versuchen Sie, so oft wie möglich Bezüge zwischen Aussagen und Präsentationsmedium herzustellen (z. B. durch Zeigen auf das Plakat) und erklären Sie die eingesetzten (Schau-)Bilder.
- Wenn Sie komplexe Sachverhalte erklären wollen, visualisieren Sie diese unbedingt! Besonders Folgeerscheinungen eines Sachverhalts lassen sich beispielsweise gut in Form von Flussdiagrammen aufbereiten.

Richtige Körperhaltung: offen und zugewandt

Ungünstige Körperhaltung

Klausurwissen

Anforderungsbereiche und Operatoren

Unabhängig davon, um welche Aufgabenart es sich bei Ihrer nächsten Klausur handelt, werden die Arbeitsaufträge **Operatoren** enthalten. Deren jeweilige Definitionen können Sie schnell in der vorderen Umschlagsinnenseite nachlesen.

Operatoren geben Ihnen bereits Hinweise auf den Anforderungsbereich (AFB) der jeweiligen Aufgabe.

Im **AFB I** geht es um *Reproduktion*. Sie sollen einen vorgegeben Text wiedergeben. Dies wird meist mit den Operatoren *beschreiben, wiedergeben* oder *benennen* formuliert.

Die Arbeit in diesem Anforderungsbereich ist meist die Grundlage für die weiteren Aufgaben. Insofern besteht eine gewisse Abfolge und auch eine gewisse Hierarchie.

Im **AFB II** geht es um *Reorganisation* und *Transfer*. Sie sollen Ihre erworbenen Kompetenzen und Ihr fachliches Wissen anwenden und Zusammenhänge herstellen. Dies wird meist mit den Operatoren *analysieren, vergleichen* oder *erläutern* formuliert.

Im **AFB III** geht es um *Reflexion* und *Problemlösung*. Sie sollen komplexe Denkvorgänge organisieren und zu einem eigenständigen, begründeten Urteil kommen. Dies wird meist mit den Operatoren *beurteilen, begründen* oder *Stellung nehmen* formuliert.

Operatoren wie *analysieren* und *interpretieren* sind komplex, weil sie zwei oder sogar alle drei Anforderungsbereiche abdecken.

Analysieren und *Interpretieren* als umfassende (und im Abitur regelmäßig vorkommende) Operatoren:

Analysieren kann man auch verstehen als *durchleuchten* oder *in einzelne Bestandteile zerlegen*. Die Analyse eines Textes ist die entscheidende Voraussetzung für eine Interpretation. In erster Linie geht es um das Erfassen des Textes: Wesentliche Elemente und Strukturen müssen erkannt werden. Dabei ist immer zu unterscheiden zwischen *inhaltlichen* Aspekten (z. B. Stichhaltigkeit, Schlüssigkeit, Adressaten-/Situationsbezug, Aussageabsicht, übergreifende Zusammenhänge), Aspekten der *formalen* Gestaltung (z. B. Aufbau) und *sprachlichen* Merkmalen (z. B. Wortwahl, Satzbau).

Interpretieren kann man auch verstehen als *Bedeutung zuweisen*. Dies erfordert ein hohes Maß an selbstständigem Denken. Entscheidend für eine gelungene Interpretation ist die durchdachte und differenzierte Begründung der eigenen Beurteilung. Eine *Interpretationshypothese* sollte formuliert und hergeleitet werden. Wenn nicht anders gefordert, bieten sich selbst gewählte Interpretationsansätze an, wie z. B. Intention, Wirkung, Rezeption, Wertvorstellungen.

Die 5-Schritt-Klausurmethode

1. Zeitplanung

Zeit für Überarbeitung am Ende der Klausur einplanen! Gewichtung der Aufgabenbewertung berücksichtigen, um die zur Verfügung stehende Zeit auf die Aufgaben zu verteilen.

2. Vorbereitung: Text planen

Aufgabenstellung verstehen, Material erschließen, Arbeitshypothese formulieren, Ideen sammeln (Brainstorming → Cluster)

3. Strukturierung des Inhalts

Mindmap, Gliederung erstellen

4. Schreibprozess: Text verfassen

Jeder Gliederungspunkt = 1 Abschnitt

5. Überarbeitung: Text überarbeiten

K

Der Aufbau einer Klausur

Bei der Aufgabenstellung der Klausuren wird Ihnen immer die **Gewichtung** bekannt gegeben, woran Sie erkennen können, mit welchem Prozentanteil welche Aufgabe in die Gesamtbenotung eingeht. Dies gibt Ihnen einen brauchbaren Hinweis darauf, welche *zeitlichen* und *quantitativen* Ausmaße Sie für die Bearbeitung einzelner Aufgaben einplanen sollten. Sie können die oben dargestellte 5-Schritt-Klausurmethode auch dahingehend variieren, dass Sie aufgabenweise vorbereiten, strukturieren und schreiben. Gestalten Sie die Materialien, mit denen Sie vorbereiten und strukturieren, übersichtlich und auch für andere Personen lesbar. Falls Sie nämlich aus irgendwelchen Gründen in Zeitnot geraten und Sie Ihren Schreibprozess nicht wie geplant abschließen, können Ihre Planungs- und Strukturierungsunterlagen bei der Bewertung Ihrer Klausur herangezogen werden.

Verfassen Sie den Text Ihrer Klausur so, dass auf den ersten Blick eine **Struktur** erkennbar ist, etwa durch **Absätze** oder **Zwischenüberschriften**. Operatoren, die Sie zur Reproduktion auffordern (AFB I), lassen sich meist mit einer recht schlichten Struktur bearbeiten, die häufig durch die Art des vorgelegten Textes vorgegeben ist.

Die komplexeren Operatoren aus den Anforderungsbereichen II und III legen nahe, dass Sie Ihre Texte nachvollziehbar strukturieren. Ganz allgemein geschieht dies am besten mit der Unterteilung in *Einleitung, Hauptteil* und *Schluss*. Es bietet sich an, an diesen Stellen mindestens eine **Leerzeile** zu lassen und vielleicht auch aussagekräftige Zwischenüberschriften zu formulieren.

Welche Bestandteile Ihre Einleitung, Ihr Hauptteil und Ihr Schlussteil enthalten sollten, können Sie im Folgenden nachlesen.

Dort erhalten Sie Antworten auf die Fragen: Worauf muss ich achten bei ...

... untersuchenden Aufgaben (**Textinterpretation** und **Textanalyse**)

... erörternden Aufgaben (**literarische Erörterung, Texterörterung, materialgestütztes Schreiben**)

... gestaltenden Aufgaben (**gestaltende Interpretation** und **adressatenbezogenes Schreiben**)

Untersuchende Aufgaben

Textanalyse und Textinterpretation eines literarischen Textes

Analysieren bedeutet, einen Text *in einzelne Bestandteile zu zerlegen*. Die Analyse ist die entscheidende Voraussetzung für eine Interpretation. In erster Linie geht es um das Erfassen und um das Verstehen eines literarischen Textes, damit die mögliche Intention des Autors abgeleitet werden kann. Wesentliche Elemente und Strukturen müssen deshalb analysiert, erläutert und im Zusammenhang gedeutet werden.

Literarische Texte sind epische Texte (z. B. Roman/Romanauszug, Texte der Kleinepik etc.), lyrische Texte (z. B. Gedichte, Balladen etc.) oder dramatische Texte (Tragödie, Komödie, bürgerliches Trauerspiel etc.).

Bei der Analyse eines literarischen Textes ist zu unterscheiden zwischen *inhaltlichen, formalen und sprachlichen* Aspekten, die in ihrer Wirksamkeit und ihrer funktionalen Anbindung interpretiert werden. Kernaussagen und Schlüsselbegriffe sollten direkt zitiert werden und als Belege für Ihre Ausführungen dienen.

In der ***inhaltlichen Analyse*** eines literarischen Textes sind folgende Aspekte zu analysieren: Thema, Bedeutung des Titels für den literarischen Text, Handlung, Figuren und Figurenkonstellation, Zeit- und Raumstruktur, Motive etc.

In der ***formalen Analyse*** eines literarischen Textes sind folgende Textelemente zu analysieren: Textsorte, Aufbau des Textes (Absätze, Kapitel etc.), Erzählsituation (Ich-/Er-/Sie-Erzähler, erzählerische Gestaltung, Erzählform, Erzählhaltung, Erzählperspektive, Erzählerstandort, Erzählerverhalten, Redeformtechnik, z. B. Figuren- oder/und Erzählerrede) etc.

In der ***sprachlichen Analyse*** eines literarischen Textes sind folgende Aspekte zu analysieren: Wortwahl (Verben, Adjektive, Nomen etc.), Syntax (Satzarten, Satzbau, Interpunktion etc.), Bildlichkeit, Metaphorik, Wiederholungen (Leitmotive), Gegensätze, Auslassungen, Sprachregister etc.

Interpretieren lassen sich alle literarischen Werke oder literarische Textauszüge der Gattungen **Dramatik, Lyrik und Epik**. Um einen Text aspektorientiert oder vollständig zu **interpretieren/(auszu-)deuten**, sind textprägende Besonderheiten (z. B. Wortwahl, rhetorische Stilmittel, formale Elemente etc.) in ihrer spezifischen Verwendung zu analysieren, um aus der Zusammenführung der Einzelergebnisse eine Gesamtdeutung des literarischen Textes abzuleiten und die mögliche Verfasserintention zu erläutern. Mit Ihren Ergebnissen dokumentieren Sie Ihr Textverständnis und Ihre Kompetenz bezüglich analytischer Texterarbeitung. Darüber hinaus verdeutlichen Sie in Ihrer begründeten Positioniereng und Deutung Ihre Kompetenz, selbstständige Denkprozesse zu bewältigen. Wenn nicht anders gefordert, ist eine eigene Schwerpunktsetzung für die Interpretation möglich (mögliche Intention des/der Verfassers/-in, Wirkung, Rezeption, Wertvorstellungen). Sie sollten hier aber immer den literaturhistorischen und den biografischen Kontext des/der Literaten/Literatin berücksichtigen.

Textaufbau: Interpretation eines literarischen Textes

Die **Einleitung** enthält vollständige Angaben über den *Autor, Titel, Ort* und *Zeit* der Entstehung und Veröffentlichung, die *Gattung,* und das *Thema etc.* des literarischen Textes.

Ein wichtiger Aspekt ist der *zeitliche Zusammenhang* der Entstehung und der Veröffentlichung des Werkes/Textes. Gerade bei literarischen Texten kann es von Bedeutung sein, ob der Autor beim Verfassen des Textes jung oder alt war, ob der Text thematisch einen offensichtlichen literaturhistorischen Zeitbezug hat, ob er zeitnah verfasst oder erst später veröffentlicht worden ist. So kann es sein, dass ein Autor als junger Mensch Kriegsgeschehen verherrlicht, was er im hohen Alter nicht mehr tun würde. Auch wäre es möglich, dass ein Text für eine gewisse Zeit verloren gegangen ist, zensiert oder bewusst zurückgehalten worden ist, sodass zwischen Entstehung und Veröffentlichung eine große Zeitspanne liegt. Ein bemerkenswertes Beispiel dafür ist das Drama *Dantons Tod* von Georg Büchner, das 1835 verfasst und erst 1902 zur Uraufführung gekommen ist. Solche Zusammenhänge sollten in der Einleitung erwähnt werden.

Entscheidend für eine gelungene Interpretation ist die durchdachte und differenzierte Begründung der eigenen Deutungsergebnisse. Deshalb sollte vor der Analyse eine *Interpretationshypothese* formuliert werden, die im weiteren Erarbeitungsprozess berücksichtigt und zum Schluss der Analyse und Interpretation überprüft wird.

Für den **Hauptteil** ist eine nachvollziehbare gedankliche Gliederung sinnvoll, um die eigenen Ausführungen zu strukturieren.

In einem *ersten Arbeitsschritt* sollte in knapper Form der *Inhalt* der zu bearbeitenden Textstelle wiedergegeben werden, sodass zunächst der Kern der inhaltlichen Aussage formuliert wird. Liegt Ihnen ein Textauszug vor, müssen Sie diesen in die Ganzschrift einordnen. An dieser Stelle ist es durchaus angebracht, erste *Deutungsansätze* zu skizzieren und auf Widersprüche, Brüche oder andere Auffälligkeiten im Text hinzuweisen.

Schwer verständliche Textelemente sollten Sie als solche benennen und problematisieren. Besonders die Gefühle und Stimmungen der literarischen Figuren sollten Sie beachten, um daraus erste Interpretationsansätze ableiten zu können.

Für den *zweiten Arbeitsschritt*, für die Analyse und Interpretation literarischer Texte, sollten Sie immer beachten, dass eine Beziehung zwischen den formalen, gestalterischen Mitteln und dem Inhalt besteht. Sie müssen sich grundsätzlich verdeutlichen, dass Inhalt und Sprache eine Einheit, eine Symbiose, bilden. Als Hilfe können Ihnen Antworten auf die sogenannten W-Fragen dienen: Wer handelt? Welche (Handlungs-)Motive hat er? etc. und Wie spricht er? Welche nonverbale Kommunikation findet statt? etc.

Je nach Charakter des literarischen Textes bzw. abhängig von der Aufgabenstellung können die Textanalyse und Interpretation mit einer gründlichen Form- bzw. Inhaltsanalyse beginnen, damit anschließend Bedeutungszuweisungen für den Inhalt/die Form formuliert werden können. In der Regel erfolgen die Analyse und Interpretation jedoch integrativ, indem ein spezifisches Gestaltungselement unmittelbar gedeutet wird. Je nach Gattung des Textes (Epik, Drama, Lyrik) gibt es zahlreiche Aspekte formaler Analyseaspekte (s. oben).

Je nach Themenstellung erfolgt diese Detailanalyse entweder *textlinear* oder *aspektorientiert*. Wenn die Aspekte von Ihnen selbst gewählt sind, sollten sie klar formuliert und hergeleitet werden.

Mögliche Aspekte sind Epochenzuweisung, Wirkungsgeschichte, Autorenbiografie oder Textintention. Für die Produktion durchdachter, nachvollziehbarer und begründeter Zusammenhänge zwischen formaler Gestaltung und inhaltlicher Aussage ist von großer Bedeutung, dass folgende Fragen geklärt sind: Gibt es ein Grundthema des Textes oder mehrere Themen- und Problemfelder? Gibt es eine Übereinstimmung zwischen Titel und Thema und existieren Abweichungen und Gegensätze? Spielt Ironie eine Rolle? Weist der Text eine gedankliche Entwicklung auf? Sind möglicherweise inhaltliche Elemente des Textes wegen seines Entstehungsdatums dem zeitgenössischen Leser nicht mehr unmittelbar deutlich?

In einem *dritten Arbeitsschritt* erfolgt die (bestätigende) Darlegung Ihres Interpretationsansatzes und deren Herleitung und Formulierung. Damit wird erläutert, mit welcher Absicht ein Text ein bestimmtes Thema mit einer spezifischen formalen und sprachlichen Gestaltung behandelt. Da es sich um eine Hypothese handelt, sollten der Modus *Konjunktiv I* in Verbindung mit Modalverben verwendet werden, um eine differenzierte Betrachtung bzw. Deutung zu verwirklichen.

Im **Schlussteil** der Textanalyse und Textinterpretation fassen Sie Ihr Untersuchungs- bzw. Interpretationsergebnis, auf das Wesentliche reduziert, zusammen. Hier können Sie auf Unstimmigkeiten eingehen, die nicht zu klären sind. Hier sollten Sie auch auf Schwierigkeiten hinweisen, die möglicherweise in dem großen zeitlichen Abstand zwischen Entstehung und Rezeption des Textes begründet sind.

Vermeiden Sie im Schlussteil klischeehafte Äußerungen, erläutern Sie stattdessen die mögliche Intention des Schriftstellers/Dichters/Dramatikers vor dem Hintergrund des (literatur-)historischen und biografischen Kontextes.

Achten Sie auf eine **korrekte Zitierweise** und auf die Verwendung des **Präsens**.

Textanalyse eines pragmatischen Textes

Analysieren bedeutet, einen Text *in einzelne Bestandteile zu zerlegen*. Die Analyse ist die entscheidende Voraussetzung für die Erfassung und das Verständnis eines pragmatischen Textes, damit die Textfunktion (Darstellung, Ausdruck, Appell) und die mögliche Intention des Autors abgeleitet werden können. Wesentliche Elemente und Strukturen eines Textes müssen deshalb analysiert, dargestellt und im Zusammenhang erläutert werden.

Die Analyse ist die entscheidende Voraussetzung für ein vollständiges Textverständnis. In erster Linie geht es um das Erfassen des Textes: Wesentliche Elemente und Strukturen müssen erkannt werden. Bei der Analyse eines pragmatischen Textes ist zu unterscheiden zwischen *inhaltlichen, formalen und sprachlichen* Aspekten, die jeweils in ihrer spezifischen Wirksamkeit und funktionalen Anbindung erläutert und beurteilt werden. Kernaussagen und Schlüsselbegriffe sollten direkt zitiert werden und als Belege für Ihre Ausführungen dienen.

Beispiele für die Analyse **pragmatischer** Texte sind journalistische Formen, (populär-)wissenschaftliche und philosophische Texte, Reden, Essays, Tagebücher, Memoiren, Reisebeschreibungen, Biografien etc.

In der **inhaltlichen Analyse** eines pragmatischen Textes sind folgende Textelemente zu analysieren: Thema, Bedeutung des Titels für den Text, zentrale Textaussagen, Thesen, Argumente, Beispiele, Position des/der Verfassers/-in, Adressaten- und Situationsbezug etc.

In der **formalen Analyse** eines pragmatischen Textes sind folgende Textelemente zu analysieren: Textsorte, Aufbau des Textes (Absätze, Argumentation/Gedankengang etc.), Nachvollziehbarkeit der Gedankenführung, etc.

In der **sprachlichen Analyse** eines pragmatischen Textes sind folgende Textelemente zu analysieren: Wortwahl (Fremdwörter, Fachbegriffe, Schlüsselwörter etc.), Satzbau und Interpunktion, Bildlichkeit, Metaphorik, Wiederholungen (Leitmotive), Gegensätze, Auslassungen etc.), rhetorische Gestaltungsmittel, Sprachform (Fachsprache, Jugendsprache, Umgangssprache etc.).

Zu einer **gelungenen Analyse** gehört eine durchdachte und differenzierte Begründung der eigenen, am Text nachgewiesenen Ergebnisse und Beurteilungen. Um einen pragmatischen Text aspektorientiert oder vollständig zu analysieren und um die Textfunktion und die mögliche Intention des Verfassers zu erläutern, sind textprägende Besonderheiten (z. B. Wortwahl, rhetorische Mittel, formale Elemente etc.) in ihrer spezifischen Verwendung zu analysieren, um aus der Zusammenführung der Einzelergebnisse eine Gesamtbeurteilung des pragmatischen Textes abzuleiten und die mögliche Intention des Verfassers zu erläutern. Mit Ihren Ergebnissen dokumentieren Sie Ihr Textverständnis und Ihre Kompetenz bezüglich analytischer Texterarbeitung. Darüber hinaus verdeutlichen Sie in Ihrer begründeten Positionierung und Textauslegung Ihre Kompetenz, selbstständige Denkprozesse zu bewältigen.

Wenn nicht anders gefordert, ist eine eigene Schwerpunktsetzung für die Vorgehensweise möglich (mögliche Intention des/der Verfassers/-in, Wirkung, Rezeption, Wertvorstellungen). Sie sollten bei eigener Schwerpunktsetzung immer den literaturhistorischen und den biografischen Kontext des/der Verfassers/-in berücksichtigen.

Textaufbau: Analyse eines pragmatischen Textes

Die **Einleitung** enthält vollständige Angaben über den *Autor, Titel, Ort* und *Zeit* der Entstehung und der Veröffentlichung, über die *Gattung* und das *Thema etc.* des literarischen Textes. Der Einleitungssatz beantwortet die klassischen W-Fragen: Wer hat den Text geschrieben? Wann wurde der Text verfasst?

Welches Thema/Problem wird behandelt? Wo wurde der Artikel/Text veröffentlicht? Wie lautet der Titel des Textes?

Ein wichtiger und manchmal schwieriger Aspekt ist der *zeitliche Zusammenhang* der Entstehung und der Veröffentlichung des Textes. So kann es von Bedeutung sein, ob der Autor beim Verfassen des Textes jung oder alt war, ob der Text thematisch einen offensichtlichen sozial-politischen oder literaturhistorischen Zeitbezug hat, ob er zeitnah verfasst oder erst später veröffentlicht worden ist. So kann es sein, dass ein Autor als junger Mensch Kriegsgeschehen verherrlicht, was er im hohen Alter nicht mehr tun würde. Auch wäre es möglich, dass ein Text zeitweise verlorengegangen ist, zensiert wird oder bewusst zurückgehalten worden ist, sodass zwischen Entstehung und Veröffentlichung eine große Zeitspanne liegt. Darauf sollten Sie gegebenenfalls in der Einleitung hinweisen.

Ihr Einleitungsteil kann auch einen Hinweis auf den Zusammenhang enthalten, in dem der Text steht und entstanden ist. Vor allem sollte die Kernaussage des Textes mit eigenen Worten beschrieben werden.

Für den **Hauptteil** ist eine nachvollziehbare gedankliche Gliederung sinnvoll, um die eigenen Ausführungen und die Ausführungen des zu bearbeitenden Textes zu strukturieren. Entscheidend für eine gelungene Analyse ist die durchdachte und differenzierte Darstellung und Begründung Ihrer Ausführungen sowie Ihrer Ergebnisse. Deshalb sollten vor der eigentlichen Analyse die *Textfunktion* und die *mögliche Intention* des Verfassers, ähnlich einer *Deutungshypothese*, formuliert werden. Diese Annahmen werden im weiteren Erarbeitungsprozess berücksichtigt und zum Schluss Ihrer Analyse auf Schlüssigkeit überprüft.

In einem *ersten Arbeitsschritt* sollten Sie in knapper Form den *Inhalt* wiedergeben und möglicherweise auf den *Adressatenbezug* sowie auf den *Schreibanlass* des zu bearbeitenden Textes hinweisen, sodass der Kern der inhaltlichen Aussage und der Kontext deutlich werden. Liegt Ihnen ein Textauszug vor, müssen Sie diesen in den Gesamttext einordnen. An dieser Stelle ist es durchaus angebracht, erste Aussagen bezüglich der Textaussage und -funktion zu treffen und auf Widersprüche, Brüche oder andere Auffälligkeiten im Text hinzuweisen.

Schwer verständliche Textelemente sollten Sie als solche benennen und problematisieren.

Für den *zweiten Arbeitsschritt* der analytischen Texterarbeitung sollten Sie immer beachten, dass eine Beziehung zwischen den formalen, den sprachlichen und rhetorischen Gestaltungsmitteln und dem Inhalt besteht. Sie müssen sich grundsätzlich verdeutlichen, dass Inhalt und Sprache eine Einheit bilden. Auch hier können Ihnen W-Fragen hilfreich sein: Wer spricht wie worüber? Welches Ziel hat der Verfasser? Wer ist/sind der/die Adressat/en? Welche Funktion hat der Text? Was möchte der Verfasser verdeutlichen und erreichen? In welchem sozial-politischen oder gesellschaftlichen Kontext muss der Text beurteilt werden? etc.

Je nach Charakter des pragmatischen Textes bzw. abhängig von der Aufgabenstellung kann die Textanalyse mit einer gründlichen Form- bzw. Inhaltsanalyse beginnen, damit anschließend Bedeutungszuweisungen bezüglich der Wirksamkeit und Funktion des Inhaltes bzw. der formalen Gestaltung formuliert werden können. In der Regel erfolgt die Analyse so, dass die Gestaltungselemente unmittelbar in funktionaler Anbindung erläutert werden.

Abhängig von der Aufgabenstellung erfolgt entweder eine *textlineare* oder eine *aspektorientierte Analyse*. Wenn diese Aspekte von Ihnen selbst gewählt sind, sollten Sie diese klar formulieren und begründen. Mögliche Aspekte sind Epochenzuweisung, (literatur-)historischer Kontext, Autorenbiografie, Rezeption oder Textintention. Schlüssige Formulierungen nachvollziehbarer und begründeter Zusammenhänge zwischen formaler Gestaltung und inhaltlicher Aussage sind für eine ergebnisreiche Analyse von Bedeutung. Sie sollten folgende Fragen klären: Gibt es ein Grundthema des Textes oder mehrere Themen- und Problemfelder? Gibt es eine Übereinstimmung zwischen Titel und Thema und existieren Abweichungen und Gegensätze? Spielt Ironie eine Rolle? Enthält der Text eine gedankliche Entwicklung, einen roten Faden oder Widersprüche? Sind möglicherweise inhaltliche Elemente des Textes wegen seines Entstehungsdatums dem zeitgenössischen Leser nicht mehr unmittelbar deutlich?

In einem *dritten Arbeitsschritt* erfolgt die (bestätigende) Darlegung Ihres Analyseansatzes bezüglich Ihrer Einschätzung der Textfunktion und möglichen Verfasserintention. Damit wird erläutert, mit welcher Absicht ein Text ein bestimmtes Thema mit einer spezifischen formalen und sprachlichen Gestaltung behandelt. Da es sich um eine Hypothese handelt, sollten der Modus Konjunktiv I und Modalverben verwendet werden, um eine differenzierte Betrachtung bzw. Deutung zu verwirklichen. Im Gegensatz zu literarischen Texten geht es hier um inhaltliche Aspekte und um die Erarbeitung einer intendierten *Wirkungs-*

absicht (Intention): Die Leser (Rezipienten) sollen informiert oder überzeugt werden, an sie wird appelliert oder sie werden mit Fragen zurückgelassen. Sie sollten den Aufbau der Argumentation untersuchen und mit der Intention verknüpfen. Folgende Fragen bieten sich als Analyseinstrumente an: Wie ist der Text gegliedert? Wie sind die Argumente des Autors aufgebaut? Warum ordnet er die Argumente so an? Wie stichhaltig sind seine Argumente? Bemüht sich der Autor redlich um Ernsthaftigkeit oder wirkt seine Vorgehensweise oberflächlich und ungenau?

Schlüsselbegriffe werden häufig für die Darlegung argumentativer Zusammenhänge verwendet. Pragmatische Texte enthalten häufig Beispiele zur Unterstützung und Verdeutlichung zentraler Thesen und Argumente.

Untersucht werden muss auch, ob Gegenpositionen erwähnt und behandelt werden. Hinsichtlich der sprachlichen Gestaltung muss analysiert werden, ob ein sachlicher Stil benutzt wird oder ob Gegenpositionen mit Herabsetzungen, Über- oder Untertreibungen bedacht werden. Mit der Formulierung der zentralen Textaussage und dem Einsatz der sprachlichen und formalen Gestaltungsmittel in funktionaler Anbindung wird die Analyse pragmatischer Texte im Hauptteil beendet.

Im **Schlussteil** der Textanalyse fassen Sie Ihr Untersuchungs- bzw. Interpretationsergebnis, auf das Wesentliche reduziert, zusammen. Hier können Sie auf Unstimmigkeiten innerhalb des Textes eingehen. Sie sollten auch auf Schwierigkeiten hinweisen, die möglicherweise in dem großen zeitlichen Abstand zwischen Entstehung und Rezeption des Textes begründet sind.

Vermeiden Sie im Schlussteil klischeehafte Äußerungen, erläutern Sie stattdessen die Textfunktion und mögliche Intention des Autors vor dem Hintergrund des (literatur-)historischen und biografischen Kontextes.

Achten Sie auf eine **korrekte Zitierweise** und auf die Verwendung des **Präsens.**

Erörternde Aufgaben

Etwas ausführlicher formuliert geht es im ersten Fall um die **erörternde Auseinandersetzung mit pragmatischen Texten** und deren Bedeutung oder Wirkung.

Im zweiten Fall geht es um die **erörternde Bearbeitung literarischer Texte** und die in ihnen vertretenen Positionen.

Generell bedeutet **Erörtern**, unterschiedliche Standorte zu einer Fragestellung zu erkennen, sie zu gewichten und letztlich selbst eine *begründete Position* zu formulieren. Eine grundlegende Tätigkeit beim Erörtern ist das **Argumentieren**. Dabei wird eine **These** (Behauptung) mit **Argumenten** (Begründungen) gestützt und jeweils anhand von **Beispielen, Belegen, Erläuterungen** und/oder **Folgerungen** untermauert. Während bei einer *mündlichen Erörterung* (Diskussion) die unterschiedlichen Argumentationen von einzelnen Diskussionsteilnehmern vorgetragen werden und es einen Diskussionsleiter gibt, der die Moderation übernimmt, ist der Verfasser einer schriftlichen Erörterung alles zusammen: Moderator, Befürworter und Ablehner, zumindest im Hauptteil des Textes.

Textgestützte Erörterung auf der Grundlage eines pragmatischen Textes

Bei der Erörterung von pragmatischen Texten geht es darum, auf der Grundlage und ausgehend von einem **Sachtext** ein vorgegebenes Problem zu erörtern und sich deutlich zu positionieren. Sie sollten die unterschiedlichen Arten von Sachtexten kennen. Am häufigsten handelt es sich um *Abhandlung, Essay, Kolumne, Kommentar, Leserbrief* oder *Rezension*. Näheres dazu finden Sie unter dem Stichwort *„Pragmatische Texte"* auf Seite 329 f.

Sachtexte können sich um Sachlichkeit und Wissenschaftlichkeit bemühen, sie können aber auch sehr einseitig und subjektiv sein. Meistens sind bei Sachtexten bestimmte, immer wiederkehrende Bauelemente erkennbar. Sie haben einen (häufig aussagekräftigen) Titel, Untertitel oder Zwischenüberschriften. In der Regel liegt eine erkennbare *Makrostruktur* vor, die gewissermaßen der rote Faden ist. Auch verfügen viele pragmatische Texte über Zusammenfassungen oder bilanzierende Passagen.

In Ihrer **Einleitung** nennen Sie zuerst den Titel, den Verfasser, Datum und Ort des Erscheinens des vorliegenden Textes. Dann erläutern Sie das Grundthema und den Problemaufwurf des Textes.

Im **Hauptteil** der Erörterung pragmatischer Texte bietet es sich an, eines der im Kasten vorgestellten Darstellungsmuster auszuwählen. Sie legen Ihre Stoffsammlung an, die sowohl aus Argumentationszusammenhängen besteht, die im Text enthalten sind, wie aus ihren eigenen Kenntnissen und Einschätzungen der zu erörternden Fragestellung. *Sachtexte* können informieren, darstellen, argumentieren, erörtern, appellieren oder regulieren (z. B. Gesetze). Je nachdem, was sie tun oder nicht tun, kann es also sein, dass sie möglicherweise einseitige Argumente enthalten oder kaum welche aufzuweisen haben. Auch müssen Sie untersuchen, ob die im Ausgangstext enthaltenen Argumente stichhaltig sind. Bei Ihrer Darstellung achten Sie daher darauf, welche Argumente dem vorliegenden Sachtext entnommen wurden, und kennzeichnen diese durch entsprechende Hinweise. Ihre eigene Argumentation muss logisch entwickelt, beispielhaft unterstützt und inhaltlich schlüssig sein, um Ihre Position überzeugend zu verdeutlichen.

Im **Schlussteil** der Erörterung auf der Grundlage pragmatischer Texte geht es wiederum um Ihre begründete und argumentativ hergeleitete Beurteilung und Stellungnahme. Je nachdem, wie deutlich Sie diesbezüglich im Hauptteil geworden sind, sollten Sie an dieser Stelle nur Ihre zentralen Ergebnisse zusammenfassen und pointieren.

Sanduhrprinzip Das Bild der Sanduhr entspricht einem X. Es soll also begonnen werden mit den *Gegen*argumenten zur Fragestellung. Das stärkste („breiteste") Kontra-Argument wird als Erstes angeführt, gefolgt von weiteren bis hin zum schwächsten („schmalsten"). Dann erfolgt der Übergang zur Pro-Argumentation. Es wird jetzt umgekehrt verfahren, bis das stärkste („breiteste") Pro-Argument am Schluss des Hauptteils erscheint. Diese Vorgehensweise setzt voraus, dass Sie wissen, welche Position Sie selbst als Beurteilender einnehmen wollen, weil Sie diese ja im Schlussteil ausformulieren. Gewissermaßen folgt das Sanduhr-Prinzip rhetorischen Überlegungen: Es ist, als ob Sie als Redner ein Publikum *überzeugen* wollten. Deshalb fangen Sie überraschend mit dem stärksten Gegenargument zu Ihrer eigenen Beurteilung an. Achten Sie immer darauf, dass Sie die passenden sprachlichen *Konnektoren* (Anbindungsfloskeln) verwenden und diese variieren (vgl. S. 305).

Reißverschlussprinzip Das andere Darstellungsprinzip folgt der Idee, dass Sie einen Pro-Gedanken unmittelbar mit einem Kontra-Gedanken in Verbindung bringen und abwägen. Sie *verzahnen* also Ihren Argumentationsgang („Reißverschluss") oder Sie machen es wie der Ochse am Feldrain: Er dreht um und pflügt in die andere Richtung. Das Reißverschlussprinzip bietet sich an, wenn es keine klare Hierarchie in der Gewichtung der Argumente gibt. Auch eignet es sich dann, wenn Pro und Kontra sehr nah beieinanderliegen. Welches der beiden Darstellungsschemen sich am besten eignet, hängt von der Komplexität der Themenstellung ab und muss von Ihnen entschieden werden. Halten Sie sich aber auf jeden Fall an den Ratschlag, *ein* Prinzip auszuwählen und es vorher differenziert zu planen. Meist geht es bei literarischen Erörterungen um großdimensionierte Problemaufwürfe. Es handelt sich vielleicht um große Motive wie *Sehnsucht*, *Verlorenheit* oder *Aufbruch*, vielleicht auch um Epochen. Grundlegende Fragen der menschlichen Existenz sollen möglicherweise erkannt, durchdacht und beurteilt werden. Ein Aspekt der Beurteilung ist die *Problematisierung*, was bedeutet, dass keine klaren, eindeutigen Beurteilungen getroffen werden können, sondern dass Fragen *unbeantwortet* bleiben müssen. Fühlen Sie sich also nicht unter Druck gesetzt, unbedingt eine eindeutige Stellungnahme abfassen zu müssen. Eine argumentativ gut fundierte Problematisierung ist ebenfalls möglich.

Textgestützte Erörterung auf der Grundlage eines literarischen Textes

In der **Einleitung** zu einer literarischen Erörterung empfiehlt es sich, grundlegende Einordnungen vorzunehmen. Voraussetzung dafür ist, dass das Thema und die dort angesprochenen Sachverhalte klar sind. Möglicherweise wird erwartet, dass Sie sich mit einer *Epoche* auseinandersetzen oder ein bestimmtes *Motiv* untersuchen und vergleichen. Eine erste grundlegende Einordnung wäre also das *Grundthema*, um das es geht. Diese Denkleistung entspricht etwa der Formulierung des Kernsatzes einer Inhaltsangabe.

Die zweite grundlegende Zuordnung bestünde im Verfassen eines *Problemaufwurfs*. Hier würden Sie ankündigen, wie Sie gemäß der Aufgabenstellung planen und inhaltlich sowie formal auf das Grundthema zugreifen.

Im **Hauptteil** einer literarischen Erörterung besteht die entscheidende Aufgabe darin, eine übersichtliche Struktur Ihrer Argumentation zu gestalten.

Es geht um *antithetisches Argumentieren*, also um die Behandlung von **Pro- und Kontra-Positionen**. Während Ihrer Vorbereitungsphase haben Sie in Gestalt einer *Stoffsammlung* alles zusammengetragen, was Sie dafür brauchen. Jede literarische Erörterung setzt eine genaue Textkenntnis und Epochenwissen voraus. Das dichterische Werk ist Ihre Stoffquelle und dient Ihnen als Argumentationsbasis. Ihre Inhaltsaspekte, Ihre Argumente und Beispiele können Sie auch aus Zitaten, Kernstellen und weiteren Textbelegen aus dem literarischen Bezugstext ableiten. Daran zeigt sich die Nähe zu Ihrer Texterschließung und Textinterpretation. Im Schreibprozess kommt es vor allem darauf an, eine übersichtliche und eindrucksvolle Form der Darstellung zu finden. Es spricht viel dafür, als Vorbereitung eine Mindmap oder eine Übersichtsskizze anzufertigen, die Sie anschließend abarbeiten, indem Sie Einzelaspekte in logischer, sinngebender Reihenfolge miteinander verknüpfen. Dadurch können Sie assoziative Einwürfe und Abschweifungen in Nebensächlichkeiten vermeiden. Grundsätzlich bieten sich zwei Darstellungsformen an: die *Sanduhr-* und die *Reißverschluss-* bzw. *Ochsenfurchenmethode (vgl. S.* 315). Um Ihre Argumentation abwechslungsreicher zu gestalten, sollten Sie variierend induktiv bzw. deduktiv argumentieren, das heißt, vom Einzelfall/Konkreten auf das Allgemeine/Abstrakte schließen bzw. umgekehrt vorgehen und sich vom Allgemeinen/Abstrakten ausgehend auf den Einzelfall beziehen.

Im **Schlussteil** einer literarischen Erörterung erscheint Ihre *persönliche Stellungnahme*, sei es als klare Position oder als offene, problematisierende Frage. Sie können u. U. auch auf Nebenaspekte eingehen, die nicht zum Kern des Problemaufwurfs gehören. Das könnten zum Beispiel Aspekte der Relevanz sein, wenn Sie z. B. einen Gegenwartsbezug herstellen und das Lesen von Büchern vor dem Hintergrund der digitalen Medien problematisieren oder die berechtigte Frage anschneiden, inwiefern der Besuch von Theaterveranstaltungen heute zum Standardrepertoire des Durchschnittsbürgers gehört. Sie können aber auch auf weitere literarische Werke verweisen, die eine kontrastierende Behandlung des Themas dokumentieren, oder auf das Menschen- und Weltbild der Epoche eingehen. Entscheidend ist eine dokumentierte, begründete persönliche Auseinandersetzung mit der angesprochenen Problematik.

Materialgestütztes Schreiben

informierender und argumentierender Texte

Das Aufgabenformat **materialgestütztes Schreiben** begegnet Ihnen entweder in der Variante **informierend** oder in der Variante **argumentierend**. In beiden Fällen erwartet die Aufgabenstellung von Ihnen die Produktion eines Textes. Möglicherweise gibt es für diesen Text quantifizierende Vorgaben: Für einen Kurs auf erhöhtem Niveau könnten das 1000 Wörter und für einen Kurs auf grundlegendem Niveau rund 500 Wörter sein. In diesem Zusammenhang ist es wichtig, dass Sie eine ungefähre Vorstellung davon haben, wie viele Wörter Ihrer persönlichen Handschrift auf eine Heftseite passen, denn so können Sie sich zeitaufwendiges Zählen sparen.
Dieser eine Text, den Sie schreiben sollen, wird in der Aufgabenstellung näher charakterisiert. Mögliche Formate sind: Brief oder Leserbrief, Redebeitrag, Kommentar in einer Zeitung, Debattenbeitrag, Informationstext oder eine Rezension. Alle diese Formate haben einen Adressaten, den es zu beachten gilt, und sie haben alle eine eigene Struktur. Für alle ist ein Veröffentlichungsort oder -medium vorgegeben, woraus sich eine (gedachte) Ausgangssituation ergibt („make-believe"). So könnte z. B. ein Debattenbeitrag etwas erörtern, ein Textformat, das Sie aus dem Unterricht kennen. Alle anderen Formate sollten im Unterricht vorbereitet sein oder sich aus der Aufgabenstellung ergeben.

Die Anzahl der Materialien variiert von mindestens drei bis zu zehn und mehr. Dabei soll eine Obergrenze von insgesamt 1500 Wörtern nicht überschritten werden. In der Hauptsache handelt es sich um lineare Texte, aber es können auch Bilder, Grafiken, Schaubilder oder Statistiken vorgelegt werden. Alle diese Texte haben einen Autor, ein Erscheinungsdatum und eine Quelle; Angaben, die Sie je nach Maßgabe der Aufgabenstellung beachten müssen.

Materialgestützt einen Text verfassen

Sie sollen nun auf der Grundlage dieser Materialien einen Text verfassen, der einem bestimmten Gedankengang folgt oder mit einer bestimmten Absicht verfasst wird. Als Erstes sollten Sie die Materialien zur Kenntnis nehmen. Halten Sie fest, ob es sich um einen pragmatischen Text handelt, der informiert, argumentiert oder appelliert, oder ob es sich um einen literarischen Text handelt. Literarische Texte stehen naheliegender Weise im engen Zusammenhang mit der Themenstellung, sodass Sie hier auf Autor, Epoche, Thema, Stil und Aussageabsicht achten sollten. Der Stellenwert und die Aussagekraft von nichtlinearen Texten ergeben sich ebenfalls aus der Fragestellung. So könnte z. B. eine Statistik über die Verkaufszahlen bestimmter literarischer Werke die Bedeutung eines Autors betonen. Sortieren Sie also das gesamte Textmaterial, indem Sie je nach Fragestellung zeitliche Abfolge, Gegensätzlichkeit oder Übereinstimmung und Informationsgehalt zugrunde legen. Achten Sie darauf, inwieweit Texte sich überschneiden. Einerseits könnte das bedeuten, dass redundante Dopplungen vorliegen, aber andererseits könnte es auch bedeuten, dass derselbe Sachverhalt aus einer (grundlegend) anderen Perspektive betrachtet wird. Versuchen Sie, alle Materialien für die Produktion Ihres Textes zu nutzen, und scheuen Sie sich nicht, zusätzliche Kenntnisse einfließen zu lassen.

Als nächsten Schritt sollten Sie den Charakter bzw. die **Struktur Ihres Textes** konzipieren. Dafür ist die konzentrierte Themenformulierung von großer Bedeutung. Wenn es sich um einen **argumentierenden** Text handelt, dann müssen Sie eine Position beziehen, deren Herleitung oder auch deren Infragestellung sich aus den Materialien und ggf. auch aus Unterrichtszusammenhängen ergibt. So könnte es in der Aufgabenstellung heißen, dass Sie auch weitere Kenntnisse zu einem bestimmten Aspekt heranziehen sollen. Wenn es sich um einen **informierenden** Text handelt, dann müssen Sie festlegen, in welcher Reihenfolge Sie aus welchen Materialen bestimmte Informationen entnehmen und was Sie noch zusätzlich aus vorangegangenen Unterrichtszusammenhängen einbringen wollen. In jedem Fall sollten Sie auf einen **adressatenadäquaten Stil** achten.

Gestaltende Aufgaben

Gestaltende Interpretation und adressatenbezogenes Schreiben

Beide Aufgaben erwarten von Ihnen, dass Sie als Autorin oder Autor tätig werden und selbst Texte verfassen.

Gestaltende Interpretation

Im literarischen Bereich interpretieren Sie also, indem Sie die Erkenntnisse Ihrer Textuntersuchung in der Gestaltung eines Textes umsetzen. Dabei kann es sich um *Leerstellen* handeln: Sie würden also den Roman oder das Drama um einen Textteil ergänzen. Weitere gestaltende Schreibaufträge könnten z. B. sein: *Brief, Tagebucheintrag, innerer Monolog, Dialog, Rollenbiografie, Plädoyer, fiktives Gespräch* oder *Szenengestaltung* (mit Dialogen und Regieanweisungen).

Dabei sollen Sie wahrscheinlich auf Perspektivwechsel, Motivaufnahme oder Figurenausgestaltung achten. Grundlage für Ihre Aufgabenstellung ist immer vorgelegtes Textmaterial.

In Ihrer **Einleitung** schreiben Sie eine *Inhaltswiedergabe* oder eine *aspektorientierte Analyse*.

Im **Hauptteil** der gestaltenden Interpretation soll also eine Leerstelle in einem literarischen Werk gefüllt oder ein „begleitendes" Dokument verfasst werden. Entscheidend ist hier, dass dieses nicht zusammenhanglos, assoziativ und beliebig erscheint, sondern dass Sie als Autorin oder Autor interpretierend tätig werden. Sie sollen sich in den historischen Hintergrund, die Gefühlslage der Protagonisten, die Schreibabsicht des Autors/der Autorin und die Herausforderungen des Themenzusammenhanges hineindenken und aus dieser Position heraus schreiben. Insofern sind Sie einerseits kreativ tätig, werden aber durch die oben skizzierten Faktoren angeleitet.

Eine nicht zu unterschätzende Herausforderung besteht darin, den *Sprachduktus* des Protagonisten nachzuahmen. Handelt es sich um eine Figur aus dem 18. Jahrhundert, dann reicht es sicherlich schon, offensichtliche sprachliche Modernismen zu vermeiden und sich dem Sprachgebrauch der literarischen Figuren anzupassen. Goethes Werther hätte um 1770 sicherlich nie „okay" gesagt.

Der **Schlussteil** der gestaltenden Interpretation ist der Ort, an dem Sie Ihre Gestaltung *reflektieren* können. Sie erläutern und begründen Ihre Entscheidungen hinsichtlich Ihres inhaltlichen und formalen Zugriffs. Auch können hier Schwierigkeiten oder Widersprüche formuliert beziehungsweise problematisiert werden.

Adressatenbezogenes Schreiben

Das adressatenbezogene Schreiben erfolgt häufig auf Grundlage pragmatischer Texte, kann sich aber auch auf literarische Texte beziehen (s. materialgestütztes Schreiben, S. 316 f.). Sie werden also Autorin oder Autor eines Sachtextes, der sich an vorgegebene Adressaten wendet. Voraussetzung dafür ist, dass das vorliegende Textmaterial untersuchend erschlossen wurde.

Die *Kommunikationssituation* und der *Gestaltungsauftrag* sind vorgegeben, d. h., Ihnen ist bekannt, an

K

wen Sie sich wenden sollen. Mögliche Schreibaufträge sind z. B., eine *Rede*, ein *Debattenbeitrag*, ein *Interview*, ein *Brief*, ein *Kommentar*, eine *Glosse* oder ein *Essay* zu verfassen.

In der **Einleitung** geben Sie Thema, Inhalt, Argumentation und Sprachführung des vorgelegten Sachtextes wieder.

Im **Hauptteil** verfahren Sie im Prinzip wie beim gestaltenden Interpretieren (s. o.).

Im **Schlussteil** bietet sich neben der Reflexion Ihrer inhaltlichen und formalen Schreibkonzeption an, die Adressaten Ihres Textes analytisch klar zu umreißen, etwa im Hinblick auf ihre Erwartungshaltung, ihr Bildungsniveau oder ihre Themennähe.

Tipps für Stil und Ausdruck

Häufig werden gelungene Ideen und Beobachtungen in Klausuren nicht deutlich, weil sie sprachlich nicht angemessen dargestellt werden. Sprachlich präzise und elegante Formulierungen ermöglichen es dem Leser, gelungene Ansätze von Ihnen angemessen zu würdigen. Die folgenden Aufgaben dienen dazu, Sie für Schwächen in Stil und Ausdruck zu sensibilisieren und Ihnen Lösungen anzubieten.

Stiltipps

1. Das **Tempus** der Analyse und Interpretation ist das **Präsens**; bei Vorzeitigkeit wird das **Perfekt** verwendet.

2. Beginnen Sie Sätze möglichst nicht (oder nur selten) mit einem ausgeschriebenen Zeilenverweis:

↯ Nicht: In Zeile X erkennt man die dominante Rolle Gretes." oder „In Vers Y wird deutlich, ...".

Stattdessen sollten Sie mit dem Kern Ihres Gedankens beginnen und diesen mit einem Textverweis stützen.

Besser: Die Dominanz Gretes drückt sich in ihren Redeanteilen sowie in der Tatsache aus, dass sie die Versorgung Gregors übernimmt (vgl. S. ..., Z. ... f.).

3. Zahlen von eins bis zwölf einschließlich werden ausgeschrieben. In Zeilenangaben sollten Sie die Zahlen jedoch nicht ausschreiben:

↯ Nicht: Sie geht 3 Mal zu ihm, um ihn zu von seinem Entschluss abzubringen (vgl. Z. ...).

Besser: Sie sucht ihn drei Mal auf, um ihn von seinem Entschluss abzubringen (vgl. Z. ...).

4. Im Einleitungssatz sollte **nicht** ***„geht es um"*** geschrieben werden:

↯ Nicht: Im Textausschnitt geht es um ...

Besser: Der vorliegende Textausschnitt veranschaulicht/problematisiert/kritisiert etc.

5. Vermeiden Sie Konstruktionen mit „man":

↯ Nicht: Man kann sehen, dass der Protagonist aufgeregt ist.

Besser: Die Aufregung des Protagonisten zeigt sich darin, dass ...

Formulierungshilfen zur Verknüpfung von sprachlichen und formalen Analyseergebnissen mit inhaltlichen Deutungen

- *Durch ... wird ... erzeugt.*
- *Diese Darstellung legt nahe, dass ...*
- *... unterstützt den Eindruck/veranschaulicht, dass ...*
- *Formulierungen wie ... verdeutlichen/erzeugen ...*
- *Durch das sprachliche Mittel des ... wird hervorgehoben, wie/warum ...*
- *Durch ... wird deutlich, dass ....*
- *Das Thema ... findet auch in ... Niederschlag.*
- *Mithilfe der mehrfachen Verwendung von ... wird ... besonders betont ...*
- *... unterstreicht/drückt aus/evoziert*
- *... steht im Widerspruch zu/stellt einen Gegensatz zu ... dar.*

Fachbegriffe

Lyrik

Ursprünglich handelt es sich bei der *Lyrik* um Gesänge, die mit Lyra-Begleitung vorgetragen wurden. Die enge Bindung dieser Gattung an den Tanz, das Lied und an die Musik wird sinnfällig in den die Lyrik prägenden Gestaltungselementen *Vers, Rhythmus, Klang, Reim, (Sprach-)Melodie* und *Strophe*. Lyrik realisiert sich in Gedichten, deren notwendiger Baustein der Vers ist. Aber auch Dramen, Heldenepen und Fabeln können in Versform gestaltet sein und wurden bis ins 19. Jahrhundert häufig als Gedichte bezeichnet (z. B. *Dramatisches Gedicht*).

Der fiktive Sprecher eines Gedichts wird als **lyrisches Ich** bezeichnet. Dieses ist nicht mit dem Autor gleichzusetzen (die einzige Ausnahme bildet eine Interpretation unter Berücksichtigung des biografischen Deutungsansatzes). Wird hingegen jemand in einem Gedicht angesprochen, ist diese Figur als **lyrisches Du** zu verstehen.

Vers Die in Form einer Druckzeile (häufig beginnend mit einem Großbuchstaben) hervorgehobene Sprecheinheit, die durch eine rhythmische Ordnung geprägt ist.

Vers – Prosa Vers und Prosa lassen sich graduell unterscheiden. Die Verssprache ist zwar wie die Prosasprache durch unterschiedliche Sprecheinheiten/ -phasen (Kola) und durch die Verteilung von je unterschiedlichen Tonstärken auf die verschiedenen Silben gegliedert, doch zeigt die Verssprache gegenüber der Prosa das größere Maß an Ordnung: Die einzelnen Sprecheinheiten (Verse) sind in ihrer jeweiligen Länge zahlenmäßig festgelegt und auch die Abfolge von betonten und unbetonten Silben fügt sich zu einer deutlich sichtbaren Ordnung.

Verslehre Die jeweilige Realisierung von betonten und unbetonten Silben innerhalb eines Verses wird erfasst.

Formmerkmale

Metrum Dem Vers kann ein bestimmtes Metrum bzw. ein bestimmter Takt zugrunde liegen, ein festes Muster der Anordnung von betonten und unbetonten Silben bzw. eine regelmäßig wiederkehrende Folge von *Hebungen* und *Senkungen*.

Versfuß auch Taktart. Die kleinste Einheit, durch deren Wiederholung eine messbare Reihe entsteht. Dabei werden folgende Taktarten unterschieden:

Jambus als Folge einer unbetonten und einer betonten Silbe **xx́**,

Trochäus als Folge einer betonten und einer unbetonten Silbe **x́x**,

Daktylus als Folge einer betonten und zweier unbetonter Silben **x́xx**,

Anapäst als Folge von zwei unbetonten und einer betonten Silbe **xxx́**.

Der Vers lässt sich durch die Angabe der Anzahl seiner Takte oder Hebungen genau beschreiben. Enthält er z. B. vier Takte oder Hebungen, spricht man von einem *vierhebigen* Vers. Ist der Vers durch einen regelmäßigen Wechsel von betonten und unbetonten Silben bestimmt, so ist er *alternierend*.

Versanfang Beginnt der Vers mit einer oder mehreren unbetonten Silbe(n), so spricht man von einem Auftakt oder einem auftaktigen Vers.

Versende Der Versausgang wird auch als *Kadenz* bezeichnet. Verse, die mit betonter Silbe enden, heißen *stumpf* oder *männlich*, solche, die mit unbetonter Silbe enden, *klingend* oder *weiblich*. Findet am Versende ein regelmäßiger Wechsel der klingenden und stumpfen Kadenzen statt, so spricht man von *alternierenden* (= wechselnden*) Kadenzen*.

Versformen Je nach Art des Verses, des Versanfangs, der Kadenz und der Anzahl seiner Hebungen ergeben sich verschiedene Versformen, z. B.: Blankvers, Alexandriner, Knittelvers, ...

xx́ xx́ xx́ xx́ xx́

Blankvers Ungereimter fünfhebiger Jambus, der häufig im klassischen Drama verwendet wurde. Blank bedeutet *leer, unverziert*, also reimlos. *Darf ich's mir deuten, wie es mir gefällt? (*Heinrich von Kleist: *Prinz Friedrich von Homburg*, V. 711)

xx́ xx́ xx́ | xx́ xx́ xx́ (x)
xx́ xx́ xx́ | xx́ xx́ xx́

Alexandriner Sechshebiger Jambus mit einer Zäsur – einem Einschnitt – nach der dritten Hebung bzw. sechsten Silbe. *Du siehst, wohin du siehst,/nur Eitelkeit auf Erden. // Was dieser heute baut,/reißt jener morgen ein* (Andreas Gryphius: *Es ist alles eitel)*

Knittelvers Vierhebiger Vers, der stets im Paarreim auftritt. *Eins abents spat da schaut ich aus/zu eim fenster in meinem haus* (Hans Sachs: *Hans Unfleiß*)

Hexameter Aus sechs Daktylen bestehender antiker Vers, deren erste vier durch Spondeen (Versfüße mit zwei Hebungen) ersetzt werden können und deren letzter katalektisch (unvollständig) ist.

xxx|xxx|xx|xxx|xx
xxx|xxx|x|xxx|xxx|x

Pentameter Trotz des Namens bestehend aus sechs Daktylen, wobei dem dritten und sechsten Daktylus die Senkungen fehlen. *Lass dich, Geliebte, nicht reun, dass du mir so* **schnell dich ergeben!** [Hexameter] *Glaub' es, ich denke nicht frech, denke nicht niedrig von dir.* [Pentameter] (J. W. von Goethe: *III. Römische Elegie*)

Volksliedzeile Mit drei oder vier Hebungen bei Freiheit in der Wahl der Senkungen.

Reimlose Verse Von beliebiger Länge, Hebungszahl und Senkungsfüllung, d. h. metrisch ungebundene Verse werden als *Freie Rhythmen* bezeichnet.

Rhythmus Beim Vortragen von Gedichten wird die metrische Ordnung von Versen durch andere sprachliche Bewegungen überlagert. Diese realisieren sich im Sprechtempo (*schnell – langsam*), in der Klangfarbe (*hell – dunkel*), in der Betonungsstärke (*laut – leise*) und in der Pausierung (*lang – kurz*). Diese Bewegung bezeichnet man als Rhythmus. Besondere Möglichkeiten der rhythmischen Gliederung ergeben sich aus der Verwendung von **Zäsuren** (Einschnitte innerhalb des Verses, die beim Sprechen kleine Pausen erfordern) und aus der Beziehung von Satz- und Versgestaltung. Fallen die syntaktische Einheit/der Satz und das Versende zusammen, so spricht man vom Zeilenstil. Überspielt die syntaktische Einheit die Vers- bzw. Strophengrenze, so bezeichnet man dies als einen Zeilensprung bzw. Strophensprung (**Enjambement**).

Reim Verse können durch Gleichklang von Silben und Lauten miteinander verbunden werden. Die am häufigsten verwendete Klangform ist der *Endreim*: der Gleichklang zweier oder mehrerer Verse vom letzten betonten Vokal an.

Reimarten Unterscheidung nach Stellung der miteinander reimenden Verse: *Haufenreim* (a a a a, b b b b), *Paarreim* (a a b b), *Kreuzreim* (a b a b), *umschließender/ umarmender Reim* (a b b a), *Schweifreim* (a a b c c b). Wird ein Vers am Schluss einer Strophe wiederholt, so spricht man von einem *Kehrreim*.

Reimlose Verse von beliebiger Länge und mit beliebiger Anzahl von betonten und unbetonten Silben, also metrisch ungebundene Verse, werden als *freie Rhythmen* bezeichnet.

Alliteration Ein weiteres Klangmittel, das die Übereinstimmung der anlautenden Konsonanten von Wörtern eines Verses oder einer Strophe bezeichnet. Diese werden dadurch besonders hervorgehoben. (*Das Wallen und Wogen der Wipfel*)

Assonanz Die betonten Silben zweier oder mehrerer benachbarter Wörter besitzen den gleichen vokalischen Laut (z. B. *Ledas Schwan/Megastar*)

Strophe Ursprünglich in der antiken Tragödie ein Teil des Chorgesangs, heute die Unterteilung in mehrere formal gleich oder zumindest sehr ähnlich gebaute Versgruppen. In der Regel erfolgt die Verbindung mehrerer Verse zur nächsthöheren Einheit der Strophe durch den Reim. Die einfachste Form der Strophenbildung ergibt sich aus der Verbindung von zwei Versen durch den Endreim (Zweizeiler). Darüber hinaus stellt die Strophe innerhalb der thematischen Gestaltung des Gedichts zumeist eine Sinneinheit dar.

Strophen- und Gedichtform Je nach Art und Anzahl der Verse, die zu Gruppen zusammengefasst werden, ergeben sich unterschiedliche Strophen- und Gedichtformen wie z. B.

- die **Volksliedstrophe**, die sich aus vier im Kreuzreim angeordneten Volksliedzeilen zusammensetzt.
- das **Sonett**, eine strenge 14-zeilige Gedichtform, die durch die Reimstellung meist in je zwei *Quartette* (Vierzeiler) und *Terzette* (Dreizeiler) unterteilt wird.
- das **Madrigal** als freies strophisches Gebilde von etwa 3 bis 20 Versen, die unterschiedlich lang und von wechselndem metrischen Charakter sind.
- das **Distichon** als eine zweizeilige, klassisch-antike Strophenform, die sich aus einem Hexameter und einem Pentameter zusammensetzt. Die Aneinanderreihung von Distichen führt zur Gedichtform der Elegie.
- die **Ode** als ernstes, weihevolles Gedicht, das in der Regel an einen Adressaten – Gott, Held, Freund – gerichtet ist. Bestimmend für sie ist eine strenge Formgebung, die für die Strophe – je nach Odenart – ein festes metrisches Schema vorsieht.
- das **Epigramm** als Sinngedicht in Reimen, in dem seit der Antike eine Idee oder eine Beobachtung kurz und pointiert, manchmal auch satirisch formuliert wird.
- die **Hymne**, ursprünglich ein kirchlicher Lob- und Preisgesang, der seit dem Sturm und Drang auch weltliche Themen aufgreift und meist in freien Rhythmen verfasst wird.
- die **Ballade** als eine Sonderform, die alle drei poetischen Gattungen in sich vereint, denn sie erzählt eine Geschichte (episch) in Versform (lyrisch) mit Dialogelementen (dramatisch).

- die **visuelle/konkrete Poesie** als experimentelle Form, in der die Sprache selbst zum Inhalt und Zweck des lyrischen Textes wird und oft optische und/ oder akustische Elemente zum Tragen kommen.

schweigen	**schweigen**	**schweigen**
schweigen	**schweigen**	**schweigen**
schweigen		**schweigen**
schweigen	**schweigen**	**schweigen**
schweigen	**schweigen**	**schweigen**

Eugen Gomringer (1960)

Epik

Die Epik (griech. epikos= episch, zum Epos gehörig) oder erzählende Literatur bildet neben Lyrik und Dramatik die dritte der großen literarischen Gattungen. In der Epik werden fiktive oder angenommene reale Geschichten in Vers- oder Prosaform erzählt. Das Erzählen dient als Vermittlung zwischen dem Ereignis und dem Zuhörer bzw. Rezipienten, um ihm bestimmte Situationen verständlich und nachvollziehbar zu machen. Die Darstellung der Geschehnisse erfolgt im Wesentlichen über einen Erzähler, der dieser erzählten Welt (Wirklichkeit oder Fiktion) entweder angehört oder völlig außerhalb dieser Welt steht. Vom Standort des Erzählers und seiner Erzählweise hängt die Form des epischen Erzählens ab. Es gibt neben den einfachen Formen der Epik (Legende, Sage, Märchen) die *Kurzepik* (Parabeln, Fabeln, Kurzgeschichten, Erzählungen, Anekdoten) und die *Großepik* (Roman, Novelle).

Erzähler Der Erzähler ist eine fiktive Figur und vermittelt zwischen dem Erzählten und dem Rezipienten/ Zuhörer den Erzählgegenstand. Er ist nicht mit dem Autor des literarischen Textes gleichzusetzten. Der Erzähler stellt aus seiner Perspektive heraus als Ich-/Er-/Sie-Erzähler die Geschehnisse so dar, wie er sie vermitteln möchte. Er ist entweder ein Teil dieser realen oder fiktiven Welt oder er bezieht seinen Erzählerstandort außerhalb dieser erzählten Welt. Von seiner Erzählweise hängt es ab, wie dem Rezipienten die Ereignisse sowie die innere und äußere Welt der Protagonisten dargestellt werden. Es wird zwischen dem Ich-Erzähler, dem Er-/Sie-Erzähler (personal, auktorial) unterschieden.

Erzählsituation In epischen Texten fungiert ein Erzähler als vermittelnde Instanz zwischen dem *Autor* und dem *Rezipienten, indem d*as Geschehen vom Ich-/ Er-/Sie- Erzähler mithilfe erzähltechnischer Gestaltungsmittel präsentiert wird. Der Autor lässt den Erzähler entweder als Figur in der Handlung agieren, sodass dieser selbst in der Erzählung wahrgenommen wird, oder er lässt ihn hinter dem Erzählten völlig zurücktreten. Durch die Positionierung des Erzählers durch die Wahl des Ich-/Er-/Sie-Erzählers und dessen Perspektive wird die Art und Weise der Darstellung und bestimmt.

Erzählhaltung (auch: Erzählerhaltung) Mit Erzählhaltung ist die Einstellung des Erzählers als Vermittler zwischen Ereignis und Rezipienten bzw. dem Zuhörer gemeint. Er hat gegenüber dem von ihm Erzählten seinen individuellen Erzählerstandort und eine eigene Perspektive gegenüber einzelnen Figuren und deren Handlungen. Seine Einstellung (z. B. Empathie, Abneigung...) kann er z. B. mit Distanzierung, Ironie oder Humor verdeutlichen. Die Erzählhaltung drückt sich auch in der Sprache aus, z. B. bejahend, ablehnend, kritisch, ironisch, mitfühlend etc.

Die Erzählhaltung ist nicht zu verwechseln mit der Erzählperspektive und mit dem Erzählverhalten.

Erzählverhalten liegt dem Erzählten zugrunde und lässt sich unterscheiden in *auktoriales, personales* und *neutrales* Erzählverhalten.

Ein *auktorialer Erzähler* steht „allwissend“ über seiner Erzählung, kommentiert und reflektiert sie, kann im Geschehen vor- und zurückspringen und lenkt so die Deutung des Textes.

Der *personale Erzähler* berichtet direkt aus der Sicht einer Figur oder mehrerer Figuren und steht somit unmittelbar innerhalb des Geschehens. Seine Sichtweise und Wahrnehmung ist begrenzt auf das, was die jeweilige Figur äußerlich und innerlich wahrnimmt.

Der *neutrale Erzähler* schaltet sich nicht kommentierend oder reflektierend in das Geschehen ein.

Erzählform Sie weist die Art der Beteiligung des Erzählers an der Erzählung aus. Berichtet der Erzähler von sich selbst und ist er am erzählten Geschehen direkt beteiligt, so liegt dem Text die *Ich-Form* zugrunde. Hier tritt ein Ich-Erzähler auf, der subjektiv und beschränkt auf seine persönliche Wahrnehmung berichtet und dabei durch eigenen Charakter, persönliche Ansichten und Interessen selbst als Figur greifbar wird. Bei der *Er-/Sie-Form* berichtet eine außenstehende Person von den Erlebnissen einer anderen. Der Erzähler selbst ist hier also nicht am Geschehen beteiligt.

F

Erzählperspektive Entweder nimmt der Erzähler eine *Außensicht* auf Figuren und Geschehen ein oder er verfügt über eine *Innensicht* in die Figuren und kennt z. B. ihre Ängste und Sehnsüchte. Der *auktoriale Erzähler* hat eine allwissende Erzählperspektive, er kann werten und kommentieren, weiß mehr als die Figuren, die in der Geschichte handeln, und kann darüber berichten, was diese denken und fühlen. Außerdem kann er Geschehnisse vorwegnehmen (Vorausdeutung) oder in Rückblenden den Hintergrund der Handlung erläutern. Dieser Erzähler blickt sowohl von außen auf die erzählte Welt (Außenperspektive) als auch in die Innenwelt. Er weiß alles über das Geschehen und kennt die Gedanken und Handlungen aller Figuren.

Der *personale Erzähler* weiß nicht alles und erzählt aus der Perspektive einer einzelnen oder mehrerer Figuren des literarischen Textes.

Der *Ich-Erzähler* berichtet das Geschehen aus der Perspektive des erlebenden oder erlebten Ichs. Er/sie kann nur das erzählen, was er/sie selbst erlebt, sieht und denkt, sodass seine Perspektive begrenzt ist.

Erzählerstandort beschäftigt sich mit dem Standort des Erzählers selbst. Dieser kann sich durch besondere räumliche und zeitliche Nähe oder Distanz zum Erzählten auszeichnen, wodurch die Erzählweise bestimmt wird.

Raum

Die *Raumgestaltung* kann eine wirkliche Topografie abbilden, der Text kann aber auch in einem gänzlich fiktiven Raum angesiedelt sein. Die Figurenhandlung erfolgt immer an bestimmten Orten, die sowohl völlig nebensächlich als auch von besonderer Bedeutung für das Geschehen sein können. Dabei tragen die räumlichen Begebenheiten für die Erzählung ganz unterschiedliche Funktionen. Der Raum kann Voraussetzung für das sich ereignende Geschehen sein und bestimmte Inhalte des Textes symbolisieren. Er kann die Stimmung des Textes und seiner Figuren widerspiegeln und indirekte Aussagen über ihren Charakter machen.

Zeit

Die zeitliche Struktur eines Erzähltextes wird unterschieden in *erzählte Zeit* und *Erzählzeit*.

Erzählte Zeit ist diejenige Zeit, die innerhalb der erzählten Geschichte dargestellt wird.

Erzählzeit ist die Zeitspanne, die der Leser zur Lektüre des Textes benötigt. Anders als die erzählte Zeit liegt die Erzählzeit demnach außerhalb des Erzähltextes und bezieht sich nicht auf seinen Inhalt, sondern auf seine sprachliche Realisierung. Dabei können Erzählzeit und erzählte Zeit deckungsgleich sein, sich aber auch – durch in der erzählten Zeit vorliegende *Zeitdehnung* oder *Zeitraffung* – deutlich voneinander unterscheiden.

Rückblenden und *Vorausdeutungen* innerhalb des Erzähltextes ermöglichen eine Loslösung von einer streng chronologischen Erzählweise. Dabei kann die Erzählung in Form von Rückblenden (*Retrospektiven*) durch das Erzählen bereits vergangener Geschehnisse oder durch Vorausdeutungen zugunsten eines Ausblicks auf künftige Ereignisse unterbrochen werden.

Figuren

Als Trägern der Handlung kommt den Figuren eines Erzähltextes eine besondere Bedeutung zu.

Figurencharakterisierung Man unterscheidet zwischen der *direkten* und der *indirekten* Figurencharakterisierung. Meist setzt sich das Bild des Lesers von der Figur aus beiden Formen der Charakterisierung zusammen.

Die *direkte Form* der Charakterisierung erfolgt durch den Erzähler oder andere Figuren, indem z. B. das äußere Erscheinungsbild der Figur näher beschrieben, ihre Handlung kommentiert und beurteilt wird und der Leser die Figur im Beziehungsgeflecht mit anderen Figuren erlebt.

Durch die *indirekte Charakterisierung* kann der Leser zusätzlich anhand der Äußerungen, Gedanken und Handlungsweisen der Figur selbst ein Bild von ihr entwickeln.

Figurenkonzeption wird vom Autor als *statisch* (sich nicht verändernd) oder *dynamisch* (sich im Verlauf der Erzählung verändernd), als *Typus* (auf einige wenige Charakterzüge reduziert) oder *Individuum* (mit vielschichtigen Charaktereigenschaften) angelegt.

Figurenkonstellation Bei der Untersuchung der Figurenkonstellation wird eine Figur hinsichtlich ihres Alters, Geschlechts, sozialen Status, ihrer Herkunft, der Wertvorstellungen, des Verwandtschaftsgrades sowie ihrer Handlungen und Einstellungen zu den anderen Figuren in Bezug gesetzt. Sie beschreibt die *Beziehung*, in welcher die Figuren zueinander stehen. Aus der Figurenkonstellation resultiert in der Regel auch der zentrale *Konflikt* des Textes.

Redeformen:

Erzählerrede Redeform, die man direkt dem Erzähler des Textes zuordnen kann. Dazu gehören Erzählerkommentar und -bericht sowie die Wiedergabe der Figurenrede in *indirekter Rede*.

Figurenrede bezeichnet die *direkte Rede*, welche die Figuren innerhalb des Erzähltextes verwenden. Der Erzähler tritt hinter die Aussagen der Figuren zurück.

Erlebte Rede Kombination aus direkter und indirekter Rede. Die Gedanken einer Figur werden (im Indikativ Präteritum der 3. Person Singular) aus der Innensicht wiedergegeben.

Innerer Monolog Hier erfolgt die direkte Wiedergabe der Gedanken einer Figur in Form eines Selbstgespräches in der Regel in der 1. Person Singular Präsens, während der Erzähler vollkommen hinter die Rede der Figur zurücktritt.

stream of consciousness (*Bewusstseinsstrom*) ist dem inneren Monolog verwandt und bezeichnet ebenfalls das Selbstgespräch einer Figur, jedoch noch stärker losgelöst von grammatikalischen und syntaktischen Regeln. Häufig weist er Ellipsen und Wiederholungen bestimmter Leitmotive auf, vollständige Sätze sind hier selten. Der rational nicht bewusste, inkohärente Strom von Gedanken und Empfindungen wird so gestaltet.

Epische Gattungsformen

Anekdote Eine epische Kurzform, die eine besondere authentische oder fiktive Begebenheit im Leben einer berühmten (historischen) Persönlichkeit zum Inhalt hat. Sie beschreibt die Begebenheit in auf wesentliche Züge reduzierter Form, beschäftigt sich mit nur einer kleinen Zahl von Figuren und schließt mit einer überraschenden Wende, der *Pointe*.

Epos Das bereits in der Antike geläufige Epos beschäftigt sich mit mündlichen Überlieferungen historischen oder mythologischen Charakters. Götter und Heldenfiguren stehen im Mittelpunkt der Erzählung eines bedeutenden Ereignisses. Mit der mündlichen Überlieferung hängt die Versform des Epos zusammen, welche dem Vortragenden als Gedächtnisstütze dient. Antike und mittelalterliche Epen lassen sich aufgrund der mündlichen Übertragung mitunter keinem bestimmten Autor zuordnen, wie z. B. das *Nibelungenlied*.

Erzählung Der Begriff wird im weiteren Sinn als Oberbegriff für alle epischen Gattungen genutzt. Im engeren Sinn bezeichnet er eine erzählerische Gattung, die zumeist kürzer ist als ein Roman sowie weniger Handlungsstränge aufweist. Es wird meist ein durchgängiger Handlungsverlauf in chronologischer Abfolge und aus lediglich einer Erzählperspektive heraus dargestellt.

Fabel Eine lehrhafte und sozialkritische erzählende Kurzform, die sowohl in Vers- als auch in Prosaform gestaltet sein kann. Ihre Protagonisten sind meist Tiere, seltener Pflanzen oder Dinge, die neben ihren natürlichen auch menschliche Charakterzüge und Fähigkeiten (z. B. Sprache) besitzen. Abgeschlossen wird sie oft mit einer lehrhaften Moral.

Gleichnis Ein zumeist kürzerer Text, der mit belehrender Absicht einen komplexen Sachverhalt auf eine bildhafte und damit sehr anschauliche Art darstellt. Explizit Gesagtes und implizit Gemeintes stehen im Gleichnis stets in Bezug zueinander und werden im sogenannten Vergleichsmoment einander gegenübergestellt. Der Rezipient muss anders als bei der *Parabel* die Sachebene nicht aus der Bildebene ableiten, sondern bekommt sie zusammen mit der Bildebene ausdrücklich erläutert.

Kurzgeschichte In Anlehnung an die amerikanische *short story* entwickelt sich in Deutschland besonders in der Zeit nach 1945 die Kurzgeschichte als knappe Prosaform, deren Hauptmerkmal ihre besondere Kürze ist. Inhaltlich stellt die Kurzgeschichte in zumeist lakonischer, d. h. schmuckloser und trockener Sprache einen charakteristischen Ausschnitt aus dem Leben ihrer Protagonisten in den Fokus, wobei sie unvermittelt in die eigentliche Handlung einsteigt und durch Andeutungen, Aussparungen und sprachliche Bilder eine erzählerische *Verdichtung* hervorruft. Klar auf das Wesentliche reduziert, ist die Handlung der Kurzgeschichte *linear* angelegt. Auch die Gestaltung von Raum, Zeit und Figuren zeichnet sich durch eine besondere Reduktion und Skizzenhaftigkeit aus, was dem Rezipienten eine gute Übertragbarkeit auf seine eigenen Lebensumstände ermöglicht. Das unvermittelte Einsetzen der Erzählung entspricht dem offenen Schluss, der den Leser zum Nachdenken über ein mögliches Ende und damit zum Transfer auf seine eigene Lebenswirklichkeit anregen soll.

Legende Der Ursprung liegt in der Lesung der Leidenswege von Märtyrern und Heiligen innerhalb der mittelalterlichen Kirche. Ab dem 15. Jahrhundert entstehen zusätzlich zu den kirchlichen auch weltliche Legenden, d. h. weitgehend fiktive Erzählungen mit moralisch belehrendem Charakter.

Märchen Eine kurze, frei erfundene Erzählung mit fantastischen Elementen in Prosaform. Man unterscheidet zwischen *Volksmärchen*, die vor ihrer Verschriftlichung zunächst mündlich und ohne Rückbezug zum Autor überliefert wurden, und *Kunstmärchen* mit direkter Zuordenbarkeit zum Verfasser. Die Märchenwelt ist klar unterteilt in Gut und Böse und stellt zumeist einen Helden in den Mittelpunkt, der sich im Spannungsfeld guter und böser Kräfte beweisen muss. Charakteristisch für die Gattung des Märchens sind darüber hinaus ein formelhafter Anfang und ein gutes Ende sowie die indirekte Übermittlung bestimmter Lehren an den Adressaten.

Novelle Eine Erzählung mit linearer Handlung ohne Nebenhandlung von kürzerer bis mittlerer Länge in Prosaform, die eine neue, unerhörte und einzigartige Begebenheit in den Fokus des Erzählens stellt. Die Gestaltung ist klaren Regeln unterworfen: Die geschlossene Form zeichnet sie ebenso aus wie die Verwendung immer wiederkehrender *Leitmotive* oder *Dingsymbole*. Häufig ist die beschriebene Binnenhandlung in eine Rahmenhandlung eingebettet, welche die Situation des Erzählens erläutert.

Parabel Eine kurze lehrhafte Erzählung, die ihrem Charakter nach dem *Gleichnis* verwandt ist. Auch die Parabel setzt sich zusammen aus einer Bild- und einer Sachebene. Im Unterschied zum Gleichnis wird die Sachebene in der Parabel aber nicht explizit dargelegt, sondern muss im Zuge der Übertragung auf die Lebensumstände des Rezipienten von diesem selbst erschlossen werden.

Roman Die Großform der Epik. In Prosaform legt er meist das Schicksal einer einzelnen Figur oder einer Figurengruppe dar, weist ein umfangreiches Personal sowie eine komplexe, in mehrere Stränge unterteilte Handlung auf. Thema und Schreibstil variieren von Roman zu Roman, sodass eine Einteilung in unterschiedliche Romantypen möglich ist: z. B. Abenteuerroman, Agentenroman, autobiografischer Roman, Bildungsroman, Briefroman, Detektivroman, Entwicklungsroman, Fantasyroman, Gegenwartsroman, Gesellschaftsroman, Gothic Novel, historischer Roman, Horrorroman, Kriegsroman, Kriminalroman, Liebesroman, postmoderner Roman, Reiseroman, Ritterroman, Schauerroman, Schelmenroman, Science-Fiction-Roman, Spionageroman, Tatsachenroman, utopischer Roman oder Zukunftsroman.

Sage Wie *Märchen* und *Legende* ist auch die Sage eine zunächst auf der mündlichen Überlieferung basierende kurze Erzählung fantastischer Ereignisse. Durch die Kombination unwirklicher Elemente mit realen Geschehnissen, belegbaren Angaben zu Figuren, Ort und Zeit des Erzählten, wird der Eindruck erweckt, die Sage berichte von einem tatsächlich eingetroffenen Ereignis.

Dramatik

Begriff Der Name leitet sich ab vom altgriechischen Wort *dráma*, was so viel wie *Handlung* bedeutet. Das literarische Produkt der Dramatik ist das Drama. Es entfaltet seinen Konflikt mithilfe von *Dialogen* und *Monologen* der agierenden Figuren. Ursprünglich gedacht für die Darbietung auf der Theaterbühne, wendet das Drama sich weniger an ein lesendes, sondern vielmehr an ein Theaterpublikum. Über *Regienanweisungen (Nebentext)* wird der reine Dramentext um Angaben zur Bewegung, Gestik und Mimik, zum Bühnenbild und zu den Requisiten ergänzt.

Struktur des Dramas

Akt Der Begriff leitet sich aus dem lateinischen Verb *agere* ab, was so viel wie *das Gemachte* oder *die Tat* bedeutet und in einem dramatischen Text für den Abschnitt eines Theaterstückes steht. In manchen Dramen wird der Akt auch als **Aufzug**, abgeleitet vom Aufziehen des Vorhangs zu Beginn eines *Aktes*, bezeichnet.

Seit dem 20. Jahrhundert wird in der Dramatik die Einteilung in *Akte* häufig aufgegeben und durch Überlegungen, wann eine Pause sinnvoll ist, ersetzt.

Auftritt Der *Auftritt* stellt auf der Bühne im Theater eine bestimmte Konstellation der Figuren dar; bei einem Figurenwechsel beginnt ein neuer Auftritt. Die Akte eines Theaterstücks werden nach *Auftritten* oder *Szenen* gegliedert; diese sind die kleinsten strukturellen Einheiten des Dramas. Das Gegenteil vom *Auftritt* einer Figur auf der Bühne ist der *Abgang*. Der Begriff *Auftritt* kann auch im Sinne eines Schauplatzes oder Bühnenbildes verwendet werden. In Dramen von Lessing oder Schiller erscheint die Szene in der Bedeutung des Schauplatzes, der zusätzlich noch in *Auftritte* eingeteilt ist.

Szene Der Begriff leitet sich aus dem Griechischen von *skene* ab, einer Holzhütte, die ein Teil einer antiken griechischen Theateranlage war. Heute bezeichnet sie eine kleine Einheit innerhalb eines Theaterstücks oder eines Filmes. Das Ende einer Szene wird meist durch einen Figuren-, Orts- oder Zeitwechsel markiert.

Bild Eine andere Art der Unterteilung von Theaterstücken, die in der Regel einen *Schauplatz* kennzeichnet, den das Bühnenbild darstellt.

Station Der Begriff stammt vom lateinischen *statio* für den *Stand* oder *Standort* und bezeichnet vor allen Dingen in Dramen der *offenen Form* einzelne *Szenen* oder *Bilder*, die lose aneinandergereiht und hauptsächlich nur durch den Protagonisten des Stücks miteinander verbunden sind. Die Gesamtheit aller *Stationen* eines Stücks wird *Stationendrama* genannt.

Typischer Dramenaufbau

Exposition (Einleitung) Die *Figuren* werden eingeführt, der dramatische Konflikt kündigt sich an. Der Zuschauer erhält Informationen zu den Vorbedingungen des sich später anbahnenden Konflikts.

Steigerung Steigende Handlung mit *erregendem Moment*: Die Situation/der Konflikt verschärft sich.

Peripetie (Umschlag der Handlung, Umkehr der Glücksumstände des Helden): Die Handlung erreicht ihren Höhepunkt (*Klimax*).

Retardierung/Retardation Fallende Handlung mit *retardierendem* (aufschiebendem, hinhaltendem) *Moment*: Die Handlung verlangsamt sich und eine positive Wendung, die bevorstehende Katastrophe abzuwenden, scheint für einen kurzen Moment möglich.

Katastrophe (*Dénouement*) Es kommt meist zum endgültigen Scheitern des Protagonisten bzw. zu der Bewältigung des dramatischen Konflikts. Der Held wird stirbt als Märtyrer für seine Überzeugung. Dadurch werden die Konflikte gelöst und die Figuren sittlich gereinigt/geläutert (*Katharsis*).

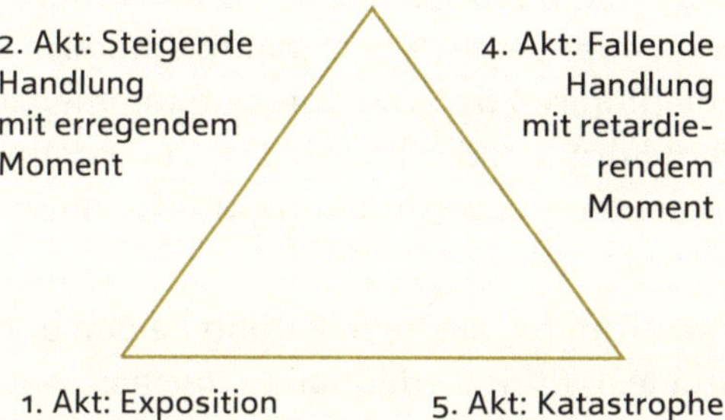

Figuren

Figur Der Begriff steht für eine erfundene, fiktive Person und ist nicht mit einer realen Person zu verwechseln. Die Figurengestaltung ist unterschiedlich. Man spricht von einer *dynamischen Figurengestaltung,* wenn sich eine Figur im Laufe der dramatischen Handlung entwickelt, von einer *statischen Figurengestaltung*, wenn keine erkennbare Entwicklung im Verhalten und Denken der Figur deutlich werden. Eine geschlossene Figurengestaltung enthält für die Zuschauer keinen Deutungsspielraum, während eine offene Figurengestaltung unterschiedliche Deutungen zulässt.

Charakter Die Persönlichkeit einer Figur, ihre Eigenschaften und ihr Verhalten werden differenziert dargestellt, um ihre individuellen Kompetenzen und Fähigkeiten zu vermitteln, damit der Zuschauer die Motivation für ihr moralisches Handeln erkennt. Eine Figur kann auch einen gemischten Charakter mit Stärken und Schwächen aufweisen.

Typus Die Figur wird auf typische Eigenschaften und Verhaltensweisen reduziert und mit feststehenden Merkmalen versehen: der Typus des intriganten Unruhestifters, des listigen Überlebenskünstlers, des betrogenen Ehemannes, des vergeistigten Intellektuellen . . .

Protagonist Die zentrale Figur in einem Drama (*Hauptdarsteller*), sein Gegenspieler ist der *Antagonist*.

Figurenkonstellation Die sozialen, psychologischen und/oder emotionalen Beziehungen der einzelnen Figuren eines Stückes zueinander. Die Charaktermerkmale, Verhaltensweisen und Wertvorstellungen einer Figur lassen sich vor allem durch ihr Verhältnis zu den anderen Figuren erfassen.

Figurenrede

Monolog leitet sich aus dem Griechischen von *monos = allein* ab und ist im Gegensatz zum *Dialog* ein reflektierendes Selbstgespräch. Indem die Figur zu sich selbst spricht, richtet sie sich zwar nicht direkt an die Zuschauer, doch ist das Publikum der eigentliche Adressat, um die Gedanken, Konflikte und seelischen Vorgänge der Figur hörbar nach außen zu tragen und damit deutlich werden zu lassen.

Dialog Im Gegensatz zum Monolog ist der *Dialog* eine zwischen zwei Figuren geführte Rede und Gegenrede (Wechselrede). Der Dialog ist der wesentliche Handlungsträger eines Dramas. Hier erhalten die Zuschauer Informationen über die Vorgeschichte, über die Handlungsmotive der Figuren, ihre Einstellungen und über die Zuspitzung des Konfliktes.

Botenbericht Der *Botenbericht* fungiert als Stilmittel, das Publikum in Kenntnis von einem bereits *vergangenen* und *abgeschlossenen* Ereignis zu setzen, um das Verständnis für die Handlung zu erleichtern, weil nicht alles direkt auf der Bühne dargestellt werden kann, z. B. eine Schlacht oder eine Hinrichtung. Von besonderer Bedeutung ist der Botenbericht in der griechischen Tragödie, die an die Geschlossenheit der drei Einheiten von Ort, Zeit und Handlung gebunden ist.

Teichoskopie (oder *Mauerschau*) Im Gegensatz zum Botenbericht berichtet eine Figur von erhöhter Position aus (z. B. einer Stadtmauer) über ein *gleichzeitig* stattfindendes Ereignis, das auf der Bühne nicht dargestellt und von anderen Figuren nicht gesehen werden kann, wie aufmarschierende Armeen oder Naturphänomene (Sternenhimmel/ Sonnenaufgang). Die Teichoskopie kann ein *Monolog* oder auch ein *Dialog* sein.

A parte Eine Figur spricht während eines Dialogs zum Publikum gewandt, ohne es ausdrücklich anzusprechen.

Ad spectatores Eine Figur wendet sich wie im Volkstheater oder im epischen Theater an die Zuschauer.

Anti Labe (*Widerhall*) Ein einzelner Sprechvers wird auf mehrere Figuren verteilt und durch Einrückungen im Schriftbild gekennzeichnet.

Stichomythie (Reihenrede) Die Figurenreden wechseln nach jedem einzelnen Vers.

Handlung

Haupttext Der gesamte Text, der auf der Bühne von den einzelnen Figuren gesprochen wird.

Nebentext In der Regel alle Informationen, die durch ein besonders hervorgehobenes Schriftbild (in Klammern, kursiv) für den Leser eines dramatischen Textes von Bedeutung sind: *Titel, Vorwort, Personenverzeichnis* und vor allen Dingen *Regieanweisungen*.

Prolog – Epilog Eine „Vorrede" in der Art einer Einleitung oder Vorgeschichte, die vom Haupttext abgegrenzt ist, im Gegensatz zum Epilog, der „Nachrede", einem Nachwort oder Nachspiel.

Dramatischer Konflikt Der Kern des Dramas, der sich aus unterschiedlichen Interessen und den sich gegenseitig ausschließenden Zielen der Protagonisten und Antagonisten ergibt. Dabei sind besonders drei Aspekte zu beachten:

1. Ursache und Entstehung
2. Entwicklung
3. Lösung des Konflikts

Der Konflikt kann vom Helden sowohl verschuldet als auch unverschuldet ausgelöst werden. Während in der *Tragödie* der Konflikt unweigerlich auf eine *Katastrophe* hinausläuft, wird er in der *Komödie* meist positiv gelöst, sodass am Ende ein Happy-End erfolgt.

Formen des Dramas

Tragödie Die Tragödie bezeichnet allgemein einen dramatischen Text, in welchem der Held an einem tragischen Konflikt scheitert. Der Protagonist ist dem Schicksal unterlegen und durchlebt die dargestellte Handlung schließlich auch in dem Bewusstsein, dass er scheitern muss. Auslöser der Tragödie kann eine, von ihm selbst nicht zu verantwortende Schuld des Dramenhelden oder aber eine von ihm persönlich verursachte Schuld sein. Außerdem können das Schicksal, Missverständnisse, Irrtümer und Intrigen das Scheitern des Helden verursachen. Der antike Tragödienbegriff des Aristoteles sieht für die Tragödie als höchste dramatische Gattung ausnahmslos Figuren von besonderem gesellschaftlichen Rang vor, da diese aufgrund ihrer hohen Stellung besonders tief fallen können (Ständeklausel; Fallhöhe). Die Tragödie der Figuren des ersten Standes sollte so beim Publikum *Furcht* und *Mitleid* erregen und es von derartigen Affekten reinigen (*Katharsis*). Dementsprechend herrscht in Tragödien in der Regel die Hochsprache vor. Bis ins 18. Jahrhundert hinein werden in der Tragödie Figuren und Konflikte des Adels und der höfischen Welt dargestellt (*Ständeklausel*).

Mit der Entwicklung des *bürgerlichen Trauerspiels* werden zunehmend auch die gesellschaftlichen Probleme und Konflikte des Bürgertums aufgegriffen und die *moralische Fallhöhe* des Bürgertums in den Blick genommen.

Komödie Ihr wichtigstes Merkmal ist ihr Hang zur komischen Darstellung und der gute Ausgang des in ihr aufgeworfenen Konflikts. Anders als in der Tragödie ist der Konflikt in der Komödie lösbar, sodass ein gutes Ende durch Zufall, Klugheit oder Torhaftigkeit des Helden oder seines Kontrahenten möglich ist. Die Dramenfiguren der Komödie entstammen zumeist dem Bürger- oder Bauerntum und kommunizieren in niederer bzw. Umgangssprache miteinander.

Passionsspiel Um für die Bevölkerung Leiden und Auferstehung Jesu Christi erlebbar zu machen, entstehen im Mittelalter sogenannte Passions- oder Osterspiele, in denen charakteristische Bibelstellen, wie Auferstehung und Wächterszene, aufgeführt werden.

Bürgerliches Trauerspiel Im 18. Jahrhundert reformieren die Dramatiker, zunächst Gotthold Ephraim Lessing, später auch Friedrich Schiller, das Theater. Lessing entwickelt das „bürgerliche Trauerspiel", in dem typische bürgerliche Probleme (z. B. Konflikte zwischen Bürgertum und Adel) fokussiert werden. Die Aufhebung der *Ständeklausel ist die Folge dieser neuen Dramengestaltung und man erkennt*, dass die tragischen Stoffe, welche bis dahin ausschließlich dem Adel vorbehalten gewesen sind, auch auf das Bürgertum übertragbar sind.

Historisches Drama wendet sich der Aufarbeitung historischer Ereignisse zu und thematisiert häufig die

Auswirkungen der Geschichte auf das einzelne Individuum.

Lyrisches Drama wird im 18. Jahrhundert als Textgrundlage für *Opern* oder *Singspiele* mit starker Gefühlsbetonung genutzt. Es bezeichnet aber gleichzeitig einen Dramentyp, der durch eine stark stilisierte Sprache und die Darstellung von tiefen Emotionen der Protagonisten gekennzeichnet ist.

Naturalistisches Drama fokussiert im Deutschland des ausgehenden 19. Jahrhunderts die möglichst naturgetreue Wiedergabe der Wirklichkeit auf der Theaterbühne. So entstammen die behandelten Stoffe dem realen Leben und beschreiben ein Milieu so exakt wie möglich. Im Fokus steht dabei immer der Mensch selbst, seine Armut, Krankheit, Neurosen, nicht so sehr die Geschichte, die sich um ihn herum abspielt. Ausführliche Regieanweisungen, die Einhaltung der Einheit von Raum und Zeit, ein auf wenige Figuren begrenztes Personal sowie ein analytischer Aufbau der Handlung mit aneinandergereihten Sequenzen sind kennzeichnend für das naturalistische Drama.

Illusionstheater Das Illusionstheater vermittelt dem Publikum den Eindruck, im Bühnengeschehen Zeuge realer Vorgänge zu werden. Das Stück wird also nicht mehr als Fiktion wahrgenommen, denn der Zuschauer erliegt der Illusion, einem sich in der Realität abspielenden Geschehen beizuwohnen. Illusionstheater wurde vor allem im Barock sowie im Naturalismus dazu genutzt, dramatische Texte möglichst real wirken zu lassen.

Episches Theater Einen radikalen Bruch mit dem Illusionstheater begeht Bertolt Brecht mit der Etablierung des epischen Theaters, welches dem Publikum mithilfe von bestimmten *Verfremdungstechniken* stets den illusionären Charakter des Bühnengeschehens vor Augen führt und dadurch eine Distanzierung der Zuschauer von der Bühnendarstellung erreicht. Zu den Verfremdungstechniken, die den Verlauf der Haupthandlung auf der Bühne immer wieder durchbrechen, gehören der Kommentar eines Erzählers oder Ansagers, der Einsatz von Chören und der Gebrauch von Spruchbändern und Plakaten. Die Zuschauer sollen zum Mitdenken und zum Auffinden alternativer Lösungen angeregt werden, indem er das auf der Bühne Dargestellte auf seine eigenen Lebensumstände überträgt und mögliche Handlungsalternativen aufdeckt.

Dokumentartheater entwickelt sich in den 1960er-Jahren in der Tradition von Brechts epischem Theater und will den Rezipienten zu politischem Einsatz anregen. Dazu bringt es Quellen oder authentische historische Szenen in mehr oder weniger starker künstlerischer Bearbeitung auf die Bühne. Auch schwierige historische Probleme, wie die Schrecken des Zweiten Weltkriegs und die sich daran anschließende Verdrängungsmentalität vieler Beteiligter, finden im dokumentarischen Theater Platz und erreichen eine breite Öffentlichkeit.

Lesedrama besteht aus Texten, die zwar der Form nach dramatisch sind und mit Dialogen und Regieanweisungen arbeiten, aber vom Verfasser nicht für die Aufführung auf einer Bühne gedacht sind. In Lesedramen erschweren oder verhindern häufige Schauplatzwechsel, schwierig zu gestaltende Bühnenbilder oder die bloße Länge des Textes, dass eine Aufführung überhaupt möglich ist.

Einakter dramatischer Text, der nur aus einem einzigen Akt besteht und kaum Szenenwechsel aufweist. In meist vergleichsweise geringem Umfang geben Einakter keine komplexe und in sich geschlossene Handlung wieder, sondern stellen zumeist mit offenem Anfang und Ende einen bestimmten Ausschnitt aus dem Leben der Figuren in einer immer komplizierter werdenden Welt dar.

Dramatische Formen (nach Volker Klotz):

	Geschlossene Dramenform	Offene Dramenform
Handlung	**Einheit der Handlung:** Einsträngigkeit; Seitenstränge dienen der Haupthandlung Geschlossenheit der Handlung: Die Handlung ist in sich abgeschlossen und vollständig; sie enthält keine wesentlichen Sprünge und Lücken.	**Vielfalt der Handlung:** Mehrsträngigkeit; relativ eigenständige Nebenhandlungen Offenheit der Handlung: Die Handlung ist schlaglichtartig, bruchstückhaft und fortsetzbar; ist sprunghaft, mit vielen Aussparungen
Zeit	**Einheit der Zeit:** geringe Zeiterstreckung; Zeitverlauf ist wichtiger als Zeiteindruck: Die szenische Gegenwart ist überlagert von Vorwärts- und Rückwärtsbezügen.	**Vielfalt der Zeit:** weite, z. T. unbestimmte Zeitausdehnung: Der intensiv erlebte dramatische Augenblick ist wichtiger als eine klare zeitliche Abfolge.

	Geschlossene Dramenform	Offene Dramenform
Ort	**Einheit des Ortes:** kein dramatisch wirksamer Ortswechsel Der Raum ist typisiert, er bildet nur den Rahmen, ist kein Handlungsfaktor.	**Vielfalt des Ortes:** Fülle verschieden gearteter, eigentümlicher Lebens- und Handlungsräume: Der Raum ist charakteristisch, ist Mitspieler und bezeichnet den Menschentyp, den Stand, das Milieu, die Atmosphäre und Sprache.
Figuren	**Einheit des Standes:** Das Personal ist sozial einheitlich, mit einem gemeinsamen geistigen Bezugssystem. Einhaltung der Ständeklausel: In der Tragödie: wird die höfische Welt dargestellt, in der Komödie die bürgerliche Welt. Es sind klare personenbezogene Gegenspieler sichtbar. Die Protagonisten sind mündige, verantwortliche, reflektiert handelnde Persönlichkeiten, die im Wesentlichen geistig und seelisch geläutert sind.	**Vielfalt des Standes:** Aufeinandertreffen verschiedener sozialer Schichten und Weltbilder. Es gibt keine Standesvorbehalte, jeder Stand kann tragisch und komisch dargestellt werden. Die Figuren befinden sich im Kampf mit allgemeinen Welt-, Klassen- und ihren Milieuverhältnissen. Es gibt unterschiedliche Menschenbilder: z. B. unreife, unfreie, unfertige, dumpfe und durch ihre sozialen Verhältnisse getriebene Menschen. Sie handeln einander ebenbürtig, kreatürlich, teilweise triebhaft, unbewusst und sozial oder unsozial.
Sprache	**Einheit der Sprache:** Versverwendung, Dichtungssprache, hoher Stil. Die Sprachverwendung dient als zentrales Ausdrucksmedium. Der Satzbau ist häufig hypotaktisch (unterordnend), die Satzfolge beständig, schlüssig, grammatisch stimmig. Die Sprachverwendung ist kunstvoll, zielgerichtet, logisch folgernd und dialogisch.	**Vielfalt der Sprache:** Die Sprechweisen der Figuren sind nach dem Stand, dem Charakter und der Situation entsprechend verschieden: Prosa, Alltagssprache, unterschiedliche Sprachniveaus, Dialekt und Stilmischungen. Neben der verbalen Kommunikation werden auch non-verbale Elemente der Kommunikation verwendet: z. B. Körpersprache, ausgedrückt durch Mimik und Gestik. Aber auch Regieanweisungen werden verstärkt formuliert. Der Satzbau ist häufig parataktisch (nebenordnend), die Satzfolge auch sprunghaft, stockend, unvollständig. Die Sprachverwendung ist vielfältig, sie ist häufig, je nach sozialer Zugehörigkeit und emotionaler Verfassung der Figur, unbeholfen, zerfahren, assoziativ, elliptisch oder monologisch.
Aufbau	In der Darstellung wird das Prinzip der Geschlossenheit in einer straff geordneten Komposition umgesetzt und eingehalten.	Die Darstellung verdeutlicht eine offene, lockere Komposition. Wie in einem Kaleidoskop findet ein steter Wechsel der Bilder und Eindrücke statt, sodass einzelne Aspekte mosaikartig auseinanderfallen und wieder zusammengefügt werden.

Film

Bildkomposition

Einstellungsgrößen Bildverhältnis zwischen Bildobjekt (Person/Gegenstand) und Bildraum. Das Spektrum reicht dabei von der extrem weiten Panaromaeinstellung, in der der Raumeindruck dominiert, hin zur Detailaufnahme, bei der Ausschnitte hervorgehoben werden. Die Wahl der Einstellungsgrößen (*Panorama, Totale, Halbtotale, Halbnahe, Amerikanische, Nahe, Groß, Detail*) und deren Montage entscheiden grundlegend über die Erzählhaltung eines Films und die emotionale Wirkung beim Publikum. Jede Einstellungsgröße kann theoretisch aus jeder Perspektive gedreht werden, wodurch sich das kreative Potenzial des Kamerastandpunkts vervielfacht.

Kamerabewegung Die Veränderung des Kamerastandpunkts kann zusätzlich zur Wahl von Einstellungsgröße und Perspektive narrative Intentionen verfolgen.

Beim *Kameraschwenk* wird lediglich die Kamera auf einem Stativ oder mit der Hand horizontal und/oder vertikal geschwenkt, während der Kamerastandort gleich bleibt.

Bei *Kamerafahrten* mit Kamerawagen (Dolly) oder durch den Kameramann selbst (*Handkamera*) hingegen wird die Kamera selbst durch den Raum bewegt.

Bei einem *Zoom* wird mithilfe der Veränderung der Objektivbrennweite der Kamera an einen Gegenstand oder eine Person „herangezoomt" – eine Fähigkeit, die das menschliche Auge nicht besitzt. Die Rolle der Kamera als filmischer Erzähler wird durch Kamerabewegungen deutlich, lenkt sie doch den Blick des Zuschauers besonders stark.

Mise en Scène Filmästhetische Bezeichnung in Analogie zur Bühnengestaltung im Theater oder der Bildgestaltung der bildenden Kunst für das Arrangieren des Filmbildes, z. B. Positionierung von Personen im Bildraum, Farbkomposition, Verhältnis von Vorder- und Hintergrund, weiterhin Maske, Kostüm und

Schauspiel. Die Mise en Scène beeinflusst die emotionale Haltung des Zuschauers zum Geschehen.

Perspektive Position der Kamera im Verhältnis zum Bildobjekt (Person). Als Normalsicht bezeichnet man die Kameraposition auf Augenhöhe einer Person. Aus *Untersicht/Froschperspektive* können Personen mächtig oder heldenhaft wirken. Die *Aufsicht/Vogelperspektive* kann Personen klein und verloren wirken lassen sowie Unterlegenheit suggerieren.

Montage/Schnitt

Montage Bezeichnung für den Schnitt von Filmaufnahmen – früher analog mit dem Filmmaterial, heute digital mithilfe von Schnittprogrammen. Bei der Montage wird neben dem Bild auch die Tonspur (Geräusche, Sprache, Musik) bearbeitet. Die Montage, die Zusammenfügung einzelner Filmaufnahmen, gilt auch als das wesentliche Merkmal der Filmkunst und Unterscheidungskriterium von anderen Kunstgattungen. Erst mithilfe des Schnitts entsteht aus Einzelaufnahmen eine kohärente Handlung und damit der Film. Verschiedene Montagekonzepte wie *Assoziations- und Kontrastmontage, Ellipse, Jump Cut, Match Cut* oder *Parallelmontage* bieten vielseitige Möglichkeiten, eine Geschichte zu erzählen.

Assoziations- und Kontrastmontage Aufnahmen werden so aneinandergeschnitten, dass diese vom Zuschauer assoziativ verbunden und so metaphorisch gedeutet werden: Der Schnitt von einem Reh in freier Wildbahn zu einem Gefangenen hinter Gittern wird so zu einem Sinnbild für Freiheit und deren Fehlen im Falle des Gefangenen.

Ellipse Kürzung einer Handlung in der filmischen Darstellung durch Auslassung von Handlungselementen in der Montage. Auslassungen können die logische, kausale und temporale Folge der Geschehnisse betreffen. Im heutigen Film stark verwendet, um den Erzählfluss zu beschleunigen

Jump Cut Schnitt zwischen zwei Bildern, die hinsichtlich Einstellungsgröße und Perspektive nahezu identisch sind, aber einen Handlungssprung vollziehen. Kann z. B. zur Dynamisierung einer Actionszene oder Verunsicherung des Zuschauers genutzt werden.

Match Cut Verbindung zweier Filmbilder im Schnitt mithilfe optischer Übereinstimmungen, z. B. Positionierung im Bildraum, Farbgebung oder Objektbewegung im Bild. Hierdurch entsteht eine narrative Klammer zwischen Szenen.

Parallelmontage Durch die Montage wird zwischen zwei zeitlich parallel verlaufenden Handlungen hin- und hergeschnitten, wodurch z. B. bei Verfolgungsjagden Spannung aufgebaut werden kann. Die Parallelmontage ist besonders effektiv in Verbindung mit Match Cuts.

Pragmatische Texte

Begriff Texte, die Informationen und Fakten liefern, auch Gebrauchs- oder pragmatische Texte genannt, z. B. Zeitungsbericht, Gebrauchsanweisung, Rezension, Kommentar, Rede, Leserbrief, Memoiren, Biografie, Einladung, Schulordnung.

Funktionen von Sachtexten

Sachtexte haben verschiedene Funktionen bzw. Wirkabsichten, wobei ein Text meist nicht nur eine der folgenden Funktionen (Darstellung, Ausdruck, Appell) erfüllt, sondern in unterschiedlichem Maß verschiedene Wirkabsichten verfolgt.

informierend Informierende Texte dienen der Darstellung und machen Angaben zu bestimmten Sachverhalten, z. B. *Nachrichten, Meldungen, Abhandlungen, Berichte* oder *Protokolle*.

appellierend Appellative Texte sollen den Rezipienten zu einer Handlung veranlassen, z. B. *Werbetexte, Annoncen, Einladungen, Aufrufe* und *Empfehlungen*.

expressiv Bei expressiven Texten überwiegt der Ausdruck; die Selbstmitteilung des Verfassers bzw. Senders wird deutlich gegenüber den behandelten Sachinhalten, z. B. in *Traueranzeigen, Glückwunschschreiben* oder *Glossen*.

argumentiert Der Standpunkt der Verfasserin bzw. des Verfassers wird mittels diverser Argumente für den Leser/Empfänger/Hörer/Rezipienten logisch nachvollziehbar dargelegt, z. B. in *Diskussionen* oder *Erörterungen*.

bescheinigend Durch bescheinigende Texte werden neue Fakten geschaffen bzw. eine institutionelle „Deklarationsfunktion" erfüllt, z. B. in *Zeugnissen, Gutachten, Zertifikaten* und *Ernennungen*.

instruiert Primäres Ziel ist es, die Rezipienten in die Lage zu versetzen, nach der Lektüre bestimmte Handlungen bzw. Tätigkeiten erfolgreich ausführen zu können. Dies ist der Fall etwa bei *Gebrauchsanweisungen, Bedienungsanleitungen* oder *Rezepten*.

kommentiert In Texten wie *Kommentaren* oder *Rezensionen* formuliert der Verfasser deutlich wertend-beurteilende Aussagen zu einem Sachverhalt oder literarischen Werk.

normiert Durch normierende Texte werden Normen bzw. Regeln festgeschrieben; dazu zählen *Spielregeln* ebenso wie *Gesetzestexte*.

verpflichtet Steht die „Obligationsfunktion" im Zentrum eines Textes, so verpflichtet sich der Verfasser (bzw. der Unterzeichnende), eine bestimmte Handlung zu vollziehen, z. B. bei *Verträgen, Einverständniserklärungen, Vereinbarungen*, aber auch bei *Haus- und Schulordnungen*.

Argumentation

Argumentation Die Verknüpfung mehrerer Argumente. Erfolgt diese in Form einer Abwägung von Pro- und Kontra-Argumenten, so spricht man von einer *Erörterung*.

These Ein Satz bzw. eine **Behauptung**, der/die des Beweises bedarf.

Argument Die **Begründung**, die dem Beweis oder der Widerlegung einer These/einer Behauptung dient. Es können fünf Typen von Argumenten unterschieden werden, zum Beispiel:

- das *Faktenargument* (Verweis auf ein allgemein bekanntes, unumstößliches Faktum),
- das *normative Argument* (Verweis auf allgemein anerkannte Grundsätze),
- das *Autoritätsargument* (Verweis auf die Aussagen von Fachleuten),
- das *analogisierende Argument* (Übertragung eines Beispiels aus einem anderen Lebensbereich auf die aktuelle Problemstellung),
- das *indirekte Argument* (Stärkung der eigenen Position durch deutliche Schwächung der Gegenposition).

Beispiel/Beleg Ein spezifischer Sachverhalt wird als musterhaft-illustrierende Erklärung für ein Argument angeführt.

Argumentationsmodelle

Sanduhrprinzip Eine Vorgehensweise bei der dialektischen Erörterung. Zuerst beginnt man mit den Argumenten, die nicht der eigenen Position entsprechen, und nennt das stärkste Argument zuerst. Dann folgt die Darstellung der eigenen Position mit dem stärksten Argument am Ende (vgl. S. 315).

Reißverschlussprinzip Eine Vorgehensweise bei der dialektischen Erörterung. Argumente der Pro- und Kontraseite wechseln. Den Anfang machen jeweils die Argumente, die nicht der eigenen Position entsprechen. Diese werden dann durch die Gegenargumente entkräftet (vgl. S. 315).

Textsorten

Autobiografie Die Beschreibung der eigenen Lebensgeschichte aus der Retrospektive (Gegensatz: Tagebuch) an der Grenze zwischen Sachtext und literarischem Text.

Essay Eine subjektiv-geistreiche *Abhandlung* zu kulturellen, gesellschaftlichen oder wissenschaftlichen Themen, die nicht den strengen Regeln der Wissenschaftlichkeit folgt.

Glosse Ein meist kurzer, pointierter „Meinungsbeitrag", in dem sich der Verfasser bzw. die Verfasserin zu weltpolitisch-ernsten oder zu allgemeinen und gegebenenfalls amüsanten Themen in polemisch-satirischer Weise äußert.

Kommentar Ein sogenannter Meinungsbeitrag, in dem ein Autor bzw. eine Autorin persönlich Stellung zu einem aktuellen Thema bezieht. Dies geschieht mit expliziter Nennung des Autornamens. In Zeitungen wird darüber hinaus häufig ein Bild des Verfassers neben dem Artikel abgedruckt, im Fernsehen sprechen die Kommentatoren ihre Texte (als „Zwischenruf") meist selbst.

Kritik Subjektiv gefärbte, wohlwollende oder problematisierende *Besprechung* einer Veranstaltung (Konzert, Theaterinszenierung) oder Veröffentlichung (Bücher, CDs). Die Kritik insbesondere von Büchern wird auch als *Rezension* bezeichnet.

Leserbrief Eine persönliche *Stellungnahme* eines Lesers bzw. einer Leserin zu einem zuvor erschienenen Artikel oder auch zu einem aktuellen Problem. Der Leserbrief ist adressatenbezogen und kann sowohl sachlich als auch ironisch oder polemisch geschrieben sein.

Nachricht Mitteilung einer für die Rezipienten potenziell wichtigen oder informativen Neuigkeit in möglichst objektiver Weise. In einer Nachricht sollten die journalistischen W-Fragen (vor allem: *Was* ist *wo, wann, warum, wozu* und *wie* passiert? *Wer* war an dem Ereignis beteiligt?) beantwortet werden.

Rede Eine für den *mündlichen* Vortrag konzipierte Mitteilung, die vom Redner bzw. von der Rednerin explizit auf den Redeanlass (*politische Rede, Preisrede, Gedenkrede, Ansprache, Vorlesung, Predigt*) und die Zuhörerschaft mit Adressatenbezug hin fokussiert wird.

Tagebuch (auch **Diarium**) Aufzeichnungen von Erlebnissen, Stimmungen und Gefühlen in chronologischer Form zur Selbstvergewisserung, die zu Lebzeiten des Verfassers nicht zur Veröffentlichung gedacht sind (im Gegensatz zur *Autobiografie* oder zum öffentlich einsehbaren *Blog* im Internet).

Sprache

Grundlagen

Linguistik Sprachwissenschaft; Wissenschaft von Aufbau und Struktur einer Sprache; sie beschreibt Ausdrucksmöglichkeiten menschlicher Kommunikation sowie den konkreten Sprachgebrauch.

Etymologie ermittelt, ausgehend von der sprachgeschichtlichen Entwicklung, die Herkunft und Bedeutung einzelner Wörter sowie deren Veränderung im Lauf der Zeit (historisch-vergleichend).

Phonologie Die Lehre von den Sprachlauten; sie untersucht **Phoneme** (kleinste *bedeutungsunterscheidene* Lauteinheit) einer Sprache (*W*ald – *b*ald – *k*alt) und deren Beziehung zueinander.

Morphologie beschreibt Struktur und Form der Wörter; aus **Morphemen**, den kleinsten *bedeutungstragenden* Einheiten einer Sprache (*Haus*), bildet man komplexe Wörter (*Haus-tür, Hinter-haus-tür*).
Man unterscheidet *Flexion* (des alt*en* Haus*es*, du geh*st*) und *Wortbildung* (haus-*ieren*).

Semantik Lehre von der *Bedeutung* von Wörtern; zerlegbar in kleinste Bedeutungsmerkmale (*tot/lebendig, menschlich/tierisch*), die manchmal mehr oder weniger zutreffen (*Teetasse/Kaffeetasse*).

Pragmatik beschreibt jede Äußerung als Sprachhandlung mit bestimmter Absicht und zu bestimmtem Zweck.

Sprechhandlung/Sprechakt Eine sprachliche Äußerung zum Vollzug einer Handlung; die *Absicht* (Intention) des Sprechers kann direkt oder indirekt sein (je nach Zusammenhang zu erschließen).

Sprachkritik Reflektierte Auseinandersetzung mit aktuellem und früherem Sprachgebrauch ohne Wertung, sondern rein aus linguistischer Perspektive; im Gegensatz hierzu: *Sprachpflege*.

Rhetorik Lehre von der Kunst des Sprechens, um Hörer/Leser zu einer bestimmten Einstellung zu beeinflussen.

Varietät Bezeichnung für eine bestimmte Ausprägung einer Einzelsprache. Meistens sind damit die Standardsprache, Regiolekte, Dialekte, Soziolekte und die Umgangssprache gemeint.

Wortebene

Wort *Selbstständige* sprachliche Einheit, gekennzeichnet durch die *Wortart* (je nach Sprachverwendung).

Wortbildung Komposition komplexer Wörter durch
Zusammensetzung: (Haus-tür), mit Affixen (Präfix: *be*-enden, Suffix: Zeit-*ung*, Zirkumfix: *ge*-red-*et*) oder
Ableitung: ausgehend vom Basiswort (sagen: sag-*bar*, das *Sagen*); Wortbildung oft mit *Fugenelement* (Hilf-*s*-mittel).

Flexion Bildung grammatischer Wortformen (nur bei flektierbaren Wörtern).
Deklination: Genus, Numerus, Kasus bei Nomen/Substantiven.
Konjugation: Person, Numerus, Tempus, Genus verbi, Modus bei Verben.
Komparation: Positiv, Komparativ, Superlativ (*groß – größer – am größten*) bei Adjektiven.

Silbe Beim Sprechen zusammengefasste Lautfolge (phonologische Einheit), kein *Morphem*.

Lexem Basiseinheit des Wortschatzes, enthält alle Informationen zu Bedeutung, grammatischer und pragmatischer Verwendung im Zusammenhang (wie ein Wort im Wörterbuch).

Wortfamilie Wörter unterschiedlicher Wortart mit gleichem Wortstamm (morphologisch ähnlich).

Wortfeld Wörter derselben Wortart, gegebenenfalls mit unterschiedlichem Wortstamm (semantisch ähnlich).

Lautverschiebung Allmähliche Veränderung im Phonemsystem einer Sprache.

Denotation – Konnotation Die *Denotation* ist die Relation zwischen sprachlichem Ausdruck und Bezeichnetem auf der Sachebene (*Nacht:* Zeit zwischen Sonnenunter- und -aufgang). Die *Konnotation* ist das Mit-Gemeinte, der subjektive, soziale und kulturelle Aspekt (*Nacht:* assoziiert mit Angst, Einsamkeit).

Satzebene

Syntax Lehre von der Kombination von Wörtern zu verstehbaren (grammatisch korrekten) Sätzen.

Satz Lineare, selbstständige und abgeschlossene sprachliche Einheit (meist mit Verb), die aus kleineren Einheiten bestehen und die selbst Teil einer größeren Einheit (Text) sein kann; man unterscheidet Hauptsätze von Nebensätzen (die wiederum Teil von Hauptsätzen sind).

Satzglied ist eine funktionale Einheit zur Satzgliederung; es besteht aus Wörtern oder Wortgruppen, die sich nur geschlossen verschieben und als Ganzes ersetzen (und erfragen) lassen (z. B. *Subjekt*).

Textebene

Text Eine komplex strukturierte, thematisch und inhaltlich zusammenhängende sprachliche Einheit (mündlich oder schriftlich) mit erkennbarem kommunikativem Sinn; oft: Folge von Sätzen.

Konnektor Wort, das inhaltliche, logische und/oder grammatische Bezüge zwischen Sätzen herstellt (vgl. S. 217).

Literaturgeschichtlicher Überblick

Periodisierungsproblematik

Der Ausdruck *Epoche* stammt aus dem Altgriechischen und bedeutet (Zeit-)Abschnitt. Unter einer Literaturepoche verstehen wir also einen Zeitabschnitt oder historischen Zeitraum, in dem eine bestimmte Art, Literatur zu gestalten, prägend ist. Die Einteilung in Abschnitte kann dabei helfen, sich **im Nachhinein** in der – viele Jahrhunderte umfassenden – Geschichte der Kunst oder Literatur zu *orientieren*. Epochenbezeichnungen haben also eine strukturierende Funktion und erleichtern damit die Verständigung über die Produktion und Rezeption von literarischen Texten. Beispielsweise lassen sich inhaltlich und formal ähnliche Texte übersichtlicher bündeln, wenn sie einer Epoche zugeordnet werden. Ein inhaltliches Kriterium könnte ein bestimmtes Motiv – wie z. B. der *Tod* im Barock und der *Mond* in der Romantik – sein. Eine formale Gemeinsamkeit wäre z. B. die Formstrenge in der Klassik.

Bei allen Vorteilen, die die Periodisierung durch Epochen mit sich bringt, müssen Sie jedoch bedenken: Epochen sind keine natürlichen oder zwingenden Zeitabschnitte, sondern *künstliche Konstruktionen*, und sie werden immer wieder hinterfragt und neu diskutiert.

So sind die *Kriterien*, nach denen Epochen bestimmt und unterschieden werden, sehr unterschiedlich. Hier finden sich stilgeschichtliche Kategorien neben historisch-politischen Epochenbegriffen. Stilgeschichtliche sind z. B. der Kunstgeschichte entlehnt wie *Jugendstil oder Expressionismus*.

Historisch-politische Epochen beziehen sich auf bestimmte historische Zeiträume und Strömungen oder auf politische Ereignisse wie z. B. *Reformation, Vormärz, Literatur der Weimarer Republik*.

Werden Epochen mit festen Grenzen versehen und auf typische Merkmale festgelegt, sind sie aber auch fragwürdig – schon aus dem Grund, weil sich bestimmte Stilrichtungen und literarische Bewegungen häufig überschneiden oder parallel zueinander verlaufen. Wir sprechen in der Literaturgeschichte daher auch von **literarischen Strömungen**. Die folgenden Seiten werden z. B. zeigen, dass die *Aufklärung* auf ca. 1720–1790, die *Empfindsamkeit* auf ca. 1740–1790 und der *Sturm und Drang* auf ca. 1767–1790 datiert werden. Sie verliefen also nicht nacheinander. Auch werden viele Autoren häufig mehreren Epochen zugeordnet, z. B. Johann Wolfgang von Goethe, dessen Werke, je nach Motiv und Inhalt, dem *Sturm und Drang* oder der *Klassik* zuzuordnen sind, oder Heinrich Heine dem *Vormärz* und der *Romantik*. Einige Autoren, die wir heute bestimmten Epochen zuweisen, wussten damals noch gar nicht um die Existenz dieser Epochenbegriffe. Andere hingegen setzten sich bewusst mit der Schaffung einer neuen Epoche in Abgrenzung zur vorhergehenden auseinander.

Besonders schwierig ist die Einordnung und Kategorisierung von Werken der Literatur in der jeweils aktuellen Gegenwart. Die Literatur der Vergangenheit wird rückblickend nach Epochen oder Strömungen zusammengefasst und nach charakteristischen Merkmalen und Gemeinsamkeiten beschrieben. Ohne den nötigen zeitlichen Abstand ist das für die Literatur der Gegenwart kaum möglich.

Letztendlich sollte Ihnen bei der Zuordnung von Autoren und Werken zu einer bestimmten „Epoche“ oder auch „Strömung“ also bewusst sein, dass strikte Periodisierungen subjektiv und deshalb problematisch sein können.

Mittelalter (ca. 500–1500)

Heldenepos (Nibelungenlied) • Zaubersprüche • Rittertum • Minnesang • Tagelied • Passionsspiele • Kirche • Jenseitsglaube

Der Begriff *Mittelalter* wurde im Zeitalter der Renaissance geprägt und bezeichnet den historischen Zeitraum zwischen Antike und Neuzeit.

Werner von Teufen. Aus der Heidelberger Liederhandschrift, frühes 14. Jahrhundert

Historischer Kontext Das mittelalterliche Weltbild steht stark unter dem Einfluss von Kirche und Glauben. Gott wird als Schöpfer der Welt betrachtet und greift direkt in das Leben der Menschen und in ihr Schicksal ein. Die individuellen Belange des Einzelnen treten vor seinem Platz innerhalb der mittelalterlichen Gesellschaft zurück.

Lesen und Schreiben sind Fertigkeiten, die im **Frühmittelalter** fast ausschließlich Angehörige des *Klerus* (geistlicher Stand) beherrschen. *Adel* sowie *Bauern*, die beiden übrigen Stände, müssen in der Regel auf die Auslegung der Literatur (v. a. der Bibel) durch die kirchlichen Würdenträger vertrauen.

Im 12. Jh. setzt mit dem Herrschergeschlecht der Staufer im deutschen Sprachraum das **Hochmittelalter** ein. Durch das stete Bevölkerungswachstum im 13. Jh. erleben landwirtschaftliche Produktion, Handwerk und Handel einen Aufschwung. Geld wird als Zahlungsmittel eingeführt und die Menschen drängen zunehmend in die Städte, werden von bäuerlichen Selbstversorgern zu Handwerkern und Kaufleuten. Mit der wirtschaftlichen Entwicklung geht eine kulturelle Blüte einher. Immer mehr Angehörige des Adels lernen das Lesen und Schreiben.

Sind die Könige des Hochmittelalters in Deutschland noch bedeutend und einflussreich, so wandelt sich dies im Übergang zum **Spätmittelalter**. Reichs- und Kurfürsten sowie die Städte gewinnen stetig an politischer wie wirtschaftlicher Bedeutung, wobei Letztere neben den Adelshöfen zu neuen Zentren für Bildung und Kultur heranwachsen. In dem Maße, wie die Städte an Macht gewinnen, wird auch das aufstrebende Bürgertum zu einem immer einflussreicheren Teil der Bevölkerung.

Themen, Motive, Texte

Frühmittelalter Im Zuge der Völkerwanderung tragen die Germanen ihre eigene Literatur in den deutschen Sprachraum und sorgen dabei für die Verbreitung unterschiedlicher Sagenkreise. Unter der Herrschaft der Karolinger kommt es zur Christianisierung der Germanenstämme, was sich auch in der entstehenden althochdeutschen Literatur (ca. 750–1060) niederschlägt. Neben germanisch-heidnischen Elementen finden sich zunehmend auch christliche Einflüsse in der Literatur. Mit dem Übergang von der *althochdeutschen* zur *mittelhochdeutschen* Sprache im 11. Jh. entwickelt sich die frühmittelhochdeutsche Literatur (ca. 1060–1120) mit vorwiegend christlich-religiösen Motiven und Inhalten. Zwischen 1120 und 1180 treten dann mit der vorhöfischen Literatur auch Werke weltlicher Autoren in den Vordergrund. Erstmals wird mit dem *Alexanderlied* des Pfaffen Lamprecht ein Werk geschaffen, das sich nicht auf eine lateinische, sondern auf eine volkssprachliche Quelle gründet. Bevorzugte Textsorten sind Evangelienharmonien, Fürstenpreis, Gebete, Gelöbnisse, Heldensagen, Rätsel, Segen, Spielmannsepen und Zaubersprüche.

Hochmittelalter Aufgrund der Bedeutung der ritterlichen Tugenden im Hochmittelalter – Dienst für den weltlichen Herrn, die christliche Kirche und Frauen- bzw. Minnedienst – sind die vorherrschenden literarischen Gattungen Minnesang, höfisches Epos und Heldenepos. Häufig sind außerdem Textsorten wie Artusepos, Kreuzlied, Leich, Minnesang, Spruchdichtung und Vagantendichtung.

Spätmittelalter und frühe Neuzeit Die spätmittelalterliche Literatur baut auf bereits bekannten Formen wie Minnesang, höfisches Epos und Heldenepos auf und macht sie sich in modifizierter Form nutzbar. Zudem werden erste Schauspiele in deutscher Sprache entwickelt. Die geistliche Dichtung bringt Oster-, Weihnachts- oder Passionsspiele vor breiten Volksmassen auf öffentlichen Plätzen zur Aufführung. Bevorzugte Textsorten sind *Fastnachtsspiel, geistliches Drama, Legende, Meistersang, Schwank, Totentanz, Volkslied.*

Autoren und Werke

Pfaffe Lamprecht (12. Jh.): *Alexanderlied* (um 1120/1140)
Dietmar von Aist (vor 1140 – nach 1170): *Minnelieder*
Hartmann von Aue (um 1165–1210): *Erec* (ca. 1180)
Wolfram von Eschenbach (um 1170 – um 1220): *Minnelieder* (1200/05), *Parzival* (1200/10)
Walther von der Vogelweide (um 1170 – um 1230): *Minnelieder und Sangsprüche*
Heinrich von Morungen (um 1220): *Minnelieder* (seit 1180)
anonym: *Nibelungenlied* (ca. 1200)
Gottfried von Straßburg (um 1225): *Tristan und Isolde* (ca. 1210)

Renaissance und Reformation (ca. 1500–1600)

Wiedergeburt • Menschlichkeit • Buchdruck • Bibelübersetzung • Reformation • Volksbücher (Faust) • Meistersang • Diesseits

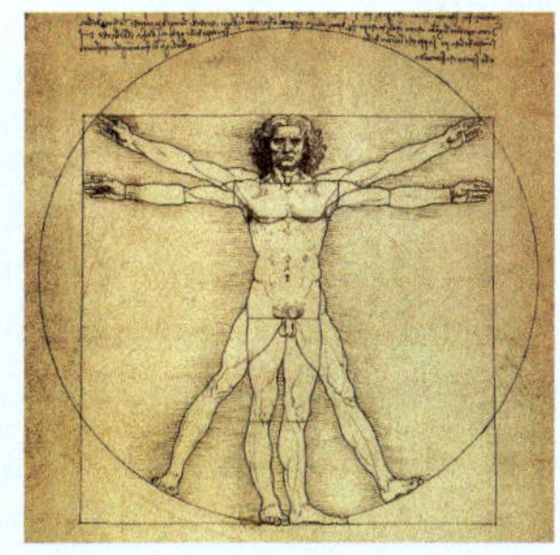

Leonardo da Vinci: Der Vitruvianische Mensch, ca. 1490

Renaissance bedeutet Wiedergeburt. Gemeint ist die Wiederbelebung und Rückbesinnung auf die antike Kultur. In dieser spielte der Begriff der *humanitas* eine zentrale Rolle. Dieser bezeichnet allgemein das Menschsein sowie die Normen und Verhaltensweisen, die den Menschen ausmachen. In dieser Zeit wird also zunehmend der Mensch ins Zentrum der geistigen Auseinandersetzung gerückt, die Macht der Kirche wird infrage gestellt.

In der *Reformation* wird die Umwälzung kirchlicher Verhältnisse unter Reformatoren wie Martin Luther angestrebt.

L

Historischer Kontext Im Gegensatz zur weitgehend auf das Jenseits ausgerichteten Weltsicht der mittelalterlichen Gesellschaft wird der Blick des Menschen zunehmend auf die irdische Existenz und die Bedingungen des Lebens im Diesseits gelenkt. Der Mensch der Renaissance ist selbstbewusst und schöpferisch tätig, zeigt Interesse am technischen Fortschritt, an Kriegskunst und Geschichte sowie den ästhetischen Idealen der Antike. Das Zeitalter steht ganz im Zentrum neuer wissenschaftlicher Forschungen und technischer Entwicklungen. Wie kaum ein anderer verkörpert der Künstler, Erfinder und Universalgelehrte Leonardo da Vinci die Ideale seiner Zeit. Der von Johannes Gutenberg um 1455 entwickelte *Buchdruck* mit beweglichen Lettern macht Literatur für ein breiteres Publikum zugänglich. Mit der Landung in Amerika 1492 durch Christoph Kolumbus erweitert sich das Weltbild der Europäer, welches durch Kopernikus als heliozentrisch (Planeten bewegen sich um die Sonne) anerkannt wird. Martin Luther schließlich beschleunigt mit seinen Thesen 1517 die *Reformation* der katholischen Kirche und übersetzt die Bibel für breite Volksschichten ins *Neuhochdeutsche*. Damit entwickelt sich die deutsche Sprache zur Nationalsprache.

Themen, Motive, Texte Ausgehend von bedeutenden italienischen Schriftstellern wie Giovanni Boccaccio und Dante Alighieri kommen die Ideale der Renaissance in literarischen Werken immer mehr zum Tragen. Programmatische Texte deutscher Gelehrter wie Erasmus von Rotterdam und Johannes Reuchlin zur humanistischen Erziehung und Theologie bilden Grundpfeiler für die sich entwickelnde Reformation, ebenso wie Übersetzungen klassischer Werke. Ihre Verbreitung wird mit Erfindung des Buchdrucks erheblich beschleunigt. Bevorzugte Textsorten sind *Abenteuer-, Helden- und Ritterroman, Fabel, Fastnachtsspiel, Meistersang, Narrenliteratur, Schwank und Streitgespräche*.

Autoren und Werke

Hans Rosenplüt (um 1400 – um 1460): *Fastnachtsspiele*
Hermann Bote (um 1450–1520): *Till Eulenspiegel* (1510/11)
Sebastian Brant (1457–1521): *Das Narrenschiff* (1494)
Erasmus v. Rotterdam (1466–1536): *Das Lob der Torheit* (1511)
Martin Luther (1483–1546): *An den christlichen Adel deutscher Nation/Neues Testament* (übersetzt 1522)
Hans Sachs (1494–1576): *Die Wittenbergische Nachtigall* (1523)

Barock (ca. 1600–1720)

Sonett • Sprachgesellschaften • memento mori • vanitas • carpe diem • Absolutismus • Ständegesellschaft • Dreißigjähriger Krieg • Pest

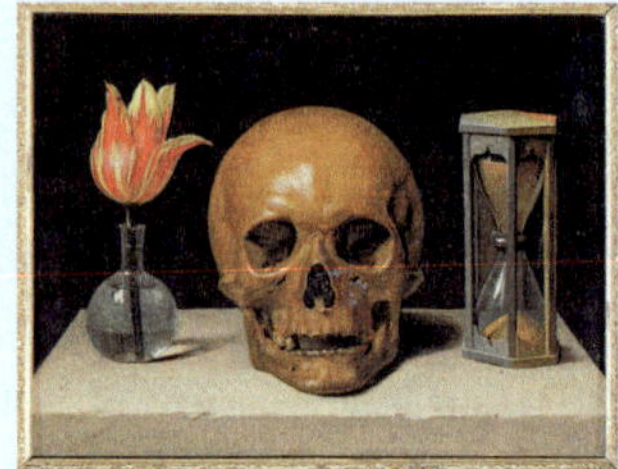
Philippe de Champaigne: Vanitas, ca. 1671

Der Begriff „Barock" als Bezeichnung einer Epoche geht auf das 19. Jahrhundert zurück. Er beschreibt einen in der italienischen Renaissance entstandenen Kunststil und lehnt sich an das portugiesische Wort *barroca* an, das so viel wie *schiefrunde Perle* bedeutet.

Historischer Kontext Die Schrecken des Dreißigjährigen Krieges (1618–1648) und der verheerenden Pestepidemien in der ersten Hälfte des 17. Jhs. kosten etwa ein Drittel der Bevölkerung des Heiligen Römischen Reichs Deutscher Nation das Leben. Für das Welt- und Menschenbild des Barock sind daher das Bewusstsein um die menschliche Vergänglichkeit, die Angst vor dem Tod sowie der christliche Glaube bestimmend. Nach dem Ende des Krieges entsteht ein Territorialabsolutismus. Die weltlichen Herrscher entscheiden über kulturelle, wirtschaftliche und kirchliche Lebensbereiche und haben Einfluss auf Erziehung und Bildung.

Themen, Motive, Texte Im Zeitalter des Barock entwirft Martin Opitz in seinem Werk *Buch von der deutschen Poeterey* (1624) eine *Regelpoetik* und gibt damit Anstöße zu einer Reform des deutschsprachigen Literaturschaffens. Die weitgehend lateinische Dichtung der Renaissance wird abgelöst durch Dichtung in deutscher Sprache, die der festgelegten Regelpoetik in stark reglementierten Formen wie Sonett, Elegie oder Ode folgt und sich mit antithetischen (gegensätzlichen) Themenfeldern wie Leben und Tod, Spiel und Ernst, Blüte und Verfall, Wollust und Tugend, Reichtum und Armut beschäftigt. Weltflucht, religiöse Vorstellungen und Sinnenfreudigkeit resultieren aus dem Wissen um die Vergänglichkeit alles Lebenden, das sich in der zeitgenössischen Literatur in den Motiven *vanitas* (Vergänglichkeit), *carpe diem* („Nutze den Tag!") und *memento mori* („Gedenke, dass du sterblich bist!") ausdrückt. Laienspiel, Wander-, Schul- und Hoftheater sowie die Oper bringen dramatische Werke unter strenger Beachtung der *Ständeklausel* (Tragödie: Protagonisten des Adels; Komödie: Protagonisten aus den unteren Ständen,

z. B. aus dem Bürgertum) zur Aufführung. Zu den wichtigsten Textsorten zählen *Sonett, Ode, Lied, Schäferdichtung, Kirchenlied, Jesuitendrama, Epigramm und Emblem.*

Autoren und Werke

Martin Opitz (1597–1639): *Buch von der Deutschen Poeterey* (1624)
Paul Fleming (1609–1640): *Teutschen Poemata* (1646), *Herr Peter Squenz oder Absurda Comica* (1658)
Andreas Gryphius (1616–1664): *Sonn- und Feiertagssonette* (1639), *Leo Armenius oder Fürstenmord* (1650)
Hans Jakob Christoffel von Grimmelshausen (1621/22–1676): *Der abenteuerliche Simplicissimus Teutsch* (1669)

L

Aufklärung (ca. 1720–1790)

Vernunft • Bürgertum • Mündigkeit • Buchmarkt • Belehrung • Fabel • Lesezirkel • bürgerliches Trauerspiel

Daniel Chodowiecki: Landschaft mit Sonnenaufgang, 1791

Das Zeitalter der *Aufklärung* bezeichnet (wie auch die Barockzeit) eine gesamteuropäische Epoche, die sich durch die Besinnung auf die Menschlichkeit und das Vernunftdenken charakterisieren lässt.

Historischer Kontext Im 18. Jahrhundert entwickelt sich durch die Herausbildung eines gebildeten und wohlhabenden Bürgertums, das immer mehr wirtschaftlichen und politischen Einfluss gewinnt, eine zunehmende Kritik am *Feudalismus*. Die bis dahin geltende und als gottgewollt angesehene Vorherrschaft des Adels wird vom Bürgertum angefochten, das zunehmend Selbstbestimmung und politischen Einfluss einfordert. Der Dreißigjährige Krieg hat zu Zersplitterung und Kleinstaatlichkeit innerhalb des Heiligen Römischen Reiches Deutscher Nation geführt. Die Fürsten der über 300 Einzelstaaten haben weitgehende politische und wirtschaftliche Entscheidungsmacht und leben mehrheitlich zulasten des einfachen Volkes in Prunk- und Verschwendungssucht. Angelehnt an die Philosophie der Aufklärung beginnen die Bürger, sich gegen die vorherrschende Ordnung aufzulehnen. Als einer der bedeutendsten deutschen Philosophen regt Immanuel Kant die Menschen dazu an, sich des eigenen Verstandes zu bedienen *(„Sapere aude!" – „Wage es, zu wissen!").* Die Ideen der Aufklärung vertreten auch Staatsoberhäupter des aufgeklärten Absolutismus, wie z. B. Friedrich II. von Preußen, Joseph II. von Österreich und die russische Zarin Katharina die Große.

Themen, Motive, Texte Zentrales Thema der Literatur ist nun nicht länger das Fürstenlob, sondern das Leben und die Aufklärung des bürgerlichen Menschen in Werken, in denen die Ideale der Aufklärung (Vernunft, Menschlichkeit, Nutzen für die Gesellschaft) verbreitet werden. Zu den bevorzugten literarischen Gattungen zählen die *Fabel* und das *bürgerliche Trauerspiel*. Mit dem von Gotthold Ephraim Lessing entwickelten bürgerlichen Trauerspiel werden traditionelle Formstrukturen aufgebrochen und das Theater reformiert, sodass die *Ständeklausel* und damit das feudalistische Literaturkonzept (insbesondere für dramatische Werke) außer Kraft gesetzt wird. Menschen sind auf der Bühne in ihren Handlungen nicht mehr vom sozialen Stand abhängig, sondern aufgrund ihrer Vernunftbegabung frei und handeln im Sinne der Vernunft als selbstbestimmte Individuen. Dramatik wird in den Dienst der Erziehung gestellt und soll den Zuschauer über die Erregung von *Furcht* und *Mitleid* sittlich läutern (*Katharsis*).

Um ein Mitfühlen mit dem Schicksal des Protagonisten zu ermöglichen, erfolgt die Abkehr vom idealen Helden hin zur Darstellung realer Persönlichkeiten mit all ihren Stärken und Schwächen. So entsteht das *bürgerliche Trauerspiel*, von dem man sich aufgrund der Inszenierungsmöglichkeiten den größten Lerneffekt für das Publikum erhofft. Ähnliche Popularität erlangt auch der *Roman*, in dem nun ebenfalls zunehmend bürgerliche Helden im Mittelpunkt stehen. Auch Kleinformen der Epik, z. B. *Aphorismus* oder *Fabel*, setzen sich durch und thematisieren Probleme der Politik, Religion, Gesellschaft und Kultur, um den Rezipienten nach den Leitideen der Aufklärung zu belehren. Bevorzugte Textsorten der Aufklärung sind *Aphorismus, bürgerlicher Roman, bürgerliches Trauerspiel, Fabel und Lehrgedicht.*

Autoren und Werke

Johann Christoph Gottsched (1700–1766): *Versuch einer Critischen Dichtkunst vor die Deutschen* (1730)
Christian Fürchtegott Gellert (1715–1769): *Fabeln und Erzählungen* (1746–1748)
Immanuel Kant (1724–1804): *Beantwortung der Frage: Was ist Aufklärung?* (1784)

Gotthold Ephraim Lessing (1729–1781): *Miss Sara Sampson* (1755), *Minna von Barnhelm oder Das Soldatenglück* (1767), *Hamburgische Dramaturgie* (1767/68), *Emilia Galotti* (1772), *Nathan der Weise* (1779), Georg Christoph Lichtenberg (1742–1799): *Sudelbücher*

Empfindsamkeit (ca. 1740–1780)

Gefühlsüberschwang • Schwärmerei • Naturverbundenheit • bürgerliche Moralvorstellungen • Idylle • Ode • Leitideen der Aufklärung

Daniel Chodowiecki: Der Spaziergang, 1779

Die *Empfindsamkeit* stellt die Leitideen der Aufklärung nicht infrage, ergänzt dieses Weltbild aber um die Darstellung von Gefühlen, Freundschaft, Weltflucht und Naturverbundenheit.

Historischer Kontext Das politisch und gesellschaftlich lange durch die adligen Obrigkeiten unterdrückte Bürgertum findet in Gestalt von Gefühlsüberschwang und Schwärmerei eine Möglichkeit, aus der Knechtschaft auszubrechen, und wendet sich religiösen und mystischen Bereichen zu. Fest im rationalen Gedankengut der Aufklärung verankert, werden *subjektive Erfahrungen* im Zusammenhang mit Tugend und Moral für den empfindsamen Menschen zum Zentrum seines Daseins. Die Empfindsamkeit gründet sich neben literarischen Vorbildern aus England und Frankreich auch auf die religions- und geistesgeschichtliche Bewegung des *Pietismus*, die in den deutschsprachigen Territorien zunehmend an Bedeutung gewinnt. Während der Pietismus einerseits den Kampf der Aufklärung gegen den vorherrschenden kirchlichen Dogmatismus unterstützt, wendet er sich andererseits gegen das einseitig rationale Denken der Aufklärung und setzt sich für die freie Entfaltung tugendhafter Gefühle ein.

Themen, Motive, Texte Die empfindsame Lyrik findet ihren prominentesten Vertreter mit Friedrich Gottlieb Klopstock, welcher in seinem Werk *Messias* vor allem den seelischen Zustand seiner Figuren hervorhebt. Auch die Dramatik zeigt empfindsame Züge und verdeutlicht bürgerliche Tugendideale. In der Epik schlägt sich die Empfindsamkeit vor allem in längeren erzählenden Texten nieder, in welchen bürgerliche Helden durch das Festhalten an typisch bürgerlichen Moralvorstellungen am Ende ihr Glück finden. Bevorzugte Textsorten sind Epos, Hymne, Ode, Idylle und Roman.

Autoren und Werke
Friedrich Gottlieb Klopstock (1724–1803): *Messias* (1748–1773), *Oden* (1771), Matthias Claudius (1740–1815): *Der Wandsbecker Bothe* (1771/75)

Sturm und Drang (ca. 1765–1786)

Impulsivität • Geniekult • Subjektivität • Gefühl und Vernunft • Dramatik • Gesellschaftskritik • Scheitern an der Gesellschaft

Pieter Paul Rubens: Prometheus, ca. 1636

Die Bezeichnung der literarischen Strömung *Sturm und Drang* leitet sich vom gleichnamigen Drama *Sturm und Drang* (1776) von Friedrich Maximilian Klinger ab. Diese Epoche beginnt mit dem Erscheinen der *Fragmente* (1767) von Johann Gottfried Herder und endet mit der Rückbesinnung und Konzentration der Literaten Friedrich Schiller und Johann Wolfgang von Goethe auf Themen, Motive und Darstellungsformen der klassischen Antike (s. Weimarer Klassik)

Historischer Kontext Zeitlich überschneidet sich die Literaturströmung des *Sturm und Drang* mit der Epoche der *Aufklärung*, wobei sich die Vertreter des *Sturm und Drang* gegen die ausschließlich rationale Betrachtung der Welt richten. In diese Zeit fallen auch die revolutionären Bewegungen in Frankreich, die schließlich 1789 in der Französischen Revolution triumphieren und großen Einfluss auf das Denken und auf die politische Entwicklung in ganz Europa haben.

Themen, Motive, Texte Im Gegensatz zur Aufklärung treten Verstand und Vernunft hinter Impulsivität, Spontaneität und Geniekult zurück. Gefühl und freie Entfaltung des Individuums stehen im Fokus des Interesses. Der *Geniekult* tritt ins Zentrum literarischen

Bemühens. Die schöpferische Kraft des Künstlers, sein Genie und ein besonderer Hang zur Subjektivität zeichnen die Werke des Sturm und Drang aus. Sie erweitern die rationalistische Haltung der Aufklärung: Gefühl und Vernunftglaube schließen sich nicht länger aus, sondern ergänzen einander.

Dies wird vor allem im Drama, von dem man sich eine besondere erzieherische Funktion verspricht, deutlich. Die Dramen von Schiller und Goethe sorgen für einen enormen Aufschwung des deutschen Theaters. Aktuelle Gesellschaftskritik wird zum zentralen Thema des dramatischen Wirkens. Der Protagonist scheitert an den gesellschaftlichen Verhältnissen und weiß sich meist nur durch Mord oder Selbstmord aus seiner Misere zu retten.

Auch Goethes Briefroman *Die Leiden des jungen Werthers* zeichnet sich durch die besondere Betonung der Gefühlswelt des scheiternden Helden aus. In der Lyrik nehmen neben *Natur- und Lehrgedichten* vor allem *Liebesgedichte* einen breiten Raum ein. Bevorzugte Textsorten sind bürgerliches *Drama, bürgerlicher Roman und Empfindungslyrik*.

Autoren und Werke

Johann Gottfried Herder (1744–1803): *Über die neue deutsche Literatur. Fragmente* (1767)

Gottfried August Bürger (1747–1794): Gedichte (1778); *Abenteuer des Freiherrn von Münchhausen* (1786)

Johann Wolfgang von Goethe (1749–1832): *Götz von Berlichingen mit der eisernen Hand* (1773), *Ganymed* (1773), *Die Leiden des jungen Werthers* (1774), *Prometheus* (1785)

Jakob Michael Reinhold Lenz (1751–1792): *Der Hofmeister oder Vorteile der Privaterziehung* (1774), *Die Soldaten* (1776)

Friedrich Maximilian Klinger (1752–1831): *Sturm und Drang* (1776)

Friedrich Schiller (1759–1805): *Die Räuber* (1781), *Kabale und Liebe* (1784)

Weimarer Klassik (ca. 1786–1805/1832)

Antike • Toleranz • Harmonie • geschlossene Formen • erzieherischer Auftrag • Bildungsroman • Ballade • Sittlichkeit • Humanität

Anselm Feuerbach: Iphigenie, 1871

Der Begriff *klassisch* leitet sich ursprünglich von dem lateinischen Wort *classicus* ab, welches für Mitglieder der obersten Steuerklasse genutzt und in der Bedeutung *erstklassig* nach und nach auf unterschiedliche Lebensbereiche übertragen worden ist. Wenn wir heute etwas als klassisch bezeichnen, deutet dies auf dessen Zeitlosigkeit und seinen Vorbildcharakter hin. Gleichzeitig beinhaltet der Begriff auch eine neuerliche Rückbesinnung auf die *Klassik der Antike*, die in den literarischen Werken wieder eine starke Rolle spielt.

Historischer Kontext Vielfach hat sich im Laufe des 18. Jahrhunderts die Vorstellung durchgesetzt, dass die Welt sich immer weiter entwickelt, dass Unvernunft und Willkür überwunden werden und sich die Menschen eine vernünftige Gesellschaftsordnung geben können. Die Welt wird als geordneter Organismus betrachtet und auch der *Mensch* wird als ein *nach Vollkommenheit strebendes Wesen* angesehen, welches dazu bestimmt ist, seine (schöpferischen) Kräfte *harmonisch* zu entfalten. *Menschlichkeit* und *Toleranz* sind zentrale Werte für die Menschen in der Zeit der *Klassik*.

1789 findet die Französische Revolution statt, deren Folge in Frankreich die Terrorherrschaft der Jakobiner ist. 1799 gelangt Napoleon Bonaparte an die Macht und wird 1804 zum französischen Kaiser erhoben. Unter ihm entsteht 1806 der Rheinbund, ein Zusammenschluss der rheinischen Staaten unter Napoleons Schutzherrschaft. In Preußen finden unterdessen zwischen 1807 und 1814 weitreichende gesellschaftliche und wirtschaftliche Reformen (Stein-Hardenbergische Reformen) statt, die zur Veränderung der Gesellschaft beitragen (Bauernbefreiung, neue Städteordnung, Einführung der Gewerbefreiheit, Emanzipation der jüdischen Bevölkerung, Bildungs- und Heeresreform).

1813 setzen die europäischen Befreiungskriege ein, die 1815 Napoleons Vorherrschaft in Europa in der Schlacht bei Waterloo beenden. Es kommt zur Neuordnung Europas durch den Wiener Kongress von 1815.

Themen, Motive, Texte Klassische Literatur dokumentiert einen besonderen *Idealismus*, der die Darstellung des Strebens nach *Humanität, Harmonie* und *Sittlichkeit* fokussiert. Sowohl inhaltlich als auch formal findet ein *Rückbezug auf die Antike* statt, sodass in der Literatur wieder die Geschlossenheit der Form gefordert wird (Formstrenge).

Johann Gottfried Herder, Johann Wolfgang von Goethe und Friedrich Schiller setzen sich in ihren *programmatischen Schriften* und in ihren literarischen Werken auch mit den Möglichkeiten auseinander, die Menschheit mithilfe der Kunst und der Literatur zu *sittlichem Verhalten* und zur *Humanität* zu erziehen. In der von Friedrich Schiller herausgegebenen Zeitschrift „Die Horen" formulieren die Literaten ihre konkreten Vorstellungen bezüglich klassischer Literatur und entwickeln ein dem *Ideal* der Klassik entsprechendes Menschenbild.

Weimar bildet das Zentrum der deutschen Klassik. Hier treffen die wesentlichen Vertreter der Epoche, Johann Wolfgang von Goethe, Friedrich Schiller Johann Gottfried Herder und Christoph Martin Wieland, aufeinander. Besonders der Briefwechsel zwischen Johann Wolfgang von Goethe und Schiller gibt Aufschluss über die Gedankenwelt und die Dispute der Schriftsteller. Die *Weimarer Klassik* endet mit dem Tod ihrer bedeutendsten Literaten (Friedrich Schillers, 1805/Johann Wolfgang von Goethes, 1832).

Bevorzugte literarische Gattungen der Klassik sind *Ballade, Bildungsroman, Charakterdrama, Distichon, Hymne, Ideendrama, Ode, Sonett und Stanze*.

Autoren und Werke

Johann Gottfried Herder (1744–1803): *Abhandlung über den Ursprung der Sprache* (1772), *Briefe zur Beförderung der Humanität* (1793–97)

Johann Wolfgang von Goethe (1749–1832): *Iphigenie auf Tauris* (1787), *Wilhelm Meisters Lehrjahre* (1795/96), *Hermann und Dorothea* (1797), *Faust I* (1806), *Dichtung und Wahrheit* (1811/14), *West-östlicher Divan* (1819), *Wilhelm Meisters Wanderjahre* (1821), *Faust II* (1831)

Friedrich Schiller (1759–1805): *Don Karlos* (1787), *Die Götter Griechenlands* (1788), *Über die ästhetische Erziehung des Menschen* (1795), *Über naive und sentimentale Dichtung* (1795/96), *Das Lied von der Glocke* (1797), *Wallenstein* (1798/99), *Maria Stuart* (1800)

Christoph Martin Wieland (1733–1813): *Das Hexameron von Rosenhain* (1802/03), *Menander und Glycerion* (1804)

Romantik (ca. 1795–1840)

(Kunst-)Märchen • Traum • Fantasie • Volkslied • Schauerroman • Mystik • Natur • Fernweh • Sehnsucht • Blaue Blume • Mond

Caspar David Friedrich: Mondaufgang am Meer, 1822

Der Begriff *Romantik* lehnt sich an die altfränzösischen Wörter *romanz*, *romant* oder *roman* an, die für volksprachige Dichtung stehen.

Insgesamt stellt die Romantik den einzelnen Menschen als Individuum in seiner ganzen *Subjektivität* in den Mittelpunkt. Sein Innenleben gewinnt zunehmend an Interesse. Wunderbare, fantastische Stoffe, die sich von der wirklichen Welt ab- und zur urwüchsigen und ungezähmten Natur hinwenden, stehen im Zentrum der Dichtung. *Kritik am reinen Vernunftglauben der Aufklärung* und der Wille zur Verbindung von Rationalität und Gefühlswelt spiegeln sich in der romantischen Literatur.

Historischer Kontext Die Romantik entwickelt sich im Kontext des Umbruchs von der feudalen hin zur bürgerlichen Gesellschaft. Nach der Auflösung des Heiligen Römischen Reiches Deutscher Nation und der Gründung des Rheinbundes 1806 wird das bürgerliche Selbstbewusstsein durch weitgehende Reformen (s. Klassik) gestärkt.

Nach dem Wiener Kongress (1815) beginnt die *Zeit der Restauration*, in der bedeutende politische Errungenschaften wieder rückgängig gemacht werden (z. B. die Meinungsfreiheit, Religionsfreiheit, Demokratisierungsprozesse).

Wirtschaftliche und soziale Veränderungen infolge der *Industrialisierung* und der technischen Entwicklungen führen einerseits zur Bildung einer privilegierten Oberschicht, andererseits zu einer Verelendung weiter Bevölkerungsteile.

Themen, Motive, Texte Autoren der Romantik finden sich in verschiedenen Städten (Jena, Berlin, Heidelberg) zusammen, die sich als literarische Zentren entwickeln. Die Romantiker wenden sich von der Antike und den klassischen Vorbildern ab. Die Natur dient nicht als Abbild realer Landschaften, sondern als Ausdruck der individuellen *Sehnsucht nach Harmonie* und *Entgrenzung*. Zu den vorherrschenden Themen zählt das *Motiv* des unheimlichen, künstlich geschaffenen Maschinenmenschen (automatischer Android, „Der Sandmann" (1813) von E.T.A. Hoffmann). Weitere Motive sind Fernweh, (Todes-)Sehnsucht, Natur, Liebe, Religiosität, Natur, Transzendenz, Individualität.

Das Symbol der Romantiker ist die *„Blaue Blume“*.

Frühromantik (auch Jenaer Romantik, 1798–1804): In Jena verfassen Dichter wie *Novalis* und die *Brüder Schlegel* erste programmatische Schriften. Novalis fordert die *Romantisierung der Welt*, indem man *„dem Gemeinen einen hohen Sinn, dem Gewöhnlichen ein geheimnisvolles Ansehen, dem Bekannten die Würde des Unbekannten, dem Endlichen einen unendlichen Sinn“* gibt. Für die Frühromantiker besteht die *Welt voller Gegensätze* (Realität/Ideal und Endlichkeit/Unendlichkeit), die als unüberwindbar betrachtet werden. In diesem Zusammenhang prägt Friedrich Schlegel den Begriff *„romantische Ironie“*, die als eigenständige literaturtheoretische Position zu betrachten und nicht mit dem rhetorischen Stilmittel „Ironie“ zu verwechseln ist. Diese Form der Ironie ist kein einzelnes stilistisches Element innerhalb eines literarischen Textes, sondern prägt den Text als Ganzes durch einen unablässigen Wechsel von gegensätzlichen Elementen, z. B. dem *Wechsel von Illusionierung* und *Desillusionierung*. Auch die Selbstreflexion innerhalb des literarischen Werks ist hier bedeutend, indem selbstreflexive Momente von unterschiedlichen Figuren (Zuschauer/Rezipient, Protagonist, Verfasser/Dichter oder Erzähler) im Werk selbst artikuliert werden, sodass sich die Literaten damit über ihre eigene Dichtung erheben und distanzieren.

Hochromantik (Heidelberger Romantik, 1804–1815): Es entstehen zahlreiche Gedichte, Märchen und Sagenkreise mit typisch romantischen Motiven wie *Sehnsucht, Natur, Liebe* und *Wanderschaft*, die das *Volkstümliche* und *Irrationale* betonen.

Spätromantik (in Berlin, 1815–1848): Es werden *Schauerromane* und *Kunstmärchen*, aber auch ganze Gedichtzyklen publiziert. Das *Wunderbare* und *Geheimnisvolle*, das *Dunkle* und *Verborgene* findet Eingang in die Welt der „Philister“.

Bevorzugte Textsorten sind *Bildungsroman, Entwicklungsroman, Kunstmärchen, Märchen, Sage, Schauerroman, Volkslied und Volksmärchen, Gedicht und Ballade.*

Autoren und Werke

Friedrich Schlegel (1772–1829): *Athenäum-Fragmente* (1798), *Lucinde* (1799)
Novalis (Georg Philipp Friedrich Freiherr von Hardenberg, 1772–1801): *Hymnen an die Nacht* (1800), *Heinrich von Ofterdingen* (1802)
Ludwig Tieck (1773–1853): *Der gestiefelte Kater* (1797), *Der blonde Eckbert* (1797)
E. T. A. Hoffmann (1776–1822): *Die Elixiere des Teufels* (1815/16), *Der Goldene Topf* (1814), *Nachtstücke* (u. a. *Der Sandmann*, 1816)
Clemens Brentano (1778–1842): *Godwi oder Das steinerne Bild der Mutter* (1801)
Achim von Arnim (1781–1831) und Clemens Brentano: *Des Knaben Wunderhorn* (1806–1808)
Jakob (1785–1863) und Wilhelm (1786–1859) Grimm: *Kinder- und Hausmärchen* (1812)
Joseph von Eichendorff (1788–1857): *Das Marmorbild* (1819), *Aus dem Leben eines Taugenichts* (1826)
Heinrich Heine (1797–1856): *Buch der Lieder* (1827)

Vormärz und Biedermeier (ca. 1815–1848)

Märzrevolution 1848 • politische Einheit • Freiheit • Nationalismus • Restauration • Missstände • Zensur • Flugschriften • Reiseliteratur

Anonym: Straßenkämpfe in Berlin, 1848

Rückzug ins Privatleben • stilles Glück • Tradition • heile Welt • Natur • Entsagung • Melancholie • Novelle

Carl Spitzweg: Der Sonntagsspaziergang, 1841

Der Begriff *Vormärz* bezeichnet das literarische Schaffen im Vorfeld der Märzrevolution von 1848.

Das „Junge Deutschland“, welches sich nach der Neuordnung Europas auf dem Wiener Kongress 1815 herausbildet, setzt sich verstärkt ab 1830 (Julirevolution in Paris) für einen einheitlichen deutschen Nationalstaat und die Umgestaltung des Landes in Freiheit und politischer Einheit ein. Dies spiegelt sich auch in der häufig *progressiven antifeudalistisch geprägten Literatur*. Es werden aber nicht nur staatsrechtliche Fragen bezüglich der geforderten demokratischen Verfassung aufgeworfen, sondern zu den zentralen Themen der Literaten gehören auch die Verarmung und Verelendung der Bauern und Arbeiter.

Mit dem Begriff *Biedermeier* kritisieren später im 19. Jh. die Realisten die „biedere“ Literatur der Restaurationszeit. Zu Beginn des 20. Jhs. verliert der Begriff seinen negativen Klang und steht für *Häuslich-*

L

keit und den *Rückzug ins Privatleben*, für eine Zeit, in der die Menschen sich in ihre *unpolitische Innerlichkeit* und in ihre *poetische Naturerfahrung* zurückziehen, um sich nicht mit realen politischen bzw. sozialen Missständen auseinandersetzen zu müssen.

Die beiden Strömungen *Vormärz* und *Biedermeier* verlaufen parallel und zeichnen sich durch ihre Gegensätzlichkeit (*revolutionäre Gesinnung* versus *privates Glücksstreben*; *Anprangern von Missständen* versus *heile Welt*) aus.

Historischer Kontext Nach der Neuordnung Europas durch den Wiener Kongress von 1815 kommt es in Deutschland zur Auseinandersetzung zwischen den nach *Restauration* (Wiederherstellung der alten Ordnung) strebenden Fürsten und den *Universitätsangehörigen*, die unter dem Namen *Junges Deutschland* Freiheit und politische Einheit des Landes fordern. Die Hoffnungen der Bewegung, die sich in Burschenschaften organisiert, erfüllen sich jedoch nicht. Mit Gründung des *Deutschen Bundes* 1815 entsteht weniger ein einheitlicher Nationalstaat als vielmehr ein *Staatenbund* mit weitgehend voneinander unabhängigen Mitgliedsstaaten. In den *Karlsbader Beschlüssen* von 1819 kommt es zum *Verbot der Burschenschaften* und einer zunehmenden Überwachung der Universitäten. Auch die Literatur wird der *Zensur* unterworfen. Die Enttäuschung des *Jungen Deutschland* über das Festhalten an der alten Ordnung durch die deutschen Fürsten bricht sich schließlich in der *Märzrevolution von 1848* Bahn. Engagierte Autoren im *Vormärz* und im *Jungen Deutschland* wenden sich gegen absolutistische Strukturen, die Kirche sowie *gegen* das *idealistische Menschen- und Weltbild* der Klassik und die *Romantisierung* der Welt durch die Romantiker. Sie beschäftigen sich mit den *zeitgenössischen Missständen* und kämpfen für die *Presse- und Meinungsfreiheit*, den *Sozialismus*, die *Emanzipation der Frau* und die *freie Entfaltung der Liebe*.

Themen, Motive, Texte des Vormärz Die Epik wird zur bestimmenden Gattung, sie ist weniger strengen Regeln als die Lyrik und die Dramatik unterworfen und eignet sich damit in besonderem Maße zur politischen Auseinandersetzung und Systemkritik. In Flugschriften wie *Der Hessische Landbote* (1834) von Georg Büchner wird das einfache Volk zur Revolution gegen Obrigkeit und Autoritäten aufgerufen.

Die *Reiseliteratur* erlebt vor allem durch Heinrich Heine eine Blüte im 19. Jh. und vereint sowohl informierenden, unterhaltenden als auch politisch belehrenden Charakter in sich.

Bevorzugte Textsorten sind *Brief, Feuilleton, Flugblatt, historisches Drama, historischer Roman, journalistische Texte, Komödie, literarische Zeitschrift, politische Lyrik, Memoiren, Novelle, Reisebericht.*

Themen, Motive, Texte des Biedermeier Das Weltbild des *Biedermeier* wird verkörpert durch die Rückbesinnung auf *Traditionen* mit einem regional gefärbten Charakter. Der Mensch strebt nach dem stillen Glück innerhalb seines Privatlebens und befasst sich nicht mit komplexen politischen oder gesellschaftskritischen Themen. In kurzen literarischen Formen werden Themen wie *Natur* und *Geschichte*, der *Rückzug ins Private* und eine *heile Welt* dargestellt. Die Sprache ist schlicht bei detailgetreuer und möglichst bildlicher Darstellung.

Bevorzugte Textsorten sind *Ballade, Kurzgeschichte, Novelle, Skizze, Studie, Verserzählung und Volkslustspiel.*

Autoren und Werke des Vormärz

Heinrich Heine (1797–1856): *Reisebilder* (1826/2730), *Deutschland. Ein Wintermärchen* (1844), *Die schlesischen Weber* (1844), *Romanzero* (1851)
August Heinrich Hoffmann von Fallersleben (1798–1874): *Unpolitische Lieder* (1840/41), *Das Lied der Deutschen* (1841)
Georg Büchner (1813–1837): *Der Hessische Landbote* (1834), *Dantons Tod* (1835), *Woyzeck* (1836), *Lenz* (1839)
Georg Herwegh (1817–1875): *Gedichte eines Lebendigen* (1841), *Aufruf* (1841), *Bundeslied für den Allgemeinen Deutschen Arbeiterverein* (1863)
Georg Weerth (1822–1856): *Das Hungerlied* (1844)

Autoren und Werke des Biedermeier

Franz Grillparzer (1791–1872) : *Die Ahnfrau* (1817), *Der arme Spielmann* (1848)
Annette von Droste-Hülshoff (1797–1848): *Heidebilder* (1841/42), *Die Judenbuche* (1842)
Nikolaus Lenau (1802–1850): *Don Juan. Ein dramatisches Gedicht* (1851)
Eduard Mörike (1804 –1875): *Maler Nolten* (1832)
Adalbert Stifter (1805–1868): *Der Hochwald* (1841), *Bunte Steine* (1853), *Der Nachsommer* (1857)

(Poetischer) Realismus (ca. 1848–1895)

künstlerische Wiedergabe der Realität • Verklärung der Wirklichkeit • Humor • Ironie • Einfachheit in Stoff und Form • Gesellschaftsroman

Stahlstich: Stadtansicht von Elbing, um 1840

Der Begriff *poetischer Realismus* oder auch *bürgerlicher Realismus* stammt vom lateinischen Wort *res* und bedeutet *Ding* oder *Sache*. Die literarische Epoche des poetischen Realismus stellt die *Realität* in den Vordergrund, nicht aber, ohne diese *künstlerisch* zu gestalten.

Historischer Kontext Der Realismus als literarische Strömung beginnt vor dem Hintergrund zahlreicher Bevölkerungsaufstände in unterschiedlichen europäischen Staaten, im deutschsprachigen Raum nach der Märzrevolution 1848. *Politische Mitbestimmung* und das *allgemeine Wahlrecht* werden gefordert, *soziale Missstände* und auch die *Frauenfrage* werden immer heftiger diskutiert. Die Frauen streben nach *Emanzipation*, wollen vor dem Gesetz als selbstständiges Individuum behandelt werden und fordern ihre Gleichstellung mit den Männern.

Mit der Reichsproklamation von 1871 in Versailles wird Wilhelm I. zum deutschen Kaiser gekrönt, während Otto von Bismarck als Reichskanzler des Deutschen Kaiserreichs agiert. Es werden innenpolitische Reformen durchgeführt, z. B. wird die *Zivilehe* eingeführt, um den Einfluss der *Kirche zu begrenzen*; ein *Sozialversicherungssystem* wird entwickelt, um die soziale Absicherung der Bevölkerung bei Krankheit, Arbeitslosigkeit etc. zu verbessern. Außenpolitisch erreicht Otto von Bismarck mithilfe seiner *Bündnispolitik* den friedenssichernden Ausgleich zwischen den europäischen Großmächten.

Als Kaiser Wilhelm II. an die Macht kommt, leitet dieser in der deutschen Außenpolitik die Wende ein, die in einem Zerwürfnis zwischen ihm und Otto von Bismarck gipfelt. Die sogenannte *wilhelminische Epoche* wird nach der Entlassung des Reichskanzlers von dem Streben des deutschen Kaisers nach *Weltmacht* und seinem zweiten großen Ziel bestimmt, deutsche *Kolonien* in Afrika und in der Südsee zu besitzen. Um den „Platz an der Sonne“ zu erhalten, wird ab ca. 1890 massiv in allen militärischen Bereichen aufgerüstet. Besondere Priorität genießt die *Flottenpolitik* des Kaisers. Er sieht in der deutschen *Kriegsflotte das Symbol* für die Einheit des Kaiserreiches, weil sie äußere Stärke und innere Sicherheit in sich vereine. Er bedenkt nicht die Bedrohung, die von der Aufrüstung und der Flottenpolitik ausgehen. Besonders Großbritannien fühlt sich durch das Wettrüsten zur See existenziell bedroht, sodass die veränderte Außenpolitik des deutschen Kaiserreichs das europäische Mächteverhältnis ins Wanken bringt.

Themen, Motive, Texte Die Literatur des *poetischen Realismus* stellt nicht die bloße Wirklichkeit dar, sondern versucht, diese mit *künstlerischen Mitteln* abzubilden. *Detailgetreue, realitätsnahe Beschreibungen* in *poetischer Sprachverwendung*, verbunden mit einer fiktiven Handlung, die aber so möglich sein könnte, bestimmen die literarischen Werke. *Humor* und *Ironie* gelten als adäquate Mittel zur poetischen Gestaltung der *Wirklichkeit* in der Literatur. Die Verwendung der *wörtlichen Rede* (Erzählerdistanz) und die *realistische Raum- und Zeitgestaltung* unterstützen einen hohen Grad an Identifikationsmöglichkeiten und einen damit verbundenen Wiedererkennungswert.

Theodor Fontane gilt als einer der bedeutendsten deutschsprachigen Realisten. In seinen „Berlinromanen“ (*Effi Briest; Irrungen, Wirrungen* etc.) greift er die Themen seiner Zeit auf (Urbanisierung, Industrialisierung, Frauenfrage, gesellschaftliche Missstände, Innen- und Außenpolitik des Kaiserreichs). In den vielfältigen Gesprächen seiner literarischen Figuren werden die Probleme der Gegenwart des ausgehenden 18. Jahrhunderts *milieugerecht* mithilfe der Verwendung der wörtlichen Sprache (Dialekt, Soziolekt etc.) vermittelt, sodass der Erzähler weitgehend in den Hintergrund tritt. Theodor Fontane stellt in seinen Werken vor allem die moralischen und gesellschaftlichen Konventionen infrage, die verantwortlich für das Scheitern seiner Protagonisten/-innen sind. Er setzt mit seinen literarischen Werken eine öffentliche Diskussion bezüglich der herrschenden gesellschaftlichen Werte und Normen in Gang.

Auch in seinen *literarischen* und *programmatischen Schriften* setzt sich Theodor Fontane mit den Themen und Problemen des 19. Jahrhunderts auseinander und entwickelt daraus die Position des Erzählers. Er reflektiert sowohl die Aufgabe des Erzählers als auch die Anforderungen an das Erzählen selbst, sodass er damit eine theoretische Grundlage für realistisches Erzählen liefert und gleichzeitig die Zielsetzung des *poetischen Realismus* erläutert.

Während frühe realistische Werke meist noch frei von *Gesellschaftskritik* sind, weisen die Werke ab

1860 zunehmend – häufig zwar in verdeckter Form – auf gesellschaftliche Missstände hin. Bevorzugte Textsorten sind *Dorfgeschichten, Entwicklungsroman, Gesellschaftsroman, historischer Roman und Novelle.*

Autoren und Werke
Friedrich Hebbel (1813–1863): *Maria Magdalena* (1844), *Die Nibelungen* (1861)
Gustav Freytag (1816–1895): *Soll und Haben* (1855), *Die Ahnen* (1872)
Theodor Storm (1817–1888): *Immensee* (1850), *Der Schimmelreiter* (1888)
Gottfried Keller (1819–1890): *Der grüne Heinrich* (1854/55 und 1897/80)
Theodor Fontane (1819–1898): *Irrungen, Wirrungen* (1887), *Frau Jenny Treibel* (1892), *Effi Briest* (1895)
Conrad Ferdinand Meyer (1825–1898): *Das Amulett* (1873), *Der Schuss von der Kanzel* (1878), *Die Füße im Feuer* (1882)

L

Naturalismus (ca. 1880–1900)

Lebenswirklichkeit • Naturwissenschaften • Vererbung • soziales Milieu • Großstadtleben • Tabuthemen • Dialekt • Industrialisierung • Fotografie • Klassenbegriff

Oskar Graf: Begräbnis eines Arbeiters, 1900

Als *Naturalismus* wird eine literarische Stilrichtung bezeichnet, mit deren Hilfe die *Realität* ganz *ohne künstlerische Ausgestaltungen* so wirklichkeitsnah wie möglich abgebildet wird. „Naturalismus" hat nichts mit der Darstellung der Natur zu tun, sondern ist eine konsequent *weitergedachte Ausformung des Realismus*.

Historischer Kontext Gegen Ende des 19. Jahrhunderts entstehen bedeutende technische Neuerungen wie die Erfindung der Dampfturbine 1884 und des Dieselmotors 1893. Innen- wie außenpolitisch ist Reichskanzler *Otto von Bismarck* die für das Deutsche Kaiserreich (Reichsgründung 1871) bestimmende Figur. Mit seiner auf ein ausgeglichenes Mächteverhältnis in Europa bedachten Bündnispolitik sorgt er für Frieden und Stabilität. Nach seiner Entlassung 1890 ändert sich dies unter dem neuen Kaiser Wilhelm II., der die militärische Aufrüstung und die deutsche Flottenpolitik betreibt, um sein Streben nach *Weltmacht* und seine Ambitionen bezüglich der *Kolonialpolitik* umzusetzen.

Themen, Motive, Texte Die *Naturalisten* nutzen zur Beschreibung der Welt auch die *Naturwissenschaften*. Ihr *Weltbild* erhebt den Anspruch, *naturwissenschaftlich erklärbar* zu sein, und wendet sich religionskritisch von allem Metaphysischen ab. Der Mensch wird in Abhängigkeit von seiner Umwelt wahrgenommen und durch *Vererbung* und *soziales Milieu* als *determiniert* (bestimmt, festgelegt) angesehen. Der Naturalismus ist die erste Stilrichtung, die sich kritisch mit den Folgen der *Industrialisierung* und *Urbanisierung* auseinandersetzt. *Großstadtleben* und *soziale Frage* werden zu zentralen Inhalten. Naturalistische Literatur zeichnet sich durch besondere Lebensnähe, eine wissenschaftliche Fundierung, die Abwendung von Transzendentem sowie eine schmuck- und tabulose Darstellung der Lebenswirklichkeit aus. Die Aufnahme bisher tabuisierter Themen, eine sprachlich möglichst wirklichkeitsnahe Gestaltung durch Anwendung von *Dialekt* und *Mundart* und sehr *detaillierte Regieanweisungen* in dramatischen Texten kennzeichnen das literarische Schaffen der Naturalisten.

Bevorzugte Textsorten sind *Drama, experimentelle Prosa und Lyrik*.

Autoren und Werke
Wilhelm Bölsche (1861–1939): *Die naturwissenschaftlichen Grundlagen der Poesie* (1887)
Gerhart Hauptmann (1862–1946): *Bahnwärter Thiel* (1888), *Vor Sonnenaufgang* (1889), *Die Weber* (1892), *Der Biberpelz* (1893), *Fuhrmann Henschel* (1898), *Die Ratten* (1911)
Johannes Schlaf (1862–1941): *Meister Oelze* (1892)
Arno Holz (1863–1929): *Die Kunst. Ihr Wesen und ihre Gesetze* (1891), *Revolution der Lyrik* (1899)
Arno Holz und Johannes Schlaf: *Papa Hamlet* (1889), *Familie Selicke* (1889)

Klassische Moderne (ca. 1890–1932)

Fließbandproduktion • Erster Weltkrieg • Kolonialismus • Frauenemanzipation • Kino • Symbolismus • Fin de Siècle • Impressionismus

Max Beckmann: Tanz in Baden Baden, 1923

Als Gegenbegriff zu *alt* oder *antik* beschreibt der Begriff der *Moderne* eine Abwendung von traditionellen Werten und Einstellungen in allen Lebensbereichen. Die Zeit um 1900 wird auch als *Epochenumbruch* bezeichnet. Die sich radikal verändernde Lebensweise führt einerseits zur Aufbruchsstimmung, andererseits aber auch zu großen Ängsten und Unsicherheiten. *Fin de Siècle* (Ende des Jahrhunderts) und *Dekadenz* sind Schlagworte dieser Zeit.

Historischer Kontext Die Welt der *klassischen Moderne* ist weitgehend bestimmt durch technische Neuerungen, Säkularisierung sowie politische und kulturelle Reformen und Revolutionen. Politisch werden *Marxismus*, die *Emanzipation der Frau* und die *Arbeiterbewegung* zu zentralen Themen. Der Mensch wird losgelöst von allem Metaphysischen gesehen und treibt mit seinem wissenschaftlichen und technisch-industriellen Fortschritt die Veränderungen in allen Lebensbereichen voran.

Um die Jahrhundertwende wird unter Wilhelm II. eine verstärkte *Kolonialpolitik* verfolgt und parallel dazu die massive *Aufrüstung* (Flottenpolitik) des Deutschen Reiches im Wettkampf mit den anderen führenden Mächten in Europa betrieben. Die entstehende Spannung zwischen den Großmächten führt schließlich zwischen 1914 und 1918 zum Ersten Weltkrieg. Darüber hinaus kommt es mit zunehmender Industrialisierung zur Verstädterung (*Urbanisierung*) und Entwicklung eines Industrieproletariats in den Städten, was zum Nährboden sozialer Probleme und Spannungen wird.

Themen, Motive, Texte Die Schriftsteller folgen ganz unterschiedlichen geistigen Strömungen, die einander zum Teil auch widersprechen. Einerseits werden wieder verstärkt unpolitische und von *Subjektivismus* und *Individualismus* geprägte Werke geschaffen (*Impressionismus, Jugendstil, Spätromantik, Expressionismus*), andererseits kommt es zur Wiederbelebung der *Ideale* vergangener Epochen, wie z. B. dem *Neoklassizismus* oder der *Heimatliteratur*.

In der Hauptstadt Österreichs entwickelt sich ein Zentrum progressiver Literaten, die sich als Vertreter der sogenannten *Wiener Moderne* betrachten. Sie thematisieren gesellschaftskritische Probleme (*Dekadenz, Verfall gesellschaftlicher Werte und Normen des Bürgertums*, (*Un-)Freiheit* des *Individuums*, *Emanzipationsstreben der Frau*). Sie stützen sich in ihrer Figurendarstellung und Beschreibung der Gesellschaft u. a. auch auf die von *Sigmund Freud* entwickelten Ergebnisse der *Psychoanalyse*. Besonders dessen Werk „Traumdeutung" von 1899 findet bei den zeitgenössischen Literaten große Beachtung.

Arthur Schnitzler, einer der bedeutendsten Vertreter der *Wiener Moderne*, entwickelt eine neue Form des Erzählens, um die inneren Vorgänge einer Figur für den Rezipienten sichtbar zu machen. Seine *Monolognovellen* „Leutnant Gustl" (1900) und „Fräulein Else" (1924) vermitteln die psychischen inneren Vorgänge der Figuren. Über diese *Innensicht* erhält der Rezipient wesentliche Einblicke in die gesellschaftlichen Strukturen und in das gesellschaftliche Denken dieser Zeit.

Insgesamt werden lyrische Texte und epische Kleinformen unter Beachtung der äußeren Form, teilweise ausgeschmückt mit Klangmalerei und sprachlichen Bildern, favorisiert.

Bevorzugte Textsorten sind *Aphorismus, Brief, Einakter, Essay, Kunstmärchen, Lyrik, (Monolog-)Novelle, Prosagedicht, Skizze und Studie sowie Erzählung.*

Autoren und Werke
Arthur Schnitzler (1862–1931): *Leutnant Gustl* (1900), *Fräulein Else* (1924), *Traumnovelle* (1926)
Frank Wedekind (1864–1918): *Frühlings Erwachen* (1891)
Stefan George (1868–1933): *Das Jahr der Seele* (1897), *Der siebente Ring* (1907)
Heinrich Mann (1871–1950): *Professor Unrat* (1905), *Der Untertan* (1918)
Christian Morgenstern (1871–1914): *Galgenlieder* (1905), *Palmström* (1910)
Hugo von Hofmannsthal (1874–1929): *Ein Brief* („Chandos"-Brief, 1902), *Das Bergwerk zu Falun* (1906)
Thomas Mann (1875–1955): *Buddenbrooks* (1901), *Der Tod in Venedig* (1912)
Rainer Maria Rilke (1875–1926): *Die Aufzeichnungen des Malte Laurids Brigge* (1910), *Duineser Elegien*

(1923), *Sonette an Orpheus* (1923)
Hermann Hesse (1877–1962): *Peter Camenzind* (1904), *Unterm Rad* (1906), *Demian* (1919)

Stefan Zweig (1881–1942): *Sternstunden der Menschheit* (1927), *Schachnovelle* (1942), *Die Welt von Gestern* (1942)

Expressionismus (ca. 1910–1925)

Entfremdung • Film • Jazz • Bruch traditioneller Formen • Krisen • Verfall • Großstadtelend • Die Brücke • Der Blaue Reiter

August Macke: Straße mit Kirche in Kandern, 1905

Expressionismus leitet sich vom lateinischen *expressio* („Ausdruck“) ab und steht für besondere ausdrucksstarke, subjektivistische und skeptizistische literarische Ausdrucksformen.

Geschichte und Gesellschaft Historisch fällt der Erste Weltkrieg (1914–1918) in die Zeit des *Expressionismus*. Die deutsche Bevölkerung steht unter dem Eindruck von *Krieg* und *Moderne*. Das menschliche Individuum geht im Zuge zunehmender Industrialisierung in der Masse unter und zieht sich oft mit selbstzweiflerischen und pessimistischen Gedanken in sich selbst zurück.

Nach der Niederlage im Ersten Weltkrieg, die den „Gesichtsverlust“ der zuvor so stolzen Nation zur Folge hat, sind die Menschen orientierungslos. Die Zuerkennung der Kriegsschuld, die Reparationszahlungen, die großen Gebietsverluste und die Millionen von Menschen, die den Krieg nicht überlebt haben, führen zu Unsicherheit, Orientierungslosigkeit und Zukunftsangst. Die Inhalte des Versailler Vertrages werden als unzumutbare Demütigung durch die Siegermächte empfunden, sodass sich zwischen den europäischen Mächten kein stabiler Frieden entwickeln kann.

Nach der Novemberrevolution 1918 muss Kaiser Wilhelm II. am 9. November 1918 abdanken und in die Niederlande ins Exil gehen. Daraufhin wird die *Weimarer Republik* (1918–1933), die erste parlamentarische Republik auf deutschem Boden, ausgerufen.

Themen, Motive, Texte Expressionistische Literatur ist geprägt von einer starken *Subjektivität* und Darstellung des ekstatischen oder leidenden Menschen. Es kommt zur *Missachtung grammatikalischer Regeln* und der häufigen Verwendung von starken sprachlichen *Bildern, Metaphern* und *Symbolen.* Dies wird besonders in der expressionistischen Lyrik deutlich. Auch der Ausdruck des Hässlichen, Krankhaften und Schockierenden findet Einzug in die expressionistische Literatur.

In der Dramatik nutzen die Autoren das *Stationendrama*, um mit klassischen Formen zu brechen. Anstelle einer geschlossenen Handlung werden einzelne Szenen oder Bilder in zum Teil wahlloser Reihenfolge und unabhängig voneinander aufgereiht dargestellt.

Bevorzugte Textsorten sind *Erzählung, neue Formen der Lyrik, Novelle, Roman und Stationendrama.*

Autoren und Werke
Else Lasker-Schüler (1869–1945): *Styx* (1902), *Der Siebente Tag* (1905)
Robert Musil (1880–1942): *Die Verwirrungen des Zöglings Törleß* (1906)
Franz Kafka (1883–1924): *Die Verwandlung* (1915)
Gottfried Benn (1886–1956): *Morgue* (1912), *Gehirne* (1915), *Spaltung* (1925)
Jakob van Hoddis (1887–1942): *Weltende* (1918)
Ernst Toller (1893–1939): *Masse Mensch* (1920), *Die Maschinenstürmer* (1922)
Bertolt Brecht (1898–1956): *Baal* (1919), *Trommeln in der Nacht* (1922)

Avantgarde/Dadaismus (ca. 1915–1925)

Collagetechnik • Montageprinzip • Kabarett/Varieté • Lautgedicht • Inflation • Futurismus • Radio • Sprachkrise • Naivität

Hugo Ball im Cabaret Voltaire, Zürich, 1916

Der Begriff *Avantgarde* stammt aus dem französischen Militärvokabular und bedeutet so viel wie *Vorhut*. Neben *Futurismus* und *Surrealismus* zeichnet sich vor allem der *Dadaismus* als wichtige avangardistische Richtung aus. Er weist sowohl expressionistische als auch futuristische Merkmale auf und hat seinen Namen von dem kindlich anmutenden Ausdruck „dada", mit dem er sich gegen traditionelle Strömungen und ihre klassischen Formen abgrenzt.

Historischer Kontext Die Welt des Dadaismus wendet sich auch wegen der Erfahrung des Ersten Weltkriegs gegen das Vernunftdenken. Der Mensch soll zu kindlicher Naivität zurückkehren und auf logische Erklärungsmuster verzichten. Erst die Vernunft und die aus ihr resultierenden technischen Neuerungen hätten es dazu kommen lassen, dass Völker sich im Krieg gegenseitig vernichten, so die Kritik der Dadaisten.

Themen, Motive, Texte *Dadaistische Literatur* lehnt Krieg und traditionelle Literaturprogramme gattungsübergreifend ab. Sie bricht mit den Gesetzen der Logik und stiftet in ihren Texten damit eine besondere Abstrusität und Verwirrung. *Montageprinzip* und *Collagetechnik* sind ebenso typisch für dadaistische Werke wie die *Aufhebung der Syntax* und der Einsatz unterschiedlichster Textsorten innerhalb eines Gesamtwerkes.

Laut- und Buchstabengedichte, in denen Wörter bis zur Unverständlichkeit zersetzt werden, gelten als bekannteste Werke dieser literarischen Strömung. Bevorzugte Textsorten dieser literarischen Strömung sind *Aphorismus, Buchstaben-, Laut- und Zufallsgedicht sowie Collage.*

Autoren und Werke

Hugo Ball (1886–1927): *Cabaret Voltaire* (1916), *Die Karawane* (1917)
Hans Arp (1886–1966): *Der Vogel selbdritt* (1920), *Kaspar ist tot* (1920)
Kurt Schwitters (1887–1948): *An Anna Blume* (1919), *Die Ursonate* (1922/23)
Richard Huelsenbeck (1892–1974): *Dadaistisches Manifest* (u. a. 1918), *Dada-Almanach* (1920), *En Avant Dada. Geschichte des Dadismus* (1920)

Neue Sachlichkeit (ca. 1918–1932)

Weltwirtschaftskrise • politische Unruhen • Inflation • Verelendung in den Großstädten • episches Theater • Montage • Reportage • Goldene Zwanziger • Arbeitslosigkeit

George Grosz: Frau im schwarzen Mantel, 1927

Die Bezeichnung *Neue Sachlichkeit* resultiert aus dem Bemühen, die sozialen und wirtschaftlichen Verhältnisse der Zeit möglichst objektiv abzubilden. Der Name weist auch darauf hin, dass man sich von den parallel erscheinenden Werken der *Dadaisten* und *Expressionisten* abzugrenzen suchte.

Historischer Kontext Die Zeit ist geprägt von den Eindrücken des Ersten Weltkriegs und der Gründung der ersten deutschen Republik. Dabei sieht sich die frühe Phase der *Weimarer Republik* (1919–1923) zahlreichen Krisen gegenüber, muss sich gegen Putschversuche, wirtschaftliche Probleme und die Auswirkungen der Inflation behaupten.

Erst mit dem Beginn der zweiten Phase (1924–1928), den sogenannten „Goldenen Zwanzigern", verbessert sich die Lage. Wirtschaftswachstum, soziale und technische Errungenschaften erleichtern der Bevölkerung das Leben. Dennoch scheitert das Modell der Weimarer Republik letztlich in seiner dritten Phase (1929–1933) unter den verheerenden wirtschaftlichen, politischen und gesellschaftlichen Folgen der *Weltwirtschaftskrise von 1929* und dem *Erstarken der republikfeindlichen Kräfte* von rechts und links.

Themen, Motive, Texte Die Literatur der *Neuen Sachlichkeit* beschäftigt sich mit Themenkomplexen wie Großstadt, Industrie und Technik, Wirtschaft, Arbeit und die moderne Frau. Sie beleuchtet vor allem das Alltagsleben der Menschen.

In der Epik werden neben Romanen vor allem Werke mit dokumentarischem Charakter geschrieben. Auch der Einfluss von *Psychologie*, *Geschichte* und *Philosophie* ist hervorzuheben. Alfred Döblin verfasst 1929 den Roman „Berlin Alexanderplatz". Dieses Werk gilt als Prototyp des Romans der deutschsprachigen *Moderne*. In Form der Montagetechnik wird die Lebenssituation des Protagonisten in der Großstadt dargestellt und beispielhaft die *Krise des Ichs* verdeutlicht.

L

In der Lyrik entsteht eine sogenannte *Gebrauchslyrik*, welche genaue Anweisungen darüber gibt, wie sie vom Leser nach Ansicht des Autors rezipiert werden soll.

Die Dramatik wendet sich wieder verstärkt politischen Themen zu und favorisiert das *dokumentarische* und *epische Theater*. Durch bestimmte *Verfremdungseffekte* – z. B. direkte Ansprache des Publikums durch einen Erzähler, eingeschobene Chorgesänge, Spruchbänder, Plakate oder Lieder – wird dem Zuschauer immer wieder vor Augen geführt, dass das Bühnengeschehen nicht real ist. Die so erreichte *Distanz* des Dargestellten zum Zuschauer soll diesen dazu anregen, vergleichbare Missstände in seinem eigenen Umfeld zu reflektieren.

Bevorzugte Textsorten sind *Dokumentation, Gebrauchslyrik, Montage, Roman, Reportage, Sachbericht und Zeitroman.*

Autoren und Werke

Gerhart Hauptmann (1862–1946): *Vor Sonnenuntergang* (1932)
Thomas Mann (1875–1955): *Der Zauberberg* (1924)
Hermann Hesse (1877–1962): *Der Steppenwolf* (1927)
Alfred Döblin (1878–1957): *Berlin Alexanderplatz* (1929)
Franz Kafka (1883–1924): *Der Prozess* (1925)
Hans Fallada (1893–1947): *Kleiner Mann – was nun?* (1932)
Erich Maria Remarque (1898–1970): *Im Westen nichts Neues* (1929)
Bertolt Brecht (1898–1956): *Aufstieg und Fall der Stadt Mahagonny* (1930)
Ödön von Horváth (1901–1938): *Geschichten aus dem Wiener Wald* (1931)
Kurt Tucholsky (1890–1935): *Träumereien an preußischen Kaminen: Grotesken* (1920), *Lerne lachen ohne zu weinen* (1931)
Erich Kästner (1899–1974): *Leben in dieser Zeit* (1929), *Fabian. Die Geschichte eines Moralisten* (1931)

Exilliteratur (ca. 1933–1945)

Heimweh • Widerstand • Flugblatt • Radioansprachen • Bücherverbrennung • Verfolgung • innere Emigration • Exilexistenz • Publikationsverbot

Nuria Quevedo: Dreißig Jahre im Exil, 1971

Mit der Machtergreifung Hitlers (30. Januar 1933) findet die literarische Entwicklung der Moderne ein jähes Ende. Zahlreiche Schriftsteller, die im nationalsozialistischen Deutschen Reich bleiben, gehen in die *innere Emigration* (Rückzug in die eigene Subjektivität). Die meisten Schriftsteller müssen jedoch aufgrund ihrer politischen oder religiösen Verfolgung bzw. wegen erheblicher Repressalien (Berufs- und Schreibverbote) ihre Heimat verlassen und ins Exil gehen. Die dort entstehende Literatur wird als *Exilliteratur* bezeichnet.

Historischer Kontext Nach dem Machtantritt Hitlers im Januar 1933 wird vor der Humboldt-Universität in Berlin, am 10. Mai 1933, eine von der deutschen Studentenschaft und den Nationalsozialisten gemeinsam geplante *Bücherverbrennung* unter großem Anteil der Bevölkerung inszeniert. Damit erfolgt an diesem Abend der Höhepunkt der Kampagne „Wider den undeutschen Geist". Während der Bücherverbrennung werden die sogenannten *„Feuersprüche"* gesprochen und dienen damit als symbolische Grundlage, die vermeintlich oder tatsächlich regimekritischen literarischen Werke und Sachbücher öffentlich zu vernichten. Mehr als *zweihundert Autoren sind von der Vernichtung* ihrer Werke betroffen. Mit den *Nürnberger Gesetzen* von 1935, dem *„Gesetz zum Schutze des deutschen Blutes und der deutschen Ehre"* werden weitere Sanktionen gegenüber Bürgern jüdischen Glaubens getroffen, die ihr Leben extrem einschränken und unmenschliche Folgen haben. Als Reaktion auf diese Ereignisse verlassen zahlreiche Schriftsteller das nationalsozialistische Deutschland und setzen ihr literarisches Schaffen im Ausland fort.

Themen, Motive, Texte Das Welt- und Menschenbild der Exilliteraten ist sowohl von ihren Eindrücken im ausländischen Exil und der Sehnsucht nach der Heimat als auch von der *Kritik an den politischen und gesellschaftlichen Verhältnissen in NS-Deutschland* geprägt. Die Exilliteratur ist in erster Linie *antifaschistische* Literatur, die zur Aufklärung über die Vorgänge in Nazideutschland beitragen und den Widerstand gegen die Hitlerdiktatur vorantreiben will.

In der Epik gibt es neben der vorherrschenden Tendenz, das *alltägliche Leben im NS-Regime* darzustellen, auch Bestrebungen, in historischen Romanen und Gesellschaftsromanen an die literarische Tradition der Weimarer Republik anzuknüpfen. Lyrische Texte werden unter anderem dazu genutzt, das Heimweh ihrer Verfasser zu verarbeiten. Neben politischer Lyrik entstehen deshalb auch *Liebes- oder Naturgedichte*. Für die Dramatik bestimmend wird Bertolt Brechts *episches Theater* (vgl. auch Neue Sachlichkeit).

Bevorzugte Textsorten sind *Flugblatt, Gesellschaftsroman, historischer Roman, Lehrstück, Manifest, Radiorede, Tarnschrift und Zeitroman.*

Autoren und Werke
Heinrich Mann (1871–1950): *Henri Quatre* (1935–38)
Thomas Mann (1875–1955): *Joseph und seine Brüder* (1933–43), *Doktor Faustus* (1947)
Lion Feuchtwanger (1884–1958): *Wartesaal-Trilogie* (*Erfolg* 1930, Die *Geschwister Oppermann* 1933, *Exil* 1940)
Johannes R. Becher (1891–1958): *Abschied* (1940)
Bertolt Brecht (1898–1956): *Der gute Mensch von Sezuan* (1938–42), *Leben des Galilei* (1938–53), *Mutter Courage und ihre Kinder* (1939), *An die Nachgeborenen* (1939)
Anna Seghers (1900–1983): *Das siebte Kreuz* (1942/47)

L

Deutsche Nachkriegsliteratur (ca. 1945–1950)

Stunde Null • Wiederaufbau • Holocaust • Deutsche Teilung • Entmilitarisierung • Kahlschlagliteratur • Trümmerliteratur • Gruppe 47 • Heimkehrer

Trümmer Achat, 2009

Der Begriff *Trümmerliteratur* bezieht sich auf das Leben der Menschen in den Trümmern der vom Krieg zerstörten Städte sowie auf die zerschlagenen Ideale der Bevölkerung in den ersten Nachkriegsjahren (alternative Begriffe: *Literatur der Stunde Null, Kahlschlagliteratur, Kriegs- und Heimkehrliteratur).*

Historischer Kontext Das Welt- und Menschenbild ist geprägt von den traumatischen Erlebnissen im Zweiten Weltkrieg und nach der Heimkehr. Mit der *bedingungslosen Kapitulation des Deutschen Reichs* endet am 8. Mai 1945 der Zweite Weltkrieg. Deutschland wird unter den Siegermächten USA, Großbritannien, Frankreich und UdSSR in vier Besatzungszonen aufgeteilt und verliert damit sein Selbstbestimmungsrecht.

Im Fokus der Siegermächte stehen die sogenannten *„fünf Ds“*: Demilitarisierung, Denazifizierung, Demontage, Dezentralisierung und Demokratisierung (1945–47).

1949 kommt es aufgrund von unüberwindbaren Interessenkonflikten und ideologischen Gegensätzen zwischen den Westmächten (USA, Großbritannien, Frankreich) und der UdSSR zur Gründung zweier deutscher Staaten, der DDR (07.10.1949) im sowjetischen Einflussbereich und der BRD (23.05.1949) in enger Orientierung an den Westen.

Themen, Motive, Texte Die Autoren versuchen, sich inhaltlich, formal und sprachlich von vorherigen Strömungen abzuheben, indem sie die durch den Nationalsozialismus ideologisch eingefärbte Sprache „reinigen“. Sie rücken davon ab, Emotionen in ihren Texten widerzuspiegeln. Dafür nutzen sie vor allem die bis dahin weitgehend unbekannte Gattung der *Kurzgeschichte*. Ziel ist eine möglichst realistische und nicht psychologisierende Abbildung von Vergangenheit und Gegenwart. Gemein ist allen Werken der Trümmerliteratur der Hang zur lakonischen (treffend, knapp und schmucklos) Ausdrucksweise und zu häufigen Wiederholungen. Figuren, Raum und Zeit werden meist nur in Form von kurzen Episoden dargestellt, auf eine genaue Beschreibung wird weitgehend verzichtet. Im Mittelpunkt stehen das Leben in den zerbombten Städten, die Heimkehr aus der Kriegsgefangenschaft, die kollektive Kriegsschuld und der Holocaust. Bevorzugte Textsorten sind *Erzählung, Kurzgeschichte, Lyrik und Drama.*

Autoren und Werke
Johannes R. Becher (1891–1958): *Heimkehr* (1946)
Nelly Sachs (1891–1970): *In den Wohnungen des Todes* (1947)
Werner Bergengruen (1892–1964): *Der letzte Rittmeister* (1952)

Hans Fallada (1893–1947): *Jeder stirbt für sich allein* (1947)
Wolfgang Koeppen (1906–1996): *Tauben im Gras* (1951), *Das Treibhaus* (1953)
Paul Celan (1920–1970): *Der Sand aus den Urnen* (1948), *Mohn und Gedächtnis* (1952), *Todesfuge* (1947)
Wolfgang Borchert (1921–1947): *An diesem Dienstag* (1946), *Draußen vor der Tür* (1947)
Heinrich Böll (1917–1985): *Der Zug war pünktlich. Erzählung* (1949), *Wanderer, kommst du nach Spa…*. (1950)

Deutschsprachige Literatur in der 2. Hälfte des 20. Jahrhunderts (ca. 1949–1990)

Literatur in der DDR

Antifaschismus • Sozialismus • Mauerbau • Flucht in den Westen • SED • Bitterfelder Weg • Zensur • Volkserziehung • Ausbürgerung

Historischer Kontext Das Welt- und Menschenbild der Literatur in der DDR ist von einem deutlichen Einfluss der Sowjetunion geprägt und sieht den *Sozialismus* als einzig richtige und dauerhaft erfolgreiche Gesellschaftsform an, um die Welt vom Faschismus zu reinigen und allen Menschen ein glückliches und zufriedenes Leben zu ermöglichen. In den Siebzigerjahren werden auch kritische Stimmen laut, die den utopischen Charakter des Sozialismus hervorheben und die Unterdrückung durch das System anprangern.

Nach der Aufteilung Deutschlands in vier Besatzungszonen 1945 kommt es am 23. Mai 1949 zur Gründung der Bundesrepublik Deutschland (BRD) und am 7. Oktober 1949 innerhalb der Sowjetischen Besatzungszone zur Gründung der Deutschen Demokratischen Republik (DDR) mit der Hauptstadt Ostberlin – zwei deutsche Staaten entstehen.

Zementiert wird die Teilung mit dem 1961 einsetzenden Bau der *Berliner Mauer*, um die starke Abwanderung der DDR-Bevölkerung in den Westen einzudämmen. Die politische Macht liegt beim Generalsekretär der Sozialistischen Einheitspartei Deutschlands (SED). Mitte der 1980er-Jahre zeigen sich schwerwiegende wirtschaftliche Probleme, die Bevölkerung wird zunehmend unzufriedener. Massenflucht und gewaltlose Demonstrationen Ende 1989 (*Montagsdemonstrationen*) führen schließlich zur Öffnung der Grenzen und zum Fall der Berliner Mauer am 9. November 1989 – ein entscheidender Schritt hin zur Wiedervereinigung Deutschlands am 3. Oktober 1990.

Themen, Motive, Texte Das literarische Schaffen in der DDR lässt sich in drei Phasen unterteilen:

Frankfurter Buchmesse, 2011

Die *Aufbauliteratur* (1950–1961) zeichnet sich durch ihr Bekenntnis zum Antifaschismus und eine starke Hinwendung zum *Sozialismus* aus. Sie soll die Rezipienten zum *Sozialismus erziehen* und unterliegt einem starken Einfluss vonseiten der SED-Regierung. Was geschrieben und gelesen werden darf, wird durch den Staat vorgegeben und kontrolliert. Mit dem sogenannten *Bitterfelder Weg* wird im Anschluss an eine Autorenkonferenz in Bitterfeld außerdem der Versuch unternommen, der arbeitenden Bevölkerung einen aktiven Zugang zur Kunst zu ermöglichen. Die Trennung von Kunst und Lebenswirklichkeit soll aufgehoben, die Werktätigen sollen Akteure des künstlerischen Schaffens werden. Seit dem Bau der Berliner Mauer beschäftigen sich die DDR-Autoren zwischen 1961 und 1971 dann zunehmend mit dem Alltagsleben innerhalb der DDR.

Beispielhaft zeigt die *Ankunftsliteratur* (1961–1971), mit welchen Problemen sich der Einzelne während seiner Erziehung zum Sozialismus konfrontiert sieht. Sie stellt einen Helden in den Mittelpunkt, der in Konflikt zu den im Sozialismus vorherrschenden Lebensbedingungen gerät, am Ende aber seine Ansichten ändert und im Sozialismus ankommt.

Kritik am Sozialismus (1971–1990): Erst nach dem Machtwechsel von 1971, als Erich Honecker die Führung des DDR-Staates übernimmt, entwickelt sich innerhalb der DDR-Literatur eine kritische Auseinandersetzung mit dem Sozialismus und den vorherrschenden Lebensumständen. Autoren, die in ihren Werken offen *Kritik am System* äußern, werden mit *Aufführungsverboten oder Ausbürgerung* bestraft. Viele von ihnen siedeln aus eigenem Antrieb in den Westen um und veröffentlichen dort ihre Werke. Nach der *Wiedervereinigung 1990* thematisieren sie ihre Erfahrungen und Konflikte als Schriftsteller in der DDR.

Bevorzugte Textsorten sind *Ankunftsroman, Aufbauroman, Erzählung, Lyrik und Schauspiel.*

Autoren und Werke
Erwin Strittmatter (1912–1994): *Tinko* (1954), *Ole Bienkopp* (1963)
Johannes Bobrowski (1917–1965): *Sarmatische Zeit* (1961)
Hermann Kant (1926–2016): *Die Aula* (1965)
Günter Kunert (1929–2019): *Wegschilder und Mauerschriften* (1950)
Heiner Müller (1929–1995): *Ödipus Tyrann* (1967)
Christa Wolf (1929–2011): *Der geteilte Himmel* (1963), *Nachdenken über Christa T.* (1968), *Kindheitsmuster* (1976), *Kein Ort. Nirgends* (1979), *Kassandra* (1983)
Reiner Kunze (* 1933): *Die wunderbaren Jahre* (1976)
Ulrich Plenzdorf (1934–2007): *Die neuen Leiden des jungen W.* (1972)
Wolf Biermann (* 1936): *Die Drahtharfe* (1965), *Deutschland Ein Wintermärchen* (1965)
Jurek Becker (1937–1997): *Jakob der Lügner* (1968)
Volker Braun (* 1939): *Hinze und Kunze* (1973)

Literatur in der BRD

Wirtschaftswunder • Dokumentarisches Theater • Studentenrevolte (68er) • Happenings • Innerlichkeit • Neue Subjektivität • Popliteratur

Historischer Kontext Welt- und Menschenbild der BRD stehen stark unter dem Einfluss der deutschen Teilung und des Konflikts zwischen den Ost- und Westmächten im *Kalten Krieg*. Die schrecklichen Geschehnisse des Zweiten Weltkriegs müssen verarbeitet, Schuldfragen thematisiert werden. Nach der *Gründung der Bundesrepublik Deutschland* 1949 auf dem Gebiet der westlichen Besatzungsmächte erfolgt für den noch jungen Staat der BRD 1955 der *Beitritt zur NATO* und 1973 zur *UNO*. In der Entspannungsphase während der 1980er-Jahre nehmen BRD und DDR einen entscheidenden Platz in der Annäherungspolitik zwischen der UdSSR und den Westmächten ein.

Themen, Motive, Texte Das literarische Schaffen in der BRD in der Zeit bis zur Wiedervereinigung lässt sich in unterschiedliche Phasen einteilen.

Die 1950er-Jahre sind bestimmt von *zeitkritischen Themen* wie der Aufarbeitung der NS-Vergangenheit und der atomaren Bedrohung durch den Kalten Krieg. *Lyrik* und *Epik* sind bevorzugte Gattungen.

In den 1960er-Jahren erlebt die Literatur eine *Politisierung*. Schriftsteller wenden sich den bestehenden Konflikten zu. Die zuvor bestehende strikte Trennung von Kunst und Politik wird aufgehoben. Kennzeichnend für die westdeutsche Literatur wird der Einsatz authentischer Dokumente: Über das Stilmittel der *Montage* werden z. B. Protokolle oder Zeitungsartikel in Werke integriert.

Das *Dokumentarische Theater* mit herausragenden Vertretern wie Peter Weiss und Heinar Kipphardt entwickelt sich. Autoren wie Heinrich Böll und Günter Grass beschäftigen sich in erzählenden Texten mit der *Aufarbeitung der Vergangenheit*. Die Hoffnungen der Autoren, mit ihren Werken auf politische Entscheidungen einzuwirken, bleiben aber weitgehend unerfüllt.

Mit der Desillusionierung der 1968er-Bewegung und dem sich ausbreitenden RAF-Terrorismus wenden sich westdeutsche Autoren der 1970er-Jahre immer häufiger vom politischen Geschehen ab und stattdessen ihrer eigenen Subjektivität und Identität zu.

Demgegenüber streben in den 1980er-Jahren die Schriftsteller im Zusammenhang mit den Entspannungstendenzen im Kalten Krieg eine erneute Erweiterung des schriftstellerischen Horizonts über die eigene Subjektivität hinaus an.

Die Trennung zwischen west- und ostdeutscher Literatur wird durch einen regen Austausch von BRD- und DDR-Literaten außerdem mehr und mehr aufgehoben.

Bevorzugte Textsorten sind *Alltagslyrik, Autobiografie, Dokumentarisches Theater, Novelle, politische Lyrik und Roman.*

Autoren und Werke
Alfred Andersch (1914–1980): *Sansibar oder Der letzte Grund* (1957)
Heinrich Böll (1917–1985): *Billard um halbzehn* (1959), *Ansichten eines Clowns* (1963), *Die verlorene Ehre der Katharina Blum* (1974)
Heinar Kipphardt (1922–1982): *In der Sache J. Robert Oppenheimer* (1964)
Ingeborg Drewitz (1923–1986): *Gestern war Heute. Hundert Jahre Gegenwart* (1978)
Siegfried Lenz (1926–2014): *So zärtlich war Suleyken* (1955), *Deutschstunde* (1968), *Schweigeminute* (2008)
Günter Grass (1927–2015): *Die Blechtrommel* (1959), *Katz und Maus* (1961), *Hundejahre* (1963), *Der Butt* (1977), *Die Rättin* (1986), *Ein weites Feld* (1995), *Mein Jahrhundert* (1999), *Im Krebsgang* (2002), *Beim Häuten der Zwiebel* (2006)

L

Martin Walser (* 1927): *Ehen in Philippsburg* (1957), *Ein fliehendes Pferd* (1978), *Brandung* (1985), *Ein springender Brunnen* (1998), *Der Lebenslauf der Liebe* (2001)
Hans Magnus Enzensberger (* 1929): *Die Verteidigung der Wölfe* (1957), *Der Untergang der Titanic* (1978)
Günter Kunert (1929–2019): *Stilleben* (1983)
Rolf Hochhuth (* 1931): *Der Stellvertreter* (1963)
Uwe Johnson (1934–1984): *Ingrid Babendererde. Reifeprüfung 1953* (ersch. 1985), *Mutmassungen über Jakob* (1958), *Jahrestage* (1968 ff.)
Rolf Dieter Brinkmann (1940–1975): *Keiner weiß mehr* (1968), *Westwärts 1 & 2* (1975)
Patrick Süskind (* 1949): *Das Parfüm* (1985), *Die Taube* (1987)
Ulla Hahn (* 1946): *Das verborgene Wort* (2001), *Aufbruch* (2009), *Spiel der Zeit* (2017), zahlreiche Gedichte
Christian Kracht (* 1966): *Faserland* (1995), *Imperium* (2012)

Literatur in Österreich und in der Schweiz

Kriegsende • Vergangenheitsbewältigung • Kalter Krieg • Wohlstandsgesellschaft

Historischer Kontext Österreich ist bis 1955 von den Alliierten besetzt. Nach dem Abzug aller Siegermächte des Zweiten Weltkriegs erklärt sich Österreich als künftig neutraler Staat.

Auch in der seit jeher *neutralen Schweiz* bedeutet das Ende des Zweiten Weltkriegs – wenngleich nicht in ebenso starkem Maße – einen Einschnitt.

Die Schweiz hat während der nationalsozialistischen Diktatur zahlreiche *exilsuchende deutschsprachige Schriftsteller* aus Österreich und Deutschland aufgenommen, diese können sich dort aber literarisch kaum entfalten. Nach 1945 ist es ihnen zwar möglich, wieder in ihren Heimatländern zu wirken, für die meisten Literaten ist es jedoch ausgesprochen schwer, an ihre Vorkriegserfolge anzuknüpfen.

Die literarischen Erzeugnisse beider Länder stehen in engem Bezug zum literarischen Betrieb des größeren Nachbarlandes Deutschland.

Themen, Motive, Texte In Österreich muss sich, wie in Deutschland, die kulturelle und geistige Landschaft nach Faschismus und Krieg erst wieder entwickeln. In den 1950er-Jahren entstanden Ansätze zu einer neuen Literatur, die sich durch *eindringliche Sprache* und *Experimentierfreude* auszeichnet; vor allem lyrische Werke finden große Beachtung. Auch das *Hörspiel* ist eine häufig verwendete Gattung.

In den 1960er- und 1970er-Jahren erlebt die österreichische Literatur eine Blüte, in der sie sich auch der nationalsozialistischen Vergangenheit stellt und sich gegen die vorherrschende Tendenz zur Verdrängung stemmt. *Elfriede Jelinek* erhält für ihr Werk 2004 den Nobelpreis für Literatur.

In der Schweiz ragen vor allem die *Theaterstücke* und *Romane* von *Friedrich Dürrenmatt* und *Max Frisch* heraus und werden im gesamten deutschsprachigen Literaturraum stark rezipiert. Sie behandeln Themen wie das *Verhältnis von Individuum und Gesellschaft*, die *Bewältigung der Unübersichtlichkeit der Welt*, das *Finden einer eigenen Identität* und die *Bedrohung der Menschheit durch den technischen Fortschritt.*

Kurt Marti, Peter Bichsel und andere stehen vor allem für die Gattung der Kurzgeschichte. Eugen Gomringer ist bekannt für seine „Konkrete Poesie".

Autoren und Werke in Österreich

Ingeborg Bachmann (1926–1973): *Die gestundete Zeit* (1953); *Anrufung des Großen Bären* (1956)
Ilse Aichinger (1921–2016): *Die größere Hoffnung* (1948), *Der Gefesselte* (1953), *Verschenkter Rat* (1978), *Die Schwestern Jouet* (Hörspiel, 1969)
Friederike Mayröcker (* 1924) *Larifari: Ein konfuses Buch* (1956), *Je ein umwölkter Gipfel* (1973), *Reise durch die Nacht* (1984), *Die kommunizierenden Gefäße* (2003), *Von den Umarmungen* (2012)
Rose Ausländer (1901–1988): *Gedichte und Briefe*
Ernst Jandl (1925–2000): *Laut und Luise* (1966), *dingfest* (1973), *Aus der Fremde* (1980), *stanzen* (1992)
Thomas Bernhard (1931–1989): *Auf der Erde und in der Hölle* (1957), *Gehen* (1971), *Die Macht der Gewohnheit* (1974), *Der Untergeher* (1983)
Peter Handke (* 1942): *Publikumsbeschimpfung* (1966), *Die Angst des Tormanns vorm Elfmeter* (1970), *Die linkshändige Frau* (1977), *Der Chinese des Schmerzes* (1983), *Die Stunde, da wir nichts voneinander wussten* (1992), *Die morawische Nacht* (2008), *Die Obstdiebin – oder – Einfache Fahrt ins Landesinnere* (2017)
Elfriede Jelinek (* 1946): *Die Klavierspielerin* (1983), *Was geschah, nachdem Nora ihren Mann verlassen hatte oder Stützen der Gesellschaften* (1977)

Autoren und Werke in der Schweiz

Kurt Marti (1921–2017): Lyrik, Prosa, Essays
Eugen Gomringer (* 1925): *konstellationen* (1953), *Theorie der Konkreten Poesie* (Gesamtwerk 1997)
Max Frisch (1911–1991): *Homo faber* (1957), *Biedermann und die Brandstifter* (1958), *Andorra* (1961),

Mein Name sei Gantenbein (1974), *Montauk* (1975), *Blaubart* (1982)
Friedrich Dürrenmatt (1921–1990): *Romulus der Große* (1949), *Der Richter und sein Henker* (1950), *Der Besuch der alten Dame* (1956), *Die Physiker* (1962), *Durcheinander* (1989)
Peter Bichsel (* 1935): *Eigentlich möchte Frau Blum den Milchmann kennenlernen* (1964), *Die Jahreszeiten* (1967), *Wo wir wohnen* (2004)
Urs Widmer (1938–2014): *Alois* (1968), *Das enge Land* (1981), *Der blaue Siphon* (1992), *Top Dogs* (1996)

Migrantenliteratur

Fremdheit • Heimatverlust • Sprache • Identität • Integration

Historischer Kontext Mit der Anwerbung ausländischer Arbeitnehmer in den 1960er-Jahren und später einer zahlenmäßig bedeutenden Einwanderung von politischen Flüchtlingen, Aussiedlern und Arbeitsmigranten entsteht ein neues Phänomen in der deutschsprachigen Literatur. Diese Literatur wird als *Migrantenliteratur, interkulturelle Literatur* oder auch *multikulturelle Literatur* bezeichnet. Man versteht darunter Werke von Autorinnen und Autoren, deren Sichtweise von mindestens zwei unterschiedlichen Kulturräumen geprägt wird.

Themen, Motive, Texte Die Migrantenliteratur ist äußerst vielgestaltig. Ihre Werke sind zunächst vor allem geprägt durch die Herkunft der Autorinnen und Autoren, ihre Sozialisation und den Grad ihrer Integration in die deutsche Gesellschaft. Themen sind *Verlust von Heimat*, *Fremdheit in Sprache* und *Kultur* und *Probleme der Orientierung* in der neuen Umgebung. In zahlreichen Werken greifen die Literaten aber auch Aspekte deutscher Kultur und Literatur auf und setzen sich damit vielfältig und ideenreich auseinander, was z. B. spielerisch oder provokant geschehen kann.

Autoren und Werke
Rafik Schami (* 1946): *Eine Hand voller Sterne* (1987), *Der geheime Bericht über den Dichter Goethe* (1999), *Eine deutsche Leidenschaft namens Nudelsalat und andere seltsame Geschichten* (2011)
Renan Demirkan (* 1955): *Schwarzer Tee mit drei Stück Zucker* (1991), *Es wird Diamanten regnen vom Himmel* (1999), *Septembertee* (2008)
Zehra Cirak (* 1960): *Flugfänger* (1988), *Leibesübungen* (2000), *Der Geruch von Glück* (2011)
Nevfel A. Cumart (* 1964): *Im Spiegel* (1983), *Unterwegs zu Hause* (2003), *Hochzeit mit Hindernissen* (2015)
Feridun Zaimoglu (* 1964): *Kanak Sprak* (1995), *Zwölf Gramm Glück* (2004), *Hinterland* (2009)
Wladimir Kaminer (* 1967): *Russendisko* (2000), *Ich mache mir Sorgen, Mama* (2004), *Goodbye, Moskau* (2017)

Deutschsprachige Literatur der Gegenwart – Postmoderne (1990 bis heute)

Mauerfall • Globalisierung • Toleranz • Meinungsvielfalt • Digitalisierung • Terrorismus • Fake News • Klimaschutz • Wende • Wiedervereinigung

Historischer Kontext Der *Fall der Mauer* am *9. November 1989* markiert eine *historische Wende*, die sich auf alle Bereiche von Politik, Gesellschaft und Kultur auswirkt. Mit dem Ende des Kalten Krieges zerfällt der ehemalige „Ostblock“ in zahlreiche Einzelstaaten, die sich geopolitisch und ideologisch neu positionieren. Das wiedervereinigte Deutschland gewinnt zunehmend an wirtschaftlicher Stärke und wächst zur größten europäischen Volkswirtschaft heran.

Die *Europäische Union* erweitert sich nach Osten. Im Nahen und Mittleren Osten entstehen neben bereits existierenden Konflikten neue, auch militärisch ausgetragene Auseinandersetzungen zwischen feindlichen Staaten und Bürgerkriegsparteien. Die Welt ist trotz des *Falls des Eisernen Vorhangs* und trotz der Überwindung des Kalten Krieges nicht sicherer. Es werden nach wie vor *Stellvertreterkriege* geführt und globale Herausforderungen (Klimawandel, Massenfluchten etc.) können nur gemeinsam gelöst werden.

Federico Caputo: Bücher mit einem E-Book-Reader lesen, 2016

Ein weiteres Ereignis mit erheblichen Auswirkungen stellt der *Anschlag des 11. September 2001* auf das World Trade Center in New York dar. In seiner Folge steigt auf der ganzen Welt die Zahl terroristischer Angriffe in den Metropolen unserer Welt – und auch die Angst davor.

Die *Globalisierung* erhält durch die voranschreitende *Digitalisierung* einen enormen Schub, was aber auch dazu führt, dass sich einige Menschen überfordert fühlen, weil sie mit den rasanten Veränderungen kaum Schritt halten können.

Die individuellen Möglichkeiten von Konsum, Mobilität und Selbstverwirklichung steigen in einem nie gekannten Ausmaß. Zugleich öffnet sich die soziale Schere zunehmend und Teile der Bevölkerung betrachten diese Entwicklung mit Sorge. Deshalb erleben Menschen in Deutschland und Europa den Wandel vielfach auch als Verunsicherung, Bedrohung und Verlust von Gewissheiten. Nationalistische und populistische Tendenzen in Politik und Gesellschaft nehmen europaweit, ja global zu.

Themen, Motive, Texte Der *Buchmarkt* ist seit dem Zweiten Weltkrieg unaufhörlich gewachsen. Die Frankfurter Buchmesse verzeichnet jährlich ca. 90 000 Neuerscheinungen. Ein entsprechend großer Literaturmarkt unterwirft sich immer mehr den *Gesetzen der Ökonomie und des Marketings*. Auch die Literaturkritik und die Vergabe von literarischen Preisen sind zu Instrumenten des ökonomischen Erfolgs geworden.

Nach 1989 ist in Deutschland zunächst die Wiedervereinigung ein prägendes Thema der Literatur.

Ob als Folge postideologischer Orientierungslosigkeit, der Befreiung von ideologischen Zwängen oder der technischen Entwicklung durch die Digitalisierung: Es steigt die *Vielfalt literarischer Produktionen* hinsichtlich ihrer Themen und Formen. Die Gegenwartsliteratur beschäftigt sich auch, aber nicht zwangsläufig mit der Gegenwart. Gesellschaftskritische Werke, die der Zeitdiagnostik verpflichtet sind, stehen neben Werken, die, z. B. in Form von Fantasy-Literatur oder historischen Romanen, einer breiten burn-out-gefährdeten Leserschaft Erleichterung durch die Flucht aus einem von Stress belasteten Alltag verschaffen („Eskapismus") oder einfach nur unterhalten wollen.

Zur Gegenwartsliteratur müssen auch die neuen performativen literarischen Formen wie *Poetry Slam* und *Lesebühne* gezählt werden.

Mit den digitalen Möglichkeiten des Publizierens (E-Book, Book on demand, self publishing) geht auch eine *Demokratisierung der Literatur* einher; denn im Prinzip kann nun jeder als Literaturschaffender in Erscheinung treten.

Eine Bewertung und Klassifizierung der Literatur **unserer** Gegenwart wird erst die nachfolgende Literaturwissenschaft leisten können.

Lesetipps

Eva Demski (* 1944): *Afra* (1992)
Judith Hermann (* 1970): *Sommerhaus, später* (1998)
Karen Duve (* 1961): *Regenroman* (1998)
Uwe Timm (* 1940): *Rot* (2003)
Julia Franck (* 1970): Die *Mittagsfrau* (2007)
Birgit Vanderbeke (* 1956): *Die sonderbare Karriere der Frau Choi* (2007)
Uwe Tellkamp (* 1968): *Der Turm* (2008)
Herta Müller (* 1953): *Atemschaukel* (2009)
Hanns-Joseph Ortheil (* 1951): *Die Erfindung des Lebens* (2009)
Sabrina Janesch (* 1985): *Katzenberge* (2010)
Eugen Ruge (* 1954): *In Zeiten des abnehmenden Lichts* (2011)
Arno Geiger (* 1968): *Der alte König in seinem Exil* (2012)
Wolfgang Herrndorf (1965–2013): *Tschick* (2012)
Robert Seethaler (* 1966): *Der Trafikant* (2012)
Florian Illies (* 1971): *1913* (2012)
Daniel Kehlmann (* 1975): *Die Vermessung der Welt* (2005)
Jenny Erpenbeck (* 1967): *Gehen, ging, gegangen* (2015)
Dörte Hansen (* 1964): *Altes Land* (2015)
Juli Zeh (* 1974): *Unterleuten* (2016)
Benedict Wells (* 1984): *Vom Ende der Einsamkeit* (2016)
Matthias Brandt (* 1961): *Raumpatrouille* (2016)
Martin Suter (* 1948): *Elefant* (2017)
Sibylle Berg (* 1942): *Ein paar Leute suchen das Glück und lachen sich tot* (1997), *Das Unerfreuliche zuerst. Herrengeschichten* (2001)

Bildquellen:

|akg-images GmbH, Berlin: 11, 16, 49, 50, 53, 55, 56, 60, 69, 76, 82, 92, 95, 112, 112, 118, 142, 154, 154, 162, 163, 169, 174, 182, 183, 186, 189, 196, 197, 199, 202, 202, 203, 218, 221, 233, 241, 241, 243, 253, 276, 282, 335, 336, 337, 338, 339; Archiv K. Wagenbach 192; Cameraphoto 272; De Agostini Picture Library 184; Ehrt, Rainer 230; Fototeca Gilardi 76; Heritage-Images/National Museum of Wales 188; Imagno 181; Lecat, Laurent 185; Lessing, Erich 241, 244, 259, 292, 334; Lessing, Erich / © Estate of George Grosz, Princeton, N.J. /VG Bild-Kunst, Bonn 2019 216; Lessing, Erich / © Succession Picasso/VG Bild-Kunst, Bonn 2019 269; Martin, Joseph 67, 77; © VG Bild-Kunst, Bonn 2019 346. |alamy images, Abingdon/Oxfordshire: ART Collection 149; Art Collection 2 38; bilwissedition Ltd. & Co. KG 347; Caputo, Federico 351; classicpaintings 23; Fearn, Paul 66, 345; Granger Historical Picture Archive 91, 332; Hallinan, Dennis 333; Hempel, Shawn 348; Heritage Image Partnership Ltd 95, 183, 336, 339; Horree, Peter 52, 342; Horree, Peter/ © Estate of George Grosz, Princeton, N.J./ VG Bild-Kunst, Bonn 2019 345; imageBROKER 341; Ivy Close Images 257; Lanmas 89; Lebrecht Music & Arts 99, 100, 100, 100; Macke, August 344; PAINTING 257; Patrizi, Paolo 76; PRISMA ARCHIVO 62; Science History Images 66; The National Trust Photolibrary 247; Valkov, Valentin 293; Vidler, Steve / © VG Bild-Kunst, Bonn 2019 343. |Artothek, Spardorf: 51, 108. |avant-verlag, Berlin: © avant-verlag & Manuele Fior, 2016 237. |bpk-Bildagentur, Berlin: 18, 193, 222; Kupferstichkabinett/SMB 108. |Bridgeman Images, Berlin: 11, 19. |Centre Dürrenmatt Neuchâtel, Neuchâtel: SLA-FD-A-Bi-1-30, Friedrich Dürrenmatt, Die Physiker, 1962, Tusche (Feder) auf Papier, 25.2 x 35.7 cm, Sammlung Centre Dürrenmatt Neuchâtel, © CDN/Schweizerische Eidgenossenschaft 155. |ddp images GmbH, Hamburg: defd Deutscher Fernsehdienst 236; Koch, Jens-Ulrich 54. |Fotoarchiv Erich Kästner, München: RA Peter Beisler / Nachlass Luiselotte Enderle 263. |fotolia.com, New York: Alliance 141; bonciutoma 260; digi_dresden 107; gerald 224; mojolo 107; Möller, Michael 107; Röske, Thomas 248. |Freyberg, Falk, Hannover: PLAYMOBIL 140, 140, 140, 140, 140, 140. |Hahn, Peter, Berlin: 224. |Imago, Berlin: Wolf, K.-P. 107. |Interfoto, München: Friedrich 195; Jersicky 297; Mary Evans/Ronald Grant Archive 239; Sammlung Rauch 220; SuperStock/Fine Art Images 294. |iStockphoto.com, Calgary: 3dalia 79; diane39 271; photochecker 88. |Jüdisches Museum der Stadt Frankfurt am Main, Frankfurt/M.: © Ludwig Meidner-Archiv 185. |Kassing, Reinhild, Kassel: 303, 304, 304, 305, 306, 308, 308, 309. |mauritius images GmbH, Mittenwald: United Archives 161. |Museen Tempelhof-Schöneberg, Berlin: Archiv 220. |Picture-Alliance GmbH, Frankfurt/M.: 95, 122, 157, 168, 172, 224; akg-images 31, 32, 40, 173, 223; APA/picturedesk.com/Neubauer, Herbert 125, 127; APA/picturedesk.com/Techt, Hans Klaus 147, 147; APA/Techt, Hans Klaus 87; CPA Media/Pictures From History 66; dpa 299; dpa/Kolbe, Jörg 136; dpa/Lux, Patrick 87; dpa/Schiavella, Danilo 248; Fürst, Christian 136; Haas, Jan 270; imagestate/HIP 215; picturedesk.com/Martin, Vukovits 209; ZB/Berliner Verlag/Archiv 220; ZB/Esch-Kenkel, Claudia 131; ZB/Grubitzsch, Waltraud 34. |Pohlmann, Andreas, München: 150. |rbb media GmbH, Berlin: Deutsches Rundfunkarchiv Potsdam-Babelsberg / Herbert Kroiß 178. |Ribbe, Katrin, Hannover: 109, 145, 146. |Shutterstock.com, New York: cosma 300; Gemenacom 87; marchello74 81; Nejron Photo 76; Snusmumr 101. |Shutterstock.com (RM), New York: Moviestore/REX 227. |SPIEGEL-Verlag Rudolf Augstein GmbH & Co. KG, Hamburg: DER SPIEGEL 51/1959 72. |Springer Medizin, Neu-Isenburg: unter Verwendung einer Abbildung von iStockphoto/Jupiterimages 143. |Stadtgeschichtliches Museum Leipzig, Leipzig: 120. |stock.adobe.com, Dublin: Ferrando, Juan David 268; moonrun 3; Rob 285; Velychko, Mykola 286. |Süddeutsche Zeitung - Photo, München: Blanc Kunstverlag 114; Rue des Archives/RDA 229. |ullstein bild, Berlin: 67, 166, 177, 239, 260, 263, 264; dpa 288; Fotografisches Atelier Ullstein 298; Imagno 145, 206, 232; Will 87. |Universität Bielefeld, Bielefeld: 15. |VG BILD-KUNST, Bonn: 2019 / Foto: akg-images/Lessing, Erich 257; 2019 / © Pollock-Krasner Foundation 269. |© dtv Verlagsgesellschaft mbH & Co. KG, München: 228.

Aristoteles: Poetik (Auszug). Übersetzt und herausgegeben von Manfred Fuhrmann. Bibliografisch ergänzte Ausgabe. Stuttgart: Reclam 1994. *S. 89, 93–94*

Ausländer, Rose: Blinder Sommer. Aus: dies.: Gedichte. Fischer Taschenbuch Verlag 1987. *S. 289*

Ausländer, Rose: Nachtzauber. Aus: dies.: Und preise die kühlende Liebe der Luft. Gedichte. 1983–1987. Frankfurt am Main: S. Fischer Verlag 1988. *S. 288*

Bahr, Hermann: Die Überwindung des Naturalismus (Auszüge). Aus: ders.: Kritische Schriften in Einzelausgaben. Herausgegeben von Claus Pias. Weimar: VDG 2004, S. 128–133. *S. 181–182*

Bakker, Jan J.: Das historische Vorbild für die Figur des Woyzeck. Originalbeitrag. *S. 130*

Bakker, Jan J.: Inhalt des Dramas Woyzeck. Originalbeitrag. *S. 132–133*

Basedow, Johann Bernhard: Keuschheit und Ehrbarkeit. Aus: J.B. Basedows Elementarwerk mit den Kupfertafeln Chodowieckis u. a. Band 1. Hrsg. von Theodor Fritzsch. Hildesheim/New York: Georg Olms 1909, S. 491–492. *S. 98*

Beyer, Klaus / Andreas Pfennings: Einführung in pädagogisches Denken und Handeln (Auszug) Paderborn: Schöningh 1987. *S. 72*

Born, Nicolas: Selbstbildnis. Aus: ders.: Gedichte 1967–1978. Reinbek: © Rowohlt 1967. *S. 268*

Brecht, Bertolt: Auszug aus: Die Antigone des Sophokles. Materialien zur „Antigone“, zusammengestellt von Werner Hecht. Frankfurt/Main: Suhrkamp 1965. *S. 137*

Brecht, Bertolt: Der hilflose Knabe. Aus: ders.: Geschichten vom Herrn Keuner. Frankfurt/Main: Suhrkamp 1971, S. 22. *S. 139*

Brecht, Bertolt: Mutter Courage und ihre Kinder. Eine Chronik aus dem Dreißigjährigen Krieg (Auszug). Frankfurt am Main: Suhrkamp 1963, S. 67 ff. *S. 147*

Brecht, Bertolt: Prolog zur „Antigone“. Aus: Die Antigone des Sophokles. Materialien zur „Antigone“, zusammengestellt von Werner Hecht. Frankfurt/Main: Suhrkamp 1965, S. 64. *S. 136*

Brecht, Bertolt: Schlechte Zeit für Lyrik. In: Ausgewählte Gedichte. Frankfurt am Main: Suhrkamp 1973. *S. 264*

Brecht, Bertolt: Über das Frühjahr. Aus: ders.: Werke. Große kommentierte Berliner und Frankfurter Ausgabe. Herausgegeben von Werner Hecht, Jan Knopf, Werner Mittenzwei, Klaus-Detlef Müller. Band 14. Gedicht 4: Gedichte und Gedichtfragmente 1928–1939. Frankfurt am Main: Suhrkamp 1993, S. 7. *S. 297*

Brecht, Bertolt: Über das Zerpflücken von Gedichten. Aus: ders.: Gesammelte Werke in 20 Bänden. Band 19. Frankfurt am M.: Suhrkamp 1967, S. 392. *S. 243*

Brecht, Bertolt: Vergnügungstheater oder Lehrtheater – Das epische Theater. Aus: ders.: Schriften zum Theater. Über eine nicht-aristotelische Dramatik. Frankfurt/Main: Suhrkamp 1965, S. 61–63. *S. 138–139*

Brentano, Clemens: Geheime Liebe. Aus: ders.: Werke. Band 1. Hrsg. von Friedhelm Kemp. München: Carl Hanser 1963–1968. *S. 49*

Brentano, Clemens: Hörst du wie die Brunnen rauschen. Aus: ders.: Werke. Band 1. Hrsg. von Friedhelm Kemp. München: Carl Hanser 1963–1968. *S. 51*

Brentano, Clemens: So weit als die Welt. Aus: ders.: Werke Band 1. Hrsg. von W. Frühwald, B. Gajek und F. Kemp. München: Hanser 1968. *S. 253*

Brockes, Barthold Heinrich: Kirschblüte bei Nacht. Aus: Auszug der vornehmsten Gedichte aus dem Irdischen Vergnügen in Gott. Hamburg: Herold 1738 (Nachdruck 1965). *S. 284*

Büchner, Georg: Brief an die Familie (Febr. 1834). Aus: ders.: Sämtliche Werke. Band 2: Schriften, Briefe, Dokumente. Hrsg. von Henri Poschmann unter Mitarbeit von Rosemarie Poschmann. Frankfurt am Main: Deutscher Klassiker Verlag 2002, S. 378 f. *S. 117*

Büchner, Georg: Woyzeck. Erarbeitet von Peter Bekes und Heinz Reichling. Braunschweig: Schroedel 2007. *S. 121–127*

Bürger, Gottfried August: Der Bauer an seinen durchlauchtigen Tyrannen. Aus: Gedichte. Herausgegeben von A. Sauer. Berlin: Spemann o. J. *S. 247*

Chamisso, Adelbert von: Winter. Aus: Gedichte von Adelberg von Chamisso. Berlin: Weidmannsche Buchhandlung, 19. Auflage 1869, S. 86. *S. 294*

Conrady, Karl Otto: Ein Gedicht über Dichtung. Aus: 1000 deutsche Gedichte und ihre Interpretationen. Herausgegeben von Marcel Reich-Ranicki. Band 9. Frankfurt/Main: Insel Verlag 1994, S. 27–29. *S. 300–301*

d' Alembert, Jean le Rond: Der Geist des 18. Jahrhunderts. Zit. nach: Was ist Aufklärung. Thesen, Definitionen, Dokumente. Hrg. von Barbara Stollberg-Rilinger. Stuttgart: Reclam 2010, S. 18 f. *S. 13*

Deppert, Fritz: Steckbrief. Aus: Oder Büchner? Eine Anthologie. Herausgegeben von Jan-Christoph Hauschild. Darmstadt: Verlag der Georg Büchner Buchhandlung 1988, S. 49 f. *S. 119*

Diez, Georg: Die Cloud, der siebte Himmel. In: Der Spiegel vom 24.3.2014. *S. 79*

Döblin, Alfred: Berlin Alexanderplatz. Die Geschichte vom Franz Biberkopf (Auszug). Frankfurt am M.: Fischer Verlag 2013. *S. 202*

Döblin, Alfred: Mit der 41 in die Stadt. Aus: ders.: Berlin Alexanderplatz. Die Geschichte vom Franz Biberkopf. Frankfurt am M.: Fischer Verlag 2013, S. 13–17. *S. 162*

Dürrenmatt, Friedrich: Die Physiker. Eine Komödie in zwei Akten (Auszug). Zürich: © Diogenes Verlag AG 1986. *S. 156–157*

Dürrenmatt, Friedrich: Modell Scott. Aus: ders.: Die Wiedertäufer. Zürich: © Diogenes Verlag AG 1986. *S. 154–155*

Eichendorff, Joseph von: Das zerbrochene Ringlein. Aus: ders.: Werke und Schriften. Band 1: Gedichte, Epen, Dramen. Hrsg. von G. Baumann. Stuttgart: Klett Cotta 1953. *S. 254*

Eichendorff, Joseph von: Der irre Spielmann. Aus: Gedichte des Freiherrn Joseph von Eichendorff. Sämtliche Werke in 2 Bänden. Hrsg. von Hilda Schulhof und August Sauer. Regensburg: Habbel Verlag 1921. *S. 62*

Eichendorff, Joseph von: Sehnsucht. Aus: Gedichte des Freiherrn Joseph von Eichendorff. Sämtliche Werke in 2 Bänden. Hrsg. von Hilda Schulhof und August Sauer. Regensburg: Habbel Verlag 1921. *S. 50*

Engels, Friedrich: Brief an Margaret Harkness. Aus: Marxismus und Literatur. Hrsg. von F. Raddatz. Reinbek bei Hamburg: Rowohlt 1969, S. 157–159. *S. 168–169*

Enzensberger, Hans Magnus: Bildzeitung. Aus: ders.: Die Gedichte. Frankfurt/Main: Suhrkamp 1983, S. 76 f. *S. 267*

Esslin, Martin: Was ist ein Drama? Eine Einführung. München: Piper 1978, S. 18 (Auszug) Übersetzung: Renate Ensslin. *S. 90*

Feldpostbrief eines deutschen Infanteristen. Aus: Frontalltag im Ersten Weltkrieg. Wahn und Wirklichkeit. Hrsg. von Bernd Ulrich und Benjamin Ziemann. Frankfurt am Main: Fischer Verlag 1994, S. 92. *S. 199*

Fontane, Theodor: Effi Briest (Auszug). Erarbeitet von Hans-Georg Schede. *S. 224–227*

Fontane, Theodor: Irrungen, Wirrungen (Auszug). Erarbeitet von Peter Bekes und Ellen Schindler-Horst. Braunschweig: Schroedel 2005. *S. 163–164, 228–229*

Fontane, Theodor: Was verstehen wir unter Realismus? Aus: Unsere lyrische und epische Poesie seit 1848. In: Theodor Fontane: Sämtliche Werke. Hrsg von Edgar Groß und Kurt Schreinert. München: Nymphenburger Verlagsbuchhandlung 1963, S. 7 ff. *S. 167*

Freud, Sigmund: Das Unheimliche (Auszug). Aus: ders.: Gesammelte Werke. Chronologisch geordnet. Hrsg. von Anna Freud u. a. Band XII. Frankfurt am Main: Fischer Taschenbuch 1999, S. 227–278. *S. 82–83*

Freud, Sigmund: Traumdeutung (Auszug). Frankfurt am Main: Fischer Taschenbuch 1991. *S. 218–219*

Freyberg, Falk: Scripted Reality – oder Realität? Entscheiden Sie selbst ... Originalbeitrag. *S. 144*

Freytag, Gustav: Die Technik des Dramas (Auszug). Neubearbeitung. Bearbeitet von Manfred Plinke. Berlin: Autorenhaus Verlag 2012, S. 87–88. *S. 105, 115–116*

Freytag, Gustav: Soll und Haben (Auszug). Gütersloh: Bertelsmann 1978. *S. 161, 171*

Fried, Erich: Neue Naturdichtung. Aus: ders.: Gesammelte Werke. Band 2. Gedichte 2. Berlin: Wagenbach 1994. S. 277. *S. 299*

Frisch, Max: Du sollst dir kein Bildnis machen. Aus: Max Frisch: Die Tagebücher. Frankfurt/M.: Suhrkamp 1983, S. 29 (Auszug). *S. 102*

Gellert, Christian Fürchtegott: Der Tanzbär. Aus: Gesammelte Schriften. Herausgegeben von Bernd Witte. 6 Bände. Berlin/New York 1988. *S. 18*

Gellert, Christian Fürchtegott: Freundschaft. Aus: ders.: Gesammelte Schriften. Hrg. von Bernd Witte.. Berlin/New York 1988. *S. 15*

Goethe, Johann Wolfgang von: An den Mond. Aus: ders.: Werke. Band 2: Gedichte und Epen. Hrsg von Erich Trunz (Hamburger Ausgabe). München: Beck, 11. Aufl 1978. *S. 285*

Goethe, Johann Wolfgang von: Das Göttliche. Aus: Gedenkausgabe der Werke. Briefe und Gespräche. Herausgegeben von E. Beutler. Zürich: Artemis 1950. *S. 249*

Goethe, Johann Wolfgang von: Iphigenie auf Tauris (Auszug). Herausgegeben von Peter Bekes und Volker Frederking. Braunschweig: Schroedel 2010, S. 50 ff. *S. 150–151*

Goethe, Johann Wolfgang von: Natur und Kunst. Aus: Goethe Werk. Band 1. Gedichte. Versepen. Gedichte ausgewählt von Walter Höllerer. Frankfurt/Main: Insel Verlag 1965, S. 152 f. *S. 56*

Goethe, Johann Wolfgang: Prometheus. Aus: ders.: Werke. Hamburger Ausgabe. Hrg. von Erich Trunz. Band I. München: C.H. Beck 1981. 16., durchgesehene Auflage 1996. *S. 20*

Goethe, Johann Wolfgang: Prometheus. Ein dramatisches Fragment. Aus: Dramatische Dichtungen II (HA Bd. 4). 16. Aufl, München 1996. S. *23–25*

Goethe, Johann Wolfgang: Rede zum Schäkespears Tag. Aus: Goethes Werke. Hrsg. im Auftrag der Großherzogin Sophie von Sachsen. 143 Bände. Weimar: Böhlau 1896. Band 37. *S. 27–28*

Gomringer, Eugen: schweigen. Zit. nach: Sörensen, Bengt Algot (Hrg.): Geschichte der deutschen Literatur 2. Vom 19. Jahrhundert bis zur Gegenwart. München: Verlag C.H. Beck 1997, S. 291. *S. 321*

Grass, Günter: Kinderlied. Aus: ders.: Werkausgabe. Bd. I: Gedichte und Kurzprosa. Herausgegeben von Volker Neuhaus und Daniel Hermes. Göttingen: Steidl Verlag 1997, S. 59. *S. 267*

Greiffenberg, Catharina Regina von: Auf die fruchtbringende Herbstzeit. In: Geistliche Sonette. Lieder und Gedichte. Nürnberg: Endters 1662. *S. 292*

Grimm, Jakob und Wilhelm: Die Sterntaler. Aus: Kinder- und Hausmärchen. Band 1. Stuttgart: Reclam 1984. *S. 37*

Grimm, Reinhold: Zum Verständnis moderner Lyrik. Aus: Nichts – aber darüber Glasur. In: Burger, Heinz-Otto/Grimm, Reinhold: Evokation und Montage – Zum Verständnis moderne Lyrik. Göttingen: Sachse und Pohl 1967, S. 38 f. *S. 269*

Gryphius, Andreas: Menschliches Elende. Aus: ders.: Freuden- und Trauerspiele. Auch Oden und Sonette. Breslau: Trescher 1663. *S. 244*

Günderrode, Karoline von: Die eine Klage. Aus: dies.: Dichtungen. Hrsg. von L.v. Pigenot. München: Bruckmann 1922. *S. 276*

Hahn, Ulla: Anständiges Sonett. Aus: dies.: Herz über Kopf. Stuttgart: Deutsche Verlags-Anstalt 1981. *S. 270*

Hauptmann, Gerhart: Bahnwärter Thiel (Auszug). Erarbeitet von Christel Erika Meier. Braunschweig: Schroedel 2007. *S. 177–178*

Hauptmann, Gerhart: Die Ratten (Auszug). Berliner Tragikomödie. Berlin: Ullstein 2004, S. 93 ff. *S. 145*

Hauptmann, Gerhart: Komm wir wollen sterben gehen. Zit. nach: Piper, Ernst: Nacht über Europa. Kulturgeschichte des Ersten Weltkriegs. Berlin: List 2014. *S. 197*

Hauschild, Jan Christoph: Der historische Fall Woyzeck. Aus: ders.: Georg Büchner: Biografie. Stuttgart und Weimar: Metzler 1993, S. 550 f. *S. 120–121*

Hauser, Arnold: Sozialgeschichte der Kunst und Literatur. München: C.H. Beck 1973, S. 620 ff. (Auszug). *S. 107–108*

Hebbel, Friedrich: Sommerbild. Aus: ders.: Werke. Band 3. Hrsg. von G. Fricke, W. Keller und K. Pörnbacher. München: Hanser Verlag 1965. *S. 291*

Heine, Heinrich: Die Heimkehr XXXIX. Aus: ders.: Sämtliche Werke in vier Bänden. Band 1: Gedichte. München: Winkler-Verlag 1969, S. 113. *S. 255*

Heine, Heinrich: Winter. Aus: Heinrich Heines Sämtliche Werke. Neunter Band. Der Salon. Vierter Teil. Amsterdam: M.H. Bingher & Söhne 1856, S. 163. *S. 295*

Henkel, Arthur: Was ist eigentlich romantisch? Aus: Festschrift für Richard Alewyn. Herausgegeben von Herbert Singer und Benno von Wiese. Köln, Graz: Böhlau 1967 (Auszug). *S. 59–61*

Herder, Johann Gottfried: Briefe zur Beförderung der Humanität. Erste Sammlung (Auszug). Band 1. Hrsg. von Heinz Stolpe. Berlin und Weimar: Aufbau Verlag, 2. Aufl. 2013, S. 4–5. *S. 250*

Herwegh, Georg: Das Lied vom Hasse. Aus: ders.: Werke und Briefe. Kritische und kommentierte Gesamtausgabe. Band 1: Gedichte 1835–1848. Hrsg. von Ingrid Pepperle. Bielefeld: Aisthesis Verlag 2006, S. 34 f. *S. 255*

Hesse, Hermann: Im Nebel. Aus: ders.: Sämtliche Werke. Bd. 10: Die Gedichte. Herausgegeben von Volker Michels. Frankfurt/Main: Suhrkamp 2002, S. 136. *S. 260*

Hoffmann, E.T.A.: Der goldne Topf (Auszüge). Aus: E.T.A. Hoffmanns sämtliche Werke. Serapions-Ausgabe in 14 Bänden. Hrsg. von Leopold Hirschberg. Berlin: W. de Gruyter 1922. *S. 39–43*

Hoffmann, E.T.A.: Der Sandmann (Auszüge). Erarbeitet von Dieter Schrey. Braunschweig: Westermann. *S. 67–71, 73–74, 77–78*

Hofmannsthal, Hugo von: Ein Brief (Auszug). Aus: Erzählungen. Erfundene Gespräche und Briefe. Reisen. Frankfurt am Main: Fischer 1979, S. 461–472. *S. 186–187*

Hölderlin, Friedrich: Hälfte des Lebens. Aus: ders.: Sämtliche Gedichte. Hrsg. von D. Lüders. Bad Homburg: Athenäum 1970. *S. 252*

Holz, Arno: Phantasus 1. Aus: ders.: Werke. Hrsg. von Wilhelm Emrich und Anita Holz. Band 5. Neuwied und Berlin: Luchterhand 1962, S. 79–80. *S. 258*

Jentsch, Ernst: Zur Psychologie des Unheimlichen. Aus: Psychiatrisch-neurologische Wochenschrift 8, Nr. 22, 1906, Nr. 23 v. 1.9.1906, S. 203–204. *S. 81*

Joseph von Eichendorff: Mondnacht. Aus: Werke und Schriften. Band 1: Gedichte. Epen. Dramen. Herausgegeben von G. Baumann. Stuttgart: Cotta 1953. *S. 283*

Kafka, Franz: Brief an den Vater. Aus: ders. Die Verwandlung. Erarbeitet von Hans-Georg Schede. Braunschweig: Schroedel 2015. *S. 193–194*

Kafka, Franz: Der Aufbruch. Aus: Sämtliche Erzählungen. Herausgegeben von Paul Raabe. Frankfurt/Main: Fischer Taschenbuchverlag 1970. *S. 195*

Kafka, Franz: Heimkehr. Aus: ders.: Sämtliche Erzählungen. Hrsg. von Paul Raabe. Frankfurt am Main: Fischer Taschenbuchverlag 1970. *S. 192*

Kaléko, Mascha: Nennen wir es Frühlingslied. Aus: dies.: In meinen Träumen läutet es Sturm. Gedichte und Epigramme aus dem Nachlass. Herausgegeben von Gisela Zoch-Westphal. München: Deutscher 69Taschenbuchverlag 1977, S. 65 © dtv Verlagsgesellschaft München. *S. 298*

Kant, Immanuel (Zitate): Aus: ders.: Beantwortung der Frage: Was ist Aufklärung. In: Berlinische Monatszeitschrift, Dezember 1784. Zit. nach: Was ist Aufklärung. Thesen, Definitionen, Dokumente. Hrg. von Barbara Stollberg-Rilinger. Stuttgart: Reclam 2010, S. 9 ff. *S. 11, 16, 29*

Kästner, Erich: Die Entwicklung der Menschheit. Aus: ders.: Gesang zwischen den Stühlen. Atrium Verlag 2017. *S. 12*

Kästner, Erich: Die Jugend hat das Wort. Aus: ders.: Werke. Herausgegeben von Franz Josef Görtz. Band II: Wir sind so frei. Chanson, Kabarett, Kleine Prosa. Herausgegeben von Hermann Kurzke. München: Carl Hanser Verlag 1998, S. 78. *S. 262*

Kästner, Erich: Ein alter Herr geht vorüber. Aus: ders.: Werke. Herausgegeben von Franz Josef Görtz. Band II: Wir sind so frei. Chanson, Kabarett, Kleine Prosa. Herausgegeben von Hermann Kurzke. München: Carl Hanser Verlag 1998, S. 364. *S. 263*

Kästner, Erich: Zitat aus: Gesammelte Schriften für Erwachsene. Band 1: Gedichte. Herausgegeben von Hermann Kesten. Zürich: Atrium Verlag 1969, S. 223. *S. 261*

Keese, Christoph / Rüdiger Safranski: Ein Gespräch über die Lebenskunst einer Wundergeneration. Aus: WELT ONLINE (Auszug) URL: https://www.welt.de/kultur/article1187529/Romantik-verzaubert-die-Wirklichkeit.html (erschienen: 16.9. 2007, Abruf: 26.4.2018). *S. 64–65*

Keller, Gottfried: Sommernacht. Aus: Stationen der deutschen Lyrik. Von Luther bis in die Gegenwart. Hrsg. von Walter Hinck. Göttingen: Vandenhoeck & Ruprecht 2001, S. 104. *S. 286*

Keun, Irmgard: Das kunstseidene Mädchen (1932), S. 107. München: Klett Verlag 2008. S. 4 f. *S. 239*

Kindlers Neues Literaturlexikon. Herausgegeben von Walter Jens. München: Kindler Verlag 1996. *S. 189–190*

Köppen, Edlef: Heeresbericht. Hamburg: Nikol Verlag 2012, S. 393 ff. *S. 200–201*

Kornfeld, Paul: Zitat aus: Palme oder Der Gekränkte. Eine Kompdie in fünf Akten. Berlin: Ernst Rowohlt Verlag 19024, S. 7. *S. 261*

Krechel, Ursula: In diesem Herbst. Aus: dies.: Vom Feuer lernen. Darmstadt: Luchterhand 1985, S. 13. *S. 293*

Kunert, Günter: Mondnacht. Aus: Stilleben. München, Wien: Carl Hanser Verlag 1983, S. 25. *S. 283*

Laages, Michael: Woyzeck quält der Wahnsinn aus dem Schützengraben. Aus: WELT ONLINE. URL: https://www.welt.de/kultur/theater/article132020163/Woyzeck-quaelt-der-Wahnsinn-aus-dem-Schuetzengraben.html (erschienen: 8.9.2014, Abruf: 26.4.2018) (Auszug). *S. 129*

Laermann, Klaus: Die Stimme bleibt. Aus: ‚Nach Auschwitz ein Gedicht zu schreiben, ist barbarisch'. In: Kunst und Literatur nach Auschwitz. Herausgegeben von Manuel Köppen u. a. Berlin: Erich Schmidt Verlag 1993, S. 11–15. *S. 290*

Lessing, Gotthold Ephraim (Auszüge): Emilia Galotti. Schroedel Lektüren. Braunschweig 2015. *S. 96, 99–100*

Lessing, Gotthold Ephraim: Brief an Nicolai. Auszug aus dem Briefwechsel über das Trauerspiel. Aus: Werke. 8 Bände. In Zusammenarbeit mit Karl Eibl, Helmut Göbel, Karl S. Guthke, Albert von Schirnding und Jörg Schönert. Band 1: Gedichte, Fabeln, Lustspiel. München: Carl Hanser Verl 1970. *S. 114*

Lessing, Gotthold Ephraim: Der Tanzbär. Aus: Werke. 8 Bände. In Zusammenarbeit mit Karl Eibl, Helmut Göbel, Karl S. Guthke, Albert von Schirnding und Jörg Schönert. Herausgegeben von Herbert G. Göpfert. Band I: Gedichte. Fabeln. Lustspiele. München: Carl Hanser Verlag 1970. *S. 19*

Lessing, Gotthold Ephraim: Hamburgische Dramaturgie. Aus: ders.: Werke in 8 Bänden. Hrsg. von Herbert G. Göpfert, in Zusammenarbeit mit Karl Eibl, Helmut Göbel, Karl S. Guthke, Albert von Schirnding und Jörg Schönert. Band 1: Gedichte, Fabeln, Lustspiel. München: Carl Hanser Verl 1970. *S. 112–113*

Lichtenberg, Georg Christoph: Aphorismen. Aus: Werke. Herausgegeben von Peter Plett. Hamburg: Hoffmann und Campe 1967. *S. 31*

Lichtenberg, Georg Christoph: Errungenschaften des 18. Jahrhunderts. Aus: ders.: Aphoristisches zwischen Physik und Dichtung. Hrsg. von Jürgen Teichmann. Braunschweig, Wiesbaden: Vieweg 1983, S. 171. *S. 13–14*

Liesenhoff, Carin: Epische Rollendistanz als literarische Angriffswaffe. Aus: Fontane und das literarische Leben seiner Zeit. Bonn: Bouvier Verlag 1976. S. 103 f. *S. 231*

Liliencron, Detlef von: Märztag. Aus: Ausgewählte Gedichte von Detlev von Liliencron. Berlin: Schuster und Loeffler 1921. *S. 296*

Lüders, Marie-Elisabeth: Über die Jugendzeit in den 1890er-Jahren. Aus: Fürchte dich nicht. Persönliches und Politisches aus mehr als 80 Jahren 1858–1860. Köln/Opladen: Westdeutscher Verlag 1963, S. 30 ff. *S. 222*

Ludwig, Otto: Der poetische Realismus. Aus: Der poetische Realismus aus den Jahren 1858–1860. Hrsg. von M. Heydrich. Halle 1911, S. 196 f. *S. 168*

Lukács, Georg: Der alte Fontane. Aus: ders.: Werke. Bd. 7. Neuwied und Berlin: Luchterhand 1964, S. 452 ff. *S. 230*

Lumalo.de: Die Sprache des Stückes [Woyzeck]. URL: https://www.lumalo.de/deutsch/woyzeck/woyzeck-interpretation/ (Auszug) Abruf: 26.4.2018. *S. 130*

Mann, Thomas: Buddenbrooks. Verfall einer Familie (Auszüge). Frankfurt am Main: Fischer Taschenbuchverlag 2013, S. 772–775. *S. 190–191*

Merkel, Johannes: Märchen und deren gesellschaftliche Bedeutung. Aus: ders.: Der ursprüngliche Realismus der den ‚märchen' zugrunde liegenden Volksliteratur. Die Umfunktionierung der Volksliteratur zum ‚Märchen'. In: Arbeitstextew für den Unterricht. Märchenanalysen. Herausgegeben von Siegfried Schödel. Stuttgart: Reclam 1995, S. 55 f. *S. 38*

Meyers Großes Konversations-Lexikon (1909): Das Theater. Zit. nach: URL: http://www.zeno.org/Meyers-1905/A/Theater. *S. 91–92*

Migner, Karl: Tendenzen der Romangestaltung im 20. Jahrhundert. Aus: ders.: Theorie des modernen Romans. Stuttgart: Kröner 1970 (Auszüge, gek.). *S. 204–205*

Mörike, Eduard: Er ist's. Aus: ders.: Gedichte. Auswahl und Nachweis von Bernhard Zeller. Stuttgart: Reclam 1977, S. 15. *S. 296*

Müller, Wilhelm: Der Lindenbaum. Aus: ders.: Werke, Tagebücher, Briefe. Hrsg. von Maria-Verena Leistner. Mit einer Einleitung von Bernd Leistner. Berlin: Mathias Gaza 1994, S. 173. *S. 50*

Neymeyr, Barbara: Identitätssuche im Spannungsfeld von Konvention und Rebellion (2007). Aus: Arthur Schnitzler. Dramen und Erzählungen. Interpretationen. Hrsg. von Hee-Ju Kim und Günther Saße. Stuttgart: Reclam 2007. *S. 237*

Nietzsche, Friedrich: Die fröhliche Wissenschaft (Auszug). München: Goldmann 1959, S. 166 f. *S. 216–217*

Nietzsche, Friedrich: Hinfall der kosmologischen Werte. Zit. nach: Lyrik des Expressionismus. Hrsg. von Silvio Vietta. Tübingen: Niemeyer 1999, S. 16 f. *S. 215–216*

Nietzsche, Friedrich: Vereinsamt. Aus: ders.: Gesammelte Werke. Band 20: Dichtungen 1859–1888. München: Musarion Verlag 1927, S. 150. *S. 258*

Noss, Peter: Der Naturalismus – Grenzgänger zwischen Realismus und Moderne Originalbeitrag. *S. 179–180*

Novalis: Fragmente. Aus: Werke. Briefe und Tagebücher Friedrich von Hardenbergs. Drei Bände. Herausgegeben von Hans-Joachim Mähl und Richard Samuel. Band 1. Herausgegeben von Richard Samuel. München/Wien: Carl Hanser 1978. *S. 35*

Novalis: Wenn nicht mehr Zahlen und Figuren. Aus: Werke. Briefe und Tagebücher Friedrich von Hardenbergs. Drei Bände. Hrsg. von Hans-Joachim Mähl und Richard Samuel. Band I. Herausgegeben von Richard Samuel. München/Wien: Carl Hanser 1978. *S. 34*

Olivier, Christiane: Die Söhne des Orest – Ein Plädoyer für die Väter (Auszug). München: Deutscher Taschenbuchverlag 1997, S. 71 ff. *S. 152–153*

Opitz, Martin: Ach Liebste lass uns eilen. Nach: Bibliothek deutscher Dichter des siebzehnten Jahrhunderts. Hrsg. von Wilhelm Müller. Leipzig: F.M. Brockhaus 1822, S. 6. *S. 245*

Pinthus, Kurt: Die Überfülle des Erlebens (Auszug). Aus: Berliner Illustrierte vom 28.2.1925. Tübingen: © Max Niemeyer 1976. *S. 184*

Pinthus, Kurt: Zitat aus: Männliche Literatur. In: Das Tage-Buch 10, 1929, Nr. 1, S. 903. *S. 261*

Politycki, Matthias: Das Unglück. Aus: ders.: Die Sekunden danach. 88 Gedichte. Hamburg: Hoffmann und Campe 2009, S. 7. *S. 271*

Reinhardt-Becker, Elke: Epoche. In: Einladung zur Literaturwissenschaft. Ein Internetvertiefungsprogramm zum Selbststudium. URL: http://www.einladung-zur-literaturwissenschaft.de/index.php?option=com_content&view=article&id=476%3A10-1-epoche&catid=47%3Akapitel-10&Itemid=55 (6.3.2019). *S. 63*

Remarque, Erich Maria: Im Westen nichts Neues. Herausgegeben von Thomas Schneider und Tilman Westphalen. Köln: Kiepenheuer & Witsch 2014, S. 125 f. (Auszug). *S. 199–200*

Remarque, Erich Maria: Von den Freuden und Mühen der Jugendfeuerwehr. Aus: ders.: Das unbekannte Werk. Herausgegeben von Thomas F. Schneider und Tilman Westphalen. Band 4. Köln: Kiepenheuer & Witsch 1998, S. 17–21 (Auszug, gek.). *S. 197–198*

Rilke, Rainer Maria: Jardin du Luxembourg. Aus: ders.: Neue Gedichte. Frankfurt am Main: Insel Verlag 1990. *S. 182*

Rilke, Rainer Maria: Ich fürchte mich so vor der Menschen Wort. Aus: ders.: Werke. Band I: Gedichte 1895–1910. Hrsg. von Manfred Engel. Frankfurt am Main: Insel Verlag 1996, S. 106. *S. 188*

Sachs, Nelly: Chor der Geretteten. Aus: dies.: Werke. Kommentierte Ausgabe in vier Bänden. Herausgegeben von Aris Fioretos. Band I: Gedichte 1940–1950. Herausgegeben von Mathias Weichelt. Berlin: Suhrkamp 2010, S. 33. *S. 265*

Salten, Felix: Neue Presse Wien vom 23. November 1924, S. 106. Aus: Arthur Schnitzler: Fräulein Else. Buchners Schulbibliothek der Moderne. Regensburg 2008, S. 77. *S. 238*

Schiller, Friedrich: Ankündigung aus „Die Horen". Aus: ders.: Sämtliche Werke. Hrsg. von G. Fricke und H.G. Göpfert. München: Hanser Verlag, 3. Auflage 1962. *S. 57*

Schiller, Friedrich: Die Worte des Glaubens. Aus: ders.: Sämtliche Werke. Hrsg. von G. Fricke und H.G. Göpfert. München: Hanser Verlag, 3. Auflage 1962. *S. 251*

Schiller, Friedrich: Über Bürgers Gedichte. Aus: ders.: Sämtliche Werke. Band 5. Hrsg. von Gerhard Fricke/Herbert G. Göpfert. München: Carl Hanser Verlag 1962, S. 979. *S. 53*

Schlegel, Friedrich (Zitat): Aus: ders. Gespräch über die Poesie. In: Ernst Behler (Hrg.): Kritische Friedrich-Schlegel-Ausgabe. Band II.

Abteilung: Charakteristiken und Kritiken I (1796–1801), hrg. von Hans Eichner. München/Paderborn/Wien: Schöningh 1967, S. 284–351. *S. 11*

Schlegel, Friedrich: 116. Athenäums-Fragment. In: Werke. Briefe und Tagebücher Friedrich von Hardenbergs. Hrsg. von Hans-Joachim Mähl und Richard Samuel. Band I. Herausgegeben von Richard Samuel. München/Wien: Carl Hanser 1978. *S. 44*

Schnitzler, Arthur: Fräulein Else (Auszug). Erarbeitet von Hans-Georg Schede. Braunschweig: Schroedel 2015. *S. 206–209, 236*

Schnitzler, Arthur: Leutnant Gustl (Auszug). Erarbeitet von Marina Dahmen. Braunschweig: Schroedel 2009. *S. 206–207*

Schopenhauer, Arthur: Über die Weiber. Aus: ders.: Der Weise mit dem Pudel. Maximen und Reflexionen. Berlin: Eulenspiegel-Verlag 1989. *S. 223*

Spolders, Sascha: Lebenskrisen und Identitätsprobleme. Originalbeitrag. *S. 274*

Spolders, Sascha: Menschenbilder im Wandel. Originalbeitrag. *S. 272–273*

Stadler, Ernst: In diesen Nächten. Aus: ders.: Der Aufbruch. Gedichte. Weissen Bücher 1914, S. 46. *S. 281*

Steiner, Anne: Editionsgeschichte von Woyzeck. Materialien zur Inszenierung am Volkstheater München. URL: https://www.muenchner-volkstheater.de/sites/default/files/schulmaterial/Woyzeck%20Materialien.pdf (Auszug) (o. Ersch.datum, Abruf: 26.4.2018). *S. 133*

Steiner, Anne: Goerg Büchner: Leben und Werk. Aus: Georg Büchner: Kurze Hinweise zu Leben und Werk. Materialien zur Inszenierung am Volkstheater München. URL: https://www.muenchner-volkstheater.de/sites/default/files/schulmaterial/Woyzeck%20Materialien.pdf (Auszug, gek.) (o. Ersch.datum, Abruf: 26.4.2018). *S. 131–132*

Steinmetz, Horst: Lessings Dramen: Emilia Galotti (Auszug). Interpretationen. Stuttgart: Reclam 1987, S. 109, 119–120. *S. 111, 114*

Storm, Theodor: Der Schimmelreiter. Erarbeitet von Jelko Peters. Braunschweig: Schroedel 2008. *S. 172*

Stramm, August: Blüte. Aus: August Stramm: Das Werk. Hrsg. von René Radrizzani. Wiesbaden: Limes Verlag 1963, S. 29. *S. 259*

Tieck, Ludwig: Andacht. Aus: ders.: Gedichte. Teil 1. Heidelberg: Lambert Schneider 1967, S. 91–92. *S. 52*

Tieck, Ludwig: Ungewisse Hoffnung. In: Romantik. Lyrik. Hrsg. von Dietrich Steinbach. Stuttgart: Ernst Klett Verlag 2002. *S. 33*

Trakl, Georg: Im Winter. Aus: ders.: Gedichte. Leipzig: Kurt Wolff Verlag 1913, S. 31. *S. 295*

Tucholsky, Kurt: Das Lächeln der Mona Lisa. Aus: ders.: Gedichte in einem Band. Hrsg. von Ute Maack und Andrea Spingler. Frankfurt am Main und Leipzig: Insel Verlag 2006, S. 777. *S. 243*

Uhland, Ludwig: Freie Kunst. Aus: Deutscher Dichterwald. Von Justinus Kerner, Friedrich Baron de la Motte Fouqué, Ludwig Uhland und Andern. Tübingen: Heerbrandt 1813, S. 3–4. *S. 51*

Uhland, Ludwig: Frühlingsglaube. Aus: ders.: Werke. Hrsg. von H. Fröschle und W. Scheffler. Band 2: Sämtliche Gedicht. München: Winkler 1980. *S. 296*

Vahsen, Mechthilde: Die Situation von (bürgerlichen) Frauen in Deutschland um 1800. https://www.bpb.de/gesellschaft/gender/frauenbewegung/35252/wie-alles-begann-frauen-um-1800?p=all. *S. 108*

Wedekind, Frank: Frühlings Erwachen. Eine Kindertragödie. Herausgegeben von Thorsten Krause. Edition Text und Kontext Nr. 19043. Stuttgart: Reclam 2013, S. 7 f. *S. 142*

Wohmann, Gabriele: Ein netter Kerl. Aus: dies.: Habgier. Erzählungen. Reinbek bei Hamburg: Rowohlt 1979, S. 68 ff. *S. 158–159*

Zahrnt, Heinz: Gotteswende – Ende der Aufklärung? Aus: ders.: Gotteswende. München, Zürich: Piper Verlag, 3. Auf. 1992. *S. 29–30*